D0275482

Artemis & Winkler

Bill Moyers

Die Kunst des Heilens

Vom Einfluß der Psyche auf die Gesundheit

Aus dem Amerikanischen
von Renate Sandner und
Rainer von Savigny

Artemis & Winkler

Titel der amerikanischen Originalausgabe: *Healing and the Mind*.

Buchausgabe: Doubleday / Bantam Doubleday Dell Publishing Group, Inc., New York.

Die Deutsche Bibliothek – CIP-Einheitsaufnahme:

Moyers, Bill:
Die Kunst des Heilens : vom Einfluß der Psyche auf die Gesundheit / Bill Moyers.
Aus dem Amerikan. von Renate Sandner und Rainer von Savigny. – München ; Zürich ; London : Artemis und Winkler, 1994
Einheitssacht.: Healing and the mind ⟨dt.⟩
ISBN 3-7608-1950-8

Artemis & Winkler Verlag München, Zürich, London

Satz: Filmsatz Schröter GmbH, München
Druck und Bindung: Clausen & Bosse, Leck
Printed in Germany

Inhalt

Einleitung

»Erziehung ist immer eine Art Reise ins Innere.«

Vaclav Havel

Von klein auf hat mich die Beziehung zwischen Körper und Seele interessiert, und gleichzeitig bin ich in einer Kultur aufgewachsen, die zwischen diesen beiden Bereichen eine deutliche Trennung kennt. Im naturwissenschaftlichen Unterricht beschäftigten wir uns mit der materiellen Welt; wir erwarteten, sie eines Tages bis zum letzten Molekül verstehen und voraussagen zu können. In der Philosophie studierten wir Modelle der Wirklichkeit, die auf rationalen Überlegungen beruhten und Bedingungen wie männlich und weiblich, krank und gesund, reich und arm ignorierten. Und in der Kirche erfuhren wir, daß wir unseren Körper eines Tages wie ein Stück Kleidung ablegen und als körperlose Seelen weiterleben würden. In dieser zwischen Körper und Seele gespaltenen Welt verriet unsere Sprache jedoch täglich neu, wie beschränkt diese Klassifizierungen waren: »Die Witwe Meier muß an gebrochenem Herzen gestorben sein – sie war immer gesund, bis sie ihren Mann verlor!« Mein Onkel war überzeugt, daß Lachen Leiden lindere, lange bevor Norman Cousins in seinem Buch beschrieb, wie er mit einer schweren Krankheit fertigwurde, indem er Filme der Marx Brothers oder »Die Versteckte Kamera« anschaute.

Viele Jahre, nachdem ich Texas verlassen hatte, war es zufällig eben dieser Norman Cousins, der mir dabei half, diese Dinge in ihrem Zusammenhang zu sehen. Wir wurden in den sechziger Jahren Freunde. Damals war ich Mitarbeiter im Weißen Haus, und er kam als bekannter Herausgeber und Autor nach Washington, um sich mit Leidenschaft und spitzbübischem Charme für eines jener humanitären Ziele einzusetzen, für die er sich so begeistern konnte. Als ich nach New York gezogen war, trafen wir uns gelegentlich, um unsere Diskussionen über den Lauf der Welt fortzusetzen. Dann erkrankte er schwer an einem seltenen Leiden; seine außergewöhnlichen Erfahrungen als Patient wurden zum Thema seines Bestsellers *Anatomy of an Illness*. Wenn ich für Kranke, die mir nahestanden, Beistand suchte, dann war Norman immer mit guten Ratschlägen zur Stelle. Statt über Politik und Weltgeschehen sprachen wir jetzt vom Heilen der Krankheit, von dem, was er über Gefühle und Gesundheit, Lachen und Medizin, Körper und Seele gelernt hatte und immer noch lernte. Er betrachtete diese Dinge mit dem kritischen Blick des forschenden Wissenschaftlers und der unerschrockenen Begeisterung eines Kindes. Er war ein Bekehrter, und er hatte eine Vision.

1980 erlitt Norman einen schweren Herzinfarkt. Wieder beschrieb er den Leidensweg seiner Genesung in einem Buch: *The Healing Heart: Antidotes to Panic and Helplessness*. Die University of California in Los Angeles bot ihm eine Stelle als außerordentlicher Professor der Psychiatrie und Verhaltensforschung an, und bis zu seinem Tode im Jahr 1990 wirkte er als einflußreicher »Katalysator« auf dem rasch expandierenden Forschungsgebiet der Ganzheitsmedizin. Mitte der achtziger Jahre suchte ich ihn auf, um mit ihm ein Interview fürs Fernsehen zu führen. An diesem Tag unterhielten wir uns bis in die Nacht hinein über die innovative Forschung an seiner und an anderen Universitäten. »Du mußt das Thema unbedingt in einer Fernsehreihe behandeln«, riet er mir. »Das Fernsehen ist die Sprache unserer Zeit, und diese Revolution kann den Menschen wirklich helfen, die Kraft der Seele im Genesungsprozeß zu begreifen.« Ich hielt die Idee für problematisch, vor allem wegen der zahlreichen Scharlatane, die den Wissensdurst und die Sehnsucht der Menschen bloß ausnutzten. In den siebziger Jahren, als Krebskranke glaubten, durch das Zusammenwirken von Körper und Seele Wunder wirken zu können, hatte man große Hoffnungen geweckt, die dann grausam enttäuscht wurden. An ein solches Thema könne man nur mit großer Zurückhaltung herangehen, und das Fernsehen sei kein zurückhaltendes Medium, gab ich zu bedenken. »Aber eines Tages muß es sein«, erwiderte er.

Normans Tod gab mir den Anstoß, seinem Drängen nachzugeben, ebensosehr wie der gleichzeitige Verlust meines Vaters, dem dieses Buch gewidmet ist. Als mein Bruder 1966 starb, begann für meinen Vater ein Prozeß des Trauerns, der fast zwanzig Jahre lang anhielt. In dieser Zeit litt er unter chronischen, kraftraubenden Kopfschmerzen. Ich suchte mit ihm zusammen einige der großen medizinischen Einrichtungen des Landes auf, ohne daß ihn jemand von seinen Schmerzen heilen konnte. Während dieser fortgesetzten Suche nach Abhilfe versuchte ein Arzt einmal, ihm klarzumachen, daß zwischen den Kopfschmerzen und seiner Trauer ein Zusammenhang bestand. Doch mein Vater beharrte darauf, seine Schmerzen als rein medizinisches Problem zu behandeln; sie quälten ihn weiterhin.

Für mein Interesse an der ganzheitlichen Medizin gibt es also neben persönlichen auch journalistische Gründe. In den vergangenen drei Jahren wuchs nicht nur der Umfang meiner Sammlung von Zeitungsausschnitten und Forschungsberichten, auch die Popularität alternativer medizinischer Methoden nahm zu. Von Ärzten erfuhr ich, daß ihre Patienten immer häufiger nach Behandlungsmöglichkeiten fragten, die ohne Tests, Medikamente und operative Eingriffe auskommen. In den Buchhandlungen füllten sich die Regale mit Büchern zu diesem Thema. Am Medizinischen Institut der Nationalen Akademie der Wissenschaften fanden Tagungen statt, auf denen es um die Frage ging, wie stark Streß und die Gefühle die körperliche Gesundheit beeinflussen. Fachleute auf den Gebieten der Endokrinologie, Immunologie, Neurowissenschaften, Psychologie, Psychiatrie und Epidemiologie kamen zusammen, um ihre Unterlagen, Ergebnisse und Zweifel zu diskutieren. Sie fragten sich, warum rund 60 Prozent der ambulanten Patienten mit Gesundheitsproblemen zum Arzt kommen, die auf Streß oder Wechselwirkungen zwischen Körper und Seele zurückzuführen sind, und wie es möglich ist, daß annähernd 20 Prozent solcher Arztbesuche auf »gravierende depressive Angstzustände« zurückgehen. Ein prominenter Teilnehmer äußerte die Meinung, daß man von einem Skandal sprechen würde, wenn es sich dabei um eine *medizinische* Gesundheitsstörung handelte, für die es weder Diagnose noch Behandlung gäbe. Unterdessen stellte der Kongreß zwei Millionen Dollar zur Verfügung, und die Nationalen Gesundheitsinstitute riefen eine Untersuchungskommission für alternative medizinische Methoden ins Leben; man hoffte, auf diese Weise herauszufinden, welche Methoden tatsächlich helfen, und gleichzeitig die Quacksalber von den echten Heilern unterscheiden zu können. Fast jede Woche brachte neue Nachrichten von Entwicklungen auf diesem rasch expandierenden Forschungsgebiet.

Dann lernte ich eines Tages Robert Lehman kennen. Er war gerade Präsident des Fetzer-Instituts geworden und entschlossen, seiner Institution durch Ausbildung und Forschung eine führende Rolle bei der Entwicklung einer Gesundheitsfürsorge zu verschaffen, die die Rolle der Seele für die körperliche Gesundheit berücksichtigen sollte. Wir fühlten uns auf der Stelle geistesverwandt, und daraus schöpften wir die Inspiration und den Antrieb für die Fernsehserie *Durch die Seele heilen*, die die Grundlage dieses Buches war.

Sie sollte zwei Grundfragen beantworten: Wie beeinflussen Denken und Fühlen die Gesundheit? Welcher Zusammenhang besteht zwischen Heilung und Seele? Wir befragten die Ärzte großer Kliniken und kleiner

Ortskrankenhäuser zu ihren Erfahrungen auf diesem Gebiet in der täglichen Praxis. Wir führten Gespräche in Kliniken zum Streßabbau und mit therapeutischen Selbsthilfegruppen und lernten dabei Techniken wie Meditation und Selbststeuerung ebenso wie Diätpläne und Bewegungsübungen kennen. Wir sprachen mit Wissenschaftlern über die Körper-Seele-Forschung und die neue Disziplin der Psychoneuroimmunologie, bei der Psychologen, Neurologen und Immunologen zusammenarbeiten, um die Zusammenhänge zwischen Körper und Seele zu erforschen. Wir reisten nach China und erlebten dort eine Kultur, deren Vorstellung von menschlicher Gesundheit sich so sehr von unserer unterscheidet, daß meine Fragen zur Beziehung zwischen Körper und Seele innerhalb dieses völlig anderen Bezugsrahmens nicht zu beantworten waren. Wenn die Medizin die Regelung von Chi oder Lebensenergie zum Gegenstand hat, dann ergeben Fragen, die zwischen Körper und Seele unterscheiden, keinen Sinn.

Die Reise führte uns zu einer zentralen Frage: Was ist Gesundheit? Wenn eine Behandlung unmöglich erscheint, wie im Fall von Krebs im Endstadium, können wir dann trotzdem auf »Ganzheit«, den Ursprung der »Heilung«, hoffen?

Wie es bei der Erforschung komplizierter Sachverhalte die Regel ist, gibt es auch hier mehr Fragen als Antworten. Außerdem sind die Risiken nicht zu übersehen. Als ich den Plan für diese Serie zum erstenmal vortrug, bezog eine meiner Kolleginnen leidenschaftlich dagegen Stellung, weil sie befürchtete, verzweifelte Kranke könnten dadurch ermutigt werden, die Schulmedizin zu verwerfen und ihre Chemotherapie abzubrechen, um sich einer »alternativen« Behandlung zu überantworten. Auch könnte es den Anschein erwecken, man wolle die oberflächliche Einstellung propagieren, der Geist beherrsche die Materie, so daß Kranke sich für ihre Krankheit verantwortlich fühlten und Schuldgefühle entwickelten. Ich habe mir diese Warnung zu Herzen genommen, denn die Botschaft »Heile Dich selbst!«, wie sie viele populäre Bücher verkünden, verheißt eher Selbsttäuschung als Selbstheilung.

Ich glaube, daß es uns bei unserer Arbeit gelungen ist, beide Gefahren zu vermeiden, zum einen indem wir deutlich machen, daß die Frage, wie die Seele den Körper beeinflußt, im Grunde noch unbeantwortet ist, und zum anderen indem wir hervorheben, wieviel die westliche Medizin uns zu bieten hat. Selbst in China wird neben der traditionellen chinesischen Heilkunst, die auf eine jahrtausendealte Tradition zurückblickt, auch die westliche Medizin praktiziert. Die westliche Welt braucht auf ihre erprobten Mittel nicht zu verzichten, um sich das Beste von dem anzueignen, was eine andere Kultur bietet. Aus der Verschmelzung östlicher und westlicher Medizin können deshalb völlig neue Methoden des Heilens entstehen.

Entscheidend dafür ist das forschende Fragen. Das vorliegende Buch beschäftigt sich mit den Fragen und den Antworten, auf die wir während unserer Reisen gestoßen sind, und zwar in einer Form, die es dem Leser erlauben soll, an unserem Dialog teilzunehmen. Wenn unser Buch unausgesprochen eine Meinung vertritt, dann die, daß es für jeden von uns lohnend ist, etwas über die bemerkenswerte Einheit von Seele, Körper und Spiritualität zu erfahren, die den Menschen erst ausmacht.

Bill Moyers

Die Kunst des Heilens

»Man muß nicht nur die Krankheit behandeln, sondern auch den Patienten.«

Alvan Barach

Sirenen heulen durch die Nacht, wenn ein Krankenwagen nach dem anderen an der Notaufnahme des Parkland Memorial Krankenhauses in Dallas, Texas, vorfährt. Die Station ist so überfüllt, daß Patientenbetten in den Fluren stehen. Wer nicht unmittelbar medizinisch versorgt werden muß, wird in den ebenso überfüllten Warteraum geschickt. Dort warten Männer, Frauen und Kinder schweigend und oft unter Schmerzen stundenlang auf die Untersuchung durch einen Arzt. Im Laufe eines Tages drängen sich im Wartebereich der Ambulanz manchmal über 350 Menschen, so daß sich eine Schlange bildet, die aus der Klinik heraus bis auf den Gehsteig reicht. Für manche dieser meist mittellosen Menschen ist es nicht ungewöhnlich, zehn oder zwölf Stunden zu warten, ehe sie eine Viertelstunde lang eine medizinische Grundversorgung erhalten. Wie alle öffentlichen Krankenhäuser ist Parkland finanziell unterversorgt, überlaufen und völlig überlastet. Anders als in den meisten Krankenhäusern hat man hier beschlossen, die Methoden und die medizinische Praxis zu ändern.

Verantwortlich für diesen Wandel ist der Leiter des Krankenhauses, Dr. Ron Anderson, praktizierender Internist und Baptist. Nicht nur die traditionelle Heilkunst der amerikanischen Indianer hat ihn beeinflußt, sondern auch die klinische Erfahrung, daß Patienten nachweislich davon profitieren, wenn bei der medizinischen Behandlung auch ihre emotionalen Bedürfnisse berücksichtigt werden.

Zusammen mit einigen Medizinstudenten begleite ich ihn auf seiner Visite und verfolge sein Gespräch mit einer älteren Frau, die an chronischem Asthma leidet. Er stellt die üblichen Fragen: »Wie haben Sie letzte Nacht geschlafen? Fällt Ihnen das Atmen inzwischen leichter?« Mit den nächsten Fragen überrascht er die Studenten: »Bemüht sich Ihr Sohn um einen Arbeitsplatz? Trinkt er immer noch? Erzählen Sie uns, was unmittelbar vor Ihrem Asthmaanfall passiert ist.« Den verwunderten Studenten erklärt er: »Wir wissen, daß Sorgen viele Krankheiten verschlimmern, besonders chronische Leiden wie Asthma. Deshalb müssen wir herausfinden, was ihre Streßzustände auslösen könnte, und ihr dabei helfen, einen Weg zu finden, damit fertigzuwerden. Sonst sehen wir sie bald hier wieder, und beim nächsten Mal können wir sie vielleicht nicht mehr retten. Wir können ihr nicht einfach irgend etwas verordnen und sie dann ihrem Schicksal überlassen. Das wäre eine Vernachlässigung der medizinischen Sorgfaltspflicht. Wir müssen uns die Zeit nehmen, sie kennenzulernen, zu erfahren, wie sie lebt, was ihr wichtig ist, wie sie sozial verankert ist. Wenn wir nicht wissen, daß ihr Sohn ihre einzige Stütze ist, aber arbeitslos, dann wird unsere Behandlung ihres Asthmas sehr viel weniger ausrichten.«

Die moderne Medizin hat mit ihren hochspezialisierten Techniken Wunder vollbracht, aber Anderson glaubt, daß auch menschliche Anteilnahme eine höchst wirksame Medizin darstellt. Das eindrucksvollste Beispiel dafür ist die Neugeborenen-Intensivstation in Parkland. Wie in den Krankenhäusern im ganzen Land verzeichnet man auch hier einen rasanten Anstieg von Frühgeburten und untergewichtigen Säuglingen. Das Krankenhaus nutzt modernste Techniken, um diese Kinder am Leben zu erhalten, nach Dr. Andersons Ansicht genügt das jedoch nicht, ihr Überleben zu gewährleisten. Es ist ebenso wichtig, die gefühlsmäßigen Bindungen zwischen Eltern und Kind zu fördern. Wissenschaftliche Untersuchungen haben gezeigt, daß ein Säugling ohne menschlichen Kontakt verkümmert und seine normale Entwicklung gehemmt wird. Säuglinge brauchen den Körperkontakt.

Cindy Wheeler ist Säuglingsschwester. Ich schaue zu, wie sie Vanessa, eine fünfzehnjährige Mutter, zum erstenmal mit ihrem Sohn, einer Frühgeburt, zusammenbringt. In einem Raum außerhalb der Intensivstation desinfiziert Vanessa Hände und Arme. Cindy hilft ihr in einen sterilisierten Kittel und in eine Maske, die Nase und Mund bedeckt. Durch die Doppeltür betreten sie eine Folge von Räumen, die ineinander übergehen und in denen sich eine hochkomplizierte medizinische Apparatur an die andere reiht. In der Mitte eines dieser Maschinenparks steht der Brutkasten von Malcolm, Vanessas winzigem Sohn. Geschützt in seiner kleinen Kammer wirkt er nicht so sehr wie ein Säugling, sondern eher wie ein Fötus. Am ganzen Körper haften Klebstreifen, und überall sitzen intravenöse Nadeln; eine Anzahl von Schläuchen verbindet ihn mit verschiedenen Monitoren und Apparaten. Cindy weiß, daß Vanessa Angst hat und am liebsten davonlaufen würde. Sie nimmt Vanessa bei der Hand, redet ihr gut zu, sagt, daß das Kind sie brauche, dann bringt sie Vanessa dazu, einen Finger in Malcolms winziges Händchen zu legen, wobei sie ihr zuflüstert, daß alle Säuglinge, ganz gleich, wie alt sie sind, auf die Berührung reagieren, indem sie den Finger der Mutter ergreifen. Dieser Augenblick ist entscheidend. Vanessas nervöse Ambivalenz wird sich jetzt entweder legen oder dazu führen, daß sie davonläuft. Die winzige Hand ergreift den Mittelfinger. Die Mutter lächelt, schließt die Augen. Ihre Erleichterung ist deutlich spürbar.

Cindy erzählt, daß ein Säugling für viele Frauen wie Vanessa ein Statussymbol bedeutet, das erste, was ihnen allein gehört. Ihr Traum vom perfekten Baby, wie sie es aus der Werbung kennen, zerbricht, wenn es zu klein oder in einem kritischen Gesundheitszustand geboren wird. »Es ist unsere Aufgabe, sie spüren zu lassen, daß wir ihr Gefühl von Verlust teilen, daß wir den Müttern helfen, etwas Positives in einer Situation zu empfinden, die sonst große Enttäuschung auslösen und tiefe seelische Narben hinterlassen kann.«

Viele dieser jungen Mütter stammen aus zerrütteten Familien. In der Begegnung mit dem Krankenhauspersonal erleben sie noch am ehesten so etwas wie die Zuwendung durch eine Familie, und einige haben in der Säuglingsstation zum erstenmal das Gefühl, daß man ihnen hilft. Cindy Wheeler und ihre Kolleginnen glauben, daß diese minderjährigen Mütter gezwungen sind, eine folgenschwere Wahl zu treffen: Entweder sie lassen sich weiterhin von ihren Problemen beherrschen, oder sie nehmen ihr Leben selbst in die Hand und führen einen Wandel herbei, indem sie sich dem Kind zuwenden. »Manchmal«, so Cindy, »sind wir richtig böse auf die Mütter. Bis vor einiger Zeit betrachteten wir drogensüchtige Mütter als eine Gefahr für ihre Kinder und hielten sie von ihnen fern. Neulich bekam ich einen Wutanfall, weil eine Frau in der Schwangerschaft Drogen nahm. Ich hätte sie am liebsten geohrfeigt, aber ich habe mich zusammengenommen. Statt dessen sagte ich ihr, sie soll das Baby festhalten, weil es nun unter Streß stehe. Vielleicht war es die körperliche Erfahrung des hilflosen Babys; jedenfalls machte die Mutter eine Entziehungskur, und jetzt ist sie o. k.«

Während ich Cindy zuhöre, erinnere ich mich an einen Aufsatz des Mediziners und Philosophen Lewis Thomas. Seine zentrale Aussage ist, daß der Schrecken des Krankseins vor allem auf dem Verlust des engen menschlichen Kontakts beruht. Berührung ist das eigentliche Berufsgeheimnis der Medizin.

Weit entfernt von Parkland, am Beth-Israel-Krankenhaus in Boston, höre ich ähnliche Ansichten von Dr. Thomas Delbanco, einem Internisten, der sich für ein Jahr beurlauben ließ, um das Picker/Commonwealth-Projekt für patientenbezogene Krankenpflege zu leiten. Delbanco glaubt, daß man in der Medizin dem Problem der Krankheit als Lebenskrise des Patienten und seiner Familie zu wenig Aufmerksamkeit geschenkt hat. Neue Studien lassen den Schluß zu, daß Patienten, die Informationen und emotionale Unterstützung erhalten, ihre Krankheit im Durchschnitt wesentlich besser bewältigen als diejenigen, die darauf verzichten müssen. Die Studien belegen, daß ein enger Kontakt zwischen Arzt und Patient die Aussichten auf rasche Genesung verbessern kann.

Delbanco stammt aus einer musischen Familie und spielt selbst Geige. Er vergleicht die Einzigartigkeit dieses Instruments mit der Erfahrung, die der einzelne Mensch in seiner Krankheit durchmacht. »Es gibt zwei wichtige Bereiche meiner Persönlichkeit«, sagt er. »Einmal den Arzt und dann den Musiker. Die Musik ist die Brücke zu dem für mich sehr wichtigen Gefühl, spirituelle Erfüllung zu finden. Das darf ich als Arzt nie vergessen. Der Patient vor mir ist ein menschliches Wesen mit den gleichen Freuden, Sorgen und Problemen wie ich. Der Arzt muß darauf hören, was den einen Menschen vom anderen unterscheidet, und diesen Unterschied immer berücksichtigen, um herauszufinden, warum eine Behandlung bei diesem Menschen besser wirkt als bei jenem.«

Er stellt unser Team Audrey und Ed Taylor vor. Die 58jährige Audrey ist Computergraphikerin. Ihr steht eine der traumatischsten Erfahrungen bevor – der operative Eingriff am offenen Herzen. Dr. Delbanco wird ihr und ihrer Familie dabei zur Seite stehen. Die Familie, das sind ihr Ehemann, ein Feuerwehrmann im Ruhestand, ihr Sohn Ed, graduierter Ingenieur des Massachusetts Institute of Technology, der jetzt eine eigene kleine Baufirma leitet, und ihre Tochter Ruthie, eine Volksschullehrerin. Audreys schwere Operation wird die ganze Familie auf die Probe stellen. Die Art, wie sie ihr gemeinsames Trauma bewältigen, erklärt Delbanco, kann Audreys Genesung nach der Operation beeinflussen. »Der Krankenhausaufenthalt einer geliebten Person bedeutet für die ganze Familie eine Krise. Die Familie kann die Wirkung der Medizin stören oder selbst Medizin sein. Ich möchte behaupten, daß es für das Überleben des Patienten wichtiger ist, familiäre Bindungen zu respektieren und zu fördern, als neueste Diagnosen und Therapien anzuwenden. Das wird viel zu oft einfach ignoriert. Der Arzt bekommt den Patienten nicht mehr zu Hause zu sehen. In der Arztpraxis bleibt vieles verborgen.«

»Wenn wir Ärzte uns selbst als Medizin verstehen würden«, meint Delbanco, »dann würden wir die Menschen anders behandeln. Je besser man als Patient informiert ist und je besser die Familie versteht, was geschieht, um so eher sind beide in der Lage, die richtigen Entscheidungen zu treffen. Information bedeutet Hoffnung. Ein schlechter Arzt nimmt den Patienten die Hoffnung. Als Ärzte müssen wir den Körper behandeln und gleichzeitig die Seele ansprechen, sowohl die des Patienten als auch die seiner Familie.«

Für mich klingt das einleuchtend. In meiner Jugend wußte der Hausarzt unserer Familie instinktiv von dem Zusammenhang zwischen Seele und Heilen. Wenn er fragte: »Wie fühlen Sie sich?«, wollte er nicht nur von

Magenschmerzen oder Fieber hören. Er wohnte in derselben Straße, ging in die Kirche um die Ecke, wußte, wo meine Eltern arbeiteten, kannte unsere Verwandten und Freunde – und er hatte die Gabe zuzuhören. Seine Behandlung war ganzheitlich, als noch niemand den Begriff der Ganzheitsmedizin kannte.

Das war vor vielen Jahren. In der heutigen medizinischen Praxis einer städtischen und technisierten Gesellschaft fehlt entweder die Zeit oder das Umfeld für ein Verhältnis zwischen Arzt und Patient, das den Heilungsprozeß fördert. Vielen Ärzten fehlt auch hier die notwendige Ausbildung für diese Form des Heilens. So schreibt Eric Cassell in *The Nature of Suffering and the Goals of Medicine*: »Solange es keine entsprechende systematische Ausbildung gibt, bleibt die Fähigkeit, angesichts des Leidens Ansprechpartner zu sein, das Privileg einzelner Ärzte, die sich diese Kunst selbst angeeignet oder von wenigen hervorragenden Lehrern erlernt haben. Die Fähigkeit zu heilen besteht einfach darin, daß man die eigenen Heilkräfte des Patienten zuläßt, fördert oder lenkt.« Das therapeutische Werkzeug sei dabei unzweifelhaft der Arzt, dessen Kraft nicht in der Macht über den Patienten besteht, sondern in der Herrschaft über sich selbst. Die modernen Ärzte beherrschen heutzutage die neuesten wissenschaftlichen Methoden mit großer Perfektion. Um auch in der Kunst des Heilens derartiges zu leisten, bedarf es der gleichen systematischen Disziplin.

Bei meinen Gesprächen mit Ärzten während unserer Reise wird mir klar, daß wir ein völlig neues medizinisches Denken brauchen, das über die Medizin der »Körperteile« hinausgeht. Angesichts der Kostenexplosion im Gesundheitswesen fallen auch die wirtschaftlichen Folgen der Körper-Seele-Medizin ins Gewicht. Wenn wir unser Gesundheitssystem als ein System der »Gesundheitsfürsorge« und nicht als »Krankheitsbehandlung« begreifen wollen, dann müssen wir die medizinische Ausbildung und die Prioritäten bei der Vergabe von staatlichen Fördermitteln neu überdenken.

Auf dieser ersten Etappe meiner Reise wird mir bewußt, daß das Thema Heilen und Seele über die Medizin hinausgeht und mit Fragen nach den Werten unserer Gesellschaft und nach dem, was wir als Menschen sind, zusammenhängt. Als Patienten sind wir mehr als vereinzelte und isolierte Körper. Wir sind Teil von Familien, sozialen Gruppen und Kulturen. Wenn dieses Bewußtsein Eingang in die Krankenhäuser, Operationssäle, Ambulanzen und Arztpraxen findet, wird es auch darüber hinaus an Bedeutung gewinnen. Heilen beginnt mit Zuwendung, und das ist auch der Anfang von Zivilisation.

Die Rolle von Arzt und Patient bei der Heilung

Thomas Delbanco

Thomas Delbanco ist Leiter der Abteilung Allgemeinmedizin und Grundversorgung im Beth-Israel-Krankenhaus in Boston und Associate Professor für Medizin an der Harvard Medical School. Er leitet das Picker/Commonwealth-Projekt für patientenbezogene Krankenpflege. Er ist Begründer und früherer Vorsitzender der Gesellschaft für innere Medizin. Dr. Delbanco hat dazu beigetragen, das Augenmerk der Wissenschaft stärker auf die Rolle der Grundversorgung zu lenken. Zur Zeit arbeitet er an Projekten zur Förderung und Vertiefung der Beziehung zwischen Arzt und Patient.

MOYERS: Wenn man Sie beim Umgang mit Patienten beobachtet, gewinnt man den Eindruck, daß Sie den Körper behandeln und die Seele ansprechen. Trifft diese Beschreibung zu?

DELBANCO: Ich hoffe, ich spreche beide an. Sie sind aber so eng miteinander verwoben, daß es mir schwerfällt, eine Grenze zu ziehen. Vom Körper weiß ich mehr als von der Seele. Er läßt sich einfacher analysieren. So haben wir es in der medizinischen Ausbildung gelernt – 95 Prozent Körper und 5 Prozent Seele. Wenn Sie dann aber praktizieren und Menschen aus Fleisch und Blut behandeln, dann ist das Verhältnis eher 50 zu 50. An einem Tag spielt das eine eine Rolle, am nächsten das andere, immer hat eins mit dem anderen zu tun. Daß man die Seele anspricht und den Körper behandelt, wie Sie es formulieren, ist zwar eine interessante Vorstellung, aber ich würde sie für mich nicht akzeptieren.

MOYERS: Aber Sie sprechen doch etwas anderes an als bloß die physischen, mechanischen Teile, aus denen der Körper besteht.

DELBANCO: Ich spreche die Person als einzigartiges Individuum an, und dieses Individuum hängt sehr viel stärker von der Seele ab als vom Körper –

MOYERS: Was verstehen Sie unter einem »einzigartigen Individuum«?

DELBANCO: Kein Mensch gleicht dem anderen. Gerade das macht die Medizin so reizvoll. Es ist ja weniger der Körper, worin die Menschen sich unterscheiden, als die Seele. In diesem Sinn konzentrieren wir uns ganz anders – oder wenigstens sollten wir das tun – auf die Seele und ihre Verschränkung mit dem Körper.

MOYERS: Verschränkung?

DELBANCO: Ja. Wenn jemand Bauchweh hat, dann stelle ich sehr bald nicht nur die Frage, was in seinem Bauch, sondern auch, was in seiner Seele vorgeht. Wenn jemand deprimiert ist, dann denke ich auch darüber nach, was sich in seinem Körper abspielen und die Depression hervorrufen könnte. Körper und Seele sind unentwirrbar miteinander verflochten. Jeder praktizierende Arzt weiß das. Untersuchungen haben gezeigt, daß wahrscheinlich die Hälfte aller Arztbesuche eher mit seelischen als mit körperlichen Problemen zusammenhängt. Wenn wir diese Patienten angemessen behandeln wollen, müssen wir in beiden Bereichen ausgebildet sein.

MOYERS: Was wollen Sie über die Seele eines Menschen in Erfahrung bringen, wenn er Ihr Patient wird?

DELBANCO: Ich will wissen, was er mitbringt, was er von mir erwartet, was für ein Mensch er ist, um abschätzen zu können, wie er aufnehmen wird, was ich ihm sage. Ein Arzt ist wie ein Chamäleon, jedenfalls bemerke ich an mir, daß ich mich verschiedenen Patienten gegenüber völlig verschieden verhalte.

MOYERS: Wie Journalisten.

DELBANCO: Das würde ich nicht sagen. Ihr Berufsstand ist in der Regel ziemlich aggressiv. Ich dagegen bin gelegentlich eher passiv und zurückhaltend und sage nur: »Fahren Sie fort.« Bei anderen Patienten wiederum versuche ich eher zu lenken und sage ihnen: »Tun Sie dies, tun Sie das.« Mit einigen Patienten gehe ich ziemlich barsch und distanziert um, bei anderen bin ich herzlich und teile Streicheleinheiten aus. Das alles tue ich unbewußt. Einerseits spiele ich eine Rolle, bin nicht ich selbst, und das ist vielleicht falsch. Andererseits habe ich das Gefühl, daß es das ist, was meine Patienten von mir erwarten, sie wollen, daß ich einen bestimmten Typus von Arzt verkörpere.

Es gibt meiner Meinung nach zwei Arten von Arzt – den, der sich von Patient zu Patient unterschiedlich verhält und ein Gespür dafür hat, was der Patient will, und dementsprechend sein Verhalten verändert; dann gibt es den Arzt, der sich allen Patienten gegenüber mehr oder weniger gleich bleibt. Ich habe den Eindruck, daß Ärzte, die sich verschiedenen Menschen anpassen, ein größeres Spektrum von Patienten anziehen.

MOYERS: Warum müssen Sie von einem Patienten soviel wissen, das über das rein Körperliche hinausgeht?

DELBANCO: Ich kann mit einem Patienten nicht umgehen, ihm raten oder helfen, wenn ich nicht weiß, was in ihm vorgeht. Der Kaliumgehalt im Serum sagt im Verhältnis zur gesamten Persönlichkeit recht wenig aus. Vielleicht erschrickt der eine Patient, wenn er hört, der Kaliumgehalt sei niedrig, während der andere bei dieser Mitteilung erleichtert ist. Vielleicht sind sie überhaupt nicht daran interessiert. Ich muß also herausfinden, wie die Patienten meine Informationen vermittelt haben wollen. Wollen sie, daß ich ihnen sage, was sie tun müssen? Oder wollen sie mir erzählen, was sie gerne täten, um dann von mir zu hören, ob es klug wäre oder nicht? Wollen sie gelenkt oder eher beraten werden? Meine Rollen können völlig verschieden sein, und ich kann unmöglich erraten, welche letztlich erwünscht ist. Ich muß daher wissen, was der Patient mitbringt, welche Bildung und Weltanschauung er hat, welche Werte er vertritt, kurz, wer er ist.

MOYERS: Glauben Sie, daß Ihre Kenntnis von Lebensstil und Seele des Patienten Auswirkung auf seinen körperlichen Zustand hat?

DELBANCO: Zumindest vermute ich das. Wenn ich selbst krank bin, will ich jedenfalls, daß mein Arzt weiß, was für ein Mensch ich bin. Und für Patienten in einer lebensbedrohlichen Lage ist es sicher wichtig zu wissen, daß ich sie kenne und weiß, an was sie glauben und woran ihnen liegt. Das hat vermutlich Auswirkungen nicht nur während der Behandlung, sondern auch auf ihr Ergebnis und das Befinden des Patienten danach.

Wir haben eine Studie mit Patienten durchgeführt, die einen Herzstillstand erlitten hatten. Dabei zeigte sich, daß die Hälfte nach der Entlassung aus Angst vor einem zweiten Anfall wie gelähmt war. Es war uns einfach nicht in den Sinn gekommen, mit ihnen über das Risiko eines zweiten Herzstillstandes und Möglichkeiten der Vorbeugung zu reden. Für diese Menschen hatte die Tatsache, daß wir ihre psychische Verfassung nicht genügend berücksichtigt hatten, also schwerwiegende Folgen. Hätten wir dieser Frage mehr Aufmerksamkeit geschenkt, hätten wir ihnen viel besser helfen können.

MOYERS: Wollen Sie damit sagen, daß Angst Auswirkung auf das physische Wohlbefinden hat?

DELBANCO: Davon bin ich überzeugt. Der endgültige wissenschaftliche

Nachweis steht allerdings noch aus. Meiner Meinung nach sind aber bereits heute die meisten Ärzte dieser Ansicht.

MOYERS: Haben die guten Ärzte das nicht schon immer gewußt?

DELBANCO: Natürlich. Wir sprechen hier nicht über eine völlig neue Wissenschaft. Ich habe dieses Wissen durch meine Lehrer erworben. In der Ausbildung haben wir Ärzte bei ihren Visiten begleitet, bloß um zu beobachten, wie sie mit den Patienten umgingen.

MOYERS: Was tut ein guter Arzt im Hinblick auf die Gefühle oder die Seele, um den Prozeß der Heilung zu fördern?

DELBANCO: Ein guter Arzt hört zunächst zu, und anschließend spricht er Ihre Gefühle an. Ich erinnere mich an den Fall der Ehefrau eines Kollegen während unserer Ausbildung. Sie zeigte eine Reihe von uns unerklärlichen Symptomen. Sie war wirklich in schlechter Verfassung. Deswegen schickten wir sie zu unserem Professor, den wir alle bewunderten. Wir warteten gespannt darauf, was er ihr verschreiben würde. Auf unsere Frage antwortete sie: »Ich soll mir eine Waschmaschine kaufen, weil ich zuviel im Haushalt arbeite.« Das war seine Diagnose.
In einem anderen Fall stellte ich diesem Lehrer eine Patientin vor und erörterte dabei eine Viertelstunde lang nach allen Regeln der medizinischen Ausbildung Symptome und Untersuchungsergebnisse. Am Ende fragte mich der Professor: »Halten Sie die Frau für krank?« – Was ist das denn bloß für eine Frage? dachte ich, seit einer Viertelstunde erkläre ich ihm, was ihr aufgrund meiner Untersuchung fehlt, und er will wissen, ob ich sie für krank halte! Er wollte mich lediglich daran erinnern, daß wir den ganzen Menschen behandeln müssen. Sie werden das Verschreiben einer Waschmaschine kaum in den Lehrbüchern finden. Aber in diesem Fall hat es geholfen.

MOYERS: Es gibt den alten Spruch: Der Körper schmerzt, der Mensch leidet.

DELBANCO: Das ist richtig. Krankheit und Leiden gehören zusammen. Die Krankheit ist sichtbar, aber was man spürt, ist das Leiden.

MOYERS: Worin besteht der Unterschied zwischen Krankheit und Leiden?

DELBANCO: Krankheit bedeutet beispielsweise, daß ich die Leber untersuche und sage: »Sie ist nicht ganz in Ordnung. Auch das Herz hört sich nicht so an, wie es sollte.« Das Leiden ist das, was Sie empfinden. Wenn Sie sich gesund fühlen, und ich bin der Meinung, Ihre Leber und Ihr Herz sind nicht in Ordnung, worüber sollten wir dann miteinander reden? Wenn Sie rauchen und sich glücklich dabei fühlen, und ich Ihnen vierhundert Krankheiten aufzählen kann, zu denen das Rauchen führen könnte, schreibe ich in meine Karteikarte: »Problem: Rauchen«, wenn Sie es nicht für ein Problem halten?

MOYERS: Was würden Sie statt dessen tun?

DELBANCO: Ich würde aufschreiben: »Raucher. Moyers hält es nicht für ein Problem.« Und später kommen wir wieder darauf zurück.

MOYERS: Vorausgesetzt, ich komme zu Ihnen zurück.

DELBANCO: Ja – und vielleicht tun Sie das nicht. Ich könnte zu Ihnen sagen: »Sie sind Journalist, und Sie haben eine Berufskrankheit – Sie trinken zuviel. Sie sollten das einschränken.« Darauf könnten Sie mir erwidern: »Ich trinke keineswegs zuviel. Sie haben Unrecht und ich suche mir jetzt einen anderen Arzt.« Dieses Risiko gehe ich ein, weil ich das Trinken für problematisch halte und glaube, durch frühzeitiges Eingreifen etwas ändern zu können.

MOYERS: Ich würde aber zu Ihnen zurückkommen, weil ich Sie für gute »Medizin« halte.

DELBANCO: Ein Arzt kann ein gutes Medikament sein. In diesem Zusammenhang ist der Alkoholismus ein gutes Beispiel, weil die Wissenschaft wenig darüber sagen kann, wie er zu behandeln ist. Wir wissen, daß die Anonymen Alkoholiker vielen Menschen helfen, aber gerade die Anonymität macht verläßliche Studien unmöglich. Wir verfügen über Medikamente und Psychotherapie – und wir haben den Arzt. Als Ihr Arzt könnte ich Ihnen beispielsweise den Rat geben: »Ich bin der Meinung, Sie trinken zuviel und Sie sollten damit aufhören. Suchen Sie mich einmal pro Woche auf, um mir zu erzählen, wie es läuft.« Ich habe viele Patienten, die auf diese Weise aufgehört haben zu trinken. In diesem Sinne kann man also meiner Ansicht nach sagen, daß der Arzt selbst das Medikament darstellt.

MOYERS: Bedeutet der Satz, der Arzt sei das Medikament, daß der Arzt der Ersatz für die Arznei sein kann?

DELBANCO: Ich glaube, wir sind oft nicht nur Ersatz für die Arznei, sondern ein Ersatz mit geringerem Risiko. Ein Teil des Leidens kann Angst sein. Wir sind häufig in der Lage, Ungewißheit und manchmal sogar Angst zu beseitigen.

MOYERS: Wie löst Angst eine körperliche Reaktion aus?

DELBANCO: Da gibt es konkrete Erkenntnisse. Wenn ich beispielsweise auf einer Straße an der obersten Grenze der erlaubten Höchstgeschwindigkeit fahre und hinter mir eine Polizeisirene höre, kann es sein, daß meine Knie zu zittern anfangen und mein Puls schneller schlägt. Das Nebennierenmark produziert Adrenalin – das ist die Flucht- oder Kampfreaktion.

Es gibt eine echte physiologische Reaktion auf Angst. Wenn ich sehe, daß die Polizei an mir vorbeifährt und einem anderen Fahrer folgt, hört die Angstreaktion auf, und ich fühle mich besser. Aber es gibt andere, viel allgemeinere Ängste, eine Gestalt der Seele, sozusagen, von der wir wenig wissen.

MOYERS: Was verstehen Sie unter »Gestalt der Seele«?

DELBANCO: Die Seele ist komplex. Ich weiß, wie das Gehirn aussieht – ich habe es auf dem Seziertisch gesehen. Aber die Seele geht weit über die Art von Medizin hinaus, die ich erlernt habe. Und doch weiß ich, daß sie untrennbar zur Medizin und zu dem Menschen gehört, den ich ansprechen muß. Das ist der erschreckende und faszinierende Aspekt meiner Tätigkeit, gerade diesen Bereich zu berücksichtigen, von dem ich nur wenig verstehe und der auf die Menschen, mit denen ich arbeite, so starken Einfluß hat.

MOYERS: Sprechen wir hier von mehr als einem Placebo-Effekt?

DELBANCO: Das weiß ich selbst nicht mit Bestimmtheit. Placebo bedeutet »Ich werde gefallen«, ich werde helfen. Es ist ein billiges Medikament, obwohl dieselbe Placebo-Tablette besser wirkt, wenn sie teuer ist, als wenn sie zu einem niedrigen Preis verkauft wird. Wenn die Tablette zusätzlich noch eine bestimmte Farbe hat, kann das die Wirkung noch steigern. Placebos gehören zu den wirksamsten Medikamenten, die wir kennen. Manchmal ist es schwer festzustellen, ob unsere Behandlung über einen Placeboeffekt hinausgeht.

Beispielsweise könnte ich Ihnen sagen: »Sie haben ein anstrengendes Jahr hinter sich, Sie haben viele Reportagen gemacht, und Sie sollten sich besser entspannen. Ich zeige Ihnen jetzt ein paar Techniken, die Ihnen dabei helfen werden.« Dann erkläre ich Ihnen zwei Verfahren, eines, von dem wir wissen, daß es eine physiologische Entspannung bewirkt, und eine Scheintechnik. Ich bin nicht sicher, ob die Scheintechnik schlechter wirken würde als die physiologisch erprobte, weil Sie eine Verbesserung Ihres Befindens erwarten und die Scheintechnik für Sie deswegen eine wirkungsvolle Medizin darstellt.

MOYERS: Wenn ich glaube, daß mein Befinden sich bessern wird, dann geschieht also etwas zwischen Seele und Körper. Wir wissen nicht was, aber es geschieht. Wie würden Sie das Verhältnis zwischen Seele und Körper beschreiben?

DELBANCO: Man sollte zunächst bedenken, was einen Menschen von einem anderen unterscheidet, was einen Menschen zum Individuum macht, das für mich als Person erkennbar ist. Das heißt, man darf nicht nur nach dem physischen Zustand fragen, sondern danach, wer er als Mensch ist. Das Verhältnis von Körper und Seele ist eine Verbindung aus dem, was Menschen sagen, denken, empfinden, und ihren physiologischen Prozessen. Die Seele moduliert, was im Körper vor sich geht. Wir glauben mehr über den Körper zu wissen als über die Seele. In Wirklichkeit wissen wir auch über den Körper sehr wenig, aber es ist viel im Vergleich zu dem, was wir noch über die Seele zu lernen haben.

MOYERS: Untersuchen Sie einen Patienten so, als stelle er ein Geheimnis dar, das es zu entdecken gilt?

DELBANCO: Nein, es handelt sich um ein Geheimnis, das man als gegeben hinnehmen muß. Ich glaube nicht, daß ich es aufdecken kann, sondern daß ich es zur Kenntnis nehmen muß und, soweit es mir möglich ist, begreifen werde. Mein Verstehen wird Einfluß darauf haben, wie ich mit Ihnen als Patient arbeite.

MOYERS: Wenn das die Grundlage der Arbeit im Krankenhaus wäre, wie würde sich Ihre Arbeit verändern?

DELBANCO: Wir würden eine sehr viel systematischere Bestandsaufnahme des Patienten machen – was seine Wünsche, Erwartungen, Befürchtungen sind, worüber er sich Sorgen macht, wenn er uns wieder verläßt.

MOYERS: Das ist interessant, denn gewöhnlich fülle ich Fragebögen aus, auf denen man von mir wissen will, ob ich dieselbe Krankheit schon einmal gehabt, bestimmte Medikamente schon einmal genommen habe.

DELBANCO: Das ist die Anamnese. Ich kann sie, ohne nachzudenken, für die verschiedenen Organe vornehmen, vom Herzen über den Magen-Darm-Trakt bis zur Niere. Das ist das erste, was man in der Ausbildung lernt. Die Frage, die wir nicht zu stellen gelernt haben, die ich mir aber wünschen würde, ist die, was einen Menschen vom anderen unterscheidet.

MOYERS: Warum wollen Sie das wissen? Wie wirkt sich das auf den Heilungsprozeß aus?

DELBANCO: Es wirkt sich ganz erheblich darauf aus. Es hilft mir, mit Ihnen so zu sprechen, daß es für Sie von Nutzen ist. Sie wollen beispielsweise alles erfahren, was Ihnen fehlt, oder aber gar nichts. Möglicherweise wünschen Sie, daß Ihre Familie in die Behandlung mit einbezogen wird oder aber daß man sie weitgehend aus dem Spiel läßt. Sie möchten den Schmerz vielleicht ertragen, weil Sie glauben, daß ein wenig Schmerz Ihnen guttut. Oder Sie wollen keinen Schmerz empfinden, weil Sie Angst davor haben und Übelkeit empfinden, was wiederum Ihre Reaktion auf Medikamente und andere Dinge beeinflussen könnte. Ich muß

Ihr Wesen kennenlernen. Ich mag viel über Ihre Krankheit wissen, aber wie Sie Ihr Leiden erleben, das weiß ich nicht. Die Einstellung, mit der Sie ihm begegnen, wird langfristig Auswirkungen auf Ihr Befinden haben.

MOYERS: Was haben Sie aus Ihrer klinischen Erfahrung und aus den wissenschaftlichen Untersuchungen über die Belastung erfahren, die der Aufenthalt im Krankenhaus für den Patienten bedeutet?

DELBANCO: Ich habe gelernt, daß wir sie gewöhnlich unterschätzen. Wenn ich beispielsweise nach der Ankunft im Krankenhaus dem Patienten im Gespräch zehn Fakten nenne, dann wird er bestenfalls einen davon behalten. Wir haben Medizinstudenten incognito in ein Krankenhaus geschickt, damit sie erleben, was es tatsächlich heißt, krank zu sein. Sie meldeten sich als Patienten an und erfanden Krankheiten. Sie waren erschüttert, wie groß die Belastung ist, obwohl sie nicht einmal wirklich krank waren.

MOYERS: Was haben sie empfunden?

DELBANCO: Sie fühlten sich geängstigt und passiv, wenn sie im Bett lagen und andere Menschen Dinge mit sich tun ließen, die sie unter normalen Umständen so nie zugelassen hätten. Sie fühlten sich depersonalisiert und nicht als Menschen behandelt. Die von den Patienten erlittene Belastung ist außergewöhnlich hoch. Wir unterschätzen oder vergessen das gern.

MOYERS: Wie erklären Sie sich das? Krankenhäuser gelten doch als Ort der Fürsorge?

DELBANCO: Krankenhäuser sind Orte der Fürsorge, aber zugleich auch riesige Unternehmen, in denen sehr viele Menschen beschäftigt sind. Der Soziologe Goffman spricht in diesem Zusammenhang von Nervenkrankenhäusern, Konzentrationslagern und Gefängnissen als »Total-Institutionen«. Er weist darauf hin, daß es dort zwei Gruppen von Menschen gibt: solche, die nicht aus freiem Entschluß da sind, und solche, die ihre Arbeit an diesem Ort frei gewählt haben. Sie erhalten sich gesund, indem sie in verschiedenen Welten leben und eigene Sprachen und Kommunikationsweisen entwickeln. So kann es kommen, daß Patienten untereinander ganz anders reden als mit dem Pflegepersonal.

Gleichzeitig neigen die Beschäftigten im Krankenhaus häufig dazu, ihre Welt von der der Patienten abzuschotten. Zu beobachten ist dies zum Beispiel an unseren Medizinstudenten etwa im zweiten Ausbildungsjahr. In diesem Zeitraum beinhaltet ihr Lernstoff gefährliche Krankheiten; sobald sie nun an sich selbst eine Schwellung bemerken, glauben sie, die ersten Symptome einer solchen Krankheit entdeckt zu haben. Im Laufe der Zeit kommt man darüber hinweg, aber man wird sich nie ganz von dem immer wiederkehrenden Gedanken befreien, man sei bloß dank glücklicher Umstände noch einmal davongekommen. Deswegen wahrt man die Distanz zu Menschen, von denen man sich glücklicherweise unterscheidet.

MOYERS: Als ich das letzte Mal für längere Zeit ins Krankenhaus mußte, hatte ich das Gefühl, mein eigentliches Ich sei draußen geblieben.

DELBANCO: Ähnliches habe ich auch von meinen Patienten gehört. Allerdings sind einige sehr glücklich darüber. Wenn sie ins Krankenhaus kommen, ist es für viele das erste Mal in ihrem Leben, daß sie sich ausruhen können, während andere Menschen sich um sie kümmern. Andere leiden darunter, nicht über ihr Leben und ihre Umgebung bestimmen zu können und ihre Situation nicht unter Kontrolle zu haben. Manche werden buchstäblich verrückt und bekommen Wahnvorstellungen. Wir kennen diese Symptome als vorübergehende Psychose, die wieder verschwindet, wenn der Patient nach Hause kommt.

MOYERS: Warum begreifen nicht mehr Ärzte, was es heißt, Krankenhauspatient zu sein?

DELBANCO: Ich glaube, daß es den Ärzten stärker bewußt ist, als man in der Öffentlichkeit glauben möchte. Als ich in der Facharztausbildung war, veröffentlichte ein Psychiater den ersten Aufsatz, in dem er untersuchte, wie es dazu kommt, daß Patienten in der Intensivstation verrückt werden. Heute kennen wir dieses Phänomen genauer und können die Patienten entsprechend behandeln und ihre Angehörigen beruhigen.

MOYERS: Wie kommt es zu diesem Phänomen?

DELBANCO: Eine Theorie, die allerdings nicht genau überprüft ist, bringt es mit dem Träumen in Verbindung. Manche Menschen behalten ihre Träume, andere vergessen sie, aber alle träumen wir. Das läßt sich an den Augapfelbewegungen im Schlaf feststellen. Wenn man jemanden weckt, während sich seine Augen bewegen, wird er bestätigen, daß er geträumt hat. Acht Stunden Schlaf pro Nacht ist an sich viel. Wenn ich Sie aber jedesmal wecke, wenn Sie träumen, werden Sie durchdrehen, obwohl Sie insgesamt genug Schlaf haben. Nach zwei oder drei Tagen beginnen die Wahnvorstellungen, und Sie sehen Dinge an der Wand. Ich habe den Eindruck, daß man im Krankenhaus keine Gelegenheit zum Träumen hat.

MOYERS: Der Patient hat niemals seine Ruhe.

DELBANCO: Das ist richtig. Er kommt nicht zum Träumen. Das ist möglicherweise einer der Gründe, warum Patienten in Intensivstationen Psychosen entwickeln.

Moyers: Glauben Sie, daß die moderne Medizin, wie sie im Krankenhaus praktiziert wird, angesichts des Leidens ausreichend ist?

Delbanco: Ich glaube nicht, daß wir jemals Ausreichendes leisten werden. Wir sind heute besser ausgerüstet, verstehen mehr von dem, was wir tun, als früher, aber es bleibt immer noch viel mehr zu tun. Ich arbeite an Untersuchungen mit, in denen Patienten zu ihren Erfahrungen im Krankenhaus befragt werden. Wir haben die Befragungen inzwischen an sechzig Krankenhäusern durchgeführt und die Patienten nach dem Zufallsprinzip ausgewählt. Fast ein Drittel der Patienten sagte aus, daß sie nach der Entlassung nicht wußten, was sie tun durften und was nicht. Viele erklärten, daß ihre Schmerzen ihrer Meinung nach nicht angemessen berücksichtigt worden seien. Wir sind wohl unserer eigenen Arbeit gegenüber kritischer geworden, und wir hören unseren Patienten anders zu als früher. Aber das reicht bei weitem noch nicht.

Moyers: Ich entnehme Ihren Äußerungen, daß das Verhältnis zwischen Arzt und Patient das Kernstück der Ganzheitsmedizin im Krankenhaus darstellt.

Delbanco: Nicht nur im Krankenhaus. Man spricht in der Medizin schon seit langem über die Seele. Bevor es so viele technische Möglichkeiten gab, Patienten zu behandeln, hat sie eine viel größere Rolle gespielt. Die Technik schiebt sich oft zwischen Arzt und Patient. Wenn ich mich hauptsächlich mit dem Zeitplan für die nächsten Tests befassen muß oder mit der Frage, welchen Experten ich als nächsten hinzuziehe, laufe ich Gefahr, darüber den Patienten und das, was er erlebt, zu vergessen. Die Technologie hat uns von unseren Patienten entfernt, und genau das gilt es zu vermeiden. Wir wollen mehr Nähe. Eine Möglichkeit ist das Gespräch, in dem wir darüber reden, wer er ist, was er von mir will und was ich von ihm will.

Moyers: Was wollen Sie beispielsweise von Mrs. Taylor wissen?

Delbanco: Ich möchte wissen, wie sie sich erholen wird, ob sie sich wieder ganz fühlen wird, wenn sie das Krankenhaus verläßt. Wird sie das Gefühl haben, daß sie noch die gleichen Dinge tun kann, die ihr vorher Freude machten? Kann sie wieder die langen Spaziergänge mit ihrem Mann machen, die sie so sehr vermißt hat, oder hat sie Angst, beim ersten Schmerz wieder aufgeben zu müssen? Wie sie darauf reagiert, wird ihre Lebensweise nach der Entlassung bestimmen. Und ich bin dafür mitverantwortlich. Denn wie sich das Herz für sie anfühlt, hängt nicht nur davon ab, wie gut der Chirurg die Gefäße freigemacht oder ersetzt hat. Es hängt genauso davon ab, unter welchen Voraussetzungen sie ihre Rehabilitation in Angriff nimmt, je nachdem, was sie von mir über ihre Krankheit erfahren hat.

MOYERS: Sie hatten Mrs. Taylor gebeten, zum ersten Gespräch ihren Mann mitzubringen. Warum?

DELBANCO: Ich finde es problematisch, Patienten isoliert von ihrem Umfeld zu betrachten. Heutzutage machen wir keine Hausbesuche mehr, obwohl man einen Patienten zu Hause am besten kennenlernen kann. Das haben wir schon als Studenten gelernt. Ich bin als Medizinalassistent im Krankenwagen mitgefahren, und einige der Erfahrungen von damals, als ich Patienten in ihrer häuslichen Umgebung gesehen habe, habe ich nie wieder vergessen. Wenn ich Mrs. Taylor im Kreis ihrer Familie sehe, bekomme ich einen viel besseren Eindruck von ihrem Wesen und von der Umgebung, in der sie arbeitet. Ihr Sohn, ein Naturwissenschaftler, gibt sehr akkurate Informationen. Ihre Tochter ist sehr emotional und kann mir deswegen die Gefühle ihrer Mutter vermitteln. Alle Familienmitglieder können also mit viel Sachkenntnis über Mrs. Taylors Erfahrungen Auskunft geben.

MOYERS: Die Krankheit stellt demnach nicht nur für den Patienten, sondern möglicherweise auch für die Familie eine Krise dar?

DELBANCO: Nicht nur »möglicherweise«. Wir sind oft blind für das, was die Familie durchgemacht hat, weil wir sie nicht so rasch einbezogen haben, wie es nötig wäre. Es handelt sich in jedem Fall um eine tiefe Krise.

MOYERS: Was waren zum Beispiel die größten Sorgen in der Familie Taylor?

DELBANCO: Einige Familienmitglieder hatten Angst, Mrs. Taylor würde nicht mehr aus dem Krankenhaus zurückkommen. Das ist eine begründete Angst, denn kein Chirurg kann garantieren, daß sie wieder gesund wird. Sie hat eine schwere, lebensbedrohende Herzkrankheit. Die Ängste reichen also von »Sie wird nie wieder aufstehen« bis zu »Sie wird nicht mehr die Mutter bzw. die Frau sein, die ich vorher kannte«. Sie wird vielleicht nie wieder ihren alten Beruf ausüben und Geld verdienen können. Das sind akute Ängste der Angehörigen, die wir häufig nicht wahrnehmen, weil wir nicht gewöhnt sind, darauf zu achten.

MOYERS: Das klingt einleuchtend, aber durch die Einbeziehung der Familie wird doch auch der Arzt stark belastet.

DELBANCO: Der Arzt ist bei uns noch nie seiner aufgewandten Zeit entsprechend bezahlt worden. Wenn Ärzte sich durch die Aussicht auf Geld motivieren lassen, was glücklicherweise nicht die Regel ist, dann werden sie es vermeiden, mit der Familie zu reden. Denn Zeit kostet Geld.

MOYERS: Gehen Sie davon aus, daß es Patienten besser geht, wenn sie besser über ihre Krankheit und die Behandlung informiert sind?

DELBANCO: Ich bin ein besserer Arzt, wenn ich besser informiert bin, und ich glaube, der besser informierte Patient ist auch ein besserer Patient. Das ist natürlich eine sehr allgemeine Annahme. Es gibt auch Patienten, für die mehr Wissen eine große Gefahr bedeutet. Aber im Zweifelsfall ist mehr Wissen besser als zu wenig. So zeigen Untersuchungen, daß der postoperative Heilungsprozeß bei den Patienten, die vor der Operation ausführlich über deren Verlauf und die Folgen unterrichtet werden, wesentlich besser verläuft. Noch gibt es zwar wenig wissenschaftliche Studien zu diesen Fragen, in der Praxis weiß aber jeder Arzt, daß es Auswirkungen auf die Genesung hat, wenn der Patient weiß, was mit ihm geschieht, was er nach der Entlassung tun darf und was nicht, wie der natürliche Verlauf seines Genesungsprozesses aussieht, was er selbst dazu beitragen kann und auf welche Warnsignale er achten muß.

MOYERS: Was haben Sie persönlich Ihrer Meinung nach für Mrs. Taylor und ihre Familie geleistet?

DELBANCO: Es ist erstaunlich, aber nur wenige Stunden vor der Operation erklärte ich noch einmal, warum sie notwendig sei. Ich erklärte ihnen, was sich in ihrem Herzen abspielt, was die Gefäße leisten, was wir reparieren wollten, was geschehen könnte, wenn wir es nicht täten. Es ging vor allem darum, die Ungewißheit zu beseitigen, die oft die schlimmste Krankheit ist. Die Angst vor dem Unbekannten kann lähmend sein. Selbst schlechte Nachrichten können besser sein als die Ungewißheit.

MOYERS: Hat Mrs. Taylor von dieser konkreten Information profitiert?

DELBANCO: Ich hoffe es, obwohl man nie sicher sein kann, ob die Patienten es nicht nur ihren Ärzten recht machen wollen und sagen, es habe geholfen, auch wenn es anders ist.

MOYERS: Wenn sie aber glaubt, daß es hilfreich war, könnte der Glaube durch den Placebo-Effekt Wirklichkeit werden.

DELBANCO: Das ist schwer abzuschätzen. Ich bin vor kurzem in einem deutschen Krankenhaus gewesen, wo die Patienten homöopathisch behandelt werden. In den USA glauben die Mediziner nicht an die Homöopathie, bei der die Substanzen in winzigen Dosen verabreicht

1. Carmen Lomas Garza, Heilerin

2. Jonathan Borofsky, Der Mond in mir

werden, die nach unserer Auffassung keinerlei Wirkung haben. In diesem Krankenhaus wurden 85 Prozent der Fälle von Lungenentzündungen mit homöopathischen Medikamenten behandelt und nur 15 Prozent mit Antibiotika, wie wir sie aus unserer Ausbildung kennen. Es ist schwer zu sagen, ob die Heilungserfolge auf die Homöopathie zurückgehen oder ob es sich nur um Placebo-Effekte handelt. Wie dem auch sei, es handelt sich zumindest um eine sehr wirkungsvolle Medizin, denn die Patienten mit Lungenentzündung erholen sich. Die Besserung entspricht allerdings auch dem natürlichen Verlauf einer Krankheit. Geht es den Patienten also von allein besser oder aufgrund des Placebo-Effekts, dank der homöopathischen Medikamente oder wegen des Penizillins? Das ist zuweilen kaum genau zu unterscheiden, aber wir dürfen dieses Phänomen deswegen nicht einfach ignorieren.

Die Akupunktur hat das Verständnis der Mediziner stark verändert. In der akademischen Medizin pflegte man dieses Verfahren als unseriös zu betrachten. Dann ging der Journalist Reston von der New York Times nach China und wurde dort unter Anwendung einer Akupunktur-Anästhesie operiert. Erst da horchte die Fachwelt auf und zeigte sich aufgeschlossen. Heute gibt es inzwischen auch eine wissenschaftliche Erklärung für die Wirkung der Akupunktur, oder zumindest glaubt man sie schon bald gefunden zu haben, und deswegen fühlen wir uns auf festerem Boden.

Die Schulmedizin sollte sich den verschiedensten Heilverfahren gegenüber aufgeschlossener zeigen. Unser Wirken ist immer noch viel mehr Kunst als Wissenschaft, obwohl wir uns viel auf die Wissenschaftlichkeit einbilden, und das ist auch durchaus berechtigt. Unsere wissenschaftlichen Fortschritte sind phantastisch, und wir werden alle davon profitieren. Doch auch unsere Kunst muß Fortschritte machen.

MOYERS: Was bedeutet Ihnen in diesem Zusammenhang die Musik? Sie selbst spielen Geige. Besteht zwischen der Musik als Kunst und der Heilkunst eine Beziehung?

DELBANCO: Weil die Musik mich fasziniert, ziehe ich oft den Vergleich zwischen Kunst und Medizin. Ich könnte nicht genau sagen, warum Bach die anderen deutschen Komponisten seiner Zeit so haushoch überragt. Ich weiß nur, daß ich immer wieder zu ihm zurückkehre und nicht zu den anderen. Analog dazu weiß ich, wer ein wirklich großer Arzt ist und wer nicht. Der Unterschied beruht weniger auf dem bloßen Wissen als darauf, was er seinen Patienten als Mensch zu bieten hat. Die Analogie zwischen Musik- und Heilkunst läuft darauf hinaus, daß ich die Menschen erkenne, die sich durch eine besondere Begabung von den anderen abheben.

MOYERS: Genausowenig wie ich weiß, warum eine bestimmte Melodie mir die Tränen in die Augen treibt, kann ich sagen, warum das richtige Wort eines Arztes mir Hoffnung macht.

DELBANCO: Das ist das Geheimnis der Medizin. Es ist Teil der Kunst des Heilens und macht den Beruf des Arztes so faszinierend. Das Geheimnis der Beziehung zwischen Arzt und Patient besteht darin, diese Brücke zu finden. Zur Zeit arbeite ich daran, systematisch zu erfassen, welche Erwartungen Arzt und Patient aneinander stellen.

MOYERS: Sie wollen das Verhältnis zwischen Arzt und Patient verändern?

DELBANCO: In gewissem Sinn will ich es an einen Punkt zurückführen, wo es meiner Meinung nach schon einmal war; in einem anderen Sinn will ich es weiterentwickeln. Ich möchte die Patienten aktiver in den Prozeß mit einbeziehen und ihr Urteil über unsere Behandlungsmethoden hören. Mein Ziel ist es, durch die Zusammenarbeit mit den Patienten ein besserer Arzt zu werden. So würde ich es für sinnvoll halten, daß die Patienten sich nicht scheuen, mich beiseite zu nehmen und es mir zu sagen, wenn sie mit meiner Behandlung nicht einverstanden sind. Denn Ärzte hören sehr genau auf ihre Patienten, viel eher als auf die Vorschriften der Verwaltung oder übergeordneter Behörden. Bisher werden die Patienten viel zu selten dazu gebracht, offene Kritik zu üben, wie wir es mit unseren Studenten bereits praktizieren – wir erwarten, daß sie uns kritisieren, so wie sie es von uns erwarten. Es sollte möglich sein, das Verhältnis zwischen Patient und Arzt dahingehend zu verändern, daß sie uns helfen, unsere Behandlung zu verbessern, so wie man von uns erwartet, daß wir ihren Zustand bessern.

Es macht mir Hoffnung, daß die Arzt-Patient-Beziehung in der medizinischen Ausbildung inzwischen stärker berücksichtigt wird. Wir machen Videoaufnahmen von unseren Studenten und fordern die Patienten auf, ihnen anschließend zu sagen, wie sie ihre Arbeit beurteilen. Wir lassen die Studenten Gespräche mit Patienten führen, die sich im Genesungsprozeß befinden; dann bewerten wir ihre Gesprächsführung. Wir bemühen uns also auch, die Art und Weise zu verändern, wie die Studenten durch ihre Ausbildung geprägt werden. Die Ärzte der nächsten Generation sollen nicht mehr nur Herz, Lunge oder Leber untersuchen, sondern ebensosehr ihre Individualität berücksichtigen und dadurch eine entsprechende Beziehung zu den Patienten aufbauen.

MOYERS: Aber was kann und soll ein Arzt tun, der nicht Ihre Persönlichkeit hat oder über Ihre Begeisterungsfähigkeit verfügt? Hat er die gleichen Möglichkeiten?

DELBANCO: Wir können uns alle verändern. In meiner Jugend hieß es, man werde als Lehrer geboren, man könne es nicht werden. Heutzutage gibt es eine pädagogische Ausbildung, in der man erlernen kann, wie sich ein guter Lehrer verhalten muß. Das gleiche gilt meiner Meinung nach auch für Ärzte. Die Ärzte wünschen eine enge Beziehung zu ihren Patienten und sind oft ratlos angesichts der Tatsache, daß eine Mauer sie von ihren Patienten zu trennen scheint. Sie brauchen Möglichkeiten, ihnen näherzukommen. Eine Möglichkeit besteht darin, die Patienten als Individuen zu behandeln und auch von sich selbst so zu sprechen.

MOYERS: Wie stellen Sie sich das angesichts der Überlastung der Ärzte heutzutage vor?

DELBANCO: Während meines Krankenhauspraktikums war ich jede zweite Nacht im Dienst, und ich hatte kaum Hilfe. Ich mußte alles selbst tun. Heute hat man während dieser Zeit nur noch jede vierte oder fünfte Nacht Dienst, und außerdem gibt es sehr viel mehr Personal. Trotzdem sind die Ärzte heute deprimiert und fragen sich, ob sie ihre Ausbildung wirklich fortsetzen sollen. Ich habe meine Arbeit damals geliebt. Was war also anders? Ein grundlegender Unterschied lag vermutlich darin, daß ich meinen Patienten sehr viel näher war. Ich wurde nicht durch Vorschriften und tausend Dinge, die es zu planen und anzuordnen galt, von den Patienten abgehalten. Ich hatte damals kaum mehr als mein Stethoskop, und dafür viel Zeit für die Menschen.

Natürlich wäre es naiv, die guten alten Zeiten zu beschwören und zu glauben, daß die Welt in Ordnung wäre, wenn alles wie damals würde. Trotzdem mache ich mir die positiven Seiten der guten alten Zeit bewußt und versuche, einige dieser Elemente wieder in die moderne Medizin einzubringen. Ein Weg besteht darin, ein partnerschaftliches Verhältnis zu den Patienten aufzubauen. Dafür sind die Voraussetzungen heute besser als früher, weil wir nicht nur vom Körper, sondern auch von der Seele sehr viel mehr verstehen.

MOYERS: Sir William Osler hat einmal gesagt, die einen heile der Glaube an die Götter, die anderen die Hypnose und wieder andere der Glaube an den Arzt.

DELBANCO: Das ist richtig. Und wir Ärzte täten gut daran, alle drei Elemente zu berücksichtigen, wenn wir Fortschritte machen wollen. Das Lexikon definiert den »Heiler« als eine Person, die in der ärztlichen Kunst nicht ausgebildet ist. Wenn man aber unter dem Stichwort »Arzt«

nachschaut, steht dort: »Jemand, der die Heilkunst ausübt«. Dieser Widerspruch zeigt, wie paradox sich die beiden Begriffe zueinander verhalten. Das Faszinierende am Beruf des Arztes ist, daß man zunächst in der medizinischen Wissenschaft und Kunst ausgebildet wird und dann diese Elemente mit der Fähigkeit des Heilenden verbinden muß.

MOYERS: Wie kann man diese Verbindung herstellen?

DELBANCO: Lassen Sie es mich mit einem Vergleich aus der Musik erklären. Wenn ich Geige spielen möchte, benötige ich einige Grundkenntnisse. Ich muß wissen, wo ich die Finger auf die Saiten lege und wie ich den Bogen streiche. Bis zu einem gewissen Punkt gibt es eine Wissenschaft des Violinspiels. Wenn ich jedoch will, daß die Musik etwas vermittelt, muß ich über diesen rein mechanischen Teil hinausgehen. Das ist in der Medizin nicht anders. Ich muß über die technischen Aspekte eines Tests oder die physische Beschaffenheit Ihrer Organe hinausgehen, ich muß versuchen, Ihre Spiritualität zu fassen zu bekommen.

Was mich an der Geige fasziniert, ist, wie stark sich ein Instrument vom anderen unterscheiden kann. Sie sehen drei Geigen, und auf den ersten Blick wirken sie alle gleich. Aber die eine ist vielleicht für diese Musik geeignet, die andere entspricht Ihren Gefühlen zu einem bestimmten Zeitpunkt, aber nicht zu einem anderen, die dritte reagiert auf einen andersgearteten Impuls. Und ebenso ist es mit den Patienten. Menschliche Körper erscheinen uns auf der Ebene der Physiologie sehr ähnlich. Wenn man aber die Persönlichkeit jedes Patienten berücksichtigt, treten die Unterschiede wieder in den Vordergrund.

Wenn ich die Kunst beherrsche, mit einem Patienten in eine Beziehung zu treten und dabei zu berücksichtigen, was ihn als Individuum kennzeichnet, werde ich ein besserer Arzt für ihn sein. Die Mischung aus Fachwissen und der medizinischen Kunst ist die beste Voraussetzung, einem Patienten zu helfen, mit seiner Krankheit umzugehen und ihn so zu heilen.

Heilen und Umwelt

Ron Anderson

Ron Anderson ist Direktor der texanischen Gesundheitsbehörde und Leiter des Parkland-Memorial-Krankenhauses in Dallas. Parkland, ein staatliches Krankenhaus für zahlende wie nicht-zahlende Patienten, zählt zu den 25 besten Krankenhäusern der USA. Man versucht dort, die Prinzipien der ganzheitlichen Medizin in die Praxis umzusetzen. Dr. Anderson ist Mitautor des Buchs »Medical Apartheid – An American Perspective«.

MOYERS: Welche Verbindung sehen Sie zwischen ganzheitlicher Medizin und dem, was Sie und Ihre Kollegen hier in Parkland tun?

ANDERSON: Ich spreche die Selbstbestimmung der einzelnen Menschen an, das, was sie mit ihren Fähigkeiten anzufangen versuchen, mit ihrem Verhalten gegenüber der Krankheit, mit ihren finanziellen Möglichkeiten, mit all dem, wodurch sie auf eine Krankheit Einfluß nehmen können. Ich möchte, daß sie verstehen, was Ganzheit bedeutet, denn wenn man die Verbindung zwischen Körper und Seele nicht versteht, fängt man unter falschen Voraussetzungen an. Man muß den Patienten innerhalb seiner Familie und seiner Umgebung betrachten, denn dort lebt er schließlich. Sie haben eine Krankheit, aber sie leben mit ihrem Leiden, und wenn man diese Verbindung zwischen Körper und Seele übersieht, wird es schwierig, die verschiedenen Aspekte der Krankheit miteinander zu verknüpfen.

MOYERS: Was meinen Sie, wenn Sie von Ganzheit sprechen?

ANDERSON: Mit »Ganzheit« meine ich, so »ganz«, wie ein Mensch sein kann, wenn man die Krankheit berücksichtigt, die ihn attackiert. Die Vorstellung vom eigenen Körper hat sich möglicherweise verändert, man hat vielleicht Trauer oder Verlust erfahren. Wie kann ich diesem Menschen helfen, sein früheres Leistungsvermögen zurückzugewinnen? Bin ich nicht imstande, die Krankheit zu heilen, so kann ich mich ihm zumindest zuwenden. Wenn ich das nicht kann, dann ist etwas grundfalsch.

Man versucht, einem Menschen die Heilung zu ermöglichen und ihm dabei zu helfen, sich selbst zu heilen. Genaue Information und eine sorgende Umgebung können diesen Prozeß unterstützen. Nach der Entlassung ist der Patient auf sich selbst gestellt. Deswegen ist es wichtig, daß die Patienten mit unserer Hilfe einen möglichst guten Gesundheitszustand und damit ihre Leistungsfähigkeit wiedergewinnen. In unserer geriatrischen Abteilung pflegen wir zu sagen, daß wir noch nie einen Patienten hatten, für den wir nicht sorgen konnten. Wir haben viele gehabt, die wir nicht heilen konnten.

MOYERS: Fürsorge ist eine gute Medizin.

ANDERSON: Ja, das ist sie. Bevor es Antibiotika gab, war es gute Medizin, daß der Arzt sich sorgte, mitfühlend war und mit den Menschen sprach. Ich fürchte, daß unsere moderne Technik heute gelegentlich die fürsorgende Einstellung ersetzt.

MOYERS: Gibt es eine wissenschaftliche Grundlage für die These, daß Fürsorge gute Medizin ist?

ANDERSON: Es gibt sie, aber der Nachweis ist schwierig. In der medizinischen Welt verlangt man statistische Werte und nachprüfbare Daten. Ich erlebe aber in meiner eigenen Praxis als Arzt, daß es den Menschen besser geht, wenn eine fürsorgende Beziehung zwischen Arzt und Patient besteht. Sie erzählen mir Dinge, die sie anderen nicht erzählt haben, Dinge, die von entscheidender Bedeutung dafür sind, wie ich die Behandlung plane. Sich um jemanden zu sorgen und ihn das fühlen zu lassen, eröffnet völlig neue Horizonte beim Erstellen der Anamnese im Rahmen der ärztlichen Untersuchung.

Ich versuche, bei der Visite einige Zeit mit den Patienten allein zu sein und sie dazu zu bringen, mir Dinge zu erzählen, die sie anderen Ärzten bei vorausgehenden Anamnesen verschwiegen haben. Studien haben gezeigt, daß bei Farbigen im Durchschnitt weniger komplizierte Untersuchungen durchgeführt und bei gleichem Krankheitsgrad seltener Herzoperationen vorgenommen werden. Meiner Ansicht nach liegt das weniger an Vorurteilen, sondern daran, daß man nicht mit Menschen aus anderen Kulturkreisen zu reden versteht. Sie reden, aber man hört ihnen nicht zu. In einer Umgebung, wo die Sorge um den Patienten fester Bestandteil der Behandlung ist, wird man ihnen zuhören und herausfinden, was sie erwarten, was in ihrem Wertesystem über die Krankheit zu sagen ist.

MOYERS: Warum muß man die Wertvorstellungen eines Patienten kennen, der zur Behandlung kommt?

ANDERSON: Für viele Menschen hat beispielsweise Leistungsfähigkeit Vorrang vor der längeren Lebensdauer. Junge Ärzte fürchten manchmal den Tod besonders. Sie fassen ihn als Fehlschlag auf. Das muß für einen älteren Menschen nicht zutreffen. Für ihn kann sich der Tod als etwas Positives darstellen, wenn er als Erlösung empfunden wird. Sie wollen nicht langfristig ein Pflegefall sein, sondern sich ihre Würde bewahren und eine gewisse Eigenkontrolle behalten. Ihre Ziele können sich also stark von denen des Arztes unterscheiden, der den Tod um jeden Preis verhindern will. Deshalb müssen wir mit den Menschen reden, um zu erfahren, welche Wertmaßstäbe sie haben und welches Ergebnis sie wünschen, anstatt ihnen nur unsere eigenen Werte aufzuzwingen.

MOYERS: Können Sie ein Beispiel geben, wo die Kenntnis der Wertvorstellungen des Patienten Ihnen tatsächlich im Umgang mit ihm geholfen hat?

ANDERSON: Ich könnte Ihnen viele Fälle nennen, im Grunde jeden Patienten. So kann ein älterer Mensch, der im Krankenhaus liegt, aber zu Hause einen geliebten Menschen zurückgelassen hat, in Wahrheit der Stärkere von beiden sein. Seine Sorge gilt der Möglichkeit, wieder nach Hause zu kommen, um den Partner zu versorgen. Behält man einen solchen Patienten noch ein paar Tage im Krankenhaus, weil es für seine Pflege wichtig wäre, dann kann die Sorge um den Partner so groß sein, daß die Tage zusätzlicher Bettruhe ihm keinen therapeutischen Nutzen bringen. Man muß also mit den Patienten sprechen, um etwas über die häusliche Situation zu erfahren. Wenn ich ins Krankenhaus komme und merke, daß genau das versäumt worden ist, bin ich vom Personal enttäuscht.

Wir haben beispielsweise einen Lastzugfahrer mit einem Herzinfarkt. Er könnte dieselbe Herzkrankheit haben wie der Bankdirektor im Nachbarzimmer – doch die Behandlungsmethode wäre anders. Der Fahrer wird vermutlich seinen Job verlieren, weil er keinen Neunachser mehr fahren darf. Seine Arbeitgeber werden ihn vielleicht nicht umschulen. Er hat eine sehr hohe Arbeitsmoral und steht finanziell unter Druck, weil er zwei Kinder auf dem College hat. Er selbst hat keine höhere Schulbildung und versucht, seinen Kindern diese Möglichkeit zu bieten. Für den Bankdirektor dagegen ist die Bypass-Operation vielleicht geradezu »in«. Er bekommt viel Besuch, und die Leute interessieren sich dafür, welcher Herzchirurg die Operation denn vornehmen wird. Wenn er nach Hause kommt, erwarten ihn vier oder fünf Monate Genesungsurlaub, und er hat keinen Einkommensverlust zu fürchten. Die Familie ist gutsituiert, und die Kinder haben die Collegeausbildung bereits beendet. Beide Patienten sind schwer krank, beide könnten sterben, aber ihr jeweiliges Leiden ist völlig verschieden.

MOYERS: Wie wirkt sich das auf Ihre Behandlung der beiden aus?

ANDERSON: Ich muß in Erfahrung bringen, was für ein Ergebnis sie wünschen. In beiden Fällen mag der chirurgische Eingriff die beste Methode sein, die Blutgefäße zu reparieren – aber wie sieht es bei der Rehabilitation aus? Ich darf nicht nur an das Herz des Lastzugfahrers denken, ich muß auch seine Wiedereingliederung in den Arbeitsprozeß berücksichtigen. Ich muß bedenken, wie er zurechtkommen wird, wenn wir ihn entlassen. Verliert er seinen Arbeitsplatz, dann wird wahrscheinlich sein Blutdruck steigen, möglicherweise wird er mehr trinken und ein Magengeschwür bekommen. Sein gesamtes Selbstwertgefühl wird untergraben, weil er bisher immer gearbeitet hat und ohne fremde Hilfe zurechtgekommen ist. Der andere Patient in unserem Beispiel ist in seiner Selbsteinschätzung weniger gefährdet. Natürlich hat er Angst, weil er einen Herzinfarkt hatte, und er weiß, daß er sterben könnte. Auch er hat vermutlich Depressionen und Zukunftsängste, doch aufgrund seiner Lebenssituation kann er besser damit umgehen.

MOYERS: Inwiefern führt diese Art von Fürsorge zum Begriff der ganzheitlichen Medizin?

ANDERSON: Meiner Meinung nach ist die Ganzheitsmedizin die wahre Kunst der Medizin. Die Schulmedizin hat uns sehr weit gebracht, aber wir haben die medizinische Kunst links liegen lassen. Früher hatten Ärzte eine beinahe priesterhafte Aura. Auch wenn ich froh bin, daß das heute nicht mehr der Fall ist, müssen die Menschen dennoch etwas Heilendes spüren. Sie wollen diese Fürsorge, sie wissen intuitiv, daß es eine Verbindung zwischen Körper und Seele gibt.

Vieles spricht dafür, daß wir darauf eingerichtet sind, das zu sehen, was wir glauben. Aus diesem Grund ist es wichtig zu erfahren, welche Glaubensvorstellungen und unterschiedliche Sichtweisen wirksam sind. Ich betrachte Patienten als »Mosaiksteine«. Die Krankenhäuser dürfen sie nicht zu gleichartigen Teilstücken machen wollen, nur damit sie die Kriterien eines idealen Patienten erfüllen. Ich will, daß meine Ärzte das begreifen und daß sie sich bemühen, die Beziehungen des Patienten zu seiner Familie, seiner Umgebung und zu ihnen selbst zu verstehen. Die Patienten sind offensichtlich viel zufriedener, wenn man sie als »Ganzheit« aus Körper und Seele behandelt. Sie haben weniger den Eindruck, das System nehme sich ihrer nicht an. Auf diese Weise bewahren sie ihre Würde und behalten mehr Kontrolle über ihre Situation.

MOYERS: In diesem Sinn ist Ganzheitsmedizin also die Kunst der Fürsorge?

ANDERSON: Es ist die Kunst, die ganze Person zu berücksichtigen und nicht nur das physiologische System. In der medizinischen Lehre geht es um Krankheiten, Gewebe, Organe und Körperfunktionen. Wenn man jedoch die Kunst in die Medizin einbringt, geht es um die Person, ihre Familie, ihr Umfeld, es geht um spirituelle Dinge.

MOYERS: Glauben Sie, daß es, medizinisch gesehen, Spiritualität in einem menschlichen Wesen gibt?

ANDERSON: Ganz gewiß, und ich bin der Meinung, daß sie überaus wichtig ist. Es gibt Krebspatienten, die aufgeben, und andere, die nicht aufgeben. Genauso habe ich AIDS-Patienten erlebt, die viel länger gelebt haben als erwartet. Mein Großvater beispielsweise, der jahrelang rauchte, hatte Lungenkrebs. Als man ihm die Diagnose stellte, war mein kleiner Bruder gerade geboren worden. Der Krebs befand sich bereits im Endstadium, so daß eine Therapie nicht mehr möglich war und die Ärzte ihm nur noch sechs Monate zu leben gaben. Er aber sagte: »Ich habe alle meine Kinder und Enkel großgezogen, bis sie in die Schule kamen. Ich habe ihnen meine Werte vermittelt, und das werde ich auch bei diesem Jungen tun. Ich werde ihn schaukeln, mit ihm auf die Jagd gehen und ihm all die Geschichten erzählen, die ich meinen anderen Enkelkindern erzählt habe, und ich werde erleben, wie er in die Grundschule kommt.« Er hat tatsächlich noch sechs Jahre gelebt, denn er hatte eine lebensbejahende Einstellung und ein Ziel.

Er ist kein Einzelfall. Andererseits erlebe ich, wie Indianer beschließen zu sterben, wenn der richtige Augenblick gekommen ist. Sie haben es mit der Familie besprochen und ihren Entschluß gefaßt. Als ich als Medizinalassistent zum erstenmal etwas Derartiges erlebte, dachte ich: »Das ist unmöglich. Es gibt doch für diesen Menschen gar keinen Grund zu sterben.« Der behandelnde Arzt, der seit vierzig Jahren Indianer behandelte, sagte mir: »Diese Frau wird sterben, wenn sie es will.« Damals konnte ich das nicht begreifen, aber seitdem habe ich es immer wieder erlebt.

MOYERS: Woher will man mit Sicherheit wissen, daß es sich nicht sozusagen um einen Placebo-Effekt, um die Reaktion auf eine Überzeugung handelt?

ANDERSON: Ein Placebo-Effekt ist nicht von Haus aus negativ zu sehen. Wenn eine derartige Wirkung eintritt, dann werden durchaus auch chemische Substanzen wirksam. Der fürsorgende und heilende Akt aktiviert körpereigene Endorphine, Enkephaline, Dopamine, Serotonine und Norepinephrine. Andererseits lehne ich es ab, Placebos zu benutzen, anstatt mich um die Schmerzen eines Menschen zu kümmern. Man erweist dem Patienten manchmal einen schlechten Dienst damit, weil man ihn irreführt und belügt. Ich ziehe ein partnerschaftliches Verhältnis vor und versuche, mich mit dem Patienten abzusprechen, um auf diese Weise die eigentlichen Schmerzen anzugehen. Schmerz kann auch eine Form der Bitte um meine Zeit und Aufmerksamkeit sein.

MOYERS: Der Placebo-Effekt zeigt den Einfluß, den die Überzeugung auf den Körper hat. Wenn ich glaube, daß es mir aufgrund der von mir vermuteten Behandlung besser geht, segnet mein Körper das möglicherweise ab.

ANDERSON: Es steht außer Frage, daß Körper und Seele gemeinsam den Kampf gegen eine Infektion aufnehmen können. Menschen, die einen nahestehenden Angehörigen verloren haben, sind beispielsweise stärker als sonst durch Herzversagen gefährdet. Sie erkranken leichter an Leiden, die als vermeidbar gelten. Das beruht teils darauf, daß sie sich selbst vernachlässigen, teils handelt es sich auch um eine Art Abschaltung des Immunsystems.

MOYERS: Wie wollen Sie aber Studenten die Kunst der Medizin lehren, um Ihre Bezeichnung wiederaufzunehmen, wenn diese mit einem Zwanzig-Stunden-Tag fertigwerden müssen und dabei wissen, daß man sie nach der Zahl ihrer Patienten, der von ihnen überprüften Fieberkurven und nach ihren Lernerfolgen bewertet? Erwarten Sie wirklich, daß sie sich die Zeit nehmen, sich um diese anderen Dinge zu kümmern?

ANDERSON: Meine eigene Erfahrung hat mir gezeigt, daß ich mehr Zeit brauche, wenn ich darauf verzichte. Es handelt sich um eine Art vorbeugende Medizin. Wenn ich mich schon im voraus der Probleme, Sorgen und Ängste des Patienten annehme, verbessere ich damit konkret den Therapieplan und das Ergebnis. Ich fürchte aber, daß die gegenwärtige Ausbildungspraxis den Studenten und Medizinern viel von ihrem Mitleid, ihrer Zuwendung und ihrer Bereitschaft, die Patienten zu verstehen, austreibt. Man hält sie dazu an, die Krankheit zu diagnostizieren, und dieses Wissen wird überprüft. Wir verfügen über komplexe Krankheitsmodelle, und unaufhörlich werden neue entwickelt. Alle Welt spricht von der Überlastung der Medizinstudenten durch den Lehrplan. Der Lernstoff ist während der Ausbildung eine ungeheure Belastung. Wenn sie dann auf Station kommen und überlastete Professoren und

Stationsschwestern erleben, können sie eine Einstellung entwickeln, in der sie den Patienten als Gegner betrachten.

Viele Ärzte in den USA wollen nicht in der Grundversorgung arbeiten, und einer der Gründe dafür ist, daß sie in Krankenhäusern ausgebildet wurden, wo man den Patienten nicht als einen Menschen ansieht, der in einer Familie und einem Umfeld zu Hause ist. Es besteht keine langfristige Bindung an den Patienten. Jedem Arzt, der einen Patienten zehn oder fünfzehn Jahre lang betreut, ist dieses Verhältnis wichtig. Das erleben die Medizinstudenten nicht. Sie bekommen eine Intensivstation mit der entsprechenden technischen Ausstattung zu sehen und lassen sich von diesem Eindruck entmutigen. Es ist leichter, ein Rezept auszuschreiben, als sich die Zeit für ein Gespräch mit dem Patienten zu nehmen. Ich mache meine Studenten immer wieder darauf aufmerksam, daß der Kontakt mit den Patienten nicht mit dem Griff nach dem Rezeptblock endet. Viele Patienten, vor allem die älteren, brauchen kein Rezept, sie wollen, daß ich mit ihnen spreche, daß man sie besucht. Die Stationsschwestern oder Pfleger reagieren oft verärgert auf diesen Anspruch auf Zuwendung. Aber was ist schlecht daran, wenn es die Heilung fördert?

MOYERS: Ist das gelegentlich so?

ANDERSON: Gegen Ängste hilft die Zuwendung des Arztes manchmal erheblich besser als Medikamente. In einigen Fällen ist es sogar besser, gar kein Medikament zu geben, sondern sich auf die Beziehung des Patienten zu seiner Kirche, zu seinem Umfeld oder zu einem Arzt zu verlassen.

MOYERS: Wie kommt es, daß die Patienten in den Krankenhäusern oft geradezu als Feinde betrachtet werden?

ANDERSON: Krankenhäuser sind traditionell auf die Bedürfnisse der Ärzte, des Hilfspersonals und der Versicherungen ausgerichtet – nur nicht auf die der Patienten. Sie entsprechen einer »Total-Institution«. Die Total-Institution ist eine Einrichtung, die dem Zweck, zu dem sie ursprünglich geschaffen wurde, nicht mehr dienen kann, weil sie aufgrund ihrer Größe überfordert ist, so daß die Menschen nicht mehr mit ihren Gefühlen umgehen können. Auch staatliche Schulen können diesem Typus entsprechen. Das Krankenhaus sollte eine Einrichtung im Dienst des Patienten sein. Er sollte im Mittelpunkt stehen. Es gilt, den Patienten die bestmögliche Pflege zur Verfügung zu stellen. Das gerät manchmal in Vergessenheit.

MOYERS: Verlangt man von angehenden Ärzten nicht zuviel, wenn man fordert, daß sie sowohl das ungeheure technische Wissen beherrschen als auch über diese sozialen und persönlichen Fertigkeiten verfügen sollen?

ANDERSON: Sachkenntnis und Kompetenz im eigenen Fachbereich sind die grundlegenden Voraussetzungen für eine verantwortungsbewußte Berufsausübung. Einem inkompetenten Arzt kann ein Patient noch so sehr am Herzen liegen, er kann trotzdem eine echte Gefahr für ihn darstellen. Die fachliche Kompetenz ist also unerläßlich. Will man jedoch wirklich Pflege bieten, muß man auf die Beziehung zum Patienten achten.

Für einen Radiologen etwa oder den Anästhesisten, der bloß die Narkose verabreicht und nicht mit dem Patienten spricht, genügt es vielleicht, sich bloß in seinem Fachbereich auszukennen. Für den Internisten, den Facharzt für Geriatrie oder Kinderheilkunde oder den Hausarzt dagegen ist diese Einstellung auf den Patienten unverzichtbar. So schwierig ist das eigentlich gar nicht, und es kostet nicht mehr Zeit.

MOYERS: Warum haben wir diese Fähigkeit eingebüßt? Ich erinnere mich noch an den Hausarzt meiner Familie, der diese Fürsorge in seine Behandlung mit einbrachte.

ANDERSON: Manche Leute würden sagen, daß den Ärzten damals einfach keine anderen Mittel zur Verfügung standen. Sie hatten weder Penizillin noch unsere moderne Technik. Meiner Meinung nach ist es so, daß sie mit ihren damaligen Mitteln sehr weit kamen und daß wir mit unseren heutigen Mitteln weiter kommen. Aber manchmal müssen wir unsere Patienten geradezu vor der verfügbaren Technik schützen. Aus diesem Grund müssen wir wissen, was sie wollen und von uns erwarten.

Um auf Ihre Frage zurückzukommen, so weiß ich nicht, wie diese Fürsorge verlorengeht, ich weiß nur, daß erst unser System den werdenden Ärzten die Voraussetzungen dafür entzieht. Sie sind überlastet und denken an andere Dinge, wie zum Beispiel die Kosten der Behandlung und deren Erstattung.

Trotz der fortgeschrittenen Technologie und des hohen finanziellen Aufwands gelingt es uns nicht, unsere Patienten zufriedenzustellen. Bei immer höheren Ausgaben sind gleichzeitig immer weniger Menschen mit der Gesundheitsfürsorge zufrieden. Von den Patienten erfahren wir, daß sie ein persönlicheres Verhältnis zu ihren Ärzten wünschen. Sie schätzen vielleicht ihren behandelnden Arzt, aber nicht die Medizin als Institution. Viele Patienten schätzen nicht einmal ihren Arzt, auch wenn sie ihm Fachkompetenz zugestehen.

Die Patienten sind häufig so eingeschüchtert, daß sie sich nicht als Teil des Teams empfinden. Gerade im Fall von chronischen Krankheitsbildern ist es aber wichtig, daß die Patienten sich nach der Entlassung selbst helfen können. Chronische Krankheiten müssen innerhalb des Lebenskreises und der Familie des Kranken betrachtet werden.

MOYERS: Mit welcher Art von Krankheiten kommen Ihre Patienten ins Parkland-Krankenhaus?

ANDERSON: Die Krankheiten reichen von schweren akuten Verletzungen über Diabetes bis zu Bluthochdruck und Asthma. Dazu kommen auch Schwangerschaften bei Minderjährigen mit hohem Risiko für Mutter und Kind. Unsere Patienten kommen aus allen Schichten der Gesellschaft und bilden sozusagen ein soziales Mosaik. Das ist einer der Gründe dafür, daß ich so gern hier arbeite. Gleichzeitig erschwert diese Diversität es, sich auf den einzelnen Patienten in seiner Individualität einzustellen.

MOYERS: Einem privaten Krankenhaus fällt es leichter, sein Angebot auf den einzelnen abzustimmen, aber wie können Sie dieses Ziel in einem großen staatlichen Krankenhaus verwirklichen?

ANDERSON: Vielen Krankenhäusern, die sich für patienten- oder kundenorientiert halten, geht es in Wirklichkeit mehr um Ausstattungsfragen als um die Rechte der Patienten. Wir dagegen wollen in einem staatlichen Krankenhaus ein System freier Entscheidungsmöglichkeiten schaffen, so daß nach der Einführung einer allgemeinen Krankenversicherung unser Haus für alle Patienten als eine Institution attraktiv wäre, die eine Zuflucht bietet, wo man sich des Patienten annimmt. Ich bin überzeugt, daß die Entwicklung in diese Richtung geht. Auch dem Steuerzahler gegenüber ist dieser Strukturwandel zu rechtfertigen, und er kann uns auch helfen, Investoren aus der Wirtschaft dafür zu gewinnen. Denn meiner Meinung nach bietet auch eine patientenorientierte Medizin interessante ökonomische Möglichkeiten und weist gleichzeitig der privaten Medizin den richtigen Weg. Privatkrankenhäuser wählen ihn möglicherweise, um ihren Marktanteil zu vergrößern, aber unser Marktanteil ist bereits heute größer, als wir es verkraften können. Unserer Ansicht nach macht der Wert des einzelnen diesen Schritt notwendig. Die Integrität unserer Institution muß darauf beruhen, daß wir eine menschenwürdige Krankenpflege und Dienste bieten, die sozial gerecht sind und die Rechte des Menschen respektieren, die unserer Pflege anvertraut sind.

MOYERS: Was meinen Sie damit?

ANDERSON: In den meisten Krankenhäusern nimmt man dem Patienten seine eigenen Kleider ab, steckt ihn statt dessen in einen kurzen Kittel, der hinten zugebunden wird und nimmt ihm seine Zahnprothese und alle persönlichen Gegenstände ab – lauter Dinge, die ihm das Gefühl geben, ein Individuum zu sein. Weil man von ihm erwartet, daß er ein guter Patient ist, wird er folgsam sein. Patienten müssen aber nicht folgsam sein, sie sollen vielmehr die Fähigkeit haben, sich zu beschweren, Fragen zu stellen und ihren eigenen Standpunkt geltend zu machen. Sie brauchen eine Partnerschaft, auch wenn die Partner nicht gleichberechtigt sein können. Wir Ärzte müssen in dieser Partnerschaft die Fürsprecher der Patienten sein. Das heißt, der Patient muß sich beschweren können, ohne fürchten zu müssen, dadurch an Fürsorge einzubüßen.

MOYERS: Aber Sie wollen ihnen mehr bieten als nur die Möglichkeit zu protestieren.

ANDERSON: Wir möchten sie in die Lage versetzen, sich selbst pflegen zu können, wenn sie wieder zu Hause sind, so daß sie ein Teil des Pflegeteams sind. Nicht jeder Patient wird das können, aber wo es möglich ist, wollen wir ein partnerschaftliches Verhältnis zu dem Patienten schaffen, damit er beispielsweise nach der Entlassung mit den verordneten Medikamenten richtig umgeht. Wenn Nebenwirkungen auftreten und die Medikation geändert werden muß, fällt der Patient zu Hause die endgültige Entscheidung, während der Arzt dabei nur als Diagnostiker eine bestimmte Therapie vorgeschlagen hat.

Ein derartiges Beispiel wäre ein junger Mann, der an Bluthochdruck leidet. Ein Medikament kostet 20 Dollar im Monat, ein anderes, mit geringeren Nebenwirkungen, 85 Dollar. Verschreibe ich ihm das teurere, das er sich aber nicht leisten kann, wird er Schuldgefühle entwikkeln. Sein Blutdruck ist dann unter Kontrolle, aber er fühlt sich nicht unbedingt besser. Wenn er außerdem eine Familie zu ernähren hat und die Kosten für die Ausbildung seiner Kinder aufbringen muß, sind 65 Dollar im Monat für ihn viel Geld. Spricht man vorher mit ihm über die Nebenwirkungen, entscheidet er sich vielleicht trotzdem für das billigere Medikament, weil sein Gesundheitszustand auch von seinen Gefühlen und seinem Verantwortungsgefühl gegenüber seiner Familie abhängig ist.

MOYERS: Leiden viele Patienten unter Streß?

ANDERSON: Unsere Patienten leiden unter ungeheuer großen Belastungen. Wir versorgen sowohl nicht-versicherte Patienten als auch solche, die von gemeinnützigen Institutionen unterstützt werden. Durch die finanziellen Konsequenzen ihrer Pflege stehen sie unter starkem Druck.

Menschen, die immer gearbeitet haben, manchmal in zwei oder drei Stellen, leiden darunter, abhängig zu sein und nicht zu wissen, wie es weitergehen wird.

Natürlich gibt es diesen Streß in allen gesellschaftlichen Schichten. Im Krankenhaus ist man verwundbar, etwas geschieht mit mir, ich verändere mich, ich erfahre bewußt, daß ich sterblich bin, und ich merke, daß ich nicht mehr alles in der Hand habe. Diese Belastung steigt noch, wenn beispielsweise Arbeitslosigkeit, hohes Alter oder Obdachlosigkeit hinzukommen, eine Lebensweise, die zur Diskriminierung führt, so daß der Patient sich fragt, ob sein Tod nicht eine Erleichterung für die anderen darstellen würde. Gegen diese Ängste hilft nur das Gespräch mit dem Patienten, nicht die Verschreibung von Beruhigungsmitteln.

MOYERS: Ist Streß der wichtigste Ansatzpunkt der ganzheitlichen Medizin?

ANDERSON: Er ist einer unter mehreren, aber ein wichtiger, und natürlich schon seit Jahrhunderten bekannt. Doch zusätzlich zum Streß gilt es, immer die individuelle Situation des Patienten zu berücksichtigen. Denn im Verlauf der Krankheit ändert sich auch die Einstellung des Kranken zu seinem Leiden. Wenn zum Beispiel ein junger Mann an Lymphogranulomatose leidet, durchläuft er verschiedene Stadien: zuerst lehnt er sich auf, dann will er seine Krankheit nicht wahr haben, dann beginnt er, mit dem Schicksal zu hadern. Zuletzt akzeptiert er die Krankheit. In jeder Phase dieses Prozesses muß der Arzt seine Methode bis zu einem gewissen Grad dem Patienten und seiner jeweiligen Verfassung anpassen.

MOYERS: Ihre Frühgeborenen-Station genießt hohes Ansehen. Ist das, was Sie dort praktizieren, auch ganzheitliche Medizin?

ANDERSON: Ja, auch wenn es zunächst schwerfällt, diese Vorstellung auf ein Baby von ein oder zwei Pfund anzuwenden, angesichts dessen man sich die Frage stellt, ob das tatsächlich eine Person ist. Es ist eine Person. Sie werden feststellen, daß die Menschen versuchen, ein solches Baby zu berühren und zu streicheln, es anzuregen, damit es sich so normal wie möglich entwickelt.

Aber man hat es nicht nur mit dem Baby zu tun, sondern mit einer Mutter und einem Vater und vielleicht einer Großmutter. Die Familien haben oft Probleme, wenn das Kind monatelang von technischen Apparaturen umgeben ist. Sie haben Angst, es mit nach Hause zu nehmen, weil sie sich nicht zutrauen, die ganze Technik ersetzen zu können, und Zweifel haben, ob sie ihrer Aufgabe überhaupt gerecht werden können.

Dazu kommt oft die Angst, sich auf eine Bindung an das Kind einzulassen, wenn beispielsweise die Mutter Hemmungen hat, das Kind in den Arm zu nehmen. Aber daran können wir mit den Eltern arbeiten, um beiden Teilen zu helfen. Wir haben einen besonderen Raum, wo sie für ein oder zwei Stunden mit ihrem Kind allein sein können, während eine Schwester in Reichweite ist. Zu unseren Aufgaben gehört es, uns nicht nur auf das Baby zu konzentrieren, sondern auch die Familienmitglieder darin zu bestärken, sich gegenseitig ernstzunehmen und zu unterstützen.

MOYERS: Es genügt Ihnen also nicht, das Baby am Leben zu erhalten.

ANDERSON: Es geht uns nicht nur darum, daß das Kind den ersten Monat übersteht, sondern das ganze erste Jahr, die ersten fünf Jahre. Der Fall ist schließlich nicht beendet, wenn die technisch aufwendige Intensivbehandlung abgeschlossen ist. Man muß auch dafür sorgen, daß das Kind weiterhin eine umfassende Fürsorge erhält, und die beste Fürsorge geht von der Familie aus.

MOYERS: Das herkömmliche Bild eines Krankenhauses sieht anders aus. Man versteht eine Klinik als Anlaufstelle in Gesundheitskrisen, anstatt darin eine langfristige Strategie sozialer, persönlicher und familiärer Fürsorge zu sehen.

ANDERSON: Wenn Sie an Krankheit denken, denken Sie an Krankenhaus. Wenn Sie jedoch an Leiden denken, müssen Sie an das Zuhause und die Familie denken. Das Krankenhaus muß eine Verbindung zwischen beiden Bereichen herstellen. Wenn man beispielsweise weiß, daß das Baby nicht überleben wird, ist diese körperlich-seelische Erfahrung für die Familie ungeheuer wichtig. Im allgemeinen holen wir die Familie ins Krankenhaus, wenn die künstliche Beatmung eingestellt wird, damit sie es miterleben kann. Sie müssen mit dem Verlust fertigwerden. Die Atmosphäre der Apparatemedizin kann für kurze Zeit aufgehoben werden, so daß sie ihr Kind für sich haben, und sei es nur für einen kurzen Moment. Wie sie mit dieser Erfahrung umgehen, ist für die spätere Trauer wichtig. Wir versuchen in solchen Fällen, der Familie die Möglichkeit zu geben, in einer Gruppe Unterstützung zu finden. Auch bei schweren Schocks, wenn beispielsweise der heranwachsende Sohn bei einem Autounfall ums Leben gekommen ist oder ein Angehöriger durch eine Rückenmarksverletzung für immer behindert ist, muß man mit der Familie zusammenarbeiten. Nach der Entlassung eines solchen Patienten muß jeder von ihnen mit dieser Krankheit umgehen können. Auch wenn wir noch so kompetent mit schweren Verletzungen oder

Krankheiten umgehen, gute Ärzte sind wir erst dann, wenn wir uns mit dem Leiden und der Ganzheit dieses Individuums auseinandersetzen.

MOYERS: Für ein staatliches Krankenhaus, das sich aus den Mitteln der Steuerzahler finanziert, ist das ein sehr anspruchsvolles Programm.

ANDERSON: Diese Behandlungsmethoden verursachen sehr viel weniger Kosten als die herkömmlichen, vor allem, wenn man die Pflege dezentralisiert. Dann belaufen sich die Kosten auf einen Bruchteil dessen, was man in herkömmlichen Krankenhäusern mit ihrem hohen technischen Standard aufwendet. Der exzessive Einsatz von Technik belastet unser Gesundheitssystem unverhältnismäßig stark. Ich bin der Auffassung, daß man den Patienten qualitativ bessere Pflege zu niedrigeren Kosten bieten kann. Manches, was wir den Patienten anbieten, wollen sie oft gar nicht. Das soll nicht heißen, daß ich beispielsweise die Sterbehilfe unter dem Aspekt der Kosten befürworten würde, in dem Sinn, in dem Woody Allen einmal gesagt hat, der Tod sei die beste Kostenbremse überhaupt. Das meine ich gewiß nicht. Ich spreche von Lebensqualität im Rahmen der Wertvorstellungen des Patienten, und nicht nach meinen eigenen Maßstäben. Oft investieren wir sinnlos viel Geld, weil wir uns auf die Krankheit konzentrieren, anstatt uns auf die menschlichen und emotionalen Aspekte einzulassen. Ich sehe unsere Aufgabe als staatliches Krankenhaus darin, das Geld des Steuerzahlers gut anzulegen, indem wir mit den Methoden, die ich beschrieben habe, eine bessere Gesundheitsfürsorge gewährleisten.

MOYERS: Warum haben Sie hier überall Gemeindekliniken aufgebaut?

ANDERSON: Diese Kliniken konzentrieren sich auf die Vorbeugung. Durch die Früherkennung können wir nicht nur den Tod oder Behinderungen vermeiden, sondern auch Geld einsparen und gleichzeitig eine bessere Pflege bieten. Viele der Probleme, mit denen wir täglich konfrontiert werden, lassen sich nicht mit Medikamenten lösen. Sie können nur innerhalb des sozialen Umfeldes der Patienten angegangen werden. Dazu gehört beispielsweise Schwangerschaft bei Minderjährigen, die Übertragung des HIV-Virus, Körperverletzung durch Bandenkriminalität, alle Arten von Drogensucht. Die gemeindebezogene Grundversorgung findet deshalb genau dort statt, wo die Kranken leben, wo sie ihren Bedürfnissen besser gerecht wird. Sie berücksichtigt auch Faktoren wie das Fehlen von Zukunftsperspektiven und das Gefühl der Hilflosigkeit, die das Umfeld schaffen, in dem es zu Gewalttätigkeit oder Drogensucht kommen kann.

MOYERS: Die Versorgung wird also sozusagen vor Ort geboten.

ANDERSON: Ja, an dem Ort, wo die Menschen leben, in ihrer Gemeinde. Nachdem ich einmal in einem öffentlichen Vortrag gefordert hatte, der Gemeinde mehr Handlungsbefugnisse zu übertragen, kam anschließend ein Zuhörer zu mir und sagte: »Ich bin jetzt ein alter Mann und hatte gehofft, nicht mehr erleben zu müssen, daß noch ein Weißer kommt und mir Rechte verleihen will.« Er hatte vollkommen recht. Ich verleihe niemandem Rechte, das muß die Gemeinde selbst tun. Voraussetzung ist, daß wir die richtigen Rahmenbedingungen für eine Form der Gesundheitsfürsorge schaffen, die das soziale Umfeld berücksichtigt und die ganze Familie in die Pflege mit einbezieht. Während man in den meisten Fällen für jede Art von Behandlung eine spezielle Klinik aufsuchen muß, findet man in der Gemeindeklinik alles an einem Ort.

MOYERS: Was meinen Sie, wenn Sie davon sprechen, der Gemeinde mehr Befugnisse zu verschaffen?

ANDERSON: Sie hat das Recht, Einfluß auf das Angebot der Gesundheitsfürsorge zu nehmen. Es gibt Beratungsgremien, die sich dazu äußern können, was für Leistungen sie von den Ärzten als den Anbietern wünschen. So liegt dort bei den Ärzten der Anteil der Frauen und Farbigen deutlich höher als in unserem Krankenhaus. Die Kinder werden von einem afroamerikanischen Internisten behandelt, mit dem sie über ihren Wunsch sprechen können, Arzt zu werden. Sie haben in ihm einen Ratgeber, mit dem sie sich austauschen können. Statt passive Empfänger gesundheitlicher Fürsorge zu sein, nehmen sie selbst aktiv daran teil.

MOYERS: Sie betonen immer wieder die Wirkung der Umwelt auf die Gesundheit.

ANDERSON: Sie wissen, welche Folgen beispielsweise das Gefühl von Hoffnungslosigkeit und Hilflosigkeit für die Gesundheit haben kann. Die Menschen verlieren den Lebensmut und beginnen, sich zu vernachlässigen, und wer keine Selbstachtung hat, sucht die Gefahr. So wurden beispielsweise in Dallas in diesem Jahr 440 Menschen ermordet.

MOYERS: Ein Rekord.

ANDERSON: Allerdings, und jedes Jahr erreicht die Mordstatistik einen neuen Höhepunkt. Im Krankenhaus bekommen wir auch die Überlebenden zu sehen, und auch deren Zahl erreicht jedes Jahr einen neuen Rekord. Was können wir dagegen tun? Eine Möglichkeit besteht darin, sich mit der Hoffnungslosigkeit und Hilflosigkeit der Menschen auseinanderzusetzen und ihnen das Gefühl zu geben, daß sie ihr Leben in die Hand nehmen, einen neuen Weg einschlagen und über ihre Zukunft selbst entscheiden können. Viele kennen dieses Gefühl der Eigenverantwortung nicht. Ein Gutteil der Gewalt ist als eine Art Selbstbestrafung zu verstehen.

MOYERS: Sie versuchen Ihren Medizinstudenten zu vermitteln, wie wichtig die Erfahrungen der Patienten in ihrer Lebenswelt sind. Was genau müssen sie Ihrer Meinung nach wissen?

ANDERSON: Sie sollen den Patienten persönlich gut kennen und eine Vorstellung haben, unter welchen Bedingungen, in welchem Umfeld er lebt. Ich will, daß sie wissen, warum Willfährigkeit ein Problem sein kann. Unter Willfährigkeit verstehe ich, daß der Patient etwas tut, wozu ihn der Arzt auffordert, und sich ihm unterordnet anstatt als gleichberechtigter Partner an der Behandlung mitzuarbeiten.

MOYERS: Deshalb müssen Ihre Studenten die Wertvorstellungen der Patienten kennen.

ANDERSON: Mein Anliegen ist es, daß sie seine Persönlichkeit kennen. Der Patient ist ein Mensch und nicht die Gallenblasen-OP von Zimmer 245. Ich möchte Ihnen ein Beispiel aus meiner Praxis geben. Ein 86jähriger Mann, den ich gut kannte und der von einem jungen Arzt in einem anderen Krankenhaus behandelt wurde, war zuckerkrank und litt unter so starken peripheren Durchblutungsstörungen, daß seine Beine amputiert werden sollten. Auf die Frage nach seinen Überlebenschancen erhielt er die Antwort: »Fifty-fifty, auch wenn wir amputieren.« Daraufhin sagte er den behandelnden Ärzten: »Das reicht mir nicht. Ich will nicht so schnell bettlägerig werden. Ich bin auf meinen eigenen Füßen hierhergelaufen, und ich will nicht verstümmelt werden. Ich bin 86 Jahre alt, und der Gedanke an den Tod macht mir keine Angst.«

Der behandelnde Arzt war ratlos, so daß er den Patienten an unser Krankenhaus überwies. Wir pflegten ihn, bis er nach einer Weile starb. Für ihn bedeutete das einen Sieg – so sehr, daß er und seine Frau mir dafür dankten, daß ich ihm die Möglichkeit gab, in Frieden zu sterben. Sie waren dankbar für die Art, wie wir seine Schmerzen behandelten und auch die Dinge berücksichtigten, die ihm wichtig waren. Er litt darunter, für seine Familie und für andere eine Last zu sein, aber vor allem wollte er nicht verstümmelt werden. Ein solches Leben erschien ihm nicht lebenswert. Der junge Arzt dagegen sah nur eine Entscheidung zwischen Leben und Tod. Der 86jährige dagegen hatte keine Angst vor dem Tod; er hatte Angst vor Verstümmelung.

MOYERS: Sie haben ihn nicht geheilt, Sie haben ihm keine zusätzlichen Lebensjahre verschafft – was haben Sie ihm dann geboten?

Anderson: Es ist wichtig, den Jahren Leben zu verleihen, nicht bloß dem Leben Jahre. Und in diesem Fall mag der Tod heilend gewesen sein, obgleich wir das ungern zugeben. In unserer Gesellschaft fürchten wir den Tod und kämpfen unaufhörlich gegen ihn an. Für diesen Mann mit seinen religiösen Überzeugungen dagegen bedeutete er Heilung. Es war sein Wunsch, und er erwartete vom Arzt, daß er diesen Wunsch respektierte.

Moyers: Sie haben ihn also nicht nur in bezug auf sein rein körperliches Leiden behandelt.

Anderson: Nein. Es war wichtig für ihn, daß er von seiner seelischen Verbindung mit Gott überzeugt war. Auf diese Weise konnte er den Tod akzeptieren. Ich erinnere unser Pflegepersonal immer daran, daß sie unabhängig von ihrer Religion den Patienten niemals diese Kraft nehmen dürfen, die Fähigkeit, eine Krise oder einen Verlust zu bewältigen. Die Pfleger sind oft von der Stärke der Patienten beeindruckt und fragen sich, wie es möglich ist, daß die Kranken einen so starken Rückhalt im Glauben haben.

Eine alte Samurai-Weisheit lautet: Der größte Samurai ist, wer sich zunächst selbst besiegt. Unsere Angst vor dem Tod steht nicht selten dem Verständnis für einen Menschen, wie diesen 86jährigen Mann, im Wege. Er war völlig bei Sinnen und argumentierte rational. Seine Bitte war nicht unmoralisch, und sein Tod war für uns kein Fehlschlag. Im Verlauf der Beratung sagte er dem behandelnden Arzt: »Sie können mir nicht wirklich das Leben retten. Sie können meinen Tod hinauszögern. Was meine religiösen Überzeugungen betrifft, so bin ich schon gerettet. Das ist alles geregelt. Aber ich lasse mich nicht verstümmeln.«

Wir hatten hier einmal den Fall einer Kambodschanerin, die an einer Niereninfektion litt. In ihrer Religion spielt die Niere eine wichtige Rolle, so daß eine Niereninfektion der Erkrankung der Seele entspricht. Eine Krankheit der Seele galt ihr aber als lebensbedrohlich. Deshalb war sie über die Diagnose tief betroffen, ging nach Hause und verteilte ihren ganzen Besitz. Die Angehörigen kamen wehklagend ins Krankenhaus. Als die Patientin drei Tage später entgegen ihrer Erwartung immer noch am Leben war, ließen sie den Arzt rufen und fragten ihn: »Wie kommt es, daß sie noch am Leben ist?« Er antwortete: »Sie hat doch bloß einen leichten Niereninfekt. Warum sollte sie daran sterben?«

Wir hatten die Familie und die Frau einer furchtbaren Belastung ausgesetzt, weil wir uns nicht richtig mit ihnen verständigt und es versäumt hatten, ihre Wertvorstellungen kennenzulernen. Selbstverständlich

kann ich aus unseren Mitarbeitern keine Ethnologen machen, doch ich muß dafür sorgen, daß sie sich um einen Dolmetscher bemühen, damit die Verständigung nicht lückenhaft bleibt.
Wir müssen die Patienten als individuelle Wesen mit Glaubensvorstellungen und Mentalitäten anerkennen, die uns zum Teil fremd sind. Wenn ein Patient sagt: »Ich lege mein Wohl in Gottes Hände«, ist man als Arzt versucht zu sagen: »Ich würde einen kompetenten Neurochirurgen vorziehen.« Meistens kann man die Patienten allerdings dazu bringen, der richtigen medizinischen Entscheidung zuzustimmen, ohne in Konflikt mit ihrer Religion zu geraten. Wenn ich ihre Glaubens- oder Wertvorstellungen in Frage stelle, werden sie nicht mehr auf mich hören. In einem öffentlichen Krankenhaus können sie sich vielleicht keinen anderen Arzt suchen, aber innerlich bin ich bei ihnen abgeschrieben, und sie werden das Gespräch mit mir verweigern, das den Heilungsprozeß unterstützen soll.

MOYERS: An der Wand in Ihrem Arbeitszimmer hängen indianische Kunstobjekte. Wie stark sind Sie durch Ihr Interesse an indianischer Medizin beeinflußt worden?

ANDERSON: Ich habe fernöstliche Philosophien und asiatischen Kampfsport studiert, und als Baptist stehe ich in der christlichen Tradition. Mich interessiert an der indianischen Kultur vor allem ihre Spiritualität und deren Rolle für die Kunst des Heilens.

MOYERS: Sie leiten eines der größten Krankenhäuser der Vereinigten Staaten, und Sie sagen, die indianische Kultur habe Ihre ärztlichen Methoden stark beeinflußt. Wie darf man das verstehen?

ANDERSON: Ich habe erlebt, wie Ärzte, die innerhalb der angelsächsischen Lebenswelt sehr erfolgreich und kompetent waren, in der Welt der indianischen Kultur scheiterten, vor allem im Bereich der Psychotherapie, die ein Kulturverständnis voraussetzt. Eine Zeitlang habe ich den indianischen Gesundheitsdienst bei der Auswahl von Ärzten beraten. Die Ärzte waren immer unterwegs, während der Medizinmann die Heil-Bilder malte, und manche fühlten sich dadurch herabgesetzt, weil ihnen das Verständnis für seine Funktion fehlte. Die Anstellung von Ärzten blieb schwierig, bis wir die Rolle des Heilers innerhalb der indianischen Kultur begriffen hatten. Dann vermittelten wir ihm Grundkenntnisse in der Notfallmedizin, so daß er die Pflege außerhalb des Krankenhauses übernehmen, den Arzt unterstützen und die psychologische Betreuung leisten konnte.

MOYERS: Was wissen Medizinmänner, das wir nicht wissen?

ANDERSON: Sie verstehen viel von der menschlichen Psyche. Sie kennen unsere hochtechnisierte Medizin und unsere wissenschaftlichen Theorien nicht, aber sie sehen die Ganzheit des Menschen. Ihre Vorstellungen beinhalten das sogenannte Medizinrad, also einen Kreis. Unser Denken ist beherrscht von der Geraden, von rechten Winkeln. Aber wenn man durch ein Mikroskop blickt, sieht man keine rechteckigen Formen, sondern runde, sphärische und spiralförmige Mikroorganismen und Objekte.

Die Indianer denken die Dinge als Kontinuum der Generationen. Sie haben ein intensives Verwandtschaftsgefühl, und wenn sie jemanden in ihren Kreis aufnehmen, ist das Gefühl der Zusammengehörigkeit ein geheiligtes Band. Auch zur Umwelt besteht eine solche Verbindung. Sie sehen die Dinge als Ganzheit, und versuchen, den Kreis nachzuvollziehen. Die Spiritualität gilt ihnen als Bestandteil des Lebens, und sie sehen in allen Lebensbereichen die Verbindung von Körper und Seele.

An unserer medizinischen Fakultät arbeitet ein Kardiologe, der auch Astronaut war. Was ihn bei seinen Weltraumflügen am meisten beeindruckt habe, sei die Erkenntnis gewesen, wie dünn die Erdatmosphäre ist. Sie habe millimeterdünn gewirkt. Erst dadurch sei ihm klar geworden, wie verletzbar alles Leben ist. Das war den Indianern schon immer bewußt. Anders als die Weißen haben sie die Büffel nie nur der Felle wegen getötet. Sie brachten den Tieren und Pflanzen, die ihre Nahrung darstellten, Verehrung entgegen. Sie glaubten an ein seelisches Band zwischen sich und den anderen Lebewesen.

MOYERS: Aber die Welt der Indianer scheint mit der des Parkland-Krankenhauses in Dallas wenig gemeinsam zu haben.

ANDERSON: Vielen Menschen ist das eine unzugängliche, fremde Welt, weil sie nicht »wissenschaftlich« zu erklären ist, aber sie ist der Bereich, in dem wir mit anderen kommunizieren.

MOYERS: Könnte man sagen, daß einem guten Arzt eigentlich nichts fremd ist, das zur Heilung beiträgt?

ANDERSON: So kann man das nicht sagen. Auf manche Menschen können Dinge heilend wirken, die ich nach streng medizinischen Kriterien nicht akzeptieren würde. Aber nicht nur die Patienten bringen ihre Wertvorstellungen mit – auch wir haben Werte, die wir nicht ohne weiteres preisgeben dürfen.

Es ist zuweilen schwierig, die Weltanschauung eines anderen zu verstehen, aber wenn man sie nicht begreifen kann, dann wird man häufig daran scheitern, daß man einen Rat gibt, der mehr die eigenen Wertvorstellungen spiegelt, als eine Antwort auf die Frage des anderen gibt. Mein Ziel als Arzt muß es sein, die Probleme meiner Patienten unabhängig von meiner eigenen Weltanschauung als Protestant, Katholik, Jude oder Moslem zu lösen.

MOYERS: Sie haben einmal den Begriff »Auferstehungsmedizin« verwendet. Was verstehen Sie darunter?

ANDERSON: Wenn Patienten buchstäblich an der Schwelle des Todes stehen, und man versucht, sie diesem Tod zu entreißen, würde ich das als Auferstehungsmedizin bezeichnen. Es fragt sich aber, ob wir überhaupt »Auferstehungsmedizin« betreiben müssen, wenn wir doch eine Medizin der Vorbeugung praktizieren können. Warum ist dieser Mensch im Zuckerkoma? Hätten wir früher eingreifen können, so daß nicht wir sein Leben retten müßten, sondern der Patient es tagtäglich selbst gerettet hätte?

Anstelle der Euphorie angesichts unserer Möglichkeiten, Schwerkranken das Leben zu retten, tritt mehr und mehr die Frage: »Liegt es vielleicht an uns, daß sie so krank sind? Haben wir die Gesundheitsfürsorge zugunsten der Medizin vernachlässigt?«

Deswegen sind wir aus den großen Klinikzentren hinaus in die Gemeinden gegangen. Wir müssen uns weiterhin um Menschen, die niedergeschossen wurden, und um die winzigen Babies drogensüchtiger Mütter sorgen, aber parallel dazu müssen wir verhindern, daß man alle Patienten wie durch einen Trichter in ein zentrales Krankenhaus lenkt.

MOYERS: Sie kümmern sich hier um Menschen, die man in manchen Kreisen als den »Bodensatz der Gesellschaft« bezeichnen würde – um eben die Menschen, denen unsere Gesellschaft aufgrund ihres sozialen, persönlichen und sexuellen Verhaltens mit Vorurteilen begegnet. Wie lange können Sie es sich leisten, sich um diese »Parias« zu kümmern?

ANDERSON: Ich habe eine Lebensentscheidung getroffen. Manche meiner Kritiker argumentieren, wenn man den Leuten zu sehr unter die Arme greife, mache man sie nur abhängiger. Diese bequeme Einstellung wird noch durch die in den Vereinigten Staaten traditionell sehr populäre Auffassung verstärkt, daß jeder sich selbst helfen müsse. Aber ein Großteil der Menschen, die sich selbst helfen sollen, sind Kinder, alte Leute oder solche ohne Versicherungsschutz, weil ihre Arbeitgeber die Beiträge nicht zahlen wollen oder können. Für diese Menschen, die durch das soziale Netz gefallen sind, sind wir in Parkland die einzige Versicherung. Die Gesellschaft sollte darin nicht nur ein Problem, sondern auch eine Chance sehen. Kinder, die ihre Schulausbildung

vorzeitig abbrechen, kommen die Gesellschaft teuer zu stehen. Kommt man ihnen zu Hilfe, können sie ihren Beitrag zum Gemeinwohl leisten.
Ich maße mir nicht an, das Gewissen der Nation zu sein, und ich sehe mich auch nicht als den Mahner in der Wüste. Aber die sozialen Ungerechtigkeiten sind einfach nicht zu übersehen, und deshalb gilt es zu betonen, daß alle diese Patienten gleichwertige Bausteine der Gesellschaft sind. Die moderne Medizin kann den Menschen ihre Leistungsfähigkeit zurückgeben, sie kann das Leben verlängern, aber unseren Tod kann sie nicht verhindern. Anstatt die medizinische Technik immer weiter zu perfektionieren, müssen wir das, was wir bereits wissen, wirkungsvoll anwenden. Das gilt für das öffentliche Gesundheitswesen ebenso wie für die Grundversorgung, aber es ist schwer, unsere Medizinstudenten davon zu überzeugen.
Wenn uns das menschliche Leben wirklich wichtig ist, sollten wir anstatt in teure Prestigeprojekte beispielsweise in die pränatale Medizin, in die Kinderhilfe oder das Schulsystem investieren. Solche Projekte sind eher dazu angetan, die Menschen in die Lage zu versetzen, der Gesellschaft etwas zurückzugeben und sie wieder zu etwas Ganzem zu machen.

Heilen im Lebensbereich des Patienten

David Smith

David Smith ist Leiter der texanischen Gesundheitsbehörde. Zuvor war er stellvertretender Direktor des Parkland-Memorial-Krankenhauses in Dallas. Als Vorsitzender des Verwaltungsausschusses und als medizinischer Direktor war er zuständig für das Projekt einer medizinischen Grundversorgung, die den Lebensbereich des Patienten mit einbezieht. Dr. Smith ist Kinderarzt und lehrt an der Medizinischen Fakultät der University of Texas.

MOYERS: Sie bezeichnen Ihre Klinik als »Krankenhaus für medizinische Grundversorgung innerhalb der sozialen Gemeinschaft«. Um welche Art von Gemeinschaft handelt es sich dabei?

SMITH: Wir versorgen eine gemischte Bevölkerungsgruppe, die überwiegend aus Afroamerikanern und daneben auch Hispanoamerikanern besteht. Die meisten von ihnen leben und arbeiten hier nur auf Zeit und versuchen, so schnell wie möglich wieder fortzukommen.

MOYERS: Unter welchen Krankheiten leiden diese Menschen gewöhnlich?

SMITH: Das variiert je nach Alter und ethnischer Zugehörigkeit, aber Diabetes ist häufig, ebenso wie Herzinfarkte, die oft vermeidbar gewesen wären, wenn man schon früher etwas gegen den erhöhten Blutdruck unternommen hätte. Viele Kinder fallen durch das Netz der Gesundheitsvorsorge, so daß sie nicht geimpft werden und an Krankheiten wie Masern erkranken. Wir haben auch Patienten mit Krebsgeschwulsten oder Entzündungen, die man längst hätte behandeln müssen. Darüber hinaus häufen sich besonders die Fälle von Asthma.

MOYERS: Welche Bedeutung kann die Ganzheitsmedizin bei Leiden haben, die doch zunächst rein physischer Natur zu sein scheinen?

SMITH: Jeder Aspekt dieser Erkrankungen hat auch eine geistig-seelische Komponente. Das betrifft den eigentlichen Heilungsprozeß ebenso wie die Motivation, die Ursachen der Krankheit zu suchen. Gleichgültig, ob es um Krebs, Diabetes oder Asthma geht, immer ist die Psyche auf das engste mit dem Krankheitsverlauf verknüpft. Bekanntlich kann man sich tatsächlich selbst kränker machen. Wir wissen, daß viele chemische Prozesse im Körper von der Psyche beeinflußt werden. Wenn sie in einer schlechten seelischen Verfassung sind, können Patienten trotz bester medizinischer Versorgung noch kränker werden.

MOYERS: Man sagt der Ganzheitsmedizin nach, sie sei bloßer Luxus für Reiche. Welchen Platz kann sie im Leben von Menschen wie ihren Patienten einnehmen, die nicht über die finanziellen Möglichkeiten der Mittel- oder Oberschicht verfügen? Kann man Ganzheitsmedizin lehren?

SMITH: Das glaube ich nicht, aber man kann den Patienten die Möglichkeit bieten, sie selbst zu erlernen. Um sie in die Lage zu versetzen, die notwendigen Fertigkeiten selbst zu entwickeln, müssen wir Formen des Heilens finden, die die Eigenarten ihrer Kultur berücksichtigen. So müssen wir beispielsweise Afro- und Hispanoamerikaner einstellen, die mit den Familien arbeiten und sich in ihre Lebensgemeinschaften integrieren können. Besonders bei chronischen Krankheiten muß man die Patienten dabei unterstützen, auch eine langwierige Therapie durchzuhalten. Diese Menschen haben oft so viele andere Probleme, daß die Nachbehandlung vernachlässigt wird. Wie müssen über den rein medizinischen Bereich hinausgehen und mit Menschen zusammenarbeiten, die das soziale Umfeld der Patienten kennen, den Familien ihre Rolle im Behandlungsteam zuweisen und dem Kranken Mut machen, selbst die Verantwortung für seine Behandlung zu übernehmen.

MOYERS: Inwieweit beeinflußt der kulturelle Hintergrund die Einstellung gegenüber der ganzheitlichen Medizin und den Stellenwert, den die Seele bei der Vorbeugung von Krankheiten und im Umgang mit dem Leiden einnimmt?

SMITH: Für Afro- und Hispanoamerikaner spielt beispielsweise die Religion eine sehr wichtige Rolle. Deshalb bieten die Kirchen in unserem Fall einen besonders geeigneten Ansatzpunkt für die Ganzheitsmedizin. Wir nehmen häufig die Unterstützung von Kirchenvorständen und Kirchengemeinden in Anspruch. Wenn sich beispielsweise bei Patienten im Endstadium einer Krankheit die Frage nach der Lebensqualität stellt, oder wenn es bei Verletzungen oder chronischen Erkrankungen um die Rehabilitation geht, wenden wir uns häufig an die Kirche, die dann in den therapeutischen Prozeß miteinbezogen wird.

MOYERS: Skeptiker sehen die Ganzheitsmedizin als Sammelbegriff für Methoden wie Akupunktur oder Massage an, die sie den Randgebieten der Medizin zuordnen. Sie selbst verstehen offenbar etwas anderes darunter.

SMITH: Es geht im Grunde um ganz elementare Fragen. Wie bringt man zum Beispiel den Körper dazu, eine Krankheit zu verhindern oder den Heilungsverlauf zu unterstützen? Die Information steht dabei an erster Stelle. Oft verstehen die Patienten nicht einmal, was ihnen fehlt. Wenn sie nicht wissen, warum sie krank sind, können sie auch innerhalb der für den Heilungsprozeß wichtigen Beziehung zum Arzt weniger aktiv werden. Wir Ärzte müssen ein Verhältnis zu den Patienten aufbauen, das zur Selbstheilung beiträgt. Die Ganzheitsmedizin stellt zunächst eine Beziehung zwischen dem Menschen, der Fürsorge bietet – und der nicht notwendigerweise Arzt sein muß – und dem Patienten her und anschließend zwischen dem Patienten und dem Organ, das heilungsbedürftig ist.

MOYERS: Meinen Sie damit das Prinzip eines Arztes, der ans Krankenbett kommt, wenn man ihn ruft?

SMITH: Auch das gehört dazu. Man muß aber auch das Gefühl haben, daß man Einfluß auf den eigenen Körper und das eigene Leiden hat.

MOYERS: Es geht Ihnen also nicht um Akupunktur, Massage oder Meditation. Worüber sprechen Sie, wenn Sie mit den Patienten über die Rolle der Seele im Heilungsprozeß reden?

SMITH: Die Patienten haben ein Recht darauf, sich selbst zu helfen und zu verstehen, was mit ihnen vorgeht. In der Vergangenheit haben wir ihnen häufig nicht die Informationen gegeben, die es ihnen ermöglicht hätten, sich ihrer Lage bewußt zu werden. Auf diese Weise waren sie auch nicht in der Lage, uns bei der Behandlung zu unterstützen. Asthmatiker, die in höchster Atemnot in die Notaufnahme kommen, erhalten ein Medikament und werden mit dem Rat wieder nach Hause geschickt, dieses Medikament auch weiterhin einzunehmen. Es kommt zu keinem Gespräch, in dem wir ihnen erklären könnten, daß Asthma durch Gefühle beeinflußt werden kann oder daß Umweltfaktoren wie Schimmelpilze oder Pollenflug daran beteiligt sein können. Wir sprechen nicht über die Luftfilter, die sie eigentlich bräuchten, über die verschmutzten Kamine, die der Vermieter nicht ausreichend warten läßt, oder die defekten Steckdosen, die eine regelmäßige Benutzung der Atemgeräte unmöglich machen. Wir begnügen uns meistens damit, Tabletten zu verschreiben.

MOYERS: Medikamente, die ihre Patienten sich häufig nicht leisten können.

SMITH: Richtig. Deshalb geht es uns um eine Partnerschaft zur Vorbeugung gegen die Krankheit. Wenn es nicht gelingt, den Patienten an seiner Heilung selbst zu beteiligen, wird man scheitern, vor allem in dieser

Bevölkerungsgruppe. Hier sind auch Streß und Geldsorgen mögliche Krankheitsursachen, ebenso wie Lücken im öffentlichen Nahverkehr, die verhindern, daß die Patienten dahin gelangen, wo man ihnen helfen könnte.

MOYERS: Sie und ihre Kollegen sprechen also mit ihren Patienten nicht nur über »Ganzheitsmedizin«, und Sie empfehlen ihnen auch keinen Meditationskurs.

SMITH: Wenn wir das versuchten, würden sie uns wahrscheinlich aus der Praxis werfen. Wir sprechen über den Heilungsprozeß – aber keineswegs nur wir Ärzte. Wir arbeiten auch mit Sozialarbeitern und Pflegern zusammen, die sie zur Behandlung auch in ihrer häuslichen Umgebung aufsuchen. Bei der Untersuchung eines Patienten in der Ambulanz setze ich einen Körper-Seele-Prozeß in Gang, in dem der Patient die entscheidende Rolle spielt. Die Krankheit kann einen negativen Verlauf nehmen, wenn wir die Psyche nicht in den Heilungsprozeß mit einbeziehen. Wenn wir beispielsweise nicht versuchen, die Belastungen im Alltag des Patienten zu verringern, können wir seinen Blutdruck nicht unter Kontrolle bekommen.

MOYERS: Wer die finanziellen Möglichkeiten hat, versucht zu lernen, Streß durch autogenes Training zu beherrschen.

SMITH: Die Menschen, die wir behandeln, greifen auf ihre religiösen Überzeugungen zurück, um sich aus den Belastungen ihrer Welt zu lösen. Sie dürfen unter ihrer Überlastung nicht zusammenbrechen, sie können sich kein »Burnout-Syndrom« leisten. Das ist ein Syndrom der Mittelschicht. Wenn unsere Patienten Druck abbauen wollen, greifen sie auf die Familie, Freunde oder die Religion zurück. Diese Bereiche gilt es gerade in einem sozialen Umfeld zu stärken, in dem Menschen vor ihrer Haustür niedergeschossen werden. Auf offener Straße wird mit Drogen gehandelt, und in die Wohnungen dringt Wasser ein, weil die Kanalisation unzureichend ist. Die Frage, wovon sie die nächste Mahlzeit bezahlen sollen, wird zu einem echten Problem – ganz zu schweigen von den Kosten für die medizinische Versorgung, die angesichts solcher Lebensbedingungen keine Priorität hat. Diese Menschen müssen einem ungeheuren Druck standhalten und haben keine Chance, ihm zu entkommen. Angesichts solcher Umstände müssen wir uns bewußt sein, daß unsere Medikamente den Krankheitsverlauf oft nicht wesentlich beeinflussen können.

MOYERS: Sie setzen also dort an, wo die Patienten leben und versuchen nicht, sie zur Behandlung an einen anderen Ort zu verpflanzen.

SMITH: Wir arbeiten vor Ort, in den jeweiligen Stadtvierteln. Die Gemeinde spielt eine zentrale Rolle für diese Familien.

MOYERS: Woher erhalten die Menschen dort ihre medizinische Grundversorgung, bzw. ist eine solche Versorgung überhaupt gewährleistet?

SMITH: Die Versorgung ist in der Tat mangelhaft. Zunächst einmal ist es für viele von ihnen schwierig, das Angebot an medizinischer Versorgung innerhalb der üblichen Zeiten zwischen 9.00 und 17.00 Uhr wahrzunehmen, weil die meisten berufstätig sind. Sie sind gezwungen, entweder auf medizinische Versorgung oder aber auf einen Tageslohn zu verzichten. Die Kinder müssen in der Schule fehlen, wodurch man ihnen den Eindruck vermittelt, Schule sei nicht so wichtig. Das sind chronische Probleme unseres Gesundheitssystems.

MOYERS: Gehen die meisten regelmäßig zum Arzt?

SMITH: Sie verzichten häufig darauf, weil es mit vielen Schwierigkeiten verbunden ist. Wenn sie sich schließlich wirklich krank fühlen, kommen sie in die Ambulanz des Parkland-Krankenhauses. Bis vor kurzem hatten sie auch keine Alternative.

MOYERS: Wie kann ein staatliches Krankenhaus diesen Menschen die notwendige Versorgung bieten?

SMITH: Im Grunde tun wir das gar nicht. Wir können kaum mehr tun als Wunden verbinden. Wir lösen zwar das akute Problem, können uns aber um Dinge, die mehr Zeit erfordern, wie etwa präventive Maßnahmen, nicht kümmern. Viele Menschen, die bei uns medizinische Hilfe suchen, leiden unter viel tiefergehenden psychosozialen Problemen. Sie haben Schwierigkeiten in ihrer Umgebung, sie wissen nicht, woher sie die nächste Mahlzeit nehmen sollen, sie sind Opfer von Mißhandlung oder Verwahrlosung.

MOYERS: Wie erklären Sie sich die mangelhafte medizinische Versorgung dieser Bevölkerungsgruppen?

SMITH: Zum Teil liegt es wohl daran, daß die falschen Projekte gefördert werden. Gegenwärtig versucht man, die medizinische Versorgung zu zentralisieren, so daß die Patienten gezwungen sind, sich auf den Weg zu uns zu machen. Für die Anbieter medizinischer Versorgung, für die Ärzte und das Pflegepersonal ist das die bequemste Lösung, nicht aber für die Patienten, die man mit einer geradezu allmächtigen Institution konfrontiert. Wir sollten den Trend umkehren und die medizinische Versorgung wieder vor Ort anbieten. Dabei ist die Zentralisierung nicht das einzige Problem. Nicht nur die Kosten, sondern auch die Überlastung machen eine angemessene Behandlung oft unmöglich. In den

Kliniken und Ambulanzen herrscht ein solcher Andrang, daß die Patienten oft stundenlang warten müssen.

So kam beispielsweise vor kurzem ein Kind in die Ambulanz, das über Ohrenschmerzen klagte. Nach achtstündiger Wartezeit fühlte es sich besser, und die Mutter nahm es wieder mit nach Hause. In Wahrheit war das Trommelfell geplatzt und die Flüssigkeit teilweise ausgetreten, so daß der Druck nachließ. Jetzt hat das Kind einen Trommelfelldefekt und wird möglicherweise sein Leben lang schlecht hören.

MOYERS: Was führt die Patienten letztlich ins Parkland-Krankenhaus?

SMITH: Ein unerträglich gewordener Zustand – oft noch unerträglicher für die Familie als für den Betroffenen selbst, der den Gang ins Krankenhaus häufig hinauszögert und seine Schmerzen mit stoischer Geduld erträgt, bis ihn schließlich die Familie oder Nachbarn in die Ambulanz bringen.

MOYERS: Sie warten also, bis eine Krise eintritt, und bemühen sich erst dann um medizinische Hilfe.

SMITH: Aus diesem Grund haben wir mit dem Aufbau unserer Wohnbereichs-Kliniken begonnen. Das Parkland-Krankenhaus konnte die Zahl hilfesuchender Patienten nicht mehr bewältigen. Wir konnten nur die akuten Symptome lindern und mußten mit ansehen, wie die Zahl der Patienten stieg, die immer schwerer erkrankt waren. Eine Behandlung der Ursachen, geschweige denn Prävention, war nicht mehr möglich.

Die Lösung besteht meines Erachtens darin, die gesundheitliche Versorgung – nicht bloß die medizinische Hilfe, sondern eine umfassende Vorsorge – wieder in die Wohngebiete und Gemeinden zu verlagern.

MOYERS: Sie versuchen also, die medizinische Versorgung innerhalb der einzelnen Wohnviertel zu gewährleisten?

SMITH: Ja, aber wir beschränken uns nicht darauf, ein medizinisches Zentrum einzurichten. Wir bieten die Versorgung auch in nicht-traditioneller Umgebung an, zum Beispiel in Waschsalons, in Schulen oder Kirchen. Auf den ersten Blick wirkt das vielleicht befremdlich. Warum soll man erst ein Versorgungszentrum einrichten und das Personal dann zwei Blocks weiter in die Schulen schicken? Wenn die Kinder aber dort sind, warum soll man sie dann aus der Schule herausreißen, anstatt zu ihnen hinzugehen?

Zum einen versuchen wir also, medizinische Dienste an Ort und Stelle anzubieten. Zum anderen bemühen wir uns auch darum, der Gesundheitsversorgung »frisches Blut« zuzuführen, indem wir Außenmitarbeiter, wie Gemeindeschwestern, Sozialarbeiter und Dolmetscher in unsere Arbeit mit einbeziehen.

MOYERS: Englisch-spanische Dolmetscher.

SMITH: In manchen unserer Außenstellen auch Dolmetscher für Patienten vietnamesischer, laotischer oder kambodschanischer Herkunft. Nachts gibt es einen zweisprachigen Bereitschaftsdienst. Da rund 40 Prozent unserer Patienten nur Spanisch sprechen, wäre es sinnlos, einen rein englischsprachigen Dienst anzubieten. Um unter den besonderen Bedingungen in diesen Bezirken etwas zu bewirken, mußten wir von der herkömmlichen Behandlung abweichen. Hätten wir hier nur ein Krankenhaus hingestellt, ohne einen Außendienst anzubieten und ohne für Voraussetzungen wie den Dolmetschservice zu sorgen, hätte sich an unseren Problemen kaum etwas geändert.

MOYERS: Ich kenne diese Art der medizinischen Versorgung aus meiner Kindheit in Texas, als der Arzt noch Hausbesuche machte und schon seine bloße Anwesenheit heilend wirkte.

SMITH: Das ist richtig. Heute klingt es altmodisch, denn wir sind seitdem zu Technokraten geworden und haben auf solche Wege des Heilens verzichtet, zu denen wir jetzt wieder zurückfinden sollten.

MOYERS: Wieso hat man diese Methoden aufgegeben?

SMITH: Weil die Fördermaßnahmen bisher in die falsche Richtung zielen. Wir investieren vor allem in die technische Perfektionierung bei der Behandlung lebensbedrohender Krankheiten. Die Entwicklung von hochspezialisierten Apparaten und Medikamenten verschlingt einen Großteil der Fördermittel.

MOYERS: Ich gestehe Ihnen aber, daß mir einige davon sehr geholfen haben.

SMITH: Gewiß, sie leisten Erstaunliches. Aber es geht darum, daß die Schwerpunkte falsch gesetzt werden. Wir investieren in neue Technologien, aber nicht in präventive Maßnahmen, nicht in die Forschung, die erklären könnte, warum der eine gesund bleibt und der andere unter den gleichen Bedingungen krank wird. Die Frage, ob wir die Bedingungen ändern können, die diese Krankheit mitverursacht haben, wird meist gar nicht gestellt. Das sind aber fundamentale Fragen und Probleme. Doch für die Arbeit auf solchen Gebieten gibt es keine Förderung.

Zunächst einmal haben wir nicht gelernt, in einer solchen Umgebung zu arbeiten. Wir haben ein zentralisiertes und mechanisiertes Modell. Wir beschäftigen uns nicht mit dem gesamten methodischen Spektrum der gesundheitlichen Versorgung, zu dem die Prävention ebenso gehört wie die Rehabilitation. Was fehlt, ist ein Anreiz für ein Modell, das die Gesundheit in den Mittelpunkt stellt und nicht die medizinische Behandlung von Krankheit.

MOYERS: Stellt die Kostenerstattung einen solchen Anreiz dar? Die Krankenversicherungen zahlen für die Behandlung mit teuren Apparaten, aber bisher erstatten sie Ihnen nicht die Kosten dafür, daß Sie in die Wohnviertel hinausgehen, über Präventivmaßnahmen informieren und Verantwortung übernehmen.

SMITH: In diesem Punkt ist unser Gesundheitssystem rückständig. Unsere Gesellschaft praktiziert Vorbeugung beim Auto, wo wir den Ölfilter rechtzeitig auswechseln und Wartungsarbeiten vornehmen. Im Gesundheitssystem dagegen wird die Vorbeugung nicht durch Anreize belohnt. Dafür, daß der Patient lernt, wie er vermeiden kann, krank zu werden, gibt es weder Kostenerstattung noch eine entsprechende Ausbildung. Die Ausbildung findet beispielsweise in großen Klinikzentren statt, weit weg vom Zuhause der Patienten, die wir zu uns in die Kliniken kommen lassen. Das ist ein unnatürlicher Zustand.

MOYERS: Wenn die Menschen schließlich in die Klinik kommen, ist es oft schon zu spät, um ihnen noch zu helfen.

SMITH: Die Statistiken beweisen es. In Wohnbezirken wie dem hiesigen steigt die Zahl der Todesfälle durch Asthma. Wenn wir nicht einmal etwas so Einfaches wie die Impfung gegen Masern gewährleisten können, dann ist das ganze System falsch aufgebaut.

MOYERS: Vermutlich haben die Patienten hier keinen Hausarzt.

SMITH: Nein. Eigentlich wollen wir in den Wohnvierteln auch keine Kliniken aufbauen, sondern eher eine Art erweiterter Arztpraxis. Die Menschen haben so eine feste Bezugsperson. Sie entwickeln eine Bindung an bestimmte Mitarbeiter im Außendienst, an Sozialarbeiter, an freiwillige Helfer. Das ist sogar vorteilhafter als ein Hausarzt, weil die Fertigkeiten und Dienste, die wir zur Lösung ihrer Probleme bieten, breiter gefächert sind.

MOYERS: Empfinden die Patienten es als hilfreich, wenn sie bei jedem Besuch denselben Arzt antreffen?

SMITH: Auf jeden Fall. Sie reagieren oft erstaunt: »Ich kann tatsächlich mit demselben Arzt reden? Es ist wirklich nicht jedesmal ein neuer da?« Das ist ihre Erfahrung mit Krankenhäusern, in denen die Assistenzärzte ausgebildet werden, die im monatlichen Turnus die Abteilung wechseln.

MOYERS: Zahlen die Versicherungen für die Arbeit Ihrer Mitarbeiter, die, wie Ernährungswissenschaftler, Sozialarbeiter und Dolmetscher, aus den »Randgebieten« der medizinischen Betreuung kommen?

SMITH: Auch wenn man das in meinem Berufsstand nicht gern hören wird, diese Menschen sind mindestens ebenso wichtig wie die Ärzte. Wir sind

3. Edward Hopper, Morgensonne

4. Paul Klee, Angstausbruch III

auf sie angewiesen. Sie haben jedoch das Problem bereits angesprochen. Die Versicherungen sind nicht bereit, dafür zu zahlen. Die Verbesserungen, die wir erreicht haben, reichen noch nicht aus, um die Kosten für die »nicht erstattungsfähigen« Mitarbeiter zu ersetzen. Trotzdem können wir es uns nicht leisten, auf sie zu verzichten. Wir brauchen eine Gesundheitsreform, denn bisher müssen die Steuerzahler der Kommunen diese Last mittragen. Wir können die betreffenden Mitarbeiter nur dank der Unterstützung der Stadt Dallas und der Zuschüsse halten, die wir jährlich bei über dreißig Stellen beantragen.

MOYERS: Der Steuerzahler könnte fragen, warum er dafür zahlen soll, daß andere etwas tun, was ohnehin ihre Aufgabe wäre – sich um sich selbst zu kümmern.

SMITH: Man kann das Problem von zwei Seiten betrachten. Man könnte sagen, was wir tun, ist unsere Pflicht. Oder aber man sieht die Angelegenheit vom Standpunkt des Eigeninteresses und sagt sich, wenn die Kinder in dieser Gegend nicht gegen die Masern geimpft werden, kann die Krankheit auch auf Mittelschicht-Wohnviertel übergreifen – dieser Fall ist tatsächlich eingetreten. Der Impfschutz für die Kinder hier bedeutet Schutz für alle. Um ein weiteres Beispiel zu nennen: Wenn es uns gelänge, einen Herzinfarkt zu verhindern, dessen Kosten sich durch die Behandlung in der Intensivstation auf 100000 Dollar belaufen, wäre es dann nicht sinnvoll, pro Jahr 200 Dollar in die gesundheitliche Vorsorge zu investieren? Umsonst wird die Gesundheit in keinem Fall sein.

MOYERS: Wie hoch sind die Pflegekosten hier im Vergleich zu herkömmlich betriebenen Krankenhäusern?

SMITH: Die Kosten für jeden Patienten, der im Parkland-Krankenhaus beispielsweise wegen Halsschmerzen von einem Arzt untersucht wird, belaufen sich auf 120 bis 125 Dollar. Sucht derselbe Patient eine der sieben Parkland-Außenstellen im entsprechenden Stadtviertel auf, dann beläuft sich der Betrag bis zu dem Moment, wo er mit seinem Rezept nach Hause geht, auf rund 47 Dollar. Bei dieser Gelegenheit hat er vielleicht auch mit einem Sozialarbeiter und einem Gesundheitsberater gesprochen und möglicherweise auch einen Zahnarzt konsultiert. Die Kosten könnten noch geringer sein, wenn wir nicht feste Ausgaben für Mitarbeiter hätten, die unsere Zuschüsse beantragen müssen. Jeder Geldgeber besteht auf seinen eigenen Formularen. Trotz allem bleiben die Einsparungen im Vergleich zum Parkland-Krankenhaus enorm. Dabei ist noch nicht einmal die mögliche Wirkung präventiver Maßnahmen bei schweren Krankheiten wie Herzinfarkt aufgrund von hohem Blutdruck berücksichtigt.

Unsere Methode ist also nicht nur kostengünstiger, sondern auch umfassender. Um den Vergleich mit dem Auto wiederaufzunehmen, wir beheben nicht nur sichtbar gewordene Schäden, sondern wechseln auch rechtzeitig das Öl. Wir warten nicht ab, bis der Notfall eintritt und wir »Auferstehungsmedizin« praktizieren müssen, in der ich als Arzt die Rolle des Lebensretters spiele und dafür mit der Dankbarkeit des Patienten rechnen kann.

Die Präventivmedizin ist zwar billiger, aber sie vermittelt uns keine solchen Erfolgserlebnisse. Diese Art lebensrettender Medizin verursacht letztlich höhere Kosten, und der Patient hat den Nachteil, weil sich sein Gesundheitszustand bis zum Zeitpunkt des Eingreifens immer weiter verschlechtert.

MOYERS: Warum stößt die Methode, mit Hilfe von Ernährungswissenschaftlern, Psychologen, Sozialarbeitern und Dolmetschern Vorbeugung zu praktizieren, in unserem Gesundheitssystem auf so viele Widerstände?

SMITH: Es ist mir selbst unverständlich, zumal Vorbeugung eigentlich eine Selbstverständlichkeit sein sollte. Es liegt doch auf der Hand, Methoden einzusetzen, mit denen man Geld sparen, Leben retten und gleichzeitig den Menschen helfen kann, ihr Leben bei gesteigerter Arbeitskraft zu genießen.

Wir wissen, daß 75 Prozent der Menschen, die wir im Parkland-Krankenhaus behandeln, berufstätig sind. Im Jahre 2015 wird die Mehrheit der arbeitenden Bevölkerung zu farbigen Bevölkerungsgruppen gehören. Es liegt also in unserem ureigenen Interesse, Lösungen für die gegenwärtige Gesundheitskrise in diesen Bevölkerungsteilen zu finden.

MOYERS: Wann haben Sie gemerkt, daß der von Ihnen eingeschlagene Weg der richtige ist?

SMITH: Als Patienten, die durch Mundpropaganda von uns gehört hatten, aus freier Entscheidung zu uns kamen. Sie hatten erfahren, daß bei uns die Dinge anders laufen und daß sie hier die Art von Behandlung bekommen, die ihren Bedürfnissen entspricht.

So war beispielsweise eine Patientin aus einer unserer Außenstellen im Parkland-Krankenhaus zur Behandlung. Die Assistenzärzte waren alle an ihrem Bett versammelt, und der Chefarzt, der gerade mit seinen Erklärungen anfangen wollte, fragte die Patientin nach ihrem behandelnden Arzt. Er erwartete, den Namen eines seiner Assistenten zu hören. Doch die Patientin nannte einen ihm unbekannten Dr. Irvine, der sich in der Außenstelle Dallas-Ost um sie kümmere und sie gerade hier besucht habe. Der Chefarzt zeigte auf die versammelten Assistenzärzte und fragte die Patientin, wofür diese ihrer Meinung nach da seien. Sie antwortete: »Ich kenne sie nicht. Sie sind wahrscheinlich in der Ausbildung, damit sie so werden wie Dr. Irvine.«

MOYERS: Oder wie Ihre »Hausärzte«.

SMITH: Genau darauf legen die Patienten Wert. Sie wünschen sich Kontinuität, jemanden, der sich ihrer längerfristig annimmt, keinen Arzt, der plötzlich in ihr Leben eintritt und ebenso schnell wieder daraus verschwindet. Sie wollen auch, daß der Arzt in ihrem eigenen Wohnbereich praktiziert. Wenn ich meine Praxis in meinem eigenen Stadtviertel betreibe und die Patienten zwinge, zu mir zu kommen, dann gebe ich indirekt auch ein negatives Werturteil über ihr Viertel ab. Die Leute hier wissen es zu schätzen, daß wir zu ihnen kommen.

Sie wissen es ebenso zu schätzen, daß auch die Mitarbeiter Zeit für sie haben und ihnen das Gefühl geben, man schenke ihnen besondere Aufmerksamkeit.

MOYERS: Ist es denn nicht unerheblich, ob eine persönliche Beziehung zwischen Arzt und Patient besteht, solange die Behandlung erfolgreich ist?

SMITH: Wir kommen damit wieder auf die Rolle zurück, die das Vertrauen zwischen Patient und Arzt spielt, und damit auch auf den Zusammenhang zwischen Körper und Seele. Nur wenn eine Beziehung zwischen Arzt und Patient besteht, ist man auch bereit, zuzuhören. Wir sprechen selten über die Belastung, die ein Arztbesuch darstellen kann, wenn der Arzt gleichgültig und abweisend ist, sich keine Zeit nimmt und das Gespräch immer wieder durch andere Tätigkeiten unterbricht. Der Patient fühlt sich unwohl, und die Behandlung wird dadurch weniger wirksam sein.

MOYERS: Wenn ich aber zwischen Wohlbefinden bei der Behandlung einerseits und Heilung andererseits wählen müßte, würde ich die Heilung vorziehen. Ich wünsche mir die längere Lebensdauer von heute, verglichen mit der des vorigen Jahrhunderts, die leichtere Geburt der Kinder, verglichen mit dem, was unsere Großmütter zu erdulden hatten. Auch wenn die technischen Raffinessen noch so teuer sind, würde ich nicht auf sie verzichten wollen, selbst wenn ich mich ohne sie bei der Behandlung wohler fühlen würde.

SMITH: Gewiß, aber wir müssen uns fragen, ob wir in diesem Bereich noch

Fortschritte machen. Ich wage zu behaupten, daß das nicht der Fall ist. Die Lebenserwartung männlicher Afroamerikaner beispielsweise sinkt, und bei den Frauen afroamerikanischer und hispanoamerikanischer Herkunft läßt sich keine Verbesserung erkennen. Ihre Lebenserwartung ist im Vergleich zur angloamerikanischen Bevölkerungsgruppe niedriger, als sie es sein dürfte.

MOYERS: Wenn wir den Umfragen Glauben schenken, nach denen immer mehr Menschen mit ihrem Leben unzufrieden sind, kann die Verlängerung des Lebens nicht das alleinige Ziel sein.

SMITH: Wir sollten uns vielmehr fragen, ob wir den Jahren Leben verleihen wollen oder dem Leben Jahre. Das betrifft wiederum das Körper-Seele-Problem.

Man kann Patienten zwar heilen, aber wenn sie weiterhin den Belastungen der Umgebung ausgesetzt sind, die die Krankheit mit verursacht haben, wird es unweigerlich zu Rückfällen kommen. Bei Asthmatikern ist dieser Zusammenhang besonders deutlich. Wir erreichen nichts anderes, als einen gefährlichen Kreislauf von Krankheit und vorübergehender Erleichterung in Gang zu setzen.

MOYERS: Ihr eigener Sohn ist Asthmatiker, betreibt aber gleichzeitig das Schwimmen als Leistungssport. Haben ihm die Wechselwirkungen zwischen Körper und Seele geholfen?

SMITH: Ganz bestimmt. Menschen mit Gesundheitsstörungen wie Asthma quälen sich oft mit der Frage, ob sie normal sind. Bei chronischen Leiden fragen sie sich, warum gerade sie davon betroffen sind. Mein Sohn beispielsweise litt unter der Vorstellung, daß die Krankheit eine Art Strafe sei. Die emotionale Belastung trug dazu bei, akute Atemnot auszulösen. Es genügte also nicht, ihm Medikamente und ein Atemgerät zur Verfügung zu stellen, um sein Leiden zu lindern. Wir führten lange Gespräche, um ihm seine Schuldgefühle zu nehmen und Möglichkeiten zu finden, wie er selbst etwas gegen die Krankheit unternehmen konnte. Er fing dann mit dem Schwimmen an. Bestimmt hat er damit auch sein Lungenvolumen vergrößert, aber das wichtigste Ergebnis war vielleicht, daß er auf diese Weise Zuversicht gewonnen hat.

MOYERS: Sie sind fest davon überzeugt, daß die Seele im Heilungsprozeß eine Rolle spielt. Wenn Sie nach den Grundsätzen der ganzheitlichen Medizin verfahren, was müssen Sie dann über einen Menschen wissen, der sich bei Ihnen in Behandlung begibt?

SMITH: Im Grunde muß ich alles über ihn wissen. Wo liegen die Stärken dieses Menschen, wer kann ihn unterstützen, wie sehen seine religiösen

Überzeugungen aus? In diesem Milieu spielt die Religion eine wichtige Rolle im Heilungsprozeß. Viele unserer hispanoamerikanischen Patienten gehen zu *curanderos*, Laienärzten, deren Tätigkeit manche Außenstehende als magische Praktiken bezeichnen würden. Wir müssen akzeptieren, daß der Patient zu einem solchen Heiler in eine intensive Beziehung tritt. Wenn wir ihm sagen, er solle seine Heilkräuter wegwerfen und keine Kerzen mehr anzünden, weil das in unserer Behandlung überflüssig ist, dann haben wird das Spiel bereits verloren. Der Heilungsprozeß wird dann keine Fortschritte machen.

MOYERS: Warum nicht?

SMITH: Einerseits wird er unsere Medikamente nicht einnehmen. Andererseits verschreiben die *curanderos* auch Mittel, die Heilsubstanzen enthalten, beispielsweise Fingerhut-Tee, der das herzwirksame Digitalis enthält. In einem solchen Fall müssen wir auch darauf achten, daß der Patient durch unsere Verschreibung keine Überdosis dieses Wirkstoffs einnimmt.

MOYERS: Um ganzheitliche Medizin zu praktizieren, müssen Sie also etwas über die Familie, die Glaubensvorstellungen und den kulturellen Hintergrund Ihrer Patienten wissen. Wenn Sie betonen, daß wir endlich den ganzen Menschen berücksichtigen sollen, was ist damit eigentlich gemeint?

SMITH: Die herkömmliche Medizin konzentriert sich auf einzelne Teile des Körpers. Wir betrachten die Lunge, die Niere, den Magen, das Gehirn. Beinahe für jedes Organ gibt es heutzutage einen Facharzt. Wir verzichten in der Regel darauf, aus diesen Einzelbeobachtungen wieder ein Gesamtbild zusammenzusetzen und beginnen mit der Behandlung der einzelnen Organe. Salopp gesagt drehen wir den Patienten durch die »Organmühle«. Wenn wir ihn nicht als ganzen Menschen betrachten, schließt er sich vermutlich unserer Sichtweise an und glaubt, er müsse sich beispielsweise ganz auf sein Nierenleiden konzentrieren. Der eine Arzt hat ihm ein Herzmittel verschrieben, und nun fragt er sich, ob sein Nierenmittel nicht vielleicht herzschädlich ist. Wenn er den Nierenfacharzt um Rat bittet, kann es sein, daß dieser ihm auch nicht weiterhilft, weil er eben kein Herzspezialist ist.

MOYERS: Woran liegt es, daß die heutige Medizin den Patienten nicht mehr als Ganzes betrachtet?

SMITH: Früher haben wir Hausbesuche gemacht und viel mehr Zeit darauf verwendet, den Patienten innerhalb seines sozialen Umfeldes zu verstehen und uns auf seine Umgebung einzustellen. Der Begriff »Dienst«

charakterisiert diese Einstellung sehr gut. Doch inzwischen ist das Pendel zur anderen Seite ausgeschlagen, und wir praktizieren Medizin in streng abgegrenzten Fachbereichen. Wir sind Experten auf einzelnen Gebieten, aber nicht Experten für den ganzen Menschen. Die Ganzheitsmedizin enthält viel Unbekanntes und erfordert deshalb Offenheit und Mut, sich auf Neues einzulassen.

MOYERS: Ihre Definition der Ganzheitsmedizin ist im Grunde ein Gebot des gewöhnlichen gesunden Menschenverstands.

SMITH: Ja, und auch die Patienten müssen sie so verstehen. Wir müssen die Patienten dazu bringen, von sich zu erzählen, und wir müssen ihnen dabei auch zuhören. Man ist oft versucht, nicht hinzuhören, wenn jemand Dinge erzählt, die scheinbar in keinem Zusammenhang mit seiner Krankheit stehen. Beispielsweise berichtet ein Patient, daß er auf dem Weg zur Untersuchung einen Reifen wechseln mußte. Wenn man genau zuhört, erfährt man, daß alle Reifen völlig abgefahren sind, daß er aber kein Geld für neue hat; daß der Patient, bevor er zum Arzt fahren konnte, sein epileptisches Kind zur Behandlung bringen mußte – Faktoren, die sich zu einer Belastung summieren, die die Ursache seiner Erkrankung sein können. Wenn die Patienten merken, daß man ihnen nicht richtig zuhört, sind sie weniger kooperativ, als es wünschenswert wäre.

MOYERS: Die Art, wie ein Arzt seine medizinische Tätigkeit ausübt, hat also unmittelbare Auswirkungen auf den Heilungsprozeß. Warum folgen nicht mehr Krankenhäuser Ihrem Beispiel und gründen Außenstellen? Warum beziehen nicht mehr Krankenhäuser die Erkenntnisse und Methoden der ganzheitlichen Medizin in ihre Arbeit mit ein?

SMITH: Das kann ich nicht mit Bestimmtheit sagen. Viele Krankenhäuser haben mit Finanzierungsproblemen zu kämpfen, mit der Instandhaltung des Hauses und der Apparate und sind mit so vielen Dingen befaßt, daß sie sich nicht die Zeit nehmen können, ihre Methoden zu überdenken und gegebenenfalls zu ändern. Außerdem haben die meisten Krankenhäuser, anders als wir, das Problem, alle ihre Betten zu belegen. Wir dagegen wünschten, wir hätten noch freie Betten und könnten unsere Ambulanzen entlasten, weil wir wissen, daß wir bei der gegenwärtigen Überlastung nicht die besten Leistungen bringen können.

MOYERS: Glauben Sie, daß die Menschen bereit sind, sich auf die ganzheitliche Medizin einzulassen?

SMITH: Meiner Erfahrung nach sind die Patienten in der Regel dazu bereit.

MOYERS: Ich habe den Eindruck, daß Sie als Arzt ihrem Berufsstand in vieler Hinsicht voraus sind.

SMITH: Nicht nur in medizinischer, sondern auch in ökonomischer Hinsicht ist ein Umdenken notwendig. Es ist auch wirtschaftlich nicht zu vertreten, Geld für die Heilung von Kranken auszugeben, wenn man die Krankheit selbst hätte verhindern können.

MOYERS: Um auf Ihren Vergleich mit dem Auto zurückzugreifen, lieber jetzt den Ölwechsel für 10 Dollar statt 1000 Dollar später für einen Motorschaden.

SMITH: So könnte man es auch formulieren. In unseren Krankenhäusern werden unaufhörlich Motorschäden repariert, aber keine Ölfilter gewechselt.

MOYERS: In vielen Fällen sitzt der Ölfilter, bildlich gesprochen, in der Seele des Patienten, er betrifft sein Verhältnis zur Umwelt und zu seinen Mitmenschen.

SMITH: Oft schaden wir dem Patienten mehr, als daß wir ihm helfen, wenn wir ihn aus seinem gewohnten Lebenszusammenhang herausreißen. Denn Krankenhäuser stellen immer eine künstliche Umgebung dar.

MOYERS: Wollen Sie damit sagen, daß das gewohnte Umfeld des Patienten der beste Ort ist, um ganzheitliche Medizin zu praktizieren?

SMITH: Auf jeden Fall, denn hier können wir die Stärke seiner Umgebung für die Behandlung nutzbar machen. Es ist zwar oft vom Versagen der Gesellschaft in der engeren Umgebung des einzelnen die Rede, aber es liegen dort ungeahnte Kraftreserven verborgen. Deutlich wird das zum Beispiel, wenn die Bewohner sich organisieren, um Drogenhändler aus ihrem Viertel zu vertreiben, oder wenn sich Interessengruppen zusammentun, um die Wohnungseigentümer zu notwendigen Renovierungen oder die Stadt zur Sanierung der Infrastruktur zu zwingen. Oft sind es die Nachbarn, die den Arzt rufen, wenn jemand erkrankt. Man muß diese Stärken sehen und nutzbar machen.

MOYERS: Sie vertreten damit eine völlig neue Auffassung von Gesundheit.

SMITH: Ich glaube nicht, daß sie tatsächlich neu ist. Unsere Vorfahren waren vielleicht in mancher Hinsicht klüger als wir. Der Hausarzt lebte in derselben Straße und kannte die Probleme seiner Patienten. Er wußte, wenn sein Patient arbeitslos war oder Probleme mit Alkohol oder Drogen hatte. Auch die indianische Medizin, die eine sehr wirksame Form der Gesundheitsvorsorge darstellte, baute eine heilende Umgebung auf. Heute ist es unsere Aufgabe, in unseren Gemeinden wieder eine solche heilende Umgebung zu schaffen.

Heilung von innen

»Der Arzt ist nur Helfer der Natur.«

Galen

Es sind 25 ganz normale Amerikaner, die um mich herum auf dem Boden sitzen. Sie essen Rosinen, mit geschlossenen Augen, jeder drei Stück, eine nach der anderen.

»L-a-n-g-s-a-m«, sagt der Mann in der Mitte. »Nehmen Sie eine Rosine und führen Sie sie langsam zum Mund. Kauen Sie g-a-n-z l-a-n-g-s-a-m.« Er macht eine Pause und sieht in die Runde. »Beobachten Sie Ihren Arm, wie er die Rosine zum Mund führt.« Pause. »Denken Sie darüber nach, wie Ihre Hand die Rosine hält.« Pause. »Jetzt stecken Sie sie in den Mund und denken darüber nach, wie sie sich dort anfühlt.« Pause. »Prüfen Sie den Geschmack.« Pause. »Achten Sie auf jeden Gedanken, positiv oder negativ, im Zusammenhang mit der Rosine.« Pause. »Richten Sie Ihre Aufmerksamkeit auf Ihre Geschmacksnerven.« Pause. »Jetzt auf ihre Kinnbacken.« Pause. »Jetzt achten Sie auf Ihre Zunge, während Sie die Rosine langsam, l-a-n-g-s-a-m schlucken.«

Auch ich habe meine Rosine gegessen, l-a-n-g-s-a-m. Zu Anfang kam ich mir albern vor, wie ich da mit gekreuzten Beinen am Boden saß, um mit geschlossenen Augen ganz bewußt eine eingetrocknete bräunlich-rote Frucht zu kauen. Aber beim Kauen geschah etwas Merkwürdiges. Ich schmeckte die Rosine – schmeckte sie wirklich. Ich habe mein Leben lang Rosinen gegessen, indem ich sie aus der Packung holte und gleich haufenweise schluckte. Wenn man jedoch den eigentlichen Geschmack einer einzelnen Rosine zu seinem Recht kommen läßt und sie probiert, als wäre dies das erste oder das einzige Mal, dann macht man eine neue Erfahrung, eine Erfahrung, die zur Konzentration führt.

Ich öffne die Augen. Die anderen kauen noch. Sie sind aus verschiedenen Gründen hier. Madeline gerät jedesmal in Panik, wenn sie im Verkehrsstau festsitzt. Der LKW-Fahrer Ed wird seit einiger Zeit während der Arbeit von Herzrhythmusstörungen geplagt. Die Ärzte können keine organischen Ursachen finden, aber er hat Angst, deren Belastung er allmählich zu spüren bekommt. Mary leidet unter schrecklicher Migräne. Dan findet sein Leben seit seinem Unfall kaum mehr erträglich. Er hat unablässig Schmerzen, kann nicht mehr joggen oder auch nur mit seinen Kindern Ball spielen. Als ich ihn das erstemal sah, war sein Blick völlig schmerzverzerrt.

Ich blicke zu ihm hinüber, sehe die zusammengekniffenen Augenbrauen, blicke wieder fort. Als ich ihn ein zweites Mal ins Auge fasse, konzentriert er sich gerade wie die übrigen auf seine Rosine. So im Kreis zusammengerückt, erinnern sie an eine nächtliche Wagenburg von Auswanderern auf der Fahrt durch den Wilden Westen.

Im Zentrum sitzt Jon Kabat-Zinn, ein Molekularbiologe, der jetzt Dozent am Massachusetts Medical Center ist und die dortige Klinik für Streßabbau ins Leben gerufen hat. Sie dient inzwischen einer Reihe ähnlicher Krankenhäuser als Vorbild. Seine Patienten sind ihm von anderen Ärzten überwiesen worden, deren Schmerzbehandlung wirkungslos blieb. Der Schmerz ist lähmend – Schmerz bei multipler Sklerose, Herzkrankheiten, rheumatoider Arthritis, Migräne, Bluthochdruck. Für die Patienten ist diese Runde eine letzte Zuflucht. Statt Pillen zu schlucken, kauen sie nun Rosinen.

Ich frage Kabat-Zinn, was er mit dieser Methode eigentlich bezwecke.

»In Wirklichkeit meditieren die Patienten«, sagt er. »Wir nennen es bloß nicht so. Das Wort *Meditation* irritiert viele Leute. In ihren Ohren klingt es mystisch, nach Hokuspokus. Obwohl *Medizin* und *Meditation* gar nicht so unterschiedlich klingen, versuchen wir, die Leute nicht gleich zu verschrecken. Deshalb sprechen wir lieber von ›Streßabbau‹.«

Er erklärt, daß es sich um eine Übung zur bewußten Wahrnehmung *(mindfulness)* handle. Dieser Begriff ist sein Lieblingswort. Jeder einzelne in diesem Kreis praktiziert – ohne sich dessen bewußt zu sein – »Essens«-Meditation; er nimmt die Rosine bewußt wahr, erlebt nur Gegenwart, einmal etwas anderes als seinen Schmerz.

Zwei Monate lang macht Kabat-Zinn seine Patienten jeweils einmal pro Woche mit verschiedenartigen Techniken und Erfahrungen vertraut. Sie lernen, ihren Körper »abzutasten«, indem sie die schmerzenden Regionen so lange bewußt erkunden, bis sie sich »in die Schmerzempfindung hinein entspannen können«. Sie lernen Yoga, sich zu einer Kugel zusammenrollen, aus der Rückenlage eine »Brücke« zu machen, in Bauchlage Kopf und Füße nach oben zu strecken. Dadurch, daß sie ihre Körpersprache und die Körperhaltung verändern, lernen sie, auch ihre Einstellungen und Gefühle und damit die Einstellung zum Leiden zu verändern.

Mehr als 6000 Patienten haben diesen Kurs bisher absolviert. Jeder von ihnen mußte an der zweieinhalbstündigen wöchentlichen Sitzung teilnehmen und zu Hause jeden Tag 45 Minuten weiterüben. Bei einer ein Jahr später durchgeführten Befragung gaben 72 Prozent von Kabat-Zinns Patienten an, ihr Zustand habe sich spürbar bis deutlich gebessert. Ein Kollege von Kabat-Zinn berichtet ergänzend, viele der Betroffenen hätten zum Zeitpunkt ihrer ersten Überweisung in die Klinik so unter ihrer Angst gelitten, daß sie nicht einen Augenblick still sitzen konnten.

Ich blicke noch einmal zu Dan hinüber. Er ist gerade dabei, seine letzte Rosine zu schlucken. Der Kopf ist gesenkt, so daß ich nicht sehe, wie sich der Adamsapfel bewegt, aber man erkennt, daß er die Rosine ganz bewußt abwärts dirigiert. Die tiefen Furchen sind fast völlig von seiner Stirn geschwunden. Als er die Augen öffnet und unsere Blicke sich treffen, lächelt er zum erstenmal, seit ich in der Runde bin. Anschließend erzählt er mir, er habe bei der dritten Rosine den Eindruck gehabt, seine Schmerzen ließen nach. Jedenfalls seien sie ihm nicht mehr so bewußt gewesen, und er habe sie auch weniger gefürchtet. »Die Angst vor Schmerz«, erklärt mir Kabat-Zinn, »ist häufig schlimmer als der Schmerz selbst.«

Wir machen einen Sprung nach Kalifornien, zur Stanford University in Palo Alto. Diesmal besteht die Runde nur aus Frauen. Es sind Patientinnen des Psychiaters David Spiegel. Alle haben Brustkrebs mit Metastasen, der in der Regel innerhalb von zwei Jahren zum Tod führt. Sie haben sich bereiterklärt, an einem Forschungsprojekt teilzunehmen, das Spiegel zum zweitenmal durchführt. Das erste führte zu einem überraschenden Ergebnis, das Spiegel hofft, wiederholen zu können.

In der ersten Studie, mit der Spiegel die »häufig überzogene Behauptung« überprüfen wollte, daß »die richtige seelische Einstellung helfen kann, den Krebs zu besiegen«, hatte er eine Untersuchungsgruppe von 86 Frauen nach dem Zufallsprinzip in zwei Gruppen eingeteilt. Die eine Hälfte bekam die übliche Behandlung – Bestrahlung, Chemotherapie, Medikamente –, die Frauen der zweiten Gruppe wurden darüber hinaus gebeten, einmal pro Woche an einer Gruppentherapie teilzunehmen. Spiegel ging von der Annahme aus, daß ihre Lebensqualität sich dadurch bessern werde. Seine Annahme bestätigte sich; diese Frauen hatten laut eigener Aussage weniger unter Depressionen, Angstgefühlen und Schmerz zu leiden als die der ersten Gruppe. Einige Jahre später, als bis auf drei alle betroffenen Frauen verstorben waren, nahm er sich die Studie noch einmal vor und machte die erstaunliche Entdeckung, daß die Teilnehmerinnen an der Gruppentherapie nach Beginn der Studie noch doppelt so lange gelebt hatten wie die Frauen, die nur die übliche Behandlung erhalten hatten.

Bei der Planung des Projekts hatte Spiegel außerordentlich strenge Maßstäbe angelegt. Er konsultierte andere Wissenschaftler, denen er seine Ergebnisse mit der Bitte vorlegte, Mängel bei seinen Methoden und Schlußfolgerungen rücksichtslos aufzudecken. Sie fanden nichts.

Was könnte die Ergebnisse also erklären? Spiegel bleibt vorsichtig und weist darauf hin, daß sich die Ergebnisse bei seinem zweiten Experiment vielleicht nicht wiederholen werden. »Irgend etwas hat diesen Frauen offenbar geholfen, länger zu leben. Aber ich weiß nicht, was es war.« Er zitiert zahlreiche Untersuchungen, die zu dem Ergebnis kommen, daß Menschen mit vielen sozialen Bindungen länger leben als Menschen, die wenig Kontakte haben. So überleben beispielsweise verheiratete Krebspatienten länger als unverheiratete. Das Gefühl sozialer Isolation, das viele Krebspatienten nach wie vor empfinden, sagt Spiegel, sei besonders schlimm und stelle eine Gefahr für ihre geistige und physische Gesundheit dar. Patienten, die regelmäßig zusammenkommen, helfen sich gegenseitig, Einsamkeit und Isolation zu überwinden. Sie entwickeln allmählich Gefühle füreinander, und es entsteht ein Beziehungsgeflecht, in dem sie sich auch über die wöchentlichen Sitzungen hinaus gegenseitig stützen. Sie besuchen einander im Krankenhaus, gehen gemeinsam zum Essen aus, rufen sich an. Selbst die Frauen, die auch außerhalb der Gruppe viel persönliche Unterstützung erfuhren, stellten fest, daß sie innerhalb der Gruppe Dinge sagten, die sie sonst nirgends aussprechen konnten. »Wenn es eine dieser Frauen nicht über sich bringt, an ein bestimmtes Thema zu rühren, kann sie doch davon profitieren, daß eine andere es anspricht. Die bloße Tatsache, mit anderen zusammenzusein und umzugehen, die Ähnliches erleben«, sagt Spiegel, »fängt die traumatischen Wirkungen einer Krankheit, mit der man allein fertigwerden muß, teilweise ab.«

Als ich mir die Filmaufnahmen von Sitzungen anschaue, in denen die Frauen über den Tod sprechen, stelle ich mir die Frage, wie eine so direkte Auseinandersetzung mit der Sterblichkeit therapeutisch wirken kann. Ich kenne die Selbsthilfe-Literatur zum Thema »Positives Denken« und weiß, wie viele Menschen glauben, wenn man das Schlimmste in Betracht ziehe, trete es auch ein. Spiegel ist anderer Meinung: Man könne mit dem Tod besser umgehen, wenn man ihn in eine Reihe von einzelnen Problemen zerlege. Die Frauen, sagt er, »entschärfen das Sterben«. Das sei wichtig, weil die meisten Patientinnen berichteten, nicht der Tod selbst flöße ihnen Angst ein, sondern der Vorgang des Sterbens – »der Schmerz, das Dahinsiechen, der Verlust der Selbstkontrolle«.

Er bittet die Frauen, die zehn wichtigsten Aspekte ihres Lebens in der Reihenfolge ihrer Bedeutung aufzuschreiben, Aspekte, mit denen sie ihre Identität verbinden. Auf der Liste erscheinen persönliche Eigenschaften, geliebte Menschen, Dinge, die sie besonders gern tun oder erleben. Nun fordert er sie auf, ganz langsam Punkt für Punkt zu streichen und darüber nachzudenken, was bleibt, wenn diese Dinge ihnen nacheinander verlorengehen. Die Frauen schließen die Augen. Vor ihrem inneren Auge können sie sehen, wie der Fortgang der Krankheit sie verändern wird.

Eine Frau beginnt zu weinen. Sie hat einen sechsjährigen Sohn. Seinen Schulabschluß wird sie nicht mehr erleben. Sie hat ihm gesagt: »Deine Mama wird fortgehen.« Spiegel gibt zu bedenken, daß man ihre Worte so verstehen könnte, als ginge sie freiwillig fort; der Junge könnte sich für ihr Weggehen verantwortlich fühlen. Sie entschließt sich, ihm zu sagen: »Eines Tages kann Deine Mama vielleicht nicht mehr bei Dir bleiben, aber wenn ich es könnte, dann würde ich immer bei Dir bleiben.« Sie wird ihm noch Karten zu allen Geburtstagen bis zu seinem achtzehnten Lebensjahr schreiben, um so zu versuchen, ihm auch nach ihrem Tod eine Stütze zu sein. Durch das Schreiben dieser Karten bekommen die Monate, die sie noch zu leben hat, eine Bedeutung. Das ist nach Meinung Spiegels ganz wesentlich. »Man entscheidet sich, was für die verbleibende Zeit noch wichtig ist, und sondert alles Nebensächliche aus.«

Wir werden nie erfahren, welche Aspekte der Arbeit Spiegels das Leben der Frauen in der ersten Untersuchungsgruppe verlängert haben, und es wird noch Jahre dauern, ehe wir wissen, ob die Arbeit mit der zweiten Gruppe ähnlich positive Ergebnisse bringt. Aber die Studie gibt zu denken. Möglicherweise können einige dieser Techniken den Krebs zwar nicht heilen, aber den Betroffenen doch helfen, und andere Techniken sind vielleicht geeignet, Kräfte zur Abwehr von Krankheiten zu mobilisieren.

Ich bin während meiner Recherchen außer mit Spiegel und Kabat-Zinn auch mit anderen Menschen zusammengetroffen, deren Forschungen Möglichkeiten der ganzheitlichen Medizin erschließen. Man kann sogar Kinder dazu bringen, durch ihre Vorstellungskraft den Körper zu beeinflussen. So hat Karen Olness Kinder, die unter Migräne litten, Techniken des Biofeedback gelehrt, die ihren Zustand merklich besserten. Ein Mädchen lernte beispielsweise, auf den Geruch von Rosenöl und den Geschmack von Lebertran reflexartig wie auf ein starkes Schmerzmittel zu reagieren. Karen Olness selbst hat sich ohne Betäubungsmittel operieren lassen, indem sie im wesentlichen autosuggestive Techniken der Selbststeuerung anwandte.

Die Kraft der Psyche ist erstaunlich, und doch wissen wir noch wenig über ihre Wirkungsmechanismen. Dean Ornish antwortete mir auf die Frage, wie es ihm gelungen sei, bei seinen Patienten eine Herzkrankheit aufzuhalten, eine fettarme Diät und maßvolle körperliche Betätigung seien zwar wichtig, aber Streßabbau durch Yoga, Meditation und Unterstützung in einer Gruppe hätten mindestens die gleiche Bedeutung. Ornish bezeichnet seine Arbeit als »emotionale Operation am offenen Herzen«.

Bestimmte Themen kehren in den Gesprächen immer wieder: Wie wichtig es ist, innerhalb einer sozialen Gruppe Unterstützung zu finden, seinen Gefühlen Ausdruck verleihen zu können, eine Beziehung zwischen Arzt und Patient aufzubauen, die eigene Vorstellungskraft einzusetzen, zu trauern und dem Tod ins Auge sehen zu können. Indem man das Gefühl dafür entwickelt, seine medizinische Behandlung selbst kontrollieren zu können, indem man bewußt Entscheidungen bezüglich der eigenen Lebensführung trifft und indem man das eigene Leiden mit anderen teilt, setzt man ureigene Heilkräfte frei, durch die wir uns im Prozeß der Gesundung die Natur zur Verbündeten machen.

Selbststeuerung und Konditionierung

Karen Olness

Karen Olness ist Professorin für Kinderheilkunde und Internationales Gesundheitswesen an der Case Western Reserve University. Sie hat nachgewiesen, daß Kinder, die an Migräne leiden, durch das Erlernen von Biofeedback-Techniken die Zahl der Anfälle senken können.

In Dr. Olness' Klinik lernte ich Mika Cross kennen, ein lebhaftes zehnjähriges Mädchen. Sie hatte einige Monate zuvor ihre ersten schweren Migräneanfälle bekommen. Bisher war jedes Medikament gegen die unvorhersehbaren und lähmenden Schmerzanfälle wirkungslos geblieben. Ich sah zu, wie ihre Hände durch Kontakte mit einem Computer verbunden wurden, der den elektrischen Widerstand der Haut mißt. Bei nachlassendem Widerstand erscheint auf dem Bildschirm ein schrumpfendes graphisches Zeichen. Mit Hilfe dieser Rückkoppelung hat Mika gelernt zu erkennen, wann sie sich entspannt. Es gelingt ihr inzwischen, durch die Anwendung dieser Technik der Selbststeuerung ihre Migräne-Kopfschmerzen zu lindern.

MOYERS: Was versuchen Sie den Kindern hier beizubringen?

OLNESS: Viele Kinder kommen, um Techniken der Selbststeuerung zu erlernen, die gegen chronische Schmerzen helfen. Mika hat zum Beispiel gelernt, die Häufigkeit ihrer Migräneanfälle zu reduzieren und bei einem Anfall die Schmerzen selbst zu dämpfen.

MOYERS: Auf welchen wissenschaftlichen Grundlagen beruht das Verfahren?

OLNESS: Die Anfälligkeit für Migräne ist genetisch oder biologisch bedingt. Wie viele ähnliche Krankheiten kann Migräne durch äußere Einflüsse – wie bestimmte Nahrungsmittel, Erschöpfung oder eine Hormonumstellung – ausgelöst werden. Wir kennen zwar die spezifische Ursache der Migräne nicht, wissen aber aus Studien, daß man die Zahl der Migräneanfälle durch regelmäßige Übungen reduzieren kann, die mit entspannenden Vorstellungen verbunden sind. Im Vergleich mit der Einnahme konventioneller Medikamente führt dieses Verfahren zu erheblich besseren Ergebnissen. Dieses Ergebnis wird auch durch eine Parallelstudie gestützt, in der eine Gruppe mit den üblichen Verfahren behandelt wurde, die andere dagegen mit entspannenden Techniken der Selbststeuerung arbeitete. Die zweite Gruppe erreichte eine viel wirksamere Schmerzbekämpfung als die Kinder, die gezielt Medikamente einnahmen oder mit Placebos behandelt wurden.

MOYERS: Was mußte Mika tun?

OLNESS: Sie sollte an ihre Lieblingsbeschäftigung denken, in ihrem Fall Tennisspielen. Dabei stellte sie eine Verbindung zwischen dem, was in ihrem Kopf vorging, und ihren Armen, Beinen und den Bewegungen auf dem Tennisplatz her.

MOYERS: Auf mich wirkt es, als verschafften Sie sich Zutritt zur Vorstellungswelt der Kinder.

OLNESS: Das ist richtig, aber wir achten genau darauf, ihnen nicht vorzuschreiben, an was sie denken sollen. Wir sprechen mit ihnen, um herauszufinden, wo ihre Interessen und Wünsche liegen. Wenn man beispielsweise erfahren hat, daß ein Kind gern im Schnee spielt, sagt man ihm, es solle sich vorstellen, wie es warme Handschuhe anzieht. Dann soll es darauf achten, ob das graphische Symbol kleiner wird. Wenn ihnen unsere Vorschläge nicht zusagen, können sie sich selbst etwas Entsprechendes ausdenken, etwa, daß sie ihre Hände über einer Kerzenflamme wärmen. Es macht Spaß zu sehen, wie kreativ Kinder sind.

MOYERS: Sie lehren die Kinder sozusagen Selbsthypnose.

OLNESS: Ja, aber der Begriff muß genauer definiert werden. Bei ihren alltäglichen Spielen befinden sich Kinder wahrscheinlich immer wieder in einem hypnoseähnlichen Zustand, auch wenn der Begriff hier irritierend erscheinen mag. Im Leistungssport verwendet man dasselbe Verfahren, nur nennt man diese Methode dort Biofeedback oder Entspannungsübung. Eine Entspannungsübung kann vorübergehend einen Zustand veränderter Wahrnehmung herbeiführen. Die meisten Biofeedback-Übungen enthalten eine Komponente der Selbsthypnose, auch wenn der Begriff nicht immer fällt.

Wenn wir bei Kindern mit Selbsthypnose arbeiten, weisen wir immer darauf hin, daß sie den Prozeß selbst in der Hand haben. Wir sagen ihnen: »Wir können Euch etwas beibringen, wir können euch trainieren, aber es liegt ganz bei Euch, ob Ihr diese Techniken nutzt.«

Wir achten besonders darauf, daß die Eltern ihre Kinder nicht zu diesen Übungen anhalten. Wenn sie den Eindruck gewinnen, es handle sich bloß um eine weitere häusliche Pflicht, darf man kaum einen sinnvollen Umgang mit den Übungen erwarten. Deswegen lassen wir die Eltern aus dem Spiel und besprechen nur mit den Kindern, wie man sich am besten zum Üben anhält.

MOYERS: Als das Biofeedback als Mittel medizinischer Selbsthilfe entdeckt wurde, hegte man hohe Erwartungen. Man hoffte, es auch im Kampf gegen schwere Krankheiten einsetzen zu können. Die Anwendungsmöglichkeiten sind aber bisher noch relativ beschränkt. Manche Menschen können diese Technik mit Erfolg anwenden, andere nicht. Was sagt das über die geistig-seelischen Voraussetzungen aus?

OLNESS: Der Erfolg setzt bei diesem Verfahren viel Übung voraus. Ich selbst habe zwei Monate täglichen Trainings gebraucht, um eine zuverlässige Fähigkeit zur Schmerzkontrolle zu erlernen. Kinder lernen erheblich rascher.

MOYERS: Haben Sie diese Fertigkeiten aus persönlichem Interesse oder aus beruflichen Gründen erworben?

OLNESS: Sowohl als auch. Zu Anfang wollte ich nur wissen, ob ich es schaffen würde. Dann stellte ich fest, daß ich diese Fertigkeiten auch zu meinem eigenen Nutzen einsetzen konnte. So habe ich mich ohne Anästhesie operieren lassen, indem ich die Narkose durch eigene Schmerzkontrolle ersetzte. Ich hatte nach einem Skiunfall einen Bänderriß am Daumen, und das Band mußte wieder genäht werden. Der Eingriff dauerte ungefähr 45 Minuten.

MOYERS: Was ging während dieser Zeit in Ihnen vor?

OLNESS: Ich habe mich auf eine bestimmte Vorstellung konzentriert. Das ist das Wesen der Selbsthypnose – sich auf andere Weise zu konzentrieren.

MOYERS: Welche Vorstellung hatten Sie, während Sie auf dem Operationstisch lagen und der Eingriff vorgenommen wurde?

OLNESS: Ich konzentrierte mich auf eine Zeit, an die ich besonders gern zurückdenke: Ich dachte an meine Kindheit auf der Farm. Ich erinnerte mich an das Gefühl, im Gras zu liegen, in den Himmel zu schauen und dabei im Augenwinkel ein kleines Eck der Scheune zu sehen. Während der ganzen Operation konzentrierte ich mich ausschließlich auf dieses Bild und fühlte mich dabei außerordentlich wohl. Ich habe durchaus mitbekommen, was um mich herum geschah, nur war mein Interesse auf etwas anderes gerichtet.

MOYERS: Was haben Sie aus dieser Erfahrung gelernt?

OLNESS: Jahrelang hatte ich andere Menschen diese Technik gelehrt und mich dabei gefragt, ob ich selbst in der Lage wäre, sie anzuwenden. Jetzt weiß ich, daß ich es kann. Wahrscheinlich ähnelten meine Gefühle denen eines Marathonläufers. Es war zwar eine geistig-seelische Leistung, aber ich fühlte mich wie nach einem Rennen.

MOYERS: Selbsthypnose ist ihrem Wesen nach also nichts Unerklärliches, sondern das Ergebnis einer Verbindung, die man zwischen Körper und Seele herstellt.

OLNESS: Hypnose ist immer Selbsthypnose. Es handelt sich um eine Strategie, bei der man sich sammelt und konzentriert, um ein Ziel zu erreichen.

MOYERS: Aber man weiß noch nicht genau, wie Meditation und Selbsthypnose funktionieren.

OLNESS: Nein, aber das gilt auch für gewisse Medikamente, die wir trotzdem verwenden.

MOYERS: Wie zum Beispiel Aspirin, das schon lange mit großem Erfolg auf dem Markt war, bevor man seine Wirkung erklären konnte.

OLNESS: Selbst heute ist seine Wirkungsweise noch nicht in allen Einzelheiten geklärt. Es beunruhigt mich also nicht, daß wir noch nicht genau sagen können, wie die Selbsthypnose funktioniert. Gleichzeitig kann die Aussicht, diese Erklärung eines Tages zu finden, der Forschung Auftrieb geben.

MOYERS: Was können Menschen tun, die nicht über Ihre Disziplin und Ihre Kenntnisse verfügen? Ich würde mich bei einer Operation nicht nur auf meine Vorstellungskraft verlassen wollen.

OLNESS: Das ist verständlich. Es gibt aber Menschen, die eine Narkose nicht vertragen und deswegen keine Alternative haben. Ich kenne eine Reihe von Fällen, wo größere chirurgische Eingriffe ohne Narkose vorgenommen werden konnten, weil die Patienten mit Selbsthypnose arbeiteten. Wenn eine solche Motivation vorhanden ist, könnten Sie diese Technik vermutlich auch erlernen. Zwar haben manche Menschen mit Lernschwierigkeiten oder anderen Problemen zu kämpfen, die das Erlernen unserer Techniken ebenso erschweren können wie den Erwerb anderer Fertigkeiten. Doch die meisten Menschen könnten sich diese Techniken der Selbststeuerung bestimmt aneignen, wenn sie nur richtig motiviert wären.

MOYERS: Selbststeuerung heißt, daß das Denken Herr der Lage bleibt.

OLNESS: Diesen Umstand heben wir besonders gegenüber chronisch erkrankten Kindern und Jugendlichen hervor, die sonst sehr wenig Einfluß auf ihr eigenes Leben haben. Sie haben es nicht in der Hand, wann sie wieder krank werden und in die Klinik müssen. Wenn sie diese Strategien erlernen, können sie über gewisse Dinge selbst bestimmen und so selbst zu ihrer Heilung beitragen.

Moyers: Wo liegen die Unterschiede zwischen Biofeedback, Selbsthypnose, Meditation und Visualisierungstechniken?

Olness: Ich glaube, daß die Unterschiede vor allem in ihrer Funktion für den Betreffenden liegen. Die Meditation dient dazu, sich innerlich zu sammeln oder zu beruhigen. Mit Selbsthypnose oder entspannenden Vorstellungen verfolgt man oft ein ganz bestimmtes Ziel. Man will beispielsweise eine Gewohnheit ablegen oder Schmerzen in den Griff bekommen. Ich habe mit vielen verschiedenen Techniken gearbeitet und würde sagen, daß der emotionale Zustand jeweils derselbe ist. Herbert Benson von der Medizinischen Fakultät der Harvard University ist zu dem Ergebnis gekommen, daß hinsichtlich Temperatur, Herzfrequenz, Puls oder Hirnströmen kein Unterschied zwischen den verschiedenen Techniken festzustellen ist.

Moyers: Kann die Wirksamkeit dieser Techniken wissenschaftlich belegt werden?

Olness: Verschiedene Untersuchungen weisen in diese Richtung, ohne aber einen endgültigen Nachweis zu erbringen. Es gibt eine Reihe von Studien mit Erwachsenen, die im Zusammenhang mit etwas, das ich als Intention bezeichne, Veränderungen im Immunsystem zeigten. Dennoch ist es viel zu früh für den Versuch, bestimmte Krankheiten auf der Grundlage der bisherigen immunologischen Ergebnisse zu heilen. Viele dieser Studien müßten wiederholt werden, um die Vorgänge genauer aufzuschlüsseln, durch die manche Menschen Veränderungen in ihrem Immunsystem hervorrufen. Anschließend könnte man diese Ergebnisse unter klinischer Kontrolle anwenden. Erst wenn wir den Prozeß kennen, der zwischen einem Gedanken und der physiologischen Veränderung vermittelt, können wir auch sagen, wie bestimmte Vorstellungen zustande kommen und auf spezielle Neurotransmitter einwirken. Ein vierjähriger Junge, der die Biofeedback-Übungen sehr gut beherrschte, erklärte im Anschluß an eine Übung: »Jetzt will ich aber auch wissen, wie es meine Gedanken schaffen, daß meine Finger warm werden.«

Auf meine Antwort, daß auch wir das noch nicht erklären könnten, meinte er: »Ich bin ja nicht auf den Kopf gefallen; wenn ich groß bin, kriege ich das noch heraus.«

Das ist 15 Jahre her. Inzwischen ist er vielleicht soweit, daß er dieses Vorhaben in Angriff nehmen kann.

MOYERS: Glauben Sie, daß sich die These, unser Denken beeinflusse unsere Gesundheit, wissenschaftlich belegen lassen wird?

OLNESS: Wir sind auf dem Weg dahin. Gleich welche Impulse physischer und psychischer Art für die Hervorbringung von Bildern und den Prozeß des Denkens verantwortlich sind, diese Energien lösen, so meine intuitive Annahme, eine Kette von Reaktionen im ganzen Körper aus. Ich bin mir bewußt, daß das keine besonders präzise Antwort auf Ihre Frage ist, doch mein Eindruck beruht auf den physiologischen Reaktionen, die ich bei Kindern beobachtet habe, wenn sie ihre Vorstellungskraft aktivieren. Alle Kulturen versagen an dem Punkt, wo sie die Vorstellungskraft der jungen Menschen beschneiden. Ich glaube, auch unsere Kultur ist davon nicht frei.

MOYERS: Als Journalist, der von Berufs wegen zur Skepsis neigt, finde ich die Annahme, meine Vorstellungen könnten mein Immunsystem oder meine Körpertemperatur beeinflussen, ziemlich verwegen.

OLNESS: Auch ich bin mit großer Skepsis an diese Forschungen herangegangen, ähnlich wie ein Professor der Kinderheilkunde, dem ich die Ergebnisse meiner Arbeit demonstrieren wollte. Er sagte, selbst wenn er es mit eigenen Augen sehen würde, würde er es nicht glauben.

MOYERS: Welche Entdeckungen sind Ihrer Meinung nach auf diesem Gebiet zu erwarten?

OLNESS: Ich glaube, daß wir dank neuer Technologien und Instrumente, die es uns erlauben, komplizierte Vorgänge im Gehirn zu messen, eines Tages verstehen werden, wie Denkprozesse und Vorstellungen in Körperfunktionen umgesetzt werden. Dann werden wir auch in der Lage sein, kranken Menschen Techniken beizubringen, mittels derer sie ihren Gesundheitszustand gezielt beeinflussen können.

MOYERS: Wo liegt Ihrer Meinung nach die Nahtstelle zwischen Geist und Körper?

OLNESS: Ich kann dazu keine präzisen Angaben machen, aber ich vermute, daß es sich um die Kontaktstelle zwischen den Bildern bzw. den mit ihnen einhergehenden Energien und den Neurotransmittern handelt. Um diese Vermutung zu erhärten, sind allerdings noch viel empfindlichere Instrumente nötig als die, über die wir zur Zeit verfügen.

MOYERS: Offenbar ist es sehr schwierig, die Experimente klinisch zu überprüfen, sie zu wiederholen und beweiskräftiges Material zu sammeln.

Olness: Unsere bisherigen Untersuchungen haben sich als sehr langwierig und in vieler Hinsicht kompliziert erwiesen. Ich meine dennoch, daß wir uns dadurch nicht abschrecken lassen dürfen und die wissenschaftliche Grundlagenarbeit auf diesem Gebiet vorantreiben müssen.

Moyers: Im Augenblick stellen auch die technologischen Möglichkeiten eine Grenze dar.

Olness: Das ist richtig. Angesichts dieser Tatsache wäre es bereits ein großer Fortschritt, wenn wir wüßten, welche unserer Vorstellungen negative Auswirkungen auf unsere Gesundheit haben können.

Moyers: Was wäre zu tun, damit mehr Menschen von Strategien der Selbststeuerung profitieren könnten?

Olness: Meine Idealvorstellung sieht so aus, daß jedes Kind ab dem sechsten oder siebten Lebensjahr die Gelegenheit erhalten würde, sich an ein Biofeedback-System anzukoppeln, das auf eine physiologische Reaktion anspricht, möglicherweise in Form eines Computerspiels. Kinder könnten auf diese Weise von früh an die Erfahrung machen, daß verändertes Denken auch körperliche Reaktionen zu Folge hat. Diese Erkenntnis, das Gefühl, daß ich selbst die Dinge kontrollieren und durch verändertes Denken meine körperlichen Reaktionen beeinflussen kann, sollten wir unseren Kindern so früh wie möglich in ihrem Leben vermitteln.

Moyers: Oft wird behauptet, man könne Krebs durch die autosuggestive Vorstellung heilen, daß die gesunden Zellen die Krebszellen angreifen. Gibt es dafür eine wissenschaftliche Grundlage?

Olness: Ich fürchte nicht, ich glaube vielmehr, daß viele Krebspatienten Schuldgefühle entwickeln, weil sie die Krankheit nicht besiegen können.

Moyers: Das heißt, man gibt dem Opfer die Schuld.

Olness: Trotzdem ist es wichtig, daß chronisch Kranke nach besten Kräften versuchen, bestimmte Aspekte der Krankheit beispielsweise durch eine Diät oder Entspannungsübungen selbst zu steuern. Unsere Kenntnis der meisten chronischen Krankheiten und der Wirkungsweise vieler Medikamente ist jedoch noch sehr lückenhaft, so daß wir uns von der Pionierforschung im Bereich der Kyberphysiologie neue Anstöße und Erkenntnisse erhoffen.

Moyers: Was verstehen Sie unter »Kyberphysiologie«?

Olness: Das Wort »Kyber« bedeutet im Griechischen Steuermann. In unserem Zusammenhang ist damit die Kontrolle über einen Aspekt der eigenen Physiologie oder bestimmter Prozesse im Körper gemeint. Ich halte das Wort für sehr geeignet, um mit einem allgemeingefaßten Begriff das ganze Spektrum der verschiedenen Übungsstrategien zu beschreiben. So wenden auch Leichtathletiktrainer, die mit mentalen Trainingsmethoden arbeiten, im Grunde eine kyberphysiologische Trainingsstrategie an.

MOYERS: Man steht also gewissermaßen selbst im Steuerhaus, und der Geist ist das Ruder?

OLNESS: Der Vergleich ist treffend.

MOYERS: Gilt er auch für den Fall des Mädchens, das zur Behandlung ihres Lupus zu Ihnen kam?

OLNESS: Dieses Mädchen, Marette, litt unter schwerem Lupus, einer chronischen Autoimmunerkrankung, die verschiedene Bereiche des Körpers erfaßt. Sie wollte Techniken der Selbststeuerung erlernen, um ihre Schmerzen und Ängste in den Griff zu bekommen und ihr allgemeines Befinden zu verbessern. Sie litt nicht nur aufgrund der Krankheit selbst, sondern auch durch die zahlreichen Behandlungen, denen sie sich unterziehen mußte, unter starken Schmerzen. Als sie zu uns kam, hatte die Krankheit bereits ein lebensgefährliches Stadium erreicht. Wir erwogen deshalb, sie mit einem Medikament zu behandeln, das noch in der Erprobungsphase war und das die Immunreaktionen unterdrückt, auch wenn uns schwere Nebenwirkungen bekannt waren. Ich hatte kurz zuvor von einem Experiment gelesen, bei dem man Versuchstieren mit Lupus dasselbe Medikament gegeben hatte. Parallel zu dem Medikament hatten die Tiere bei jeder Einnahme eine Zuckerlösung verabreicht bekommen. Nach einer Weile erhielten die Tiere die Zuckerlösung ohne das Medikament – die physiologische Reaktion blieb trotzdem die gleiche.

MOYERS: Sie reagierten also, als ob sie weiterhin das Medikament eingenommen hätten. Wie erklären Sie dieses Ergebnis?

OLNESS: Meiner Meinung nach hat das Experiment deutlich gezeigt, daß die Koppelung eines Medikaments mit unterschiedlichen Geschmacks- und Geruchsreizen dazu führt, daß schließlich diese Reize allein die gewünschten Reaktionen auslösen.

MOYERS: Die Versuchstiere werden also darauf konditioniert, auf den Ersatzstoff wie auf das eigentliche Medikament zu reagieren. Sie wollten versuchen, ähnliche Ergebnisse bei Marette zu erzielen?

OLNESS: Wir hielten es für möglich. Die Mutter des Mädchens sah die Parallele sofort, und weil sie für ihre Tochter nichts unversucht lassen wollte, wandte sie sich an den Leiter des Experiments, um in Erfahrung zu bringen, ob er die Übertragung des Verfahrens auf Marettes Fall für sinnvoll hielte. Er war optimistisch, und auch Marettes Hausarzt stimmte zu. In einer außerordentlichen Sitzung des zuständigen Ausschusses an unserem Institut erhielten wir grünes Licht für den Versuch.

MOYERS: Was versprachen Sie sich in bezug auf Marette von diesem Vorgehen?

OLNESS: Wir hatten vor, ihr ein Medikament zu geben, dessen schwere Nebenwirkungen uns bekannt waren. Wir hofften durch die Koppelung an einen »konditionierten Reiz« die Dosierung senken zu können.

MOYERS: Was verstehen Sie unter »konditioniert«?

OLNESS: Ich will Ihnen ein Beispiel geben. Ein krebskrankes Kind wird mit einem Medikament behandelt, das Übelkeit verursacht. Nun kauft die Mutter ihm auf dem Heimweg nach der Behandlung ein bestimmtes Eis. Da es gleichzeitig unter seiner Übelkeit leidet, wird es unbewußt das Eis mit der Übelkeit in Zusammenhang bringen und eine Abneigung gegen dieses bestimmte Eis entwickeln. Diesen Vorgang bezeichnet man als negative Konditionierung. Bei Kindern ist er häufig zu beobachten, es muß ihnen dabei nicht einmal bewußt sein, wie ihre Abneigung zustande gekommen ist.

Wir werden uns häufig gar nicht dessen bewußt, daß wir konditioniert werden. So glaube ich auch nicht, daß Marette sich darüber klar war, daß sie einer Konditionierung ausgesetzt war.

MOYERS: Wie sind Sie vorgegangen?

OLNESS: Marette erhielt zunächst einen Geschmacksreiz. Es sollte ein relativ unangenehmer Geschmack sein, damit er sich einprägte, außerdem sollte Marette ihn vorher noch nicht gekannt haben. Nach Konsultationen der Familie und des ganzen Kollegen- und Freundeskreises fiel unsere Wahl schließlich auf Lebertran. Dazu kam noch ein intensiver Rosenduft.

MOYERS: Sie haben beides gemischt?

OLNESS: Nein, alles wurde gleichzeitig verabreicht. Jedesmal, wenn Marette das Medikament gespritzt wurde, mußte sie im selben Moment Lebertran zu sich nehmen. Gleichzeitig öffneten wir die Flasche mit dem Rosenparfüm.

MOYERS: Warum haben Sie Geschmacks- und Geruchssinn ausgewählt?

OLNESS: Wir wissen aus der Forschung, daß sich diese Sinne am leichtesten konditionieren lassen. Wir hofften, durch den gleichzeitigen Einsatz von Geschmack und Geruch unsere Erfolgschancen zu erhöhen. Zudem wußten wir nicht, ob Marette selbst eher auf Geschmack oder Geruch reagieren würde.

MOYERS: Wie lange dauerte die Behandlung, und wie oft fand sie statt?

OLNESS: Anfangs erhielt sie das Medikament zusammen mit dem Lebertran und dem Rosenduft. Nach drei solchen Koppelungen von Medikament und Reiz ließen wir das Medikament weg. Insgesamt erhielt sie eine geringere Dosis des Medikaments, als man einem Kind normalerweise gegeben hätte, und Marette reagierte dennoch, als ob die Dosis höher gewesen wäre.

MOYERS: Ihr Körper »glaubte« also, das Medikament zu bekommen und reagierte entsprechend, obwohl er in Wirklichkeit nur eine Mischung aus Duft- und Geschmacksstoffen erhalten hatte.

OLNESS: Das ist richtig. Sie sprach sehr gut auf die Behandlung an, nur löste nach einem Jahr schon der bloße Anblick des Löffels mit dem Lebertran Übelkeit aus.

MOYERS: Hatten Sie nicht die Absicht, die Ersatzgabe mit einer positiven Reaktion zu koppeln?

OLNESS: Wir wollten, daß sie die erwünschte physiologische Reaktion damit verband. Es ging uns weniger darum, wie sie subjektiv den Geschmack oder den Duft empfand. In erster Linie sollten ihre Geschmacks- und Geruchsnerven eine Botschaft an das Gehirn senden, damit es so reagierte, als bekomme sie das Medikament. So konnte ihr Körper den Lupus ohne die Nebenwirkungen des Medikaments bekämpfen.

MOYERS: Haben Sie dem Körper durch die Kombination einer übelschmeckenden Flüssigkeit und eines Wohlgeruchs nicht eine widersprüchliche Botschaft übermittelt?

OLNESS: Widersprüchlich wirken die Signale vermutlich nur auf der bewußten Ebene. Ich bezweifle, daß wir dem System, das den bedingten Reflex auslöst, gemischte Signale übermittelt haben. Im nachhinein, wenn ich noch einmal die Wahl hätte, würde ich Marette allerdings einen angenehmeren Geschmack gönnen.

MOYERS: Auch wenn der Lebertran geschmacklich unangenehm war, hat der Körper doch das Signal empfangen und reagiert, als hätte sie ein hochwirksames Medikament eingenommen.

OLNESS: Diesen Schluß legt die klinische Reaktion nahe. Man muß jedoch bedenken, daß es sich um einen Einzelfall handelt, aus dem man keine verallgemeinernde Schlußfolgerung ziehen kann.

MOYERS: Sie würden mir also im Zweifelsfall nicht raten, meine Medikamente abzusetzen.

OLNESS: Nein, aber ich halte es für denkbar, daß Ihr Körper ebenso reagieren würde, wenn Sie zunächst jede Einnahme des Medikaments mit einem bestimmten Geschmack verbinden und anschließend auf das Medikament verzichten würden. Das könnte zwar eine positive Wirkung haben, jedoch auch ein Risiko darstellen, wenn es unkontrolliert geschieht, ohne daß Sie sich dessen bewußt sind.

MOYERS: Besteht die Möglichkeit, die Rolle, die der Geist bei derartigen Prozessen spielt, in irgendeiner Form zu messen?

OLNESS: Bisher nicht, aber ich hoffe, daß uns das im nächsten Jahrhundert gelingen wird. Es ist nicht nur wichtig zu verstehen, was in einem Fall wie dem Marettes vor sich gegangen ist, sondern wir müssen auch den Konditionierungen nachgehen, die ohne unser Wissen in uns ablaufen. So nehmen viele Menschen Medikamente ein, deren Wirkungen möglicherweise durch Umweltreize bedingt werden. Auf diesem Gebiet gibt es noch viel zu erforschen.

MOYERS: Wenn weitere Untersuchungen die Ergebnisse im Fall Marettes bestätigten, welche Konsequenzen hätte das für die Ganzheitsmedizin?

OLNESS: Man könnte mit sehr viel weniger Medikamenten auskommen. Damit würden sich nicht nur die Nebenwirkungen, sondern auch die Kosten verringern.

MOYERS: Haben Sie bei Marettes Behandlung mehr mit ihrem Körper oder mit ihrem Geist gearbeitet?

OLNESS: Ich möchte zwischen beidem keine Grenze ziehen. Ich vermute, daß wir ihr Unterbewußtsein stärker als das bewußte Denken angesprochen haben – und das Unterbewußtsein ist untrennbar mit dem Körper verbunden. Wir haben gezeigt, wie sich eine einfache Veränderung des Denkens in einer physiologischen Veränderung niederschlägt. In Marettes Fall haben wir keinen Einfluß auf einen bewußten Denkvorgang genommen, sondern nur die Nerven stimuliert, die Zunge und Nase mit dem Gehirn verbinden. Durch diese Konditionierung haben wir das Gehirn dazu veranlaßt, Signale an den Körper zu geben, der dann so reagierte, als ob sie ein Medikament eingenommen hätte.

MOYERS: Bedeutet Konditionierung also, den Körper zu lehren, auf bestimmte Reize zu reagieren?

OLNESS: Das geschieht, ohne daß wir uns dessen bewußt sind.

MOYERS: Also ohne unser geistiges Zutun?

OLNESS: Mit Hilfe des Unterbewußtseins. Wir unterliegen einer ständigen Konditionierung, ohne uns dessen bewußt zu werden. Dagegen gilt es herauszufinden, wie wir durch bewußtes Denken und Wahrnehmen diesen Prozeß zu unserem Nutzen einsetzen können.

Die Umstellung der Lebensführung

Dean Ornish

Professor Dean Ornish leitet das Forschungs-Institut für Präventive Medizin an der University of California und praktiziert als Arzt am California Pacific Medical Center in San Francisco. Er hat erstmals nachgewiesen, daß koronare Herzerkrankungen in ihrem Verlauf auch ohne Medikamente oder operative Eingriffe umkehrbar sind. Zu diesem Thema hat er das Buch *Dr. Dean Ornish's Program for Reversing Heart Disease* verfaßt.

Ornishs Untersuchungen waren mir bereits aus anderen Veröffentlichungen bekannt. Ich wußte, daß seine Therapie aus einer Kombination von Meditation, Übungen zum Streßabbau, Gruppentherapie, Spaziergängen und einer vegetarischen Diät bestand. Wir unterhielten uns in einem Sanatorium für Herzpatienten, wo Ornish seine Forschungsergebnisse in einem Vortrag vorgestellt hatte. Dabei hatte er die Ergebnisse seiner computergestützten Analysen mit Lichtbildern von Angiokardiographien und Positronenemissionstomographien (PETs) illustriert.

MOYERS: Sie haben untersucht, wie sich veränderte Lebensgewohnheiten auf Herzerkrankungen auswirken. Zu welchen Ergebnissen sind Sie gekommen?

ORNISH: Ziel der Untersuchung war es zu zeigen, ob sich innerhalb eines Beobachtungszeitraums von einem Jahr arterielle Verschlüsse zurückzubilden beginnen.

MOYERS: Was verstehen Sie unter »zurückbilden«?

ORNISH: Die Herzkranzgefäße, durch die das Herz mit Blut versorgt wird, können durch Cholesterin- und andere Ablagerungen verstopft werden, vergleichbar einem Rohr, das von innen rostet. Bis vor kurzem war man der Ansicht, dieser Prozeß verstärke sich mit der Zeit zwangsläufig und man könne ihn bestenfalls verlangsamen oder – bei gefährlichen Verschlüssen – eine Bypass-Operation durchführen. In beiden Fällen nimmt man auf den Vorgang der Arterienverkalkung selbst keinen Einfluß. Unsere Untersuchungen haben nun gezeigt, daß bei 82 Prozent der Versuchspersonen die Arterien tatsächlich wieder durchlässiger wurden. Die Versorgung des Herzens mit Blut verbesserte sich, und die Schmerzen in der Brust gingen deutlich zurück, nämlich in 91 Prozent der Fälle.

MOYERS: Hat sich der Zustand bei den Patienten der Kontrollgruppe, die nicht an dem Programm teilnahm, nicht auch gebessert?

ORNISH: In der Kontrollgruppe verschlechterte sich das Krankheitsbild bei 53 Prozent der Patienten. Nur bei einigen wenigen kam es zu einer Besserung. Es handelte sich dabei um diejenigen, die aus eigenem Antrieb ihre Lebensweise am stärksten geändert hatten. In beiden Gruppen konnten wir feststellen, daß eine Veränderung der Lebensgewohnheiten in direktem Verhältnis zu dem Zustand der Arterien stand. Frauen schnitten dabei im Durchschnitt besser ab als Männer. Zwar hatten wir nur vier weibliche Teilnehmer, doch bei allen Frauen in der Kontrollgruppe kam es zu einer Umkehrung des Verkalkungsprozesses, obwohl sie ihre Lebensführung nicht tiefgreifend verändert hatten.

MOYERS: Wie viele Patienten sind zur Zeit an Ihrer Studie beteiligt?

ORNISH: Am Ende der ersten Phase, nach einem Jahr, waren es 41 Patienten. Die zweite Phase, die drei Jahre dauert, geht in Kürze zu Ende. Bisher zeichnet sich ab, daß in den meisten Fällen die Besserung um so deutlicher ist, je länger die Patienten am Programm teilnehmen, während der Zustand der Patienten in der Kontrollgruppe sich kontinuierlich verschlechtert. Langfristig gesehen entwickeln sich die zwei Gruppen immer weiter auseinander.

MOYERS: In Ihrer Gruppe finden sich besonders motivierte, willensstarke Patienten, die unbedingt eine Veränderung herbeiführen wollen. Wird das Ergebnis dadurch nicht verfälscht?

ORNISH: Das stimmt nur zum Teil. Es wurden nur Patienten gefragt, die kurz zuvor aus Gründen, die nichts mit unserem Forschungsvorhaben zu tun hatten, eine Angiographie hatten vornehmen lassen. Sie wurden befragt, ob sie an dem Programm teilnehmen und die gleiche Prozedur ein Jahr später wieder auf sich nehmen würden. Der Zeitpunkt war insofern denkbar ungünstig, als die Angiographie – eine Art Röntgenaufnahme des Herzens – einen unangenehmen und durchaus riskanten Eingriff darstellt. Dennoch erklärte sich ungefähr die Hälfte der Befragten dazu bereit. Nur ein einziger Teilnehmer gab innerhalb des ersten Jahres auf. Vermutlich sind mehr Menschen, als die Ärzte glauben, dazu bereit, ihre Lebensweise zu ändern.

Sie könnten mir natürlich entgegnen, daß ebensoviele Patienten nicht an unserer Studie teilnehmen wollten. Wenn ein Mensch seine Lebensweise nicht ändern will, greife ich auf Medikamente zurück und operiere natürlich auch. Denn es geht mir nicht darum, die Menschheit mit alternativen Lebensentwürfen zu beglücken, sondern als Wissenschaftler und Arzt bestmögliche Arbeit zu leisten. Ich will zeigen, welche Methoden des Heilens unter welchen Bedingungen möglich sind. Ich veröffentliche meine Ergebnisse und überlasse es dem einzelnen, daraus Konsequenzen zu ziehen. Ich halte es für Bevormundung, wenn Ärzte behaupten, ihre Patienten wären zu solchen Einsichten und einem einschneidenden Wandel ihrer Lebensgewohnheiten nicht bereit. Die American Heart Association hat beispielsweise die Ansicht vertreten, wir sollten unsere Diätvorschläge erst gar nicht publik machen, weil derart strenge Diäten ohnehin nicht befolgt würden. Inzwischen wissen wir, daß sich bei mehr als der Hälfte der Patienten, die sich an die von dieser Organisation empfohlene Diät mit 30 Prozent Fettanteil und 200 Milligramm Cholesterin gehalten haben, der Gesundheitszustand verschlechtert hat. Das ist, als ob man zu einem Raucher sagte: »Wir wissen, daß Sie das Rauchen nicht aufgeben werden, deswegen fordern wir Sie auch gar nicht erst dazu auf. Rauchen Sie doch in Zukunft nur noch zwei Packungen pro Tag statt drei.« Es ist nicht immer leicht, das Notwendige zu tun. Als Arzt kann ich dem Patienten nur die Fakten darlegen und ihm klarmachen, daß er allein eine Entscheidung für sein Leben treffen muß. Ich biete ihm meine Hilfe an, unabhängig davon, wofür er sich entscheidet.

MOYERS: Das ehrt Sie. Ist die Zahl der Teilnehmer an Ihrem Programm aber nicht zu klein, um weitreichende Schlüsse zu ziehen? Müßte nicht eine Reihe von Kontrollstudien folgen?

ORNISH: Das ist eine der Grundregeln des wissenschaftlichen Betriebs. Ich hoffe, noch mehrere Untersuchungen dieses Typs durchführen zu können. Auch an anderen Orten hat man begonnen, unsere Studien zu wiederholen. Natürlich haben auch wir mit methodischen Problemen zu kämpfen.

Das hat zunächst nichts mit der Zahl der Beteiligten zu tun. Wenn man zwei Gruppen nach dem Zufallsprinzip bildet und auf die eine mit gezielten Maßnahmen Einfluß nimmt, muß man am Ende zwischen echten Folgen der Behandlung und Zufallsergebnissen unterscheiden. Dabei ist zu berücksichtigen, wie stark die Veränderung ist, ob sie sich gleichmäßig auswirkt und mit welcher Genauigkeit sie gemessen werden kann. Je gravierender die Veränderungen sind, umso wahrscheinlicher ist es, daß sie nicht auf bloßen Zufall zurückzuführen sind. Wir arbeiten mit Testverfahren, die sehr genau und beliebig oft wiederholbar sind. Unsere Probanden durchlaufen ein sehr intensives Programm, so daß die Veränderungen beispielsweise im Vergleich zu pharmakologischen Studien relativ deutlich ausfallen. Mit den üblichen statistischen Methoden waren bei so vielen unserer Patienten so deutliche und gleichmäßige Veränderungen zu messen, daß die Wahrscheinlichkeit von Zufallsergebnissen sehr gering ist. Darüber hinaus wurden unsere Ergebnisse durch verschiedene Tierversuche, epidemiologische Untersuchungen und klinische Studien bestätigt, bei denen cholesterinsenkende Medikamente angewendet wurden.

MOYERS: Müssen Ihre Patienten wirklich durch dieses »Fegefeuer« gehen, um ihre Gesundheit zurückzugewinnen? Es ist bekannt, daß Japaner, die in den USA ihre Ernährung umstellen, Herzkrankheiten entwickeln, die in Japan selten auftreten. Andere Untersuchungen zeigen, daß bei Europäern, die sich während des Zweiten Weltkriegs aufgrund der Fleischknappheit nur von Gemüse ernährten, das Risiko von Herzerkrankungen sank. Könnten Sie die gleichen Ergebnisse nicht einfach dadurch erzielen, daß die Patienten ihre Ernährungsgewohnheiten ändern?

ORNISH: Ich weiß nicht, ob ich – oder auch meine Patienten – wirklich von einem »Fegefeuer« sprechen würden. Wir haben in der Medizin einen Punkt erreicht, an dem wir es geradezu als revolutionär und als Zumutung betrachten, wenn wir jemanden auffordern, das Rauchen aufzugeben, seinen Streß unter Kontrolle zu bekommen, spazierenzugehen und sich gesund zu ernähren. Als konservativ gelten dagegen Maßnahmen wie der tiefgreifende chirurgische Eingriff einer Bypass-Operation oder die Option, ein Leben lang starke Medikamente einzunehmen. So stellt man die Dinge aber auf den Kopf.

Selbstverständlich bin ich kein Gegner der Chirurgie oder der medikamentösen Behandlung. Sie können in akuten Krisen lebensrettend sein. Ich übe auch nie Druck auf meine Patienten aus, eine bestimmte Diät einzuhalten oder ein bestimmtes Trainingsprogramm zu absolvieren. Der Patient soll sich in seinen Entscheidungen frei fühlen. Das ist uns noch wichtiger, als daß er sich gesund fühlt, denn Verbote und Vorschriften wirken oft kontraproduktiv.

MOYERS: Sind Sie so fest überzeugt von Ihren Methoden, daß Sie Ihren Patienten sagen, der Verlauf ihrer Herzerkrankung sei mit Hilfe Ihrer Therapie möglicherweise umkehrbar?

ORNISH: Zu Beginn war ich eher skeptisch. Ich habe meine Untersuchungen nicht primär deshalb durchgeführt, um diese Vermutung zu erhärten, sondern ich wollte zunächst einfach sehen, was geschieht. Das Ergebnis mußte, unabhängig davon, wie es ausfiel, von Interesse sein, weil diese Frage zuvor noch nie Gegenstand einer wissenschaftlichen Untersuchung gewesen war. Dann stellte sich in vielen Fällen heraus, daß in der Tat eine Umkehrung des Krankheitsverlaufs möglich war. Die statistischen Analysen ließen darauf schließen, daß dabei jede Komponente des Programms eine Rolle spielte. Zunächst gab es eine direkte Korrelation zwischen der Gesamtheit des Programms und den Veränderungen in den Arterien. Eine solche Korrelation ließ sich aber auch in bezug auf jeden Einzelaspekt des Programms nachweisen.

MOYERS: Hatten bei Ihrer Studie auch kleinere Verbesserungen der Arterienstruktur spürbare Auswirkungen auf den Gesundheitszustand der Patienten?

ORNISH: Diese Frage würden unsere Patienten eindeutig bejahen. Der Blutdurchfluß in einer kritisch verstopften Arterie verhält sich in vierter Potenz zum Durchmesser dieses Gefäßes. Deshalb hat bereits eine kleine Verbesserung relativ starke Auswirkungen auf die Blutversorgung des Herzens.

MOYERS: Könnte man von einer Art Verstärkereffekt sprechen?

ORNISH: So könnte man es nennen. Darüber hinaus können veränderte Lebensgewohnheiten die Blutversorgung dahingehend verbessern, daß die Arterien sich weiten. Die Wahrscheinlichkeit, daß sich Blutgerinnsel bilden, nimmt ab, und um die Verschlüsse herum können sich neue Arterien bilden. In vorausgehenden Studien konnten wir bereits innerhalb eines Monats eine signifikant verbesserte Blutversorgung messen. Nach Aussage der meisten Patienten lassen die Schmerzen in der Brust innerhalb von Tagen oder Wochen nach. Aus Studien zu Bypass-Operationen und gefäßchirurgischen Eingriffen wissen wir, daß mit derartigen Methoden in erster Linie die Schmerzen in der Brust reduziert werden. Bisher konnte noch niemand nachweisen, daß die Angioplastie, bei der Ballonsonden in der Arterie aufgeblasen und auf diese Weise Verschlüsse beseitigt werden, das Leben verlängert oder Herzanfälle verhindert. Auch drei große, nach dem Zufallsprinzip aufgebaute Vergleichsstudien von Bypass-Operationen haben gezeigt, daß diese Methode – abgesehen von einer kleinen Untergruppe von Patienten in kritischem Zustand – nicht lebensverlängernd wirkt. Das Verfahren führt nur zu einer subjektiven Besserung, insofern die Schmerzen im

Brustbereich nachlassen. Wenn es sich also nachweisen läßt, daß unsere Patienten sich allein durch eine veränderte Lebensführung nicht nur wohler *fühlen*, sondern daß sich ihr Gesundheitszustand auch *tatsächlich* bessert, sehe ich in unserer Therapie eine echte Alternative zu cholesterinsenkenden Medikamenten oder chirurgischen Eingriffen. Die Patienten haben das Recht zu wissen, daß es eine Alternative zu den herkömmlichen Verfahren gibt.

MOYERS: Wenn Sie alle Ihre Ergebnisse rückblickend betrachten, können Sie dann den entscheidenden Auslöser für die Umkehrung des Krankheitsverlaufs ausmachen?

ORNISH: Nein. Offensichtlich spielt jeder Teilaspekt eine wichtige Rolle. Für einen Patienten, dessen Ernährung durch einen hohen Fettanteil charakterisiert war, der aber Streß gut kontrollieren konnte, steht die Ernährungsumstellung im Vordergrund. Für einen anderen, der stark unter Streß litt, aber die Fettzufuhr in vertretbaren Grenzen hielt, kann die Streßbeherrschung entscheidend sein. Wenn ich einen besonders wichtigen Faktor nennen sollte, dann wäre es die psychische Ausgeglichenheit, die entscheidend für das Wohlbefinden ist. Wenn man Patienten nur Medikamente verordnet, die den Blutdruck oder den Cholesterinspiegel senken sollen, stellt man oft fest, daß nur ein kleiner Prozentsatz das Medikament überhaupt einnimmt, von einer Umstellung der Ernährungs- und Lebensgewohnheiten ganz zu schweigen. Es reicht nicht aus, den Patienten bloß medizinische Informationen zu vermitteln, wenn man sie dazu bringen möchte, ihre Lebensführung zu ändern oder auch nur regelmäßig die Medikamente einzunehmen.

MOYERS: Wenn Sie aber keinen entscheidenden Auslöser benennen und keine wissenschaftliche Erklärung für Ihre Erfolge geben können, wird es schwierig sein, diese Informationen über Ihren kleinen Kreis hinaus einer breiten Öffentlichkeit zu vermitteln.

ORNISH: Das Grundproblem aller Verhaltensstudien ist, daß es nicht möglich ist, einen einzigen Faktor zu verändern. Bei pharmakologischen Untersuchungen ist das möglich, indem man der Kontrollgruppe ein Placebo gibt. Weder derjenige, der die Arznei verabreicht, noch der Patient weiß, ob es sich um das Medikament oder um das Placebo handelt. Wenn Patienten eine Diät machen oder Streßbeherrschung lernen, liegt der Fall weniger einfach. Ein Blindversuch ist hier nicht möglich.

Im Idealfall hätte man nur eine unabhängige Variable, zum Beispiel das Medikament. Dazu kommt dann die abhängige Variable – der Arterienverschluß. Tritt nach einer bestimmten Zeit eine Besserung ein, weiß man, daß das Medikament die Ursache war. Doch selbst das trifft nicht immer zu. Man kann den Menschen nicht auf eine Variable reduzieren. Ein Vorschlag, wie die einzelnen Faktoren getrennt zu beobachten seien, lautet, die erste Untersuchungsgruppe auf Diät zu setzen, die zweite Streßbeherrschung zu lehren und mit der dritten körperliche Übungen zu machen. Wenn man aber eine Diätgruppe bildet, ist die Zugehörigkeit zur Gruppe selbst schon ein heilungsfördernder Faktor. Man vermittelt den Teilnehmern das Gefühl, etwas Sinnvolles zu tun, Kontrolle über ihr eigenes Leben auszuüben – und das ist bereits eine wirkungsvolle Methode der Streßbeherrschung.

Wir können feststellen, daß unser Programm insgesamt zu bestimmten, meßbaren Verbesserungen des Gesundheitszustandes führt. Wenn wir die Fortschritte aber Einzelfaktoren zuordnen wollen, sind unsere Aussagen weniger zuverlässig.

MOYERS: Haben Sie aus Ihren Ergebnissen Neues über Geist und Psyche des Menschen gelernt?

ORNISH: Ich habe meine Forschungen mit einer gewissen Skepsis begonnen. Mir ist dabei bewußt geworden, wie stark der Geist die Gesundheit beeinflußt – zum Guten wie zum Schlechten. Als Arzt muß ich mir darüber klar sein, daß ich bewußt oder unbewußt die negative Wirkung verstärken kann. Ich kann diesen Einfluß jedoch auch gezielt zur Heilung von Herzkrankheiten nutzen.

MOYERS: Sie raten Ihren Patienten, sich eine gesunde Skepsis zu bewahren.

ORNISH: Das halte ich für die beste Methode. Auch wenn man soviel Vertrauen hat, daß man den Versuch wagt, sollte man erst daran glauben, wenn man die Wirkung am eigenen Leib erfahren hat. Es heißt zwar, sehen bedeutet glauben, aber was wir glauben, beeinflußt auf vielerlei Weise auch das, was wir möglich machen werden. Glauben bedeutet sehen. Wenn die Wissenschaft den Nachweis erbracht hat, daß diese Methoden in vielen Fällen wirksam waren, werden sich auch Menschen darauf einlassen, die unsere Therapie sonst als abwegig oder als zu mühsam abgetan hätten. Die meisten unserer Patienten haben keine Überzeugungsarbeit mehr nötig, sobald sie nach einigen Wochen eine erste Besserung spüren. Sie stellen fest, daß sie mehr Kraft haben und die Schmerzen abklingen. Möglicherweise entwickeln sie auch ein intensiveres Verhältnis zu ihrem Partner oder den übrigen Gruppenteilnehmern. Diese Erfahrung ist für die Nachbehandlung zu Hause besonders wichtig.

MOYERS: Warum haben Sie die Therapie mit einem Vortrag über Wissenschaft begonnen?

ORNISH: Der wissenschaftliche Diskurs ist auch offen für andere Bereiche – emotionale, psychosoziale oder auch spirituelle Aspekte –, die schwer zugänglich, aber in mancher Hinsicht noch wichtiger als der rein medizinische Befund sind. Die Wissenschaft neigt dazu, diese Bereiche als unwissenschaftlich oder irrational auszugrenzen, weil sie sich angeblich einer empirischen Untersuchung entziehen. Wenn wir also die Ergebnisse unserer Messungen des Cholesterinspiegels und des Blutdrucks erläutern, Bilder zeigen, auf denen zu sehen ist, wie Arterien wieder durchlässig werden, und mit Hilfe der Computertomographie demonstrieren, wie sich die Durchblutung verbessert, dann ist es anschließend leichter, auch die Dinge anzusprechen, die nicht meßbar sind.

MOYERS: Ich kann mir vorstellen, wie Diät und Gymnastik sich auf das Herz auswirken. Zu Ihrem Programm gehören aber auch Meditation und Gruppentherapie. Gibt es Beweise dafür, daß sich die psychologischen Faktoren positiv auf den Zustand des Herzens auswirken?

ORNISH: Bis zu einem gewissen Grad. Im Bereich des Herzkreislaufsystems haben sich die Analysemethoden so verfeinert, daß wir die Wirkung psychischer Faktoren auf das Herz inzwischen sehr präzise messen können. Setzt man beispielsweise einen Patienten durch geistige Anforderung wie Kopfrechnen unter Streß, so kann man mit Hilfe der Positronenemissionstomographie eine verminderte Blutzufuhr zum Herzen registrieren. Herzkrankheiten sind in der westlichen Welt die mit Abstand häufigste Todesursache. Deshalb gilt es, an diesem Krankheitsbild modellhaft die Wirkungsmöglichkeiten ganzheitlicher Therapien zu prüfen.

MOYERS: Viele der Patienten, mit denen ich hier gesprochen habe, sind so verzweifelt, daß ihnen jede Hilfe recht ist. Es kommt ihnen nicht unbedingt darauf an, die wissenschaftlichen Grundlagen zu verstehen. Wie reagieren Sie darauf?

ORNISH: Wenn jemand Schmerzen hat, bietet sich immer auch die Chance einer Veränderung. Ein Arzt wird in seiner Ausbildung nicht darauf vorbereitet, diesen Moment zu nutzen. Er ist in der Regel darauf trainiert, den Schmerz so rasch wie möglich durch Medikamente oder gegebenenfalls auch durch eine Operation zu beseitigen. In den meisten Fällen haben Schmerzen aber eine Ursache, der es nachzugehen gilt. Wer also nur so schnell wie möglich den Schmerz beseitigt, ohne die tieferen Gründe zu suchen, handelt wie jemand, der die Alarmanlage abstellt, um ruhig weiterzuschlafen, während das Haus abbrennt. Der physische Schmerz in der Brust, die Angina pectoris bei Herzkrankheiten, ist gewissermaßen nur die Spitze des Eisbergs. Wir versuchen hier, den Schmerz als Katalysator für eine Veränderung nicht nur im Bereich der Ernährung, der körperlichen Bewegung oder des Rauchens zu nutzen, sondern auch dort, wo diese Verhaltensweisen ihren Ursprung haben. Wenn Menschen niedergeschlagen, vereinsamt und ohne Lebensfreude sind, wird sie die Aussicht auf ein längeres Leben nicht unbedingt dazu motivieren, das Rauchen aufzugeben oder weniger Fleisch zu essen. Für viele stellt die Bewältigung ihres Alltags ein größeres Problem dar als die Frage, ob sie nun 85 oder nur 80 Jahre alt werden. Alkohol, Zigaretten, Bulimie oder Arbeitswut sollen die Schmerzen verdrängen oder betäuben. Wenn wir diese Faktoren nicht berücksichtigen, werden wir die Patienten kaum dazu bewegen können, derartige Verhaltensweisen zu ändern, die zwar kurzfristig Abhilfe schaffen, auf lange Sicht jedoch selbstzerstörerisch sind.

Als ich Medizin studierte, waren sowohl der Chefarzt für Lungenkrankheiten als auch einer der führenden Krebsspezialisten Raucher. Es fehlte ihnen bestimmt nicht an den nötigen Informationen. Diese zu vermitteln, ist wichtig, aber das allein reicht im allgemeinen nicht aus, um eine dauerhafte Verhaltensänderung zu bewirken. Erst wenn wir auch die tieferliegenden psychischen Ursachen ansprechen, können wir mit einem Behandlungserfolg rechnen.

MOYERS: Reagieren die Patienten Ihrer Erfahrung nach besser auf die Therapie, wenn sie vorher gründlich informiert wurden?

ORNISH: Zweifellos. Dadurch grenzen wir uns auch gegen modische Trends ab, die sich auf mystische Erfahrungen berufen, indem wir zeigen, daß wir uns im Bereich der Wissenschaft bewegen. Wir setzen an diesem Punkt an, weil sich die Patienten mit rationalen Erklärungen leichter zu einer Änderung ihres Verhaltens bewegen lassen.

MOYERS: Woher nehmen Sie die Gewißheit, daß die Veränderungen der Lebensweise auf die Einsicht in wissenschaftlich belegte Zusammenhänge zurückzuführen ist und nicht auf den Wunsch, an ein Verfahren zu glauben, das Heilung verspricht?

ORNISH: In der ärztlichen Praxis spielt der Glaube immer eine Rolle. Wir müssen an die Wirkung dessen, was wir verschreiben, glauben, und seit den Anfängen der Medizin wissen wir auch, daß das Vertrauen des Arztes in die Wirksamkeit seiner Behandlung großen Einfluß auf das Verhalten des Patienten hat. Ebenso nimmt das, was der Patient glaubt, starken Einfluß auf den Heilungsverlauf. Unsere Behandlung stellt nicht zuletzt den Versuch dar, die Überzeugungen der Patienten so grundlegend zu verändern, daß sie sich neuer Möglichkeiten der Lebensführung und des Umgangs mit der Krankheit bewußt werden. In unserer Kultur legt die Wissenschaft die Grenzen dessen fest, was wir für möglich und machbar halten. Deshalb versuchen wir mit hochentwickelter Technik den Nachweis zu erbringen, wie wirkungsvoll diese simplen, alten Methoden sein können. Ein Patient sieht auf unseren Tomographien und Angiographien, wie bei einem anderen durch unsere Methode die Durchblutung verstopfter Arterien wiederhergestellt wurde. Daraufhin wird er es auch in seinem Fall auf einen Versuch ankommen lassen und eine Veränderung seiner Lebensweise in Erwägung ziehen.

MOYERS: Viele Menschen können durch wissenschaftliche Begründungen motiviert werden, andere durch die Religion. Nehmen Sie darauf Rücksicht?

ORNISH: Wir versuchen immer, auch den religiösen und kulturellen Kontext des jeweiligen Patienten zu berücksichtigen. Bei einer Meditation bleibt es jedem überlassen, welche Glaubensinhalte er dabei aktiviert.

MOYERS: Ich kenne Menschen, die nach einem Herzinfarkt einige Wochen lang aus Todesangst alles taten, was der Arzt ihnen empfohlen hatte. Sobald sie sich aber erholt hatten, fielen sie in ihre alten Gewohnheiten zurück. Woher nehmen Sie die Gewißheit, daß es Ihren Patienten nicht ebenso geht? Sie verlangen von ihnen eine enorme Disziplin.

ORNISH: Die meisten Ärzte versuchen, ihre Patienten zu einer Veränderung zu bewegen, indem sie ihnen Angst machen: »Wenn Sie sich nicht ändern, sind Sie bald ein toter Mann. Sie werden einen zweiten Herzinfarkt haben. Sie sitzen auf einer Zeitbombe.« Solche Schreckensbilder zeigen aber zumeist wenig Wirkung. Mein Vater ist Zahnarzt, und während meiner Schulzeit kam er im Rahmen eines pädagogischen Programms in unsere Schule und zeigte abschreckende Bilder von Zungenkrebs. Sie waren so schockierend, daß wir nach seinem Vortrag dumme Witze rissen und uns anschließend eine Zigarette ansteckten. Daraus habe ich gelernt, daß es keinen Sinn hat, Menschen durch Angst zu einer Verhaltensänderung bringen zu wollen. Wir wissen zwar alle, daß wir krank werden und sterben können, aber der Gedanke daran ist so angstbesetzt, daß wir ihn in der Regel verdrängen. In den ersten ein bis zwei Wochen nach dem Herzinfarkt hört der Patient völlig auf den behandelnden Arzt. Dann setzt der Prozeß der Verdrängung ein, und die ärztlichen Verhaltensmaßregeln fallen dem Vergessen anheim.

Statt unsere Patienten durch die Angst vor dem Tod zu motivieren, betonen wir, wie sie mit unseren Methoden auch die Lebensqualität steigern können. Wir sprechen nicht darüber, wie man länger leben oder einen neuerlichen Herzinfarkt vermeiden, sondern wie man das Leben hier und heute lebenswerter machen kann. Patienten, die mit Angina pectoris zu uns kommen und ihre Lebensgewohnheiten ändern, stellen schon nach wenigen Tagen fest, daß sie sich sehr viel besser fühlen. Sie haben mehr Energie, brauchen weniger Schlaf, können klarer denken. Das bestätigt sie in ihrer neuen Lebensweise.

Das Paradoxe daran ist, daß die Patienten oft leichter zu großen Veränderungen zu bewegen sind als zu kleinen. Wenn man seine Ernährung nur in bestimmten Punkten verändert, hat man ein Gefühl der Entbehrung, weil einem vor Augen steht, was man alles nicht essen darf, und fühlt sich trotzdem nicht wesentlich besser. Wenn man aber Ernährung und Lebensgewohnheiten so tiefgreifend verändert, wie wir das hier tun, dann tritt so rasch eine deutlichere Besserung ein, daß die Entscheidung leichter fällt, beispielsweise völlig auf Fleisch zu verzichten.

Wir verändern schließlich auch nicht nur Verhaltensweisen, sondern beschäftigen uns auch mit den psychischen Faktoren, die dahinter stehen. In der Gruppentherapie geht es darum, daß viele Menschen sich isoliert, einsam und fremdbestimmt fühlen. Es fällt ihnen leichter, ihre Lebensgewohnheiten gemeinsam mit den übrigen Teilnehmern der Gruppe zu ändern, weil sie sich auf diese Weise gegenseitig stützen.

MOYERS: Läßt sich die These, daß eine optimistische Grundeinstellung positive Wirkungen auf die Gesundheit zeitigt, wissenschaftlich untermauern?

ORNISH: Unter Optimismus darf man dabei nicht verstehen, daß man gerne Witze reißt oder die Dinge auf die leichte Schulter nimmt. Aber die Annahme, daß die eigenen Überzeugungen eine starke Wirkung auf den Körper ausüben, ist wissenschaftlich fundiert. Wer daran glaubt, sein Leben selbst bestimmen zu können, anstatt sich als Opfer unglücklicher Lebensumstände oder genetischer Veranlagung zu begreifen, ist auch eher dazu bereit, einschneidende Veränderungen in seinen Lebensgewohnheiten vorzunehmen. Das betrifft nicht nur die Korrektur von lebenslangen Verhaltensweisen, sondern ebenso die Möglichkeit, über die Psyche direkt auf den Körper einzuwirken.

MOYERS: Die Mediziner müssen also bei den Sozialwissenschaftlern in die Schule gehen.

ORNISH: Wir müssen stärker interdisziplinär arbeiten. Viele Probleme entstehen gerade daraus, daß wir die einzelnen Disziplinen immer getrennt betrachtet haben. Jeder Fachbereich hat also von vornherein einen eingeschränkten Blickwinkel. Gleichzeitig neigt jeder dazu, die Perspektive des anderen in Frage zu stellen und abzulehnen. Sie kennen vermutlich die Geschichte von den zwei Blinden und dem Elefanten. Der eine ertastet ein Bein und hält den Elefanten für einen Baum. Der andere spürt den Rüssel und behauptet, es handle sich um eine Schlange. Ähnlich verhält es sich mit den Humanwissenschaften. Anstatt bloß unseren Standpunkt zu verteidigen, sollten wir nach Gemeinsamkeiten suchen und voneinander lernen.

MOYERS: Das ist auch das Ziel der Ganzheitsmedizin.

ORNISH: Im Idealfall. Leider polarisieren ihre Verfechter oft dadurch, daß sie Medikamente und operative Eingriffe verdammen und ausschließlich für sogenannte ganzheitliche Methoden plädieren. Beide Wege haben ihre Berechtigung. Wenn allerdings ein Patient mit unerträglichen Brustschmerzen in die Notaufnahme kommt, muß ich zu Medikamenten oder operativen Maßnahmen greifen, um die lebensbedrohende Krise zu überwinden. Wenn sich der Gesundheitszustand des Patienten wieder stabilisiert hat, kann ich ihm erklären, was die Ursachen für den Herzanfall waren und wie er einen Rückfall vermeiden oder sogar eine Besserung seines Zustands herbeiführen kann.

MOYERS: In welchen Punkten müßte sich unser Gesundheitssystem Ihrer Ansicht nach ändern?

ORNISH: In gewisser Hinsicht steckt das Gesundheitssystem in der gleichen Krise wie ein Patient beim Herzinfarkt. Im Chinesischen gibt es ein Wort, das zugleich »Krise« und »Chance« bedeuten kann. Wir sollten die gegenwärtige Krise des Gesundheitssystems eigentlich als Chance betrachten.

MOYERS: Meinen Sie mit »Krise« die hohen Kosten und die unzureichende medizinische Versorgung vieler Patienten?

ORNISH: Viele Menschen wagen es nicht, die Arbeitsstelle zu wechseln, weil sie Angst haben, den Versicherungsschutz zu verlieren und im Fall einer Krankheit die Behandlungskosten nicht aufbringen zu können. Früher hielten sich die Kosten für die Gesundheitsvorsorge in vertretbaren Grenzen, so daß auch die Schwachstellen des Systems kaum Beachtung fanden. Heute suchen nicht nur die Regierung, sondern auch die großen Firmen und die Versicherungsgesellschaften nach Alternativen. Jetzt wäre der Moment, genau zu prüfen, ob nicht Methoden mit geringerem Aufwand und niedrigeren Kosten zur Lösung der Krise beitragen können.

MOYERS: Sie denken zum Beispiel an Prävention.

ORNISH: Ich beziehe mich nicht nur auf die Vorbeugung, sondern auch auf die Behandlung selbst. Eine Bypass-Operation kostet, wenn es keine Komplikationen gibt, zwischen 30000 und 40000 Dollar, eine Angioplastie immer noch 10000. Cholesterinsenkende Medikamente können jährlich Kosten von bis zu 1500 Dollar pro Patient verursachen. Wenn Sie diese Summen mit der Zahl von 60 Millionen Amerikanern multiplizieren, deren Cholesterinspiegel zu hoch ist, so errechnen sich jährlich Beträge in Milliardenhöhe. Allein im letzten Jahr haben Bypass-Operationen das Gesundheitssystem mit 12 Milliarden Dollar belastet. Dabei verstopft in der Hälfte aller Fälle der Bypass wieder, und es muß erneut operiert werden. 30 bis 40 Prozent der angioplastisch behandelten Arterien müssen innerhalb von vier bis sechs Monaten ein zweites Mal operiert werden. Zur Zeit werden jedes Jahr 400000 solcher Operationen durchgeführt. Das kostet weitere vier Milliarden Dollar. Ich möchte darauf hinweisen, daß die Methoden, die wir erproben, nicht nur medizinisch effektiver sind, sondern auch vom volkswirtschaftlichen Standpunkt ökonomischer. Wir benötigen keine besonderen Geräte, keine Heimtrainer, die Patienten sollen einfach spazierengehen. Man braucht vielleicht noch eine Gymnastikmatte für die Übungen und einen Stuhl zum Meditieren, mehr nicht. Unsere Diät ist billiger als die normale Ernährung des Durchschnittsamerikaners, der das meiste Geld für Fleisch ausgibt.

Unsere kostengünstige Methode ermöglicht auch wirtschaftlich schwachen Bevölkerungsgruppen eine angemessene Behandlung. Denn der prozentuale Anteil an Herzkrankheiten steigt gerade bei den ethnischen Minderheiten und bei den Frauen, also bei Personengruppen, für die teure Medikamente und Operationen oft unerschwinglich sind. Im letzten Jahr wurden 91 Prozent aller Bypass-Operationen an weißen Männern, meist aus der gehobenen Mittelschicht, vorgenommen, obwohl Frauen in gleichem Maße von Herzkrankheiten betroffen sind wie Männer. Diejenigen, die von der konventionellen Medizin am stärksten benachteiligt werden, profitieren daher am meisten davon, wenn sie ihre Lebensgewohnheiten ändern.

MOYERS: In Ihrem Modell eines Gesundheitssystems der Zukunft kommt den Patienten also sehr viel mehr Eigenverantwortung zu.

ORNISH: Ein großer Teil der ärztlichen Behandlungsmethoden versetzt den Patienten in die Rolle eines passiven Empfängers. Nicht er tut etwas für sich, sondern wir tun etwas *mit* ihm. Wünschenswert wäre eine viel stärkere Eigenbeteiligung der Patienten. Meiner Meinung nach könnten

95 Prozent der Herzerkrankungen vermieden werden, wenn wir durch Aufklärung die Menschen dazu bewegen könnten, ihre Lebensgewohnheiten in unserem Sinne zu verändern. Aber das ist eine Entscheidung, die nur der Patient treffen kann.

MOYERS: Aber die Amerikaner sind im allgemeinen sehr aufgeschlossen für Neues, wenn sie sehen, daß es funktioniert. Sie haben Ihr Programm so positiv beschrieben, daß man sich fragt, warum es nicht von mehr Menschen akzeptiert und umgesetzt wird.

ORNISH: Die Menschen neigen dazu, Probleme auf der Stelle lösen zu wollen, auch wenn die Erleichterung bei genauerem Hinsehen nur vorübergehend ist. Auch der Herzkranke, der seine Lebensgewohnheiten grundlegend verändert, verschafft sich relativ rasch Erleichterung von den Schmerzen in der Brust. Viele Menschen sind aber nicht bereit, dabei so weit zu gehen, wie es nötig wäre, oder sie bringen nicht die erforderliche Disziplin auf. Ich weiß aus eigener Erfahrung, wie schwer das ist, aber ich sehe auch an mir selbst die positiven Auswirkungen, und diese Erfahrungen versuche ich, anderen zu vermitteln.

MOYERS: Die meisten Teilnehmer in dieser Gruppe sind schon älter. Ehe sie ihr Verhalten ändern, warten sie offenbar, bis es fast zu spät ist.

ORNISH: Wenn wir früh damit beginnen, auf unsere Lebensgewohnheiten zu achten, sind die Veränderungen weniger drastisch, und die Lebensqualität ist insgesamt höher. Andererseits ist es aber auch nie zu spät. Die deutlichste Besserung war bei dem ältesten Patienten in unserer Studie zu beobachten, der 77 Jahre alt war. Es geht nicht darum, länger, sondern besser zu leben. Man soll sich nicht aus Angst vor dem Tod zu Veränderungen entschließen, sondern um mehr Freude am Leben zu haben. Wenn sich dadurch auch das Leben verlängert, ist das eher ein positiver Nebeneffekt. Es geht uns hauptsächlich darum, den Menschen zu zeigen, daß sie neue Hoffnungen und Chancen haben, ihr Leben radikal zu ändern und dabei an Lebensqualität zu gewinnen.

MOYERS: Was genau wollen Sie Ihren Patienten vermitteln?

ORNISH: Meiner Erfahrung nach ist die Auseinandersetzung mit der Ursache der Krankheit am wichtigsten. Dieser an sich sehr einfache Gedanke hat meine Anschauungen im Zusammenhang mit Herzkrankheiten grundlegend verändert. Je weiter wir in der Kausalkette zurückgehen, desto stärker fördert das die Heilung.

MOYERS: Es ist bezeichnend für unsere Gesellschaft, daß sich eine Gemeinschaft erst in bezug auf Krankheiten bildet. Nach der Ankunft der Patienten konnte man miterleben, wie diese erschöpften und angsterfüllten Menschen zunächst widerstrebend, dann aber doch voller Freude aufeinander zugingen und einander von ihrer Krankheit berichteten. Zwischen Menschen, die einander völlig fremd gewesen waren, entstand rasch Vertrautheit. Die Krankheit bringt sie zusammen, im gemeinsamen Schmerz finden sie sich.

ORNISH: Jeder Mensch ist zu engen Bindungen fähig, aber in unserer Gesellschaft verkümmert die Fähigkeit zur zwischenmenschlichen Kommunikation. Die Werbung vermittelt uns die Vorstellung, auch Gefühle seien ein Konsumartikel, Glück sei käuflich. Viele Menschen klagen nicht über Unlustgefühle, sondern über ein Gefühl der Leere.

MOYERS: Sagen das Ihre Patienten?

ORNISH: Ja, und sie würden das auch Ihnen gegenüber bestätigen.

MOYERS: Ich habe auf meine Fragen Antworten bekommen wie »Ich habe mein Leben lang zuviel Fleisch gegessen« oder »Ich habe mich immer überarbeitet«. Ein Patient erzählte mir, er habe im vergangenen Jahr 110 Geschäftsessen absolviert. Von einem Gefühl der Leere war nie die Rede.

ORNISH: Niemand bekommt einen Herzinfarkt, weil er hart arbeitet. Man muß sich vielmehr fragen, warum manche Menschen mehr arbeiten, als sie eigentlich möchten. Harte Arbeit an sich kann sehr gut tun. Oft ist der Grund dafür aber beruflicher oder finanzieller Ehrgeiz, der Wunsch nach sozialer Geltung und nach Macht. Aus solchen Motiven speist sich die Belastung, die ihrerseits zu einem Herzinfarkt führen kann. Eine alte Zen-Weisheit besagt: »Vor der Erleuchtung, Holzhacken und Wassertragen. Nach der Erleuchtung, Holzhacken und Wassertragen.« Man verrichtet vielleicht dieselbe Arbeit, aber aus anderen Gründen. Nicht, was wir tun, führt zu Dauerstreß und Herzkrankheiten, sondern die Gründe, aus denen wir es tun – die trügerische Vorstellung, daß Gesundheit, Geborgenheit und Liebe von außen kommen.

MOYERS: Sie sagen also, daß jeder herzkranke Mensch auch psychische Probleme hat.

ORNISH: Damit soll nicht die Rolle des Cholesterins, des Rauchens und der mangelnden körperlichen Betätigung heruntergespielt werden, diese Probleme sprechen wir hier ebenso an. Aber allein damit ist es nicht getan.

MOYERS: Suggerieren Sie damit nicht, daß ein Mensch, der psychische Probleme hat, selbst an seiner Krankheit schuld ist? Ist das nicht eine Schuldzuweisung an den Kranken?

ORNISH: Das versuche ich zu vermeiden, ebenso wie die umgekehrte Haltung, wenn sich der Patient als Opfer des Schicksals, unglücklicher Erbanlagen oder sozialer Benachteiligung sieht. In der Opferrolle werde ich an meiner Lage nichts ändern. Das ist aber in dem Maß möglich, in dem ich mir klarmache, inwieweit meine Einstellung und mein Verhalten Teil des Problems sind. Das bedeutet im Endeffekt Selbstbestimmung.

Wir sagen den Patienten schließlich nicht, sie sollten ihre psychischen Probleme abstellen. Wir versuchen pädagogisch auf sie einzuwirken, indem wir ihnen zeigen, daß bestimmte Verhaltensmuster Herzkrankheiten fördern: die Ernährungsgewohnheiten, die Art, wie wir auf Streß reagieren, ob wir rauchen oder uns körperlich betätigen. Aber selbst dann kann man keine Garantie geben. Es gibt zu viele Faktoren, deren Interdependenz ausschlaggebend dafür ist, ob es zu einer Herzkrankheit kommt. Selbst wenn wir alle bekannten Faktoren berücksichtigen, den Cholesterinspiegel, den Blutdruck, das Rauchen und die genetische Veranlagung, können wir nur die Hälfte der Herzerkrankungen erklären. Meine klinische Erfahrung gibt ebenso wie unsere Forschung Anlaß zu der Vermutung, daß psychische und emotionale Faktoren eine Rolle spielen, insofern sie nicht nur Verhaltensweisen wie Ernährung und körperliche Betätigung beeinflussen, sondern auch direkte physische Auswirkungen haben.

MOYERS: Wenn jedoch »Glaube, Hoffnung und Liebe« die Lösung des Problems wären – und ich habe zuweilen den Eindruck, in diese Richtung zielen Ihre Ratschläge –, dann hätte beispielsweise auch Mutter Theresa keinen Herzinfarkt bekommen dürfen.

ORNISH: Uns geht es vor allem um das Gefühl von Nähe und Gemeinsamkeit. Daß auch eine hundertprozentige Befolgung aller Ratschläge keine Garantie gegen einen Herzinfarkt darstellt, versteht sich. Deswegen stehen unsere Patienten auch unter ständiger ärztlicher Kontrolle.

MOYERS: Einige Wissenschaftler behaupten, die genetische Disposition sei das Ausschlaggebende.

ORNISH: Die Erbanlagen sind wichtig, aber sie sind nicht zwingend. Wenn in Ihrer Familie mehrere Mitglieder einen Herzinfarkt hatten, bedeutet das, daß Sie Ihre Ernährung und Lebensweise stärker umstellen müssen als Menschen ohne eine derartige Vorbelastung. In unserer Studie untersuchen wir schwerkranke Menschen, die alle in diesem Sinn vorbelastet sind, und trotzdem konnte sich bei 82 Prozent der Patienten der Krankheitsverlauf umkehren lassen. Lediglich bei einem, der das Programm nur minimal befolgt hatte, trat eine Verschlechterung ein.

Moyers: Vorausgesetzt, die Patienten meditieren und nehmen aktiv an der Gruppentherapie teil, dürfen sie dann einen Cholesterinspiegel von 250 in Kauf nehmen?

Ornish: Diese Frage kann ich Ihnen nicht beantworten. Früher hätte ich sie verneint und einen Cholesterinspiegel von unter 200 zur Voraussetzung für eine Umkehrung des Krankheitsverlaufs erklärt. Unsere Ergebnisse stützen diese Annahme jedoch nicht. Wir haben die Erfahrung gemacht, daß sich die Umkehrung gewöhnlich auch dann einstellt, wenn der Cholesterinspiegel zwar über den empfohlenen Richtlinien liegt, der Patient seine Lebensweise aber in unserem Sinne verändert. Es war ein unmittelbarer Zusammenhang zwischen veränderten Lebensgewohnheiten und dem Zustand der Arterien zu beobachten, während die entsprechende Korrelation mit dem Cholesterin sehr viel weniger eindeutig war. Das soll nicht heißen, das Cholesterin spiele keine Rolle, aber der Einfluß der übrigen Faktoren modifiziert vielleicht die Auswirkungen eines erhöhten Cholesterinspiegels.

Moyers: Viele Ihrer Überlegungen berühren den Bereich der Psyche. Andererseits geht es Ihnen doch auch um rein physische Faktoren wie den Cholesterinspiegel. Handelt es sich um eine neue Form der Heilkunst?

Ornish: Ich glaube schon. Thomas Kuhn hat seinem Buch *Die Struktur wissenschaftlicher Revolutionen* gezeigt, vor welchen Problemen die Menschen stehen, wenn sie versuchen, die Komplexität der Welt auf bestimmte Dimensionen und Strukturen zu reduzieren. Die Glaubensvorstellungen und später die wissenschaftlichen Theorien, die wir zur Beschreibung des Universums entwickeln, bezeichnet er als Paradigma. Ein Jahrtausend lang gab die katholische Kirche das abendländische Paradigma vor, die Erde sei das Zentrum des Universums. Im 16. Jahrhundert stellte der italienische Philosoph Giordano Bruno diese Vorstellung in Frage. Die Antwort auf seinen Zweifel, der die geltende Weltanschauung untergrub, bestand darin, daß die Inquisition ihn auf dem Scheiterhaufen verbrennen ließ. Hundert Jahre später vertrat Galilei dieselbe These und untermauerte sie mit Beobachtungen, die er mittels des Teleskops gemacht hatte. Jetzt konnte jedermann mit eigenen Augen sehen, daß die Dinge sich anders verhielten, als die Glaubenslehre es vertrat. Die kirchliche Inquisition zwang ihn zwar zum Widerruf, aber da stand den Menschen schon ein Instrument zur Verfügung, die Ungereimtheiten in dem bis dahin vorherrschenden weltanschaulichen Paradigma aufzudecken.

Dieser Paradigmenwechsel führte zu der von da an beherrschenden Rolle der Wissenschaft als Modell der Welterklärung. Was wir nicht instrumentell messen können, besitzt keine Realität, es existiert nicht. Aber auch jetzt zeigen uns neue Instrumente, so wie zu Galileis Zeiten das Teleskop, Ungereimtheiten in unserem Weltbild. Mich faszinieren diese Widersprüche. Die Repräsentanten der herrschenden Weltanschauung empfinden sie oft als bedrohlich. Dann werden Erkenntnisse unterdrückt und ihre Vermittler diskreditiert.

MOYERS: Findet zur Zeit wieder eine Art Paradigmenwechsel statt, löst ein neues Modell der Wirklichkeit das alte »wissenschaftliche« ab?

ORNISH: Wir haben es mit verschiedenen Modellen zu tun, dem ganzheitlichen, dem religiösen und dem sogenannten wissenschaftlichen, von denen keines ein vollständiges Bild liefert.

Der Versuch, die verschiedenen Modelle auf ihre Schwachstellen zu überprüfen und sie zu einem Ganzen zu vereinen, ist eine Herausforderung. So halte ich beispielsweise auf einem Wissenschaftskongreß einen Vortrag über Yoga und Meditation. Auf einem Kongreß über Ganzheitsmedizin dagegen habe ich vor kurzem über die Wirkung von Medikamenten und chirurgischen Eingriffen gesprochen. Eine Frau, deren Brust sich seit einiger Zeit stark vergrößert hatte, fragte die Kongreßteilnehmer um medizinischen Rat. Die Vertreter der Ganzheitsmedizin empfahlen Meditation, eine Behandlungszeit mit Kräutern und Fasten. Ich riet ihr zu einer Biopsie bei einem Chirurgen, um die Ursachen zu klären. Man hat mich ausgebuht. Wer versucht, verschiedene Weltbilder miteinander zu vereinbaren, sitzt oft zwischen den Stühlen.

MOYERS: Könnten Sie eine vorläufige Definition von Ganzheitsmedizin in Ihrem Sinn geben?

ORNISH: Für mich bedeutet Körper-Seele-Medizin, daß man beim Heilen den Körper nicht mechanistisch wie eine Maschine behandelt, sondern auch den Einfluß der Seele auf den Körper berücksichtigt, unabhängig davon, ob er positiv oder negativ ist. Das ganzheitliche Heilen reicht bis in psychosoziale und religiöse Bereiche.

MOYERS: Was verstehen Sie unter psychosozial?

ORNISH: Ich beziehe mich auf den sozialen Kontext des Heilens. Der Mensch steht immer im Lebenszusammenhang einer Gemeinschaft. Das kann die Familie sein, der Arbeitsplatz oder eine religiöse Gemeinschaft.

MOYERS: Sie haben die ganzheitliche Medizin als eine uralte Kunst bezeichnet. Was meinen Sie damit?

ORNISH: Die Techniken, die wir einsetzen, gibt es in der einen oder anderen Form in allen Kulturen schon seit Jahrtausenden. Manchmal sind sie nicht auf den ersten Blick zu erkennen, sie verbergen sich oft hinter sozialen Ritualen. Alle diese Techniken bieten die Möglichkeit, Körper und Seele in einen Zustand konzentrierter Ruhe zu versetzen, der als Gefühl der Erfüllung, des Wohlbefindens oder der Gesundheit erlebt wird.

MOYERS: Was ist die Seele oder der Geist eines Menschen? Wenn Sie über den Körper sprechen, kann ich ihn vor mir sehen. Wenn sie aber über den Geist oder die Seele sprechen, wovon reden Sie dann?

ORNISH: Die Philosophen haben sich jahrhundertelang mit der Frage beschäftigt, ob Gehirn und Geist dasselbe sind. Ich neige dazu, den Geist als das Bewußtsein zu begreifen, das, was uns als unverwechselbare Individuen definiert. Das Gehirn ist das Organ, in dem dieser Prozeß abläuft. Wir sind aber mehr als eine bloße Ansammlung von Neuronen und Synapsen.

MOYERS: In Ihrem Vortrag haben Sie das Bewußtsein als eine andere Form von Energie bezeichnet.

ORNISH: Letztlich handelt es sich nur um verschiedene Formen von Energie. Selbst Materie, die so hart ist wie Stein, ist Energie. Seit Einstein wissen wir, daß Energie und Materie konvertierbar sind. Mich interessiert besonders, daß man durch konzentrierte Energie Kraft gewinnt. Wenn der Geist konzentriert ist, erhöht das seine Wirkung auf den Körper, zum Guten wie zum Schlechten. In unserer Kultur erreichen wir die höchste Konzentration, wenn wir zornig oder besorgt sind und wenn wir Angst haben. Nichts scheint der Konzentration so förderlich zu sein wie Zorn. Nur kann diese Art der Konzentration negative Folgen haben. Der Herzschlag beschleunigt sich, der Blutdruck steigt, die Arterien des Herzens verengen sich, und es können sich Blutgerinnsel bilden. Wenn wir lernen, unsere geistige Energie zu konzentrieren, können wir dieses Prinzip auch einsetzen, um zu heilen.

Ich bin zu der Überzeugung gelangt, daß alles, was die Einsamkeit fördert, zugleich auch chronischen Streß erzeugt, der wiederum zu Erkrankungen, wie denen des Herzens, führen kann. Umgekehrt kann alles, was ein Gefühl der Nähe, der Gemeinschaft und der Zusammengehörigkeit fördert, heilend wirken. Die meisten Menschen kennen das Gefühl, Teil eines größeren Ganzen zu sein. Im religiösen Kontext spricht man von »Gott«, in einem rationalistischen Kontext von »Bewußtsein«. Gebete und Meditation sind Instrumente der Verwandlung,

Wege, den Menschen diese Erfahrung unmittelbar zugänglich zu machen.

MOYERS: Verstehe ich Sie richtig, daß Streß der Zustand ist, an dem ganzheitliche Alternativen ansetzen?

ORNISH: Das hängt davon ab, wie Sie Streß definieren. Wir neigen dazu, nur zwei Verhaltensmöglichkeiten in Erwägung zu ziehen: In einer Welt, die Streß erzeugt, aktiv zu handeln oder in einer streßfreien Umwelt das Leben passiv an sich vorbeiziehen zu lassen. In Wahrheit ist das aber nicht die Alternative, weil Streß nicht einfach aus der Tatsache folgt, daß wir aktiv sind, sondern daraus, wie wir auf die Anforderungen der Umwelt reagieren. Die Frage muß deswegen lauten: »Warum reagieren wir so, daß Streß entsteht?« Die Welt hat sich nicht dahingehend geändert, daß wir so viel mehr Belastungen ausgesetzt sind als früher. Ein beliebtes Klischee besagt, daß in unserer Gesellschaft Streß darauf zurückzuführen sei, daß das Leben dank der modernen Telekommunikation so hektisch geworden sei. In früheren Jahrhunderten mußten die Menschen dafür jedes Jahr um die Ernte bangen oder fürchten, ihre Kinder schon früh an Krankheiten sterben zu sehen.

Dennoch hat sich gegenüber früher einiges geändert. Die Isolation des einzelnen ist ein typisches Phänomen der modernen Industriegesellschaften. Früher war der einzelne in die Familie oder eine Glaubensgemeinschaft integriert. Das ist heute selten, eine intakte Familie ist eher die Ausnahme als die Regel. Den meisten Menschen fehlt diese Erfahrung der Geborgenheit.

MOYERS: Haben Sie deshalb die Gruppentherapie in Ihre Behandlung integriert?

ORNISH: Es handelt sich nicht um Gruppentherapie im üblichen Sinne. Wir wollen keine frühkindlichen Erfahrungen aufarbeiten oder psychodynamische Prozesse in Gang setzen. Die Gruppe war zunächst da, um einander zu helfen, die Diät durchzuhalten und um Erfahrungen auszutauschen. Daraus entwickelte sich eine enge Gemeinschaft. Ich hatte die Gelegenheit, mehrere Jahre lang mit derselben, relativ kleinen Gruppe zu arbeiten. So haben wir einander sehr gut kennengelernt, und ich habe Einsichten gewonnen, die mir sonst vielleicht verborgen geblieben wären. Dazu gehört die Erkenntnis, wie wichtig es ist, über Probleme wie Isolation und Einsamkeit zu sprechen. In unserer Gesellschaft muß man anscheinend erst krank oder süchtig werden, um Teil einer Gemeinschaft zu werden. Im Gespräch stellt sich immer wieder heraus, wie tief das Bedürfnis nach einer solchen Gemeinschaft ist.

MOYERS: Auch andere Wissenschaftler bestätigen, daß das Gespräch in der Gruppe nicht nur demjenigen guttut, der seine Gefühle mitteilt, sondern auch allen anderen Teilnehmern. In der Gruppe geht also etwas vor sich, das heilende Wirkung hat.

ORNISH: Das Wort »Heilen« leitet sich etymologisch von »ganzmachen« ab, und das haben wir alle mehr oder weniger stark nötig. Mich reizt an meiner Arbeit die Frage, wie eine Herzattacke oder eine Depression zum Katalysator eines Prozesses werden kann, in dessen Verlauf wir nicht nur unsere Verhaltensweisen ändern, sondern uns auch ihrer eigentlichen Grundlagen bewußt werden.

MOYERS: Die Wissenschaft gibt uns keine Hinweise darauf, wie wir uns mit diesen Dingen auseinandersetzen können.

ORNISH: Wir sind im Begriff zu lernen. Studien haben gezeigt, daß die Sterblichkeitsrate von Menschen, die sich isoliert fühlen, drei- bis fünfmal so hoch liegt wie die von Menschen, die in einer Gemeinschaft integriert sind. Das gilt nicht nur für Herz- und Gefäßkrankheiten, sondern für jegliche Art von Erkrankungen. Bemerkenswert ist dabei die Beobachtung, daß die Mortalitätsrate unabhängig vom Cholesterinspiegel und vom Blutdruck und selbst zwischen Rauchern und Nichtrauchern kein wesentlicher Unterschied festzustellen war. Diese Zahlen sind vor allem dann beeindruckend, wenn man sie mit dem Ergebnis von pharmakologischen Studien vergleicht, bei denen die Wirkung cholesterin- und blutdrucksenkender Mittel überprüft wurde. Die Sterblichkeit geht insgesamt kaum zurück, gleichzeitig haben aber alle diese Medikamente starke Nebenwirkungen. Wenn wir die Krankheit nicht an der Wurzel angehen, tritt also oft nur ein neues Problem an die Stelle des alten, ohne daß sich am Gesamtbild etwas ändert.

Es ist vielleicht schwer zu glauben, daß mit so einfachen Dingen wie Gruppentherapie, einer vegetarischen Diät mit niedrigem Fettanteil, Meditation oder Spaziergängen so viel zu erreichen ist, aber die Praxis beweist es. In unserer Kultur können wir uns einen medizinischen Durchbruch meist nur in Form von neuer Operationstechnik oder neuartigen Medikamenten vorstellen.

MOYERS: Was raten Sie einem Menschen, der sich aufgrund seiner Veranlagung gegen die Intimität einer Gruppe wehrt? Ich kenne Menschen, denen die Vorstellung einer Gruppentherapie große Angst macht.

ORNISH: Das ist ein ganz natürlicher Mechanismus, ich schließe mich da nicht aus. Es ist nicht leicht, die eigenen Gefühle auszusprechen, sich anderen mitzuteilen und sich schutzlos darzustellen. Wir verarbeiten

Enttäuschungen und Kränkungen, indem wir Schutzwälle errichten, die zum Teil auch notwendig sind. Gefühle mitzuteilen bedeutet schließlich nicht, daß es solche Schutzwälle nicht mehr geben darf und daß wir unsere Intimität preisgeben müßten.

MOYERS: Für meinen Vater war das ein großes Problem, weil seine Generation Gruppentherapie mit dem »Händchenhalten« der Selbsterfahrungsgruppen in den sechziger Jahren assoziiert.

ORNISH: Unsere Arbeit hat nichts mit dieser Art von Selbsterfahrungsgruppen zu tun. Die Patienten sollen nicht aussprechen, was ihnen gerade in den Sinn kommt, oder ihre Gefühle aneinander abreagieren. Wir versuchen, eine Atmosphäre zu schaffen, in der sie sich so sicher fühlen, daß sie auf ihre Schutzmechanismen verzichten und etwas von dem preisgeben können, was sie wirklich sind. Sie lernen, psychische Schutzwälle abzubauen, ohne Angst haben zu müssen, deshalb in eine gesellschaftliche Isolation zu geraten.

MOYERS: Was verstehen Sie unter gesellschaftlicher Isolation? In den Gesprächen mit Ihren Patienten habe ich nicht den Eindruck gewonnen, daß sie vor dem Herzanfall ein Leben im gesellschaftlichen Abseits geführt hätten. Die meisten waren erfolgreiche Unternehmer oder in einem Unternehmen oder einer Institution gut integriert.

ORNISH: Man muß zwischen Alleinsein und Einsamkeit unterscheiden. Man kann allein sein, weil man es so will, ohne sich deshalb isoliert zu fühlen. Man kann an der Spitze eines Unternehmens stehen und sich dennoch einsam fühlen. Unter Isolierung verstehe ich das Gefühl, einen Mangel an wirklicher Nähe zu anderen Menschen zu haben. Auch Menschen mit einem großen Freundeskreis und Familie sagen, daß keiner sie wirklich kenne und niemand sie lieben würde, wenn sie ihre wahre Persönlichkeit zeigten. Fassaden errichten wir alle, der eine mehr, der andere weniger.

Einer meiner Patienten gab vor, sehr erfolgreich und wohlhabend zu sein. Er fuhr ein teures Auto und trug teure Markenanzüge. Erst nach einiger Zeit brachte er es fertig, der Gruppe zu gestehen, daß er seit Jahren bankrott war. Das hatte er zuvor noch niemandem erzählt. Ein anderer Patient verheimlichte lange Zeit seine Homosexualität aus Angst vor der Ablehnung der Gruppe. Ein weiterer Teilnehmer gab daraufhin zu, früher zum Spaß Homosexuelle verprügelt zu haben. Solche Dinge zu erzählen, erfordert viel Vertrauen. Die Gruppe bot diesen Menschen eine Zuflucht, und sie lernten, sich in ihren Gemeinsamkeiten zu schätzen und Unterschiede zu respektieren.

Wer einen solchen Sprung wagt, stellt fest, daß sich damit über die Wiederherstellung einer Arterienfunktion hinaus sein ganzes Leben ändert. Wir können Krankheit zunächst als einen mechanischen Defekt betrachten, den es zu beheben gilt. Wenn ich mir das Bein breche, brauche ich vor allem einen guten Orthopäden. In mancher Hinsicht ist auch eine Herzkrankheit ein reparaturbedürftiger Defekt. Gleichzeitig ist sie aber mehr. Man könnte gewissermaßen von einer Herzkrankheit des Gefühls und der Seele sprechen.

MOYERS: Sie suchen sozusagen nach einer Herzchirurgie der Seele?

ORNISH: Man könnte vielleicht von einer neuen Art der Operation am offenen Herzen sprechen. Wir halten die Patienten dazu an, ihr Herz in jeder Hinsicht zu öffnen.

MOYERS: Endet hier die Wissenschaft und beginnt die Psychologie?

ORNISH: Das ist möglich, aber die beiden Bereiche müssen einander nicht ausschließen. Es kommt allerdings vor, daß mir auf einem Kongreß von Kardiologen versichert wird, mein Vortrag sei bis zu dem Augenblick gut gewesen, wo ich »mit diesem Psychokram« angefangen hätte. Es ist auffallend, daß die meisten Zuhörer lachen, wenn ich einen Scherz einflechte oder ein witziges Lichtbild zeige, alle außer den anwesenden Ärzten. Ich habe den Eindruck, unser Berufsstand neigt zu Depressionen. Bei Drogensucht und der Selbstmordrate liegen wir in der Spitzengruppe. Vor kurzem hat eine Meinungsumfrage ergeben, daß die Mehrzahl der Ärzte ihren Kindern von der Medizinerlaufbahn abraten würde. Der Beruf ist tatsächlich unbefriedigend, wenn man sich darauf beschränkt, Rezepte zu schreiben und sich nicht die Zeit nimmt, seine Patienten kennenzulernen.

Zu Beginn meines Studiums war ich ziemlich erfolgreich, hatte aber Zweifel an meiner Intelligenz. Ich hatte Angst, mich zu blamieren, und war mir sicher, daß ich nicht einmal zum Zwischenexamen zugelassen würde. Dann würde sich auch mein Lebenstraum, Arzt zu werden, nicht erfüllen lassen, mein Leben wäre nicht mehr lebenswert.

Doch dann hatte ich eine Erkenntnis – oder eine Krise, je nach Sichtweise. Ich erkannte, daß ich, selbst wenn ich all das erreichen sollte, was ich aufgrund meiner Erziehung als Garant für Glück, Ruhm und Reichtum betrachtet hatte, dennoch jenes Gefühl der Geborgenheit entbehren würde, das ein menschliches Grundbedürfnis ist. Diese Depression brachte mich nahe an den Selbstmord. Ich habe die Krise überlebt und dabei vieles gelernt, was mir wahrscheinlich anders nie bewußt geworden wäre. Viele Herzkranke machen die gleiche Erfahrung.

MOYERS: Haben Sie damals Hilfe in der Meditation oder in körperlicher Betätigung gesucht?

ORNISH: Meine Schwester lernte damals gerade Yoga. Als ihr Lehrer nach Dallas kam, war er in unserem Haus zu Gast. Er sagte an diesem Abend, es gäbe keine Möglichkeit, dauerhaftes Glück und inneren Frieden zu erwerben. Er fuhr mit einer Erklärung fort, die heute wie ein Klischee des New Age erscheint, meinem Leben damals aber eine Wende gab. Er sagte nämlich, jeder Mensch sei bereits im Besitz von dauerhaftem Glück und innerem Frieden – es komme nur darauf an, in Körper und Seele einen Zustand der Ruhe herzustellen, in dem man sie auch spüren könne. Die Idee ist in allen Kulturen mehr oder weniger stark ausgeprägt. Ich wollte sie nun in Form von Yoga kennenlernen. Ich begann, mich vegetarisch zu ernähren, erlernte die Yoga-Übungen und meditierte. Ich begann zu ahnen, was innere Ruhe bedeutet, und daß sie nicht daher rührt, daß ich etwas tue, sondern gerade daher, daß ich nicht handle. Wenn unsere Patienten am Ende einer Yoga- und Meditationsstunde dieses Gefühl inneren Friedens und Wohlbefindens haben, erinnern wir sie daran, wie es entstanden ist. Sie haben nichts, das ihnen zuvor fehlte, sondern sie haben die notwendige Ruhe gefunden, etwas bereits Vorhandenes zu spüren.

Das mag einfach klingen, aber die Konsequenzen sind weitreichend. Selbst ich falle immer wieder in die alten Denkraster zurück. Ich denke zum Beispiel: »Wenn ich doch einen Bestseller schreiben würde oder wenn mich Bill Moyers um ein Interview bäte, wäre alles wunderbar, dann könnte ich mich entspannen und glücklich sein.« In solchen Situationen gerate ich aber unter Druck und werde nervös. Wäre ich herzkrank, würden wahrscheinlich Brustschmerzen auftreten. Dann würde der Schmerz mich daran erinnern, daß ich mich auf dem falschen Weg befinde. Es wäre ganz falsch, den Schmerz als Folge schlechter Erbanlagen oder ungünstiger Lebensumstände abzutun. Es liegt immer bei mir, ob ich den Schmerz als Warnung betrachte oder ob ich seine Ursachen verdränge.

MOYERS: Die Kritiker erkennen zwar den Erfolg Ihrer Arbeit an, führen ihn aber meist nicht auf die Methoden, sondern auf Ihre persönliche therapeutische Begabung zurück.

ORNISH: Ich nehme meine Kritiker zur Kenntnis und versuche, von ihnen zu lernen, aber ich lasse mich dadurch nicht mehr so leicht irritieren wie früher. Man ist immer nur in dem Maß von anderen Menschen abhängig, wie man sich über sie definiert. Selbst einflußreiche Persönlichkeiten des öffentlichen Lebens reagieren äußerst empfindlich auf die Beurteilung durch Außenstehende, so daß sie gerade dadurch wieder viel von ihrer Souveränität und Macht einbüßen. Meine Arbeit verhilft mir immer wieder zu dieser Selbsterkenntnis.

Wir hatten zunächst große Probleme, für unsere Studie von den Nationalen Gesundheitsinstituten, der American Heart Association und anderen großen Institutionen Fördermittel genehmigt zu bekommen, weil man es für unmöglich hielt, den Verlauf einer Herzerkrankung umzukehren. Man argumentierte, daß wir im Endeffekt sicher wieder auf Medikamente zurückgreifen müßten, ein Jahr sei zu kurz für eine aussagekräftige Studie, und generell sei nicht zu erwarten, daß ein Mensch seine Lebensgewohnheiten dauerhaft ändere. Als ich dem entgegenhielt, Sinn wissenschaftlicher Forschung sei es schließlich, Hypothesen zu verifizieren, erklärte man das Projekt von vornherein für unmöglich.

Die ersten Mittel für unsere Studie erhielten wir schließlich von Unternehmern, Banken, Fluggesellschaften, von Menschen, denen unser Versuch der Mühe wert schien. Es war eine unkonventionelle, aber die einzig mögliche Art, die Studie zu finanzieren. Niemand war bereit, uns Geld zur Verfügung zu stellen, ehe wir nicht den Nachweis für die Richtigkeit unserer Hypothese erbracht hatten. Also lebten wir zunächst beinahe von der Hand in den Mund.

Von allen Teilnehmern der Studie ist dann nur ein einziger ausgestiegen, obwohl sich ursprünglich keiner aus besonderem Interesse an unseren Methoden zur Teilnahme entschlossen hatte. Wir hatten die Versuchspersonen ausnahmslos deswegen ausgewählt, weil sie sich kurz zuvor einer Angiographie unterzogen hatten. Es hat sich herausgestellt, daß viele Menschen ihre Lebensgewohnheiten dauerhaft verändern können und daß sich infolgedessen Arterienverschlüsse bis zu einem gewissen Grad wieder zurückbilden.

Manche Kritiker würden einwenden, es sei zwar möglich, den Verlauf einer Herzerkrankung umzukehren, aber die Tatsache, daß diese Patienten bereit gewesen seien, an einem solchen Programm teilzunehmen, sei auf meine Persönlichkeit zurückzuführen. Ihre eigenen Patienten wären dazu nicht bereit. Um unsere Methoden der Allgemeinheit zugänglich zu machen, habe ich deshalb das Buch *Reversing Heart Disease* geschrieben. Einer der hier anwesenden Patienten hat sich mit Hilfe dieses Buchs so erfolgreich selbst therapiert, daß die Herzszintigraphie eine 50prozentige Besserung zeigte. Ich habe auch viel Resonanz von seiten der Kollegen, die mein Buch zur Behandlung ihrer Patienten heranziehen und dabei ähnliche Erfolge verzeichnen.

MOYERS: Kann man die Methoden also auch als Außenstehender anwenden?

ORNISH: Manche Menschen können es, andere nicht. Ich glaube aber, daß sehr viel mehr Menschen zu solchen Veränderungen bereit sind, als man normalerweise annimmt. Viele Ärzte bieten unsere Techniken auch deshalb nicht an, weil es für sie bequemer ist, Rezepte auszustellen, und weil die Kosten dafür nicht erstattet werden. Wenn ich als Facharzt einen Bypass lege, zahlt mir die Versicherung dafür 30000 bis 40000 Dollar. Bei einer Angioplastie sind es immerhin 10000 Dollar. Auch von den bis zu 1500 Dollar Jahreskosten für ein Medikament zur Senkung des Cholesterinspiegels übernimmt die Versicherung den größten Teil. Für meine Arbeit bekomme ich rund 50 Dollar pro Patient. Dann muß er aber bereits nachweislich krank sein, denn Prävention ist nicht erstattungsfähig.

Leider wird unser Gesundheitswesen in erster Linie von der Versicherungswirtschaft bestimmt. Nicht die Ergebnisse der Forschung oder klinische Erfahrung, sondern die Zahlungsbereitschaft einer außenstehenden Institution sind ausschlaggebend. Im Bereich der Herz- und Gefäßkrankheiten sind die Kosten allerdings dermaßen explodiert, daß man inzwischen nach Alternativen Ausschau hält. Leider setzen sich auch die meisten in Aussicht genommenen Lösungswege nicht mit der fundamentalen Frage auseinander, warum ein Mensch überhaupt krank wird. Deshalb fürchte ich, daß ein grundlegender Wandel des Systems ausbleiben wird und es bei einer rationierten Gesundheitsfürsorge bleibt.

MOYERS: Was verstehen Sie unter »rationierter Gesundheitsfürsorge«?

ORNISH: Die gegenwärtige Gesundheitsfürsorge, genau genommen eine Krankheitsfürsorge, ist de facto rationiert. Wer keinen Versicherungsschutz und wenig Geld hat, erhält eine schlechte medizinische Versorgung. Auch wenn man in den USA das kanadische oder britische Gesundheitsmodell übernehmen würde, wären Bypass-Operationen oder die Angioplastie nicht zu finanzieren. Insofern würden wir nur eine Rationierung durch eine andere ersetzen.

Wenn wir jedoch zeigen könnten, daß man mit jedem Dollar, den man in eine Veränderung der Lebensgewohnheiten investiert, die krank machen, ein Vielfaches an Behandlungskosten einspart, wäre das eine realistische Alternative zur heutigen Rationierung im Gesundheitswesen. Die bisherigen Versuche, die Kostenkrise zu dämpfen, haben kaum Erfolg gebracht. Weder die Verkürzung der Verweildauer in den Krankenhäusern noch die ambulante Durchführung von chirurgischen Eingriffen hat die Kostenexplosion aufhalten können. In der Vergangenheit haben die Versicherungen die Kosten einfach über höhere Prämien an die Versicherten weitergegeben, aber auch dort ist inzwischen die Schmerzgrenze erreicht.

MOYERS: Oft ist zu hören, nicht veränderte Lebensgewohnheiten, sondern die Gentherapie werde im kommenden Jahrhundert die stärksten Auswirkungen auf die Gesundheit haben.

ORNISH: Die Rolle der Gentherapie wird derjenigen entsprechen, die in diesem Jahrhundert synthetisch hergestellte Medikamente hatten. Dennoch halte ich Gentherapie nicht für die richtige Antwort, weil die wesentlichen Probleme unberücksichtigt bleiben. Das Verhaltensmuster bleibt das gleiche. Wenn eine Störung auftritt, versuchen wir so schnell wie möglich Abhilfe zu schaffen. Gleichzeitig hüten wir uns aber davor, nach den Grundlagen und Ursachen unseres eigenen Verhaltens zu fragen. Wer eine wirkliche Heilung bewirken will, darf der Auseinandersetzung mit diesen fundamentalen Fragen nicht aus dem Weg gehen.

Meditation

Jon Kabat-Zinn

Jon Kabat-Zinn ist Begründer und Direktor einer Klinik für Streßabbau am medizinischen Zentrum der University of Massachusetts. Darüber hinaus lehrt er als Dozent der Medizinischen Fakultät dieser Universität im Fachbereich Präventiv- und Verhaltensmedizin. Kabat-Zinn ist international bekannt für seine Methode, Patienten, die unter chronischen Schmerzen und streßbedingten Gesundheitsstörungen leiden, mit einer Therapie zu helfen, die auf Meditation und »bewußter Wahrnehmung« gründet. Er ist Autor des Buchs *Full Catastrophe Living: Using the Wisdom of Your Body and Mind to Face Stress, Pain, and Illness.*

MOYERS: Wie reagieren neue Patienten auf das Thema Meditation?

KABAT-ZINN: Man hat gleich zu Beginn bezweifelt, ob wir überhaupt Teilnehmer für unseren doch sehr unüblichen Kurs finden würden. Die Meditation war bis dahin an einem Krankenhaus noch nicht erprobt worden. Deswegen hatten wir auch keine Ahnung, ob der Durchschnittspatient eine Klinik akzeptieren würde, an der das intensive Einüben meditativer Techniken als Voraussetzung gilt. Es stellte sich bald heraus, daß unser Programm ganz selbstverständlich akzeptiert wurde.

MOYERS: Wären Sie ebenso erfolgreich gewesen, wenn Sie statt von einer »Klinik für Streßabbau« von »Meditationskursen« gesprochen hätten?

KABAT-ZINN: Ganz gewiß nicht. Wer hätte da teilnehmen wollen? Wenn die Leute aber hier in den Korridoren des Krankenhauses Hinweisschilder mit der Aufschrift »Streßabbau und Entspannung« lesen, reagieren sie positiv. Zudem erscheint es den Patienten sinnvoll, in einer Klinik für Streßabbau Meditation und Yoga zu betreiben.

MOYERS: Ich frage mich, ob Sie nicht einfach den Placebo-Effekt nutzen.

Die Patienten glauben an die Wirkung und fühlen sich besser, auch wenn sie nicht sicher wissen, was eigentlich vorgeht.

KABAT-ZINN: Warum nicht? Ich begrüße jeden Weg, der zu einem Wandel führt. Man kann die Meditation als eine Art psychologische Technik ansehen, die auf vielen Erkenntnissen über Zusammenhänge zwischen Körper und Geist beruht und im Verlauf von Jahrtausenden entwickelt wurde. Indem wir von »Placebo-Effekt« sprechen, geben wir einer Sache, die wir nicht verstehen, lediglich einen Namen. Wenn jemand fest auf eine Wirkung vertraut, dann kann sich diese Erwartung als nützlich erweisen. Wir verlangen von unseren Patienten harte Arbeit und hoffen, daß sie mit einer positiven Einstellung anfangen, auch wenn das möglicherweise als Placebo gedeutet wird.

MOYERS: Was halten eigentlich Ihre nüchternen Kollegen, z. B. die Kardiologen und Hirnchirurgen, von Ihrer Arbeit?

KABAT-ZINN: Sie alle überweisen uns ihre eigenen Patienten, einige Kollegen kommen sogar selbst. Wer sich zu sehr mit seiner Fachrichtung identifiziert, vergißt allzu leicht, daß er auch nur ein Mensch ist. Bei uns steht der Mensch im Mittelpunkt, ohne Ansehen seiner Rolle in der Gesellschaft. Auch meine Kollegen gehen davon aus, daß Probieren über Studieren geht und daß wir diesen Fragen so gründlich wie möglich nachgehen sollten. Wir tragen nur unser Scherflein zu einer Arbeit bei, die weltweit von Menschen geleistet wird, die mit neuem Interesse eine uralte Wahrheit erkennen – daß Körper und Geist in Wirklichkeit nur zwei Seiten derselben Medaille sind.

MOYERS: Das geht bis auf Hippokrates zurück.

KABAT-ZINN: Ja, bis in die Anfänge der Medizin. In der Vergangenheit hat man die medizinische Praxis nie von anderen Aspekten menschlicher Tätigkeit getrennt.

MOYERS: Beginnen Sie Ihre Arbeit deswegen mit einer so gewöhnlichen Tätigkeit wie dem Verzehr einer Rosine?

KABAT-ZINN: Ja. Wir reagieren damit auf den ganzen Ballast, den der Begriff Meditation mit sich herumschleppt. Den wollen wir von vornherein abwerfen. Unsere Patienten beginnen nicht mit einer Meditations-Atemübung, sie müssen nicht die richtige Lotusstellung einnehmen und sich vorstellen, sie säßen in einem Museum der schönen Künste, sie machen keinen Kopfstand. Sie sollen einfach eine Rosine essen – aber mit bewußter Wahrnehmung und größter Konzentration. Man betrachtet die Rosine, fühlt sie, riecht sie, führt sie allmählich und ganz bewußt zum Mund, beobachtet, wie die Speicheldrüsen den Speichel in dem

Moment absondern, in dem man die Rosine nach oben führt. Dann nimmt man die Rosine in den Mund und schmeckt etwas, was man gewöhnlich automatisch zu sich nimmt.

MOYERS: Meist sogar als ganze Handvoll.

KABAT-ZINN: Ja, und man greift schon nach der nächsten, ehe man die erste heruntergeschluckt hat. Bei dieser Übung geht dem Patienten auf, daß er nie Rosinen *geschmeckt* hat, weil er sie bloß verzehrt hat. Danach ist es nicht mehr weit bis zu der Erkenntnis, daß der Kontakt zu vielen Einzelmomenten des Lebens verlorengegangen ist, weil man so gehetzt von einem zum nächsten jagt, daß man den Augenblick in der Gegenwart nicht mehr wahrnimmt. Unser Leben ist aber die Summe aller gegenwärtigen Momente. Wer viele davon verfehlt, verpaßt z.B. einen Teil der frühen Kindheit seiner Kinder oder Sonnenuntergänge oder die Schönheit des eigenen Körpers. Man blendet innere und äußere Erlebnisse vielleicht nur deshalb aus, weil man sich zu sehr mit den Ereignissen beschäftigt, die entweder eintreten sollen oder die man verhindern will.

MOYERS: Indem Sie dem Patienten die Rosine zu essen geben, geben Sie also seinem Bewußtsein ein Objekt der Aufmerksamkeit.

KABAT-ZINN: Ja, obwohl sich bei näherer Betrachtung herausstellt, daß Essen viele verschiedene Dinge beinhaltet: das Kauen, das Schmecken, die Funktion der Zunge – aber das alles hat damit zu tun, daß man sich auf die Erfahrung des Essens im gegenwärtigen Augenblick konzentriert.

MOYERS: Machen Sie aus dem gleichen Grund dem Patienten auch sein Atmen bewußt – einfach, damit das Bewußtsein ein Objekt der Konzentration hat?

KABAT-ZINN: Durch die erste Übung mit der Rosine beginnen die Patienten zu begreifen, daß bewußtes Wahrnehmen etwas ganz Reales ist. Man soll beim Essen einfach nichts anderes tun als essen und schmecken. Meistens lesen wir neben dem Essen Zeitung, reden, sehen fern oder essen derart hastig, daß wir das Essen selbst überhaupt nicht mehr zur Kenntnis nehmen. Verlangsamt man den Prozeß und schmeckt wieder wirklich, gelangt man leichter in die Gegenwart zurück.

Danach übertragen wir das Wahrnehmen vom Essen auf das Atmen und fordern die Teilnehmer auf, den Atem auf die gleiche Weise zu »schmekken«. Das Wort »schmecken« benutzen wir, weil wir über das Atmen gewöhnlich nicht weiter nachdenken, ebensowenig wie über den Geschmack unseres Essens. Einige Patienten fragen, warum sie über das Atmen nachdenken sollten; es sei doch höchst uninteressant. Die bitte ich dann, sich Nase und Mund zuzuhalten und abzuwarten, ab wann das Atmen für sie interessant wird. Sehr lange dauert das nicht.

Einige Dinge, die unser Leben besonders bereichern und lebenswert machen, wissen wir nicht zu schätzen. Das Atmen ist für jeden Aspekt des Meditationstrainings wesentlich. Wenn man übt, sich innerlich zu beruhigen und zu konzentrieren, bietet es einen wunderbaren Mittelpunkt. Wer seinen Atemfluß aufmerksam miterlebt, stellt oft fest, daß diese Erfahrung ebensoviele überraschende Facetten haben kann wie das ganz bewußte Verzehren einer Rosine.

MOYERS: Wollen Sie damit sagen, daß meine Gedanken nicht umherirren, nicht flüchtig sein sollen, daß ich nicht abgelenkt sein darf?

KABAT-ZINN: Nein, denn flüchtige Gedanken stellen den Normalzustand dar. Aber aus der Perspektive der Meditation betrachtet ist der Normalzustand, wie bereits gesagt, keineswegs optimal. Er stellt eine Art Schlummerzustand dar. Meine Gedanken sind an einem anderen Ort, mein Körper ist hier. In diesem Zustand sind Höchstleistungen unmöglich, das wird Ihnen jeder Sportler bestätigen. Wenn Sie auf dem 12-Meter-Brett stehen, dann möchten Sie auch, daß Geist und Körper dort oben beisammen sind. Man will sich in diesem Moment nicht mit dem Gedanken beschäftigen, wie man auf dem Bildschirm wirkt oder ob man mit dem Kopf auf dem Sprungbrett landen wird. Man muß völlig ruhig und präsent sein, auf den gegenwärtigen Augenblick konzentriert.

Man kann die Konzentration auf die Gegenwart ebenso trainieren wie den Absprung vom Brett, wie das Heben von Gewichten oder beliebige andere Dinge. Der untrainierte und unentwickelte Geist ist sehr zerstreut. Das ist zwar ein Normalzustand, verhindert aber den Kontakt mit vielen Dingen unseres Lebens, auch mit unserem Körper. Viele Menschen haben Angst vor ihrem Körper, akzeptieren ihn vielleicht kaum oder fühlen sich durch den Prozeß des Alterns beunruhigt. Das spielt sich gewöhnlich unterhalb der Bewußtseinsschwelle ab. Man läßt zu, daß unbewußte Gedanken das Verhalten bestimmen. Ein Gedanke meldet sich, man glaubt, etwas Bestimmtes tun zu müssen und beeilt sich, es auszuführen. Dann kommt der nächste Gedanke, und die Prozedur wiederholt sich. Der Kontakt zur Gegenwart geht dabei nicht selten verloren.

MOYERS: Was hat das mit Schmerz, Depression, Zorn und Streß zu tun?

KABAT-ZINN: Das sind Bewußtseinszustände wie viele andere. Schmerz ist etwas, womit man arbeiten kann. Mit einer Rosine oder der Atmung ist das selbstverständlich leichter als mit heftigem Schmerz. Im Sinne der

Meditation kann Schmerz eine intensive Erfahrung sein, auf die man sich einläßt. Man darf vor dem Schmerz nicht zurückschrecken oder davonlaufen.

MOYERS: Sie meinen, ich sollte mich auf meinen Schmerz konzentrieren? Ist das nicht negative Verstärkung?

KABAT-ZINN: Man kann ihn natürlich als etwas Negatives sehen, aber bei genauerer Betrachtung nimmt man im Schmerz eine sensorische Komponente wahr, eine möglicherweise außerordentlich intensive Empfindung, die man gewohnheitsmäßig als schädlich interpretiert. Wenn man sie jedoch versteht, ist man vielleicht in der Lage, sie auch besser zu ertragen. Angenommen, Sie empfinden einen Schmerz, dessen Ursache Sie nicht kennen. Das kann höchst beunruhigend sein. Gelegentlich ist man schon beruhigt, wenn dem Schmerz eine Diagnose oder ein Name zugeordnet wird. Oft aber, z. B. bei Rückenschmerzen, läßt sich keine physische Ursache festmachen. Schmerz führt in unserer Gesellschaft zu großen gesundheitlichen Beeinträchtigungen. Im Kampf gegen chronischen Schmerz werden allein in den USA jährlich 40 bis 50 Milliarden Dollar ausgegeben.

MOYERS: Aber wie hilft Meditation bei der Bewältigung von Schmerzen?

KABAT-ZINN: In der Meditation kann man aus eigener, innerer Erfahrung lernen, daß man den Schmerz nutzen kann, um daran zu wachsen. Manchmal muß man lernen, mit dem Schmerz zu leben. Er selbst wird den Betroffenen lehren, wie dies geschehen soll, wenn er auf ihn horcht. Wenn der Schmerz sich im Körper meldet, muß man, statt sich auf das Atmen zu konzentrieren, einfach mit dem Schmerz atmen und versuchen, auf der Welle der Empfindung mitzuschwimmen. Wenn man beobachtet, wie die Empfindungen kommen und gehen, stellt man fest, daß sie sich oft verändern, daß der Schmerz sein eigenes Leben hat. Man lernt, mit dem Schmerz »zusammenzuarbeiten«, sich mit ihm anzufreunden, auf ihn zu hören, ihn in gewisser Weise zu respektieren. Man erfährt dabei schließlich, daß man dem Schmerz gegenüber verschieden empfinden kann. Die Schmerzempfindung vergeht zuweilen völlig, während man sich auf sie konzentriert.

MOYERS: Ist es nicht so, daß man durch die Konzentration auf das Atmen den Schmerz vergißt, sich einfach auf etwas anderes konzentriert?

KABAT-ZINN: In Wirklichkeit ist es genau umgekehrt. Ich fordere die Patienten nicht auf, an etwas anderes Fesselndes zu denken; ich sage vielmehr: »Gehen Sie in Ihren Körper hinein, in die Schulter, in die untere Rückenpartie, atmen Sie mit ihr und versuchen Sie, den Schmerz mit Ihrem Bewußtsein und mit Ihrer Atmung zu durchdringen.« Das ist das Gegenteil von Ablenkung.

Laboruntersuchungen mit künstlich erzeugtem Schmerz lassen darauf schließen, daß die Ablenkung nur für Schmerz bis zu einer gewissen Grenze eine gute Strategie darstellt; jenseits dieser Grenze jedoch ist es wirkungsvoller, bewußt wahrzunehmen, den Empfindungen selbst nachzugehen und dabei festzustellen, daß man die Empfindung von den Gedanken dazu abkoppeln kann. Man denkt z. B.: »Dieser Schmerz bringt mich um, er wird nie mehr aufhören, ich werde nie dagegen ankommen.« Man lernt, sich klarzumachen, daß das bloße Gedanken sind. Man fragt sich: »Bringt der Schmerz mich in diesem Moment um?« und stellt im Regelfall fest, daß es sich nicht so verhält. Dann denkt man vielleicht: »Wenn ich damit noch dreißig Jahre leben muß ...«, erinnert sich aber sofort daran, daß man nur den gegenwärtigen Augenblick erleben und ängstliche Zukunftsgedanken beiseite schieben soll. Mit der Zeit lernt der Patient auf diese Weise, ein anderes Verhältnis zu seinem Schmerz herzustellen.

MOYERS: Baut das, physiologisch gesehen, Streß ab?

KABAT-ZINN: Natürlich. Streß ist die Antwort auf Anforderungen an Körper und Geist. Je größer die Not eines Menschen durch Schmerz oder Angst ist, desto schlechter wird er sich fühlen; das hat physiologische Konsequenzen. Wenn man lernen kann, sich mit dem Schmerz oder der Angst zu arrangieren, verändert sich die Erfahrung vollständig. Man versucht jedoch nicht, den Schmerz zu vertreiben. Dieser wesentliche Punkt führt anfangs bei einigen Patienten zu Mißverständnissen. Sie kommen in die Streßklinik in der Erwartung, daß wir ihnen jeden Streß nehmen werden. In Wahrheit begeben wir uns in den Streß oder den Schmerz hinein, beginnen, ihn zu beobachten, unsere Reaktionen darauf wahrzunehmen und die Neigung zu bloßer Reaktion abzubauen. Dann stellt man fest, daß manchmal *in* den schwierigsten Lebenssituationen innere Ruhe und innerer Frieden möglich sind.

MOYERS: Als Sie heute morgen zu Ihren Patienten sagten, »Ihre Gedanken führen ihr eigenes Leben«, war das nur bildlich gesprochen?

KABAT-ZINN: Nein, damit beziehe ich mich auf die bewußte Wahrnehmung. Wenn man viel Zeit damit verbringt, die eigenen Gedanken und Gefühle zu beobachten, dann erkennt man allmählich, daß der Denkprozeß sehr chaotisch ist – die Gedanken sind überall und nirgends. Und wenn man versucht, die Aufmerksamkeit auf eine Sache zu konzentrieren, z. B. auf das Atmen, dann wollen sich die Gedanken oft nicht lange an einem Ort festhalten lassen, sie gleiten ab. Mit meiner Formulierung will ich also sagen, daß das Denken gewissermaßen Energie hat, die gern in verschiedene Richtungen wandert, und daß es schwer ist, sich zu konzentrieren und einen Zustand der Ruhe herzustellen.

MOYERS: Als Sie die Teilnehmer aufforderten, ihre Gedanken zurückzuholen, dachte ich: »Es gibt also ein ›Ich‹, das von den Gedanken unabhängig ist und zur Seite treten kann wie ein Reiter neben sein Pferd.«

KABAT-ZINN: Das nennen wir häufig »Ich«, ohne weiter darüber nachzudenken. Wir fragen nicht: »Wer ist das, der da ›Ich‹ sagt?« Die Art, wie wir gewöhnlich davon reden, führt zu dem Schluß, daß »ich« nicht mein Körper bin. Wer immer dieses »Ich« ist, hat den Körper. Wir wissen nicht, was das »Ich« ist; unser Wissen beschränkt sich auf die Erkenntnis, daß der Mensch die Fähigkeit der bewußten Wahrnehmung und der Selbstbeobachtung hat. Bei der Meditation geht es eigentlich darum, die Fähigkeit zu entwickeln und zu kultivieren, dem einzelnen Moment Aufmerksamkeit zuzuwenden. Wenn Sie jetzt fragen: »Und wer wendet da seine Aufmerksamkeit auf etwas?«, dann muß die Antwort ungewiß bleiben. Wir haben in mancher Hinsicht keine Wörter, um darüber zu sprechen, außer in widersprüchlicher Form. Deswegen verlangt die Technik des Zen, daß man eine Frage nicht einfach sprachlich beantwortet, sondern daß man Verständnis beweist. Es wäre eben falsch zu sagen: »Ich bin der Beobachter.«

Andererseits läßt sich nicht leugnen, daß ein Beobachten stattfindet. Aber sobald wir diesem Beobachten das Pronomen »ich« zuordnen, identifizieren wir uns mit dem »Ich« auf eine Weise, die Ursache vieler Probleme in unserem Leben sein kann. Wenn man beispielsweise Krebs hat und sagt: »Ich habe Krebs«, beginnt man möglicherweise, von sich selbst als dem Krebs zu denken. Die Identifizierung mit der Krankheit kann dann das eigene Leben dermaßen beherrschen, daß dem Betroffenen eine mögliche Bedeutung dieser Krankheit für ihn entgeht, weil er den Krebs nicht mehr deutlich genug als Prozeß sieht, der in einem größeren Umfeld stattfindet.

Oft identifizieren wir uns so stark mit einem aufkommenden Gefühl, daß wir sagen: »Das bin ich«, z. B., indem wir feststellen: »Ich bin ein Versager, ich bin nichts wert, ich bin ungeeignet.« Nicht das Unwert-Gefühl ist das Problem – es ist weitverbreitet. Sobald man es aber mit dem »Ich« verbindet, nimmt es konkrete Gestalt an, wird zu einer eigenen Wirklichkeit. Dann hat man in der Tat ein Problem.

Wir arbeiten oft mit Patienten, die unter extremen Angstzuständen und

Anfällen von Panik leiden. Wer in einem solchen Fall sagt: »Ich habe Angst« und das beobachtende »Ich« mit dem Angst-Inhalt des Denkens identifiziert, erlaubt der Angst, eigene Gestalt anzunehmen und allmählich die Kontrolle über das Leben zu ergreifen. Wenn es einmal so weit ist, muß man in der Regel Hilfe von außen suchen und Medikamente nehmen, um die Herrschaft über sich selbst wiederzuerlangen. Tritt man dagegen einen Schritt zurück, um die Angst zu betrachten, dann stellt man fest, daß sie gewöhnlich in Form von Gedanken und Gefühlen auftritt. Man bleibt also Beobachter, falls man nicht in die Gedanken hineinschlüpft und sich mit ihnen identifiziert. Man erkennt den aufkommenden Gedanken, sieht, daß er angstbesetzt ist und weiß, welche Sogwirkung er ausüben kann; doch dieser muß man nicht erliegen. Viele unserer Patienten haben gelernt, aus ihren eigenen Denkprozessen auszusteigen und so weit zurückzutreten, daß keine starke, unterbewußte Identifikation mehr stattfindet.

MOYERS: Hatten Sie das im Sinn, als Sie ihnen sagten: »Ich will, daß jeder hier zum wissenschaftlichen Erforscher seines eigenen Körpers und Geistes wird?«

KABAT-ZINN: Ja, man soll sie von innen kennenlernen. Man soll mit ihren Funktionen so vertraut werden, daß man die Ereignisse wirklich beobachtet und eventuell erstaunt registriert, daß sich etwas Neues tut. Eine unserer Patientinnen leidet unter einer seltenen Störung des Hypothalamus. Die Ärzte halten einen Hirntumor für möglich, aber die Diagnose ist noch ungeklärt. Die Frau neigt aufgrund dieser Störung zu übermäßiger Schweißsekretion. Sie hat Yoga und Meditation ausprobiert und dabei selbst eine interessante Feststellung gemacht: Wenn sie nur Yoga machte, geriet sie sehr ins Schwitzen, wenn sie sich aber vorher durch Meditationsübungen beruhigte, schwitzte sie nicht. Das ist ein Beispiel dafür, wie man den eigenen Körper erforschen kann.

MOYERS: Was sollen Menschen wie ich tun? Wenn ich meinen eigenen Körper erforschen wollte, würde mir vermutlich alles außer Kontrolle geraten.

KABAT-ZINN: Den Zusammenhang zwischen Geist und Körper in sich selbst zu erforschen, bedeutet ja nicht, daß man die Kontrolle darüber übernehmen möchte. Ich habe in meinem Buch Lewis Thomas mit der Aussage zitiert, er würde lieber die Landung einer Boeing 747 riskieren, als auch nur für 30 Sekunden die Kontrolle über seine Leber übernehmen. Ich stimme völlig mit ihm überein. Es ist ja nicht so, als ob wir in einer Art übergeordneter physiologischer Kontrollstation sitzen wollten, um unser Immunsystem auf volle Leistung zu fahren, andere Funktionen zu drosseln, unseren Herzrhythmus zu regulieren usw. Wir lernen eine neue Art von Wissenschaft, in der sich Subjektives und Objektives vereinen und durch die man mit den Vorgängen im eigenen Körper vertrauter wird.

MOYERS: Gibt es eine wissenschaftliche Grundlage für Ihre Arbeit mit der Meditation?

KABAT-ZINN: Wir versuchen einerseits, so effektiv wie möglich eine Arbeit zu leisten, die auf intensivem Training und bewußter Wahrnehmung beruht – natürlich unter Verzicht auf den buddhistischen Rahmen und die buddhistische Terminologie. Andererseits versuchen wir, sie wissenschaftlich zu untersuchen. Unsere Untersuchungen haben – zunächst aufgrund bloßer Beobachtung und anschließend in jahrelangen gründlichen Versuchen mit zufälliger Auswahl der Versuchspersonen – ergeben, daß es im Laufe des 8-Wochen-Kurses offenbar zu einem signifikanten Rückgang von Symptomen kommt. Dieser Rückgang betrifft physische und psychische Aspekte und ist im allgemeinen von langer Dauer.

MOYERS: Was verstehen Sie unter einem »Rückgang von Symptomen«?

KABAT-ZINN: Zu Beginn des Kurses händigen wir den Teilnehmern eine Liste mit 140 Symptomen, wie Kopfweh oder Bluthochdruck, aus, auf der sie die Symptome anstreichen, die sie im vorausgehenden Monat verspürt haben. Nach Kursabschluß geben wir dieselbe Liste noch einmal aus; die Zahl der angekreuzten Symptome ist dann sehr deutlich zurückgegangen. Das ist natürlich rein deskriptiv. Wir haben keine Kontrollgruppe, die uns zeigen könnte, ob es auch in anderen Gruppen zu einem Rückgang kommen würde. Zuerst einmal müssen wir wissenschaftlich beweisen, daß sich etwas ändert, bevor wir die Ursachen dafür finden und überprüfen können.

Vorläufig wissen wir jedenfalls, daß die Betroffenen selbst einen Rückgang psychologischer und physischer Symptome – auch von Schmerzen – verzeichnen. Noch interessanter sind die Ergebnisse von Fragebögen, die sich auf persönliche Variable beziehen, wie z. B. Streßtoleranz oder auch die Beziehung zur Außenwelt, Fragen der Weltanschauung: auch hier finden im Lauf des Kurses Veränderungen statt. Das ist insofern interessant, als man in diesen Bereichen eigentlich keine Veränderungen erwartet. Sie gelten als relativ stabile Persönlichkeitsmerkmale.

MOYERS: Welche Schlüsse sind daraus zu ziehen?

KABAT-ZINN: Ich schließe daraus, daß ein Mensch sich im Verlauf dieser acht Wochen tiefgreifender verändern kann als bloß so, daß er keine Kopfschmerzen mehr hat, daß sein Blutdruck sinkt oder er besser mit seinen Rückenschmerzen zurechtkommt. Möglicherweise findet in seinem Bewußtsein eine Art Umwälzung statt, die ihm ein anderes Verhältnis zu seinem Körper und seinen geistigen Aktivitäten ermöglicht und die auch seine Belastung durch die Beziehungen zur Außenwelt verändert.

MOYERS: Sind das physische oder mentale Veränderungen?

KABAT-ZINN: Eine alte Frage. Einige Veränderungen zeigen sich im Körper, andere in Psyche und Verhalten.

MOYERS: Man kann aber ohne körperliche Veränderung auch das Verhalten nicht verändern.

KABAT-ZINN: Das trifft in bestimmter Hinsicht zu. Man könnte sagen, letztlich sei alles körperlich, weil verändertes Verhalten eine physische Veränderung bewirkt, sonst könnte man es gar nicht bemerken. Das ist allerdings etwas vereinfachend gedacht.

MOYERS: Immerhin wissen wir, *daß* etwas geschieht.

KABAT-ZINN: Ja, aber nicht was. Lassen Sie mich ein konkretes Beispiel nennen. Es kommen Patienten in die Klinik, die unter Panikzuständen leiden. Gewöhnlich behandelt man sie mit Medikamenten. In unserem Kurs treffen sie auf viele andere Menschen mit anderen Problemen. Wir setzen uns nicht direkt mit den Angstzuständen auseinander, wir lehren nur das bewußte Wahrnehmen, und das üben die Patienten acht Wochen lang. Wenn wir nun eine Kurve ihrer Panik- oder Angstzustände zeichnen, dann fällt sie im Verlauf des achtwöchigen Kurses drastisch ab und bleibt drei Monate bzw., laut Aussage unserer Anschlußstudie, sogar drei Jahre lang auf diesem niedrigen Niveau. Es geschieht nämlich etwas, das den Gesamtorganismus betrifft. Wir sollten den Menschen Instrumente zur Verfügung stellen, mit denen sie sich selbst besser kennenlernen können.

MOYERS: Könnten Sie dies präzisieren?

KABAT-ZINN: Ich werde es mit einem Beispiel versuchen und Sie Schritt für Schritt den Weg nachvollziehen lassen, auf dem wir bei Patienten mit Angstzuständen etwas zu verändern suchen. Es beginnt damit, daß die Patienten 45 Minuten täglich, sechsmal pro Woche ihr Atmen verfolgen, den Körper erkunden und Yoga machen. Das ist ein erheblicher Zeit- und Energieaufwand für jeden Kursteilnehmer. Nun kann es sein, daß die Patienten mit Angstzuständen zu irgendeinem Zeitpunkt während der Übungen Angst empfinden, weil sich ja unablässig neue Gedanken

5. René Magritte, Der Therapeut

6. Carol Anthony, Neues mexikanisches Fenster

melden, neue Empfindungen rühren. Die Patienten sollen aber bloß bewußt wahrnehmen, beobachten, was sich in ihrem Körper tut, welche Gedanken aufkommen und diese weder abweisen noch verfolgen, sondern sie einfach in Ruhe kommen und gehen lassen. Mit der Zeit wirkt sich die Einübung bewußter Wahrnehmung auch auf ihr übriges Leben aus.

Stellen Sie sich eine Frau vor, die panische Angst vor Aufzügen hat und seit 25 Jahren keinen mehr betreten hat. Das hat sie in ihrem Leben unzählige Male eingeschränkt. Diese Frau verläßt also den Übungsraum im siebten Stock. Sie ist vor Beginn der Stunde die Treppen zu Fuß hinaufgestiegen und faßt nun plötzlich den Gedanken ins Auge, den Aufzug zu benutzen und dabei die ganze Zeit nur auf ihr Atmen zu achten. Sie nimmt sich vor, falls sie Panik in sich aufsteigen spürt, das einfach als einen Gedanken zur Kenntnis zu nehmen und sich wieder ihrer Atmung zuzuwenden. Dann fährt sie tatsächlich im Aufzug nach unten, zum erstenmal seit 25 Jahren.

Das war ein Beispiel für eine Phobie, aber das gleiche gilt für Angstzustände. Man weiß vielleicht nicht, wodurch sie verursacht werden, aber man kann sich in einem bestimmten Augenblick sagen: »Jetzt gerade habe ich dieses Gefühl.« Und weil man in der Meditationspraxis geübt hat, in der Gegenwart zu verharren und die Ereignisse im Bereich des Bewußtseins einfach wie aufkommende Wellen ruhig zu beobachten, wird man vom emotionalen Gehalt weniger gefangengenommen und spürt nicht den Sog überwältigender Angst. Man macht sich klar, daß auch das nur Gedanken sind und wendet die Aufmerksamkeit wieder der Atmung zu. Auf diese Weise beginnt ein Mensch zu erleben, was ich seine »Ganzheit« nenne. Er spürt, daß er mehr als nur ein Körper ist. Er ist mehr als die Gedanken, die ihm durch den Kopf gehen. Nach und nach begreift man sich selbst als ein kompliziertes Universum, ein wahres Wunderwerk. So wird den Menschen das Gefühl vermittelt, ihr Leben besser im Griff zu haben. Das gilt gerade in Lebenssituationen, die einen Menschen sonst vielleicht völlig aus der Bahn geworfen hätten.

MOYERS: Gewiß, aber Ihre Patienten wenden eine bestimmte Technik an, durch die sie sich auf das Atmen wieder konzentrieren.

KABAT-ZINN: Das ist in der Tat eine Technik. Wahrscheinlich würde sich aber unser Kurs zum Streßabbau weniger tiefgreifend auf Körper und Lebensweise auswirken, wenn man nicht von der bloßen Anwendung einer Technik dazu überginge, alles von innen heraus zu tun, es als neue Daseinsform zu begreifen.

MOYERS: Viele Menschen fragen sich wahrscheinlich, warum sie sich nicht einfach auf dem Sofa entspannen können, statt sich mit Vorstellungen wie »bewußter Wahrnehmung« herumzuschlagen. Wozu dient das denn eigentlich?

KABAT-ZINN: Wenn man auf dem Sofa liegt, um sich zu entspannen, und darauf achtet, was mit dem eigenen Körper und im Bewußtsein alles vor sich geht, stellt man eventuell fest, daß das keineswegs entspannend ist. Da geht dann alles mögliche an Gedanken, Tagträumen, Sorgen und Phantasien in einem um.

MOYERS: In meinem Kopf plappert es unaufhörlich.

KABAT-ZINN: Bei der Meditation geht es darum zu lernen, wie man das erkennt. Die meisten Menschen sind sich nicht bewußt, daß es in ihnen unaufhörlich plappert. Und doch bestimmt dieses Plappern letztlich, wie unser Tag verläuft – was wir tun, worauf wir reagieren, wie wir uns fühlen. Die Meditation stellt einen Weg dar, das innere »Plappern« von Geist und Körper wahrzunehmen und zu erkennen, nach welchen Mustern es abläuft. Durch die Beobachtung befreit man sich weitgehend davon.

Sobald man z. B. beginnt, sich auf die Atmung zu konzentrieren, gibt man den Gedanken ein Ziel vor: einfach auf der Welle des Einatmens und danach auf der Welle des Ausatmens mitzuschwimmen. Das ist etwas ganz Konkretes. Während dieses Vorgangs bemerkt man jedoch allmählich, daß die Gedanken sich binnen kurzem neue Ziele suchen, sich auf die Zukunft und die Vergangenheit richten.

Die Meditation ist eine Disziplin, die den Geist zu größerer Ruhe erzieht; dadurch gelingt es, die Erfahrung der eigenen Gegenwart zu vertiefen. Mit der Vertiefung geht ein besseres Verständnis und damit auch eine größere Freiheit einher, unser Leben so zu gestalten, daß es nach unserem Dafürhalten zum höchsten Maß an Weisheit und Glück führt.

MOYERS: Was geht in Ihnen selbst beim Meditieren vor?

KABAT-ZINN: Wenn ich mich auf mein Atmen konzentriere, dann fühle ich, wie der Atem sich in meinen Körper hinein- und wieder hinausbewegt. Das ist bloß ein Gefühl, nicht ein Nachdenken über das Atmen. Dann nehme ich mir vor, bei meinem Atem zu bleiben, darauf mitzuschwimmen wie ein Schlauchboot, das die Wellen mit sich hoch- und wieder hinunterführen. Ich fühle nur das Heben und Senken. Eine Zeitlang verweile ich ausschließlich bei diesem Gefühl. Dabei gleiten meine Gedanken manchmal ab zu dem, was ich später noch zu tun habe.

MOYERS: Das ist dann wohl keine Meditation mehr.

KABAT-ZINN: Es kommt darauf an, wie man damit umgeht. Das Wesen des Meditierens beruht nicht darauf, die Konzentration auf das Atmen lückenlos aufrechtzuerhalten, sondern immer wieder zum Atmen zurückzukehren.

MOYERS: Man fängt die Gedanken wie mit einem Lasso wieder ein und bringt sie zurück.

KABAT-ZINN: Man muß bereit sein, den Gedanken ganz behutsam und liebevoll wieder an den Ort im Körper zurückzuführen, wo man das Ein- und Ausatmen spürt. Wenn die Gedanken immer wieder abgleiten, holt man sie eben immer wieder zurück.

MOYERS: Dafür muß man aber denken. Andererseits sagen Sie Ihren Patienten, sie sollen nicht denken.

KABAT-ZINN: Ich meine damit, daß man einen Gedankengang nicht verfolgt. Beim Meditieren beobachtet man unmittelbar, daß die Aufmerksamkeit zu einem bestimmten Zeitpunkt nicht beim Atmen ist, gewöhnlich deswegen, weil man ins Denken hineingezogen wird. In dem Augenblick, in dem ich das bemerke, kann der Gedanke auftauchen: »Aha, ich bin nicht mehr beim Atmen!« Das ist zwar ein Gedanke, aber er unterbricht den Strom automatischen Denkens und bringt mich zum Augenblick der Gegenwart zurück. Wenn man das über einen längeren Zeitraum hinweg einübt, stellt sich das Gefühl ein, daß beim Innehalten in der Gegenwart die Zeit langsamer verstreicht und sogar stillstehen kann: man ist dann in einem sich fortwährend entfaltenden Jetzt.

MOYERS: Wir wissen aber doch alle, daß die Zeit nicht stehenbleibt.

KABAT-ZINN: Unsere Wahrnehmung der Zeit verändert sich. Angesichts des Todes kann die Zeit so langsam ablaufen, daß Sterbende in diesem Moment ihr gesamtes Leben vor ihren Augen abrollen sehen. In der Meditationsübung erlebt man das Fließen der Zeit ganz anders. Gelegentlich sagt man, daß wir die innere Zeit als den Abstand zwischen zwei Gedanken messen. Wenn man den Denkprozeß dadurch verlangsamt, daß man sich innerlich insgesamt beruhigt, hat man weniger Gedanken und fühlt sich viel intensiver im gegenwärtigen Augenblick anwesend.

MOYERS: Zielt das Meditieren darauf ab, die Gedanken zu verlangsamen?

KABAT-ZINN: Die Meditation hat kein Ziel. Sobald wir ihr ein Ziel zuschreiben, machen wir sie lediglich zu einer weiteren Aktivität, die uns irgendwohin bringen soll.

MOYERS: Die Krankenversicherungen übernehmen aber die Kosten Ihrer Patienten nicht dafür, daß sie ohne Ziel hier sind.

KABAT-ZINN: Das ist richtig. Sie sind alle zu einem bestimmten Zweck hier. Sie wurden von ihren Ärzten überwiesen, um in irgendeiner Form Abhilfe für ihr Leiden zu finden. Paradoxerweise machen sie aber gerade dann die größten Fortschritte, wenn sie kein bestimmtes Ziel verfolgen und einfach durch Meditationsübungen lernen, ihre Lebensgegenwart in einzelnen Augenblicken mitzuerleben.

MOYERS: Was hat das mit Streßabbau und Heilung zu tun?

KABAT-ZINN: Oft stellt sich heraus, daß die physiologische Tiefenentspannung, die mit dem Meditieren einhergeht, schon als solche heilend wirkt.

MOYERS: Welche Erfahrung haben Sie mit Heilung durch Meditation gemacht?

KABAT-ZINN: Die Meditation mit ihren physiologischen und psychologischen Wirkungen steckt als Wissenschaft noch in den Kinderschuhen. Als ich unseren Kurs 1979 aufbaute, wollten wir versuchen, in einem großen Krankenhauszentrum einen klinischen Service für Patienten ins Leben zu rufen, bei denen unser Gesundheitssystem versagt hatte. Sie sollten lernen, zusätzlich zur jeweiligen medizinischen Behandlung selbst etwas für sich zu tun. Dabei ging es nicht um Heilung eines Leidens; vielmehr wollten wir ihnen einen Zugang zu verborgenen, eigenen Ressourcen öffnen, mit denen sie Heilkräfte wecken, eine innere Ruhe herbeiführen und Strategien entwickeln konnten, auch unter Belastung Streß zu bewältigen, ihren Körper stärker zu akzeptieren und sich an ihrem Leben intensiver beteiligt zu fühlen. Wir wollten herausfinden, ob sich mit Hilfe dieser inneren Ressourcen chronische Leiden beeinflussen lassen – und das war in der Tat der Fall: der Zustand der Patienten besserte sich in vielen Bereichen.

Solche Wirkungen zu messen, ist erheblich schwieriger. Wir haben noch Jahrzehnte der Forschung vor uns, wenn wir bestimmte Fragen beantworten wollen: Was ist eigentlich ein Zustand tiefer Entspannung? Wie kommt es durch die am eigenen Körper gemachten Erfahrungen zu einem veränderten Körpergefühl? Eine entspanntere Einstellung zum eigenen Körper muß physiologische Konsequenzen nach sich ziehen, die wir zur Zeit erforschen.

MOYERS: Schon das Wort »Meditation« stellt eine Assoziation zur »Medizin« her.

KABAT-ZINN: Die beiden Begriffe gehen tatsächlich auf dieselbe Wurzel zurück. In seinem sehr interessanten Buch *Wholeness and the Implicate Order* betrachtet der Physiker David Bohm die Ganzheit als eine Eigenschaft der physischen, materiellen Welt und weist darauf hin, daß die lateinische Wurzel des Worts zunächst »heilen« bedeutet, daß sich aber noch weiter zurück eine Wurzel mit der Bedeutung »messen« aufspüren läßt. Die Frage ist, was haben Medizin oder Meditation mit messen zu tun? Bei der Antwort geht es um die platonische Vorstellung, daß jede Gestalt, jedes Wesen, jedes Ding sein richtiges inneres Maß hat. Anders formuliert, ein Baum hat seine eigene Qualität der Ganzheit, die ihm seine besonderen Eigenschaften verleiht. Und jedes Individuum hat sein richtiges inneres Maß, in dem alles im Gleichgewicht und homöostatisch ist.

Die Medizin ist die Wissenschaft und Kunst, das richtige innere Maß wiederherzustellen, sobald es aus dem Gleichgewicht geraten ist. Und die Meditation ist die unmittelbare Wahrnehmung des richtigen inneren Maßes. Aus der Perspektive der Meditation und der neuen ganzheitlichen Medizin würde man sagen, die Gesundheit ist kein unveränderliches Objekt, das man an sich reißen kann wie einen Ball, um ihn ins Ziel zu bringen. Sie ist ein dynamisches Fließen von Energie, mit vielen Veränderungen im Laufe eines Lebens. Tatsächlich existieren Gesundheit und Krankheit ja sehr häufig nebeneinander. Der Körper befindet sich in einem Zustand des ständigen Katabolismus, des Abbaus und Wiederaufbaus. Auch deswegen müssen wir essen und atmen. Wenn wir beginnen, in dieser Form über Körper und Geist, Gesundheit und Krankheit nachzudenken, dann werden wir uns allmählich auch ein differenzierteres Bild von dem richtigen inneren Maß machen, in dem psychosoziale Einflüsse, Gedanken, Überzeugungen und Gefühle ihre Rolle für die körperliche Gesundheit spielen.

MOYERS: Wie würden Sie die Ganzheitsmedizin definieren?

KABAT-ZINN: Seit mehreren Jahrhunderten betrachten wir die Krankheit im allgemeinen als eine Funktion des Körpers und ordnen Gedanken, Empfindungen, Gefühle und Interaktionen dem Bereich des Geistes zu. Meist haben wir den Krankheitsprozeß als unabhängig vom geistigen Bereich gesehen. So hat man der Einstellung zu einer bakteriellen Infektion keinerlei Wirkung zugebilligt – nur Penizillin konnte helfen. Man diagnostiziert den Körper, behandelt ihn und lebt anschließend weiter wie zuvor. Ein gebrochener Knochen muß geradegestellt, die Infektion diagnostiziert und behandelt werden: damit ist die Heilung gewährleistet.

Im Bereich der chronischen, nicht ansteckenden Krankheiten wie Krebs und Herzleiden stellen wir aber zunehmend fest, welchen Einfluß unsere Lebensweise sowie lebenslange Einstellungen auf unsere Krankheiten haben können. Die Ganzheitsmedizin geht daher von der Annahme aus, daß die Trennung zwischen Körper und Geist künstlich ist und beide Bereiche schon immer Wechselwirkungen ausgeübt haben.

MOYERS: Läßt sich die Art, wie sich Gefühle im Körper äußern, mit wenigen Worten beschreiben?

KABAT-ZINN: Ja, z. B. wenn wir sagen, jemandem sei das Herz gebrochen, oder wenn wir von einem »Gefühl im Bauch« sprechen. In solchen Ausdrücken spiegelt sich die Verbindung von Geist und Körper wider. »Geist« und »Körper« sind zwei Formen, über ein und dieselbe Sache zu reden.

MOYERS: Diese Vorstellung ist aber eigentlich nicht neu. Vorhin habe ich in Ihrem Bücherregal ein Buch entdeckt, in dem Sokrates die barbarischen Thraker in einer Hinsicht der griechischen Kultur für überlegen hält: Sie wüßten, daß man den Körper nicht ohne den Geist heilen könne.

KABAT-ZINN: Die Idee ist so alt wie die Medizin selbst, so alt wie die Menschheit. Neu ist nur, daß sie Eingang in die moderne westliche Medizin gefunden hat. Die kartesianische Trennung von Körper und Geist im frühen 17. Jahrhundert führte dazu, daß die Wissenschaft den Körper in den Mittelpunkt stellte und die Medizin sich von der Wissenschaft die Richtung vorgeben ließ.

MOYERS: Warum kommt es jetzt zu dieser Wiedervereinigung?

KABAT-ZINN: Zum großen Teil deswegen, weil einige hochinteressante Entwicklungen in der Forschung uns genötigt haben, die Trennung zu überprüfen. Außerdem ist die Medizin mit ihren Möglichkeiten an gewisse Grenzen gestoßen. Die meisten Menschen erwarten, daß die Medizin alles heilt – aber damit ist sie völlig überfordert. Wir erwarten auch, daß wir alles verstehen können, dabei wissen wir nicht einmal, was Gedanken sind, obwohl wir wissen, daß wir sie haben.

Es gibt noch einen zweiten Grund dafür, daß die Verbindung zwischen Körper und Geist in der westlichen Medizin wieder mehr in den Blickpunkt gerückt ist: die moderne Forschung läßt darauf schließen, daß zwischen dem Nervensystem und dem Immunsystem Brücken vorhanden sind. Dessenungeachtet haben wir den Körper in der Vergangenheit in einzelne Organbereiche aufgeteilt und diese Aufteilung auf unsere Sprache und Denkgewohnheiten übertragen. Man hat die Frage, wie das Nervensystem das Immunsystem regeln könnte, erstaunlich lang ignoriert. Statt dessen haben wir uns einfach eine Art selbständig arbeitendes Abwehrorgan vorgestellt.

MOYERS: Lassen Sie Ihren Kurs deswegen mit einer Übung zur Körpererfahrung beginnen – damit den Patienten ihr Körper als ein Ganzes bewußt wird?

KABAT-ZINN: Das ist einer der Gründe. Diese Übung nimmt etwa 45 Minuten in Anspruch und gleicht einer Art Rundfahrt durch den Körper. Anfangs können sich die Teilnehmer nicht vorstellen, wie sie eine Dreiviertelstunde lang nur auf ihren Körper achten sollen. Wenn man jedoch alle anderen Vorhaben vergißt und sich Zeit dafür nimmt, dann wird es zum größten Vergnügen, nur im eigenen Körper zu sein. Es ist ein beglückendes Gefühl.

MOYERS: Was findet denn dabei statt?

KABAT-ZINN: Was physiologisch geschieht, kann ich nicht sagen, weil wir die Teilnehmer während der Übung nicht an Apparate angeschlossen haben. Sie lernen, sich zu entspannen und in der Gegenwart zu bleiben. Während der Übung zur Körpererfahrung liegt man auf dem Boden und konzentriert sich zunächst auf die Zehen des linken Fußes, dann läßt man die bewußte Wahrnehmung langsam durch das Bein aufwärtswandern, anschließend verfährt man entsprechend für das andere Bein und so weiter durch den ganzen Körper. Nach einer Dreiviertelstunde stellt sich häufig ein Zustand tiefer Entspannung und großen Wohlbefindens ein. Man ist ganz in der Gegenwart.

MOYERS: Das ist die Erfahrung, die auch ich bei der Teilnahme an Ihrer Übung gemacht habe. Das erste Mal hatte ich in der vorausgehenden Nacht überhaupt nicht geschlafen, und heute morgen hatte ich den zehnstündigen Flug vom Vortag noch in den Knochen. In beiden Fällen schleppte ich meinen Körper sozusagen nur noch mit mir herum. Doch im Verlauf der Übung hat sich etwas getan, das ich nicht benennen kann, weil ich eine derartige körperliche Erfahrung eigentlich noch nie gemacht habe. In der Meditationsübung dagegen geschah gerade das Gegenteil: Ich wurde unruhig, mußte aufstehen und gehen. Das ist mir beim Meditieren schon einmal so ergangen. Die Körpererfahrung hat mir gutgetan, die Meditation nicht.

KABAT-ZINN: Sie glauben, die Körpererfahrung habe Ihnen gutgetan, weil Sie ein angenehmes Gefühl hervorrief. Und Sie meinen, die Meditationsübung habe Ihnen nicht gutgetan, weil Sie unangenehme Gefühle hatten, wie Unruhe und Ungeduld. Ich würde behaupten, daß Sie von der Meditationsübung mindestens ebenso profitiert haben wie von der Körpererfahrung. Sie haben gesehen, wie schwer es ist, einfach stillzuhalten und die verschiedenen Zustände in Geist und Körper, die sich dann einstellen, bloß zu beobachten.

MOYERS: Bei der Körpererfahrung hatte ich kein Gefühl der Unruhe.

KABAT-ZINN: Gewiß, aber all diese unterschiedlichen Methoden stellen gewissermaßen nur ein Labor dar, in dem man mehr über die Verbindung zwischen Körper und Geist erfahren kann. Wenn wir Sie bloß in einen phantastischen Zustand inneren Friedens oder tiefer Entspannung versetzen wollten, dann wäre das für uns überhaupt kein Problem. Falls es jedoch in Ihrem Leben einmal hart auf hart geht und Sie keine Dreiviertelstunde Zeit für die tiefe Entspannung haben – was würden Sie dann tun? Auf welche Kraftquellen würden Sie zurückgreifen?

Wir versuchen den Boden für diese Kraftreserven zu bereiten, Menschen zu der Erkenntnis zu verhelfen, daß sie sich für die Alltagsgeschäfte auf bewußtes Wahrnehmen, Konzentration, Ruhe und einen klaren Blick verlassen können. Sie wären auf Widrigkeiten im Alltag nicht vorbereitet, wenn sie in unserem Kurs bloß angenehme Gefühle hätten.

MOYERS: Ich habe meine unterschiedliche Reaktion auf Ihre beruhigende Gegenwart während der Körpererfahrung zurückgeführt, auf Ihre freundliche Stimme, die man wie einen Verbündeten empfindet. In der Meditationsübung dagegen haben Sie sich zurückgezogen und mich gewissermaßen alleingelassen.

KABAT-ZINN: Das glaubten Sie bloß, in Wirklichkeit war ich dabei – ich habe nur nicht geredet. Die anderen Kursteilnehmer hatten schon wochenlange Meditationsübungen hinter sich, für sie hatte ich mich nicht zurückgezogen. Ich erlaubte ihnen bloß, bei sich selbst zu bleiben, ohne mich unaufhörlich reden zu hören. Hinter dem scheinbaren Nichtstun verbirgt sich ein komplexer Vorgang. Die Teilnehmer arbeiten hart daran, eine Feinabstimmung der Wahrnehmung einzelner Augenblicke vorzunehmen und Gedanken, die abgleiten wollen, wieder zurückzuholen. Ob man das Meditieren im Liegen, Sitzen oder Stehen macht, ist unerheblich. Es geht nur darum, mit welcher inneren Einstellung man der Erfahrung des Augenblicks gegenübersteht.

In einem solchen Moment während Ihrer Meditationsübung hätten Sie sich beispielsweise gesagt: »Mein Gott, ich sitze hier und sollte mich doch eigentlich ganz entspannt fühlen!« Das wäre der erste falsche Gedanke gewesen. Dem wäre vielleicht der zweite falsche Gedanke gefolgt: »Alles, was ich fühle, ist dieses scheußliche Zeug!« Bei Ihnen merkt man, daß Sie Pläne haben. Sie wollen, daß etwas geschieht, es geschieht aber nichts, und deswegen reagieren Sie ungeduldig. Das ist der Grund, warum wir Meditation in Kursform unterrichten, statt bloß in einer Viertelstunde Zauberformeln zu verkünden, die man nach

Hause trägt, um damit alle Lebensprobleme zu lösen. Man muß Tage, Wochen, Monate, Jahre daran arbeiten, um sich darüber klarzuwerden, daß alle Zustände im Geist und Körper in Ordnung sind. Wie die Übung mit der Rosine Gelegenheit bot, Erfahrungen im jeweils gegenwärtigen Augenblick zu machen, so bietet sich diese Möglichkeit auch, wenn ich beobachte, wie es in meinem Inneren zu einem Urteil, zu Abneigung oder zu einer Ablehnung kommt. Dabei gibt es keine Pläne, keine Ziele. Man ist einfach da, mit sich allein.

MOYERS: Glauben Sie denn, die Krankenversicherungen zahlen dafür, daß Ihre Patienten lernen, dergestalt mit sich allein zu sein?

KABAT-ZINN: Wenn es therapeutisch wirkt, warum nicht? Es kostet einen Bruchteil dessen, was man für eine Herzoperation aufbringen müßte. Wenn wir nur einem einzigen Patienten eine größere Operation dadurch ersparen, daß er mit ganzheitlichen Techniken lernt, sich selbst zu steuern, dann sind damit fast die Jahreskosten für alle unsere anderen Patienten bereits bezahlt.

Die Medizin kommt zur Zeit an einen Punkt, wo bei steigenden Ausgaben die Erträge sinken. Das liegt zum Teil daran, daß man in der Schulmedizin auf ein ganz wesentliches Element verzichtet: die aktive Mitarbeit des Patienten. Durch die optimale Nutzung der Verbindung zwischen Körper und Geist kann man jedoch eine kritische Schwelle überschreiten und gleichzeitig die Kosten senken. Wenn man den Patienten die Technik der Eigensteuerung so vermitteln kann, daß sie z. B. weniger Angstzustände bekommen, daß ihr Blutdruck bei nervöser Belastung weniger drastisch steigt, daß sie Skelettmuskelschmerzen besser beherrschen, dann könnte dies ungeheure Einsparungen im Gesundheitswesen nach sich ziehen. Es liegt also völlig im Interesse der Gesundheitsdienste und der Krankenversicherungen, solche Methoden zu fördern.

Unsere sogenannte »Gesundheitsfürsorge« ist ja, wie ich schon sagte, im Grunde eine »Krankenfürsorge«, und das müßten wir ändern. Viele Kliniken, die dieses Ziel verfolgen, fördern bei ihren Patienten zusätzlich zur üblichen medizinischen Behandlung möglichst viel Eigeninitiative. Es handelt sich um eine Avantgarde auf dem neuen Gebiet der »Verhaltensmedizin«.

MOYERS: Meinen Sie mit »Verhaltensmedizin« eine Medizin, die mir erlaubt, mein eigenes Verhalten so zu kontrollieren, daß ich insgesamt gesünder lebe?

KABAT-ZINN: Ja, denn das kann ein Arzt seinen Patienten nicht abnehmen.

Ihr Arzt kann Sie nicht am Rauchen hindern. Wenn er Ihnen ein blutdrucksenkendes Medikament verschreibt, müssen Sie es immer noch einnehmen. Der Patient, der nicht versteht, was in seinem Interesse liegt, mißachtet vielleicht die Anweisungen des Arztes. Ein Grund, warum ganzheitlich orientierte Kliniken bei den Patienten so viel Anklang finden, besteht darin, daß diese Spaß an der Sache haben. Das Meditieren wird so faszinierend, daß man gar nicht mehr aufhören möchte. Man hält es nicht erst acht Wochen lang durch, um es anschließend wieder aufzugeben. Vielleicht erzielen Ärzte wie Dean Ornish – der seinen Patienten nicht nur radikale Veränderungen in der Ernährung abverlangt, sondern gleichzeitig mit ihnen Yoga und Meditation einübt – gerade deshalb so große Erfolge. Die Patienten bleiben bei ihrer Diät, weil sie in einem größeren Zusammenhang steht. Sie gehört zur Arbeit an sich selbst, mit der man die Fähigkeit entwickelt, ein Ganzes zu sein. Die mit den ganzheitlichen Methoden einhergehende Disziplin überträgt den Patienten eine gewisse Eigenverantwortung und vertieft und erweitert gleichzeitig ihre Wertschätzung des eigenen Körpers. Sie erkennen, wie wichtig es ist, ihn zu pflegen und in bestimmter Weise zu ernähren. Dadurch werden sie für jeden Arzt zum Idealpatienten, der ihn in seiner Arbeit unterstützt.

MOYERS: Richtig. Einerseits sprechen Sie aber davon, daß die Sache Spaß machen soll, andererseits verlangt sie strenge Disziplin, die nicht immer angenehm ist.

KABAT-ZINN: Wer bei der Olympiade Medaillen gewinnen will, hält Disziplin sicher ebensowenig für schädlich wie jemand, der für sein Bodybuilding dauernd Gewichte hebt. Ist der Unterschied zu einer Übung, bei der man das eigene Ein- und Ausatmen mitverfolgt, wirklich so groß?

MOYERS: Was ist aber mit jemandem wie mir, der beim Meditieren schlechte Erfahrungen macht?

KABAT-ZINN: Das hängt von dem Kontext ab, in dem man die ersten Erfahrungen gemacht hat. Sehr viele Menschen können durch das Umfeld abgeschreckt werden, z. B. wenn die Meditation in einer fremden Sprache oder unter buddhistischen bzw. hinduistischen Vorzeichen betrieben wird. Wir haben versucht, uns auf das Wesentliche zu konzentrieren, das allen sogenannten Bewußtseins-Disziplinen, wie Meditation und Yoga, gemeinsam ist. Es geht dabei immer darum, die Wahrnehmung und ein tiefes Verständnis des Menschseins zu schulen. Es gibt nur wenige, die davon nicht profitieren könnten.

MOYERS: Was passiert, wenn man in einem solchen Augenblick der Gegenwart gerade Schmerz empfindet? Einer meiner Freunde hat in Ihrem Buch gelesen, man solle sich in das körperliche Unbehagen hinein entspannen, und sagte mir, dazu sei er nicht bereit, weil er überhaupt kein Unbehagen empfinden wolle.

KABAT-ZINN: Vielleicht entwickelt die Medizin für Ihren Freund noch eine Wunderdroge, die jeden Schmerz zum Verschwinden bringt, so daß er behaglich weiterleben kann. Die Patienten, die zu uns kommen, haben diesen Weg jedoch schon ohne Erfolg zurückgelegt. Wir müssen uns also fragen, welche anderen Möglichkeiten es noch geben könnte.

MOYERS: Was empfehlen Sie gegen physisches Mißbehagen? Sagen Sie wirklich bloß: »Sie müssen sich in dieses Gefühl hinein entspannen?«

KABAT-ZINN: Dieser Satz gehört in den Kontext eines Kurses, in dem hart gearbeitet wird. Wer sich auf unseren Kurs einläßt, verpflichtet sich, nicht vorweg zu urteilen. Nach Ablauf der acht Wochen kann jeder selbst urteilen, ob alles nur Geschwafel war. Bis dahin macht man einfach mit und nimmt unvoreingenommen zur Kenntnis, was geschieht.

Selbstverständlich gibt es auch Menschen, die nicht bereit sind, sich auf diese Weise mit sich selbst auseinanderzusetzen, und die nicht besonders geeignet sind für eine Streßklinik. In einem solchen Fall könnte der Ehepartner des Patienten am Kurs teilnehmen und intensiv das Meditieren einüben; das kann eine Menge bewirken. Das Verhältnis zwischen Mann und Frau kann sich dabei in der Form verändern, daß z. B. die Frau die Gegenwart intensiver wahrnimmt, daß sie ruhiger wird, nicht mehr nur reagiert oder alles persönlich nimmt. Aufgrund dieser Reaktion seiner Frau ist es möglich, daß der Ehemann sich schließlich selbst dazu durchringt, am Kurs teilzunehmen.

Viele Menschen werden spüren, wie tief die Wirkung unserer Methoden reicht und anschließend auch zu Hause in dieser Form mit ihrem Körper zurechtkommen wollen. Das heißt aber nicht, daß man immer entspannt ist, weil man meditiert. Anspannung kann in gewissen Augenblicken ganz richtig sein – die Frage ist nur, ob ich mir der Anspannung dann jeweils bewußt bin, ob ich sie spüren und mit ihr arbeiten kann oder ob sie am Ende mich beherrscht, zu allen möglichen Symptomen und zu Schmerzen führt, oder ob ich sie in Ärger umsetze, der seinerseits erneut zu Schmerz und Leiden führt.

MOYERS: Ein Aspekt ihrer Meditationsübungen ist Yoga. Was bedeutet das Wort selbst?

KABAT-ZINN: Es kommt aus dem Sanskrit und bedeutet Joch, Zuggeschirr. Yoga stellt eine Meditationsform dar, die das Ziel hat klarzumachen, daß das Ich und die Gesamtheit des Universums eins sind. Wenn man das erfährt, erfährt man Einheit. Mit anderen Worten, man erlebt sich selbst nicht als einzelne Billardkugel, die zwischen allen anderen herumgestoßen wird, sondern als Teil eines größeren Ganzen und gleichzeitig als ganzes Selbst. Das Wort »Yoga« bezieht sich also darauf, daß man einzelnes Bewußtsein und die Gesamtheit des Universums in ein gemeinsames Joch spannt.

In der Praxis gibt es viele verschiedene Formen des Yoga. Wir betreiben Hatha-Yoga, eine Form des Körper-Yoga, durch die man den Körper in völlig ungewohnter Weise empfinden lernt.

MOYERS: Es kommt also zu einer physiologischen Reaktion, die durch Geist und Gefühle beeinflußt wird und diese ihrerseits beeinflußt.

KABAT-ZINN: Es kommt dabei immer zu Wechselwirkungen zwischen Körper und Geist, bzw. Physiologie und Psyche. Die meisten Menschen sitzen tagsüber im Büro, fahren dann mit dem Auto und sitzen abends wieder stundenlang vor dem Fernseher. Bei längerer Inaktivität neigt der Körper zu Atrophien, d. h. es kommt zu Rückbildungen an Gelenken und Muskeln, die dadurch verletzungsanfälliger werden. Yoga stellt eine wunderbar sanfte Methode dar, Menschen, die seit dreißig oder vierzig Jahren mit ihrem Körper nichts mehr angefangen haben, wieder das Gefühl zu vermitteln, daß er doch noch zu vielen Dingen zu gebrauchen ist.

Wenn man längere Zeit dabei bleibt, erkennt man auf einmal den eigentlichen Wert von Yoga: in Grenzbereichen zu arbeiten, ohne irgendwelche Wertungen vorzunehmen. Ein Teilnehmer sitzt z. B. auf dem Boden und versucht, mit dem Kopf möglichst bis auf die Knie zu kommen. Trotz großer Anstrengung kommt er nicht annähernd so dicht an seine Knie wie der neben ihm Sitzende. Statt sich nun ehrgeizig mit ihm zu vergleichen, muß er sich klarmachen, daß er im Yoga nur bis an die eigene Grenze gehen, sein Atmen verfolgen und seinen Körper in diesem Zustand bewußt wahrnehmen soll. Nachdem er das tagelang oder wochenlang getan hat, bemerkt er plötzlich, daß er mit dem Kopf bis auf den Boden gekommen ist, ohne sich dessen bewußt zu werden. Er erkennt, daß sein Körper sich viel stärker verändern kann, als er geglaubt hätte, und fühlt sich nun mit seinen sechzig Jahren viel frischer.

Viele Teilnehmer schwören auf Yoga – sie ziehen es all unseren anderen Übungen vor. Es ist einfach eine Form bewußter Wahrnehmung, die aber dem Körper etwas zu tun gibt, so daß man gleichzeitig Inaktivitäts-Atrophien rückgängig machen und den ganzen Körper, einschließlich der Skelettmuskulatur, kräftigen und aufbauen kann.

MOYERS: Letzten Endes verändert man also Einstellungen und Gefühle durch Veränderungen im Körper.

KABAT-ZINN: Richtig – und man beginnt dabei mit den Einstellungen und Gefühlen gegenüber dem eigenen Körper.

MOYERS: Wie verhält es sich mit der Wirkung auf Gesundheit und Heilung?

KABAT-ZINN: Wie bei der Meditation, außer daß sich Yoga für Patienten mit Rücken- oder Schulterproblemen noch zusätzlich positiv auswirkt. Leider muß man auch hier sehen, daß die wissenschaftliche Erforschung des Yoga im Westen noch in den Kinderschuhen steckt.

MOYERS: Warum nimmt man bei Yoga immer wieder neue Stellungen ein?

KABAT-ZINN: Der Sinn der Übung ist es, die Gefühle, Empfindungen und die Atmung in der jeweiligen Stellung wahrzunehmen. Man muß diese Haltung einnehmen, aber man entspannt sich auch in sie hinein, so daß sich die Anstrengung in Grenzen hält. Dann legt man sich wieder auf den Boden. Es handelt sich also immer um die Folge: liegen, eine bestimmte Stellung einnehmen, wieder liegen. Das Liegen stellt jedoch nicht bloß eine Erholungspause dar. Man befindet sich auch dann in einem dauernden Strom bewußter Wahrnehmung von einzelnen Momenten der Gegenwart. Wenn die Gedanken wandern, holt man sie zurück.

Jede Haltung, die der Körper einnimmt, ob man auf dem Kopf steht – was unsere Patienten nicht tun – oder nur die Knie an die Brust zieht, ist mit einem Gefühlszustand verknüpft. Wir sind oft so hektisch, daß wir den Kontakt zu unserem Körper verlieren. So können wir ihn zurückgewinnen und unsere inneren Zustände fühlen. Das können Sie an sich selbst erfahren, wenn Sie sich einmal deprimiert fühlen und dann einfach Ihre Mundwinkel zu einem angedeuteten Lächeln hochziehen.

MOYERS: Tut Lächeln gut?

KABAT-ZINN: Lächeln tut in der Tat gut. Sie können selbst erproben, wie Körperhaltungen die Gefühle beeinflussen. Ballen Sie beispielsweise eine Hand zur Faust, um zu spüren, wieviel Energie damit verbunden ist. Wenn Ihre Faust richtig fest geballt ist, dann prüfen Sie, wie sich Ihr Arm anfühlt. Anschließend lösen Sie die Faust und falten die Hände wie zum Gebet. Sie werden den Unterschied spüren. Wenn Sie das nächste Mal wütend sind, falten Sie einfach die Hände und achten darauf, wie lange Sie Ihre Wut durchhalten.

MOYERS: Hat so etwas auch Einfluß auf den Heilungsprozeß?

KABAT-ZINN: Der Energiestrom in Körper und Geist wird umgeleitet – wie beim Yoga auch. Wie sich das auf die Heilung auswirkt, weiß ich nicht. Wenn Sie eine schreckliche Wut mit sich herumtragen und Sie jedesmal, wenn diese Wut in Ihnen hochsteigt, mit solchen Maßnahmen reagieren, könnte es Sie von Ihrem Zorn heilen, und das wäre ein phänomenales Ergebnis. Allerdings ist das ein Experiment, das jeder nur für sich durchführen kann.

Wer Yoga als Tor zur Wahrnehmung des eigenen Körpers nutzt, kann die verschiedensten Dinge lernen, z. B., welche Grenzen zu bedenken sind, wenn man morgens mit einem steifen Rücken aufwacht. Man wird mit dem Körper intensiv vertraut. Nach meiner Yogaübung am Morgen fühle ich mich bereit für den Tag, weil ich weiß, in welcher Verfassung mein Körper ist. Wenn ich unter chronischen Schmerzen leide, werden bestimmte Tage schlimmer sein als andere. Wenn ich jedoch mit meinem Körper gearbeitet habe, kann ich den schlimmen Tagen die Spitze nehmen und den Schwerpunkt auf die besseren verlagern. Das ist nicht nur bei Schmerzen hilfreich, sondern auch bei Angst und anderen Beeinträchtigungen des Befindens.

MOYERS: Während einer Yoga-Sitzung begann eine Patientin zu weinen. Kommt das häufiger vor? Ist es etwas Gutes?

KABAT-ZINN: Ich klassifiziere dieses Weinen weder als »gut« noch als »schlecht«. Es hat stattgefunden, also gehe ich davon aus, daß es wichtig war. Bei Yogaübungen setzt man Spannungen frei, die nicht immer nur den Körper betreffen, sondern auch das Gefühl, das Denken, Empfindungszustände. Wenn sich eine Spannung löst, findet man vielleicht in einem innersten Bereich den Kontakt mit sich wieder. Dieser Kontakt war möglicherweise vorher durch eine Unfähigkeit zu trauern verlorengegangen, nun kann man das nachholen. Es ist eine Art innerer Heimkehr. Wenn es sich bei der Patientin um ein solches Erlebnis gehandelt hat, könnte ihr Weinen eine Mischung aus Glück angesichts dieser Erfahrung und Trauer darüber gewesen sein, daß sie ein solches Erlebnis schon so lange nicht mehr gehabt hatte.

MOYERS: In einem Ihrer Kurse haben Sie einen Patienten aufgefordert, so heftig wie möglich gegen Sie anzurennen. Worum ging es dabei?

KABAT-ZINN: Das sind Übungen, in denen die Patienten verschiedene Gefühlszustände darstellen und ausleben, die oft als Reaktion auf Streßsituationen und belastende Beziehungen entstehen. Man soll lernen, auf negative Äußerungen und Angriffe von seiten anderer Menschen nicht automatisch, sondern mit bewußter Wahrnehmung zu reagieren.

Wir geraten sehr oft in Situationen, wo wir auf einen bestimmten Reiz wie auf Knopfdruck reagieren. Das geschieht am häufigsten im Verhältnis zu den eigenen Kindern, aber auch am Arbeitsplatz. Viele unserer Patienten wollen mit dem Streß in ihrem Leben besser umgehen lernen. Die Übung, in der man sich von einem anderen physisch attackieren läßt, zeigt beispielhaft, daß man unterschiedlich reagieren kann. Der Angreifer verkörpert die Streßsituation. Ich habe nun z. B. die Möglichkeit, mich einfach umrennen zu lassen. Immer wenn ich das zulasse, frage ich den Patienten anschließend nach seinen Gefühlen und berichte ihm meinerseits, was ich empfinde. Beim nächsten Mal weiche ich seinem Angriff aus – als Beispiel für eine sehr passive Reaktion; man stellt sich dem Angriff einfach nicht. Und schließlich gibt es noch die Möglichkeit des Abfangens; man nutzt die Energie eines unbegründeten Angriffs in der Form, daß man sich einerseits selbst vor Schaden bewahrt, andererseits aber auch dem Angreifer keinen Schaden zufügt.
Streß entsteht ja sehr häufig in der Kommunikation mit anderen Menschen. Die Gewalttätigkeiten im familiären Umfeld sind dafür ein Beispiel. Man gerät in ein Fahrwasser, in dem durch Wutausbrüche nie etwas geklärt wird. Außerdem scheinen Menschen, die häufig feindselige Gefühle und Zorn empfinden, statistisch gesehen zu Herzerkrankungen zu neigen. Menschen, die Gefühle und Wut eher unterdrücken, sind offenbar stärker durch Krebs gefährdet. Gefühle haben starke Auswirkungen auf unser Befinden, das sich in Gesundheit oder Krankheit äußert. Es ist ebenso ungesund, den Ärger zu unterdrücken wie die Wut immer auszuleben und alles kaputtzuschlagen. Wer einen Mittelweg einschlägt, kann Emotionen interaktiv so einsetzen, daß es zu einem guten Ergebnis kommt.
Gefühle sind nichts Schlechtes. Wichtig ist nur, daß man es fertigbringt, eingefahrene emotionale Gleise zu verlassen. Die Meditation kann mir den Umstand bewußt machen, daß es im gegenwärtigen Augenblick neue Möglichkeiten gibt, auf altbekannte Situationen zu reagieren. Wir haben Patienten erlebt, die ein stark gestörtes Verhältnis zu ihrem Chef, zum Ehepartner oder zu den Kindern hatten und die durch die Meditation fähig wurden, denselben Menschen auf ganz neue Weise zu begegnen. Selbst wenn sie sich mit sehr negativen Beziehungen auseinandersetzen müssen, können sie lernen, derart anders darauf zu reagieren, daß für alle Beteiligten eine völlig neue Lage entsteht.

MOYERS: Man darf natürlich auch nicht übersehen, daß Sie acht Wochen mit Ihren Patienten zusammen sind. Die meisten Ärzte bringen es bestenfalls auf zehn Minuten pro Monat. Die Zuwendung des Arztes, der seinem Patienten zuhört, auf ihn eingeht, ihn ermutigt, trägt vermutlich auch dazu bei, daß Reaktionen ausgelöst werden.

KABAT-ZINN: Selbstverständlich, und in diesem Bereich müssen wir alle Ergebnisse unserer Forschung sorgfältig prüfen. Als wir unsere Klinik ins Leben riefen, ging es jedoch weniger um den wissenschaftlichen Aspekt als um die Frage, ob wir eine solche Abteilung überhaupt in einem so großen Krankenhauskomplex aufbauen könnten. Natürlich hätte das Projekt auf die verschiedenste Weise scheitern können, z. B. durch den Verzicht auf menschliche Zuwendung, durch einen klinisch unterkühlten Umgang mit den Patienten.

MOYERS: Ist denn Zuwendung als Mittel nicht auch wissenschaftlich begründbar?

KABAT-ZINN: Das mag sein, aber wir wissen es nicht. Wir wissen auch nicht, welchen Anteil an der therapeutischen Wirkung unseres Kurses die Zuwendung hat, was auf die Interaktion in der Gruppe zurückzuführen ist und was auf die intensive Einübung der Meditation. Diese Patienten üben selbständig zu Hause, und zwar sechs Tage in der Woche jeweils eine Dreiviertelstunde lang. Es handelt sich um einen anstrengenden Intensivkurs.

MOYERS: Ich habe manchmal den Eindruck, daß Sie im Grunde Gruppentherapie betreiben. Ist das richtig?

KABAT-ZINN: Nein, wir verstehen das überhaupt nicht als Gruppentherapie, sondern als eine intensive Einübung in Meditationstechniken. Wir führen die Übungen in der Gruppe durch, weil sie dort effektiver sind, nicht nur im Hinblick auf den Kosten- und Zeitaufwand, sondern auch, weil die Teilnehmer dann miterleben, welche Probleme die anderen im Kurs haben. Sie können viel lernen, indem sie ihnen zuhören und mit ihnen reden. Von der Gruppentherapie unterscheidet sich das insofern, als wir nicht darauf abzielen, intensive emotionale Beziehungen zwischen den Teilnehmern aufzubauen. Auch soll keiner den anderen über seine Gefühle, seine Vergangenheit oder aktuelle persönliche Probleme berichten. In unserem Streßabbau-Programm konzentrieren wir uns auf das, was in Ordnung ist. Wir wollen einfach, daß unsere Patienten die Fähigkeit entwickeln, in einen Zustand tiefer Entspannung, innerer Ruhe, geistiger Ausgeglichenheit und bewußter Wahrnehmung zu gelangen.

MOYERS: Ist das, was Sie praktizieren, Medizin oder Religion?

KABAT-ZINN: Das kommt ganz darauf an, was Sie unter Religion verstehen.

Die Medizin erlebt zur Zeit einen tiefgreifenden Wandel, und ihre Grenzen beginnen in dem Maß zu verschwimmen, wie man erkennt, daß man für den Umgang mit dem Gesamtorganismus Glaubenstheorien, Erwartungen oder Weltanschauungen berücksichtigen muß. Ob man deswegen von Religion sprechen kann, hängt von der Definition des Begriffs ab. In dem Wort »Religion« steckt als Wurzel »verbinden«. Die Religion verbindet Fragmentarisches, unser Ich, mit der Gesamtheit – Gott, oder wie immer man es nennen mag. In der Meditation geht es einfach darum zu verstehen, was es heißt, ein Mensch zu sein. Auch die Medizin hat mit menschlicher Erfahrung zu tun – im Zustand der Gesundheit bzw. der Krankheit. Andererseits besteht zwischen »heilen« und »heilig« etymologisch ein Zusammenhang, so daß sich auch hier eine Verbindung zwischen Religion und Medizin ergibt. Man hat eine Trennung vorgenommen, um die jeweilige Bedeutung genauer definieren zu können, doch die Grenzen verfließen zusehends.

MOYERS: Ist die Meditation vielleicht doch bloß eine Art Notpflaster – ein Mittel, zu dem ich greife, sobald es mir schlecht geht?

KABAT-ZINN: Das ist die Ansicht vieler Menschen. Man lernt ein wenig Meditationstechnik, und das wenige wendet man in Streßsituationen an, um sich zu entspannen. Doch Meditation ist durchaus kein Notbehelf, keine Droge wie Koffein oder Nikotin, keine Arznei, die man verschreibt, nichts bloß für den Notfall.

In Wirklichkeit beschreibt man Meditation am besten als eine Seinsweise. Man kann den Fallschirm nicht erst dann zusammennähen, wenn man springen muß. Man muß sehr lange an ihm arbeiten, damit er hält, wenn man ihn braucht. So dient die Zeit, die man sich jeden Tag für die Meditation nimmt, dem bloßen Sein. Wenn man dann in einer Streßsituation mehr tun möchte, dann ist der Rahmen bereits vorgegeben, und man verfügt über Reserven der inneren Ruhe, Stabilität und Einsicht.

MOYERS: Wenn Sie von einem Menschen unserer westlichen Kultur erwarten, nichts zu tun, damit es ihm besser geht, dann erwarten Sie ziemlich viel von ihm.

KABAT-ZINN: Das Nichtstun ist etwas anderes als Faulenzen. Die Menschen sind sehr leistungsfähig – unsere Patienten beweisen das durch ihre Bereitschaft, täglich eine Dreiviertelstunde lang zu meditieren. Wir fordern sie nicht zum Faulenzen auf, sie sollen vielmehr üben, nichts zu tun. In unserer Zivilisation sind wir unaufhörlich mit irgend etwas beschäftigt, und meistens handeln wir dabei ziemlich unbewußt und automatisch. Wenn wir uns dagegen etwas mehr auf die Erfahrung unserer Existenz im gegenwärtigen Augenblick konzentrieren könnten, dann würden wir viel öfter und intensiver erleben, was es heißt, Mensch zu sein. Nur im jeweiligen Moment der Gegenwart haben wir die Möglichkeit zu wachsen, uns zu verändern, etwas zu fühlen oder zu lernen. Aber diese Momente verpassen wir immer wieder geradezu vorsätzlich, weil wir ihnen keine Aufmerksamkeit schenken. Statt uns ständig gewissermaßen per Automatik durch unser Leben steuern zu lassen, können wir entdecken, was möglich wird, wenn wir der vollen Entfaltung des Lebens in uns freie Bahn verschaffen.

Jahrtausendelang haben Menschen versucht, in ihr Inneres zu schauen. Wenn wir verstehen wollen, was es heißt, Mensch zu sein, müssen wir diese Versuche ernstnehmen. In der westlichen Welt war man mit wenigen Ausnahmen immer nach außen orientiert; wir haben die Natur erforscht und sie für unsere Zwecke hergerichtet. In der orientalischen Tradition liegt der Schwerpunkt dagegen auf dem Bemühen, in Harmonie mit den Dingen zu leben.

Unser Planet ist inzwischen ungeheuer geschrumpft. Es gibt keinen Westen und Osten mehr, und die Menschheit ist auf die Weisheit aller angewiesen. Aus den verschiedenen Bewußtseins-Traditionen müssen wir das Wertvollste auswählen und es in unsere traditionelle Heilkunst und in die Verhaltensmedizin integrieren. Was wir übernehmen, müssen wir nach bestem Wissen und den strengsten wissenschaftlichen Kriterien prüfen. Was können wir aus den alten Überlieferungen lernen, wenn wir über das Heilen von innen nachdenken? Diese Frage gilt es zu beantworten.

Streßabbau

John Zawacki

Professor John Zawacki ist Leiter der klinischen Abteilung für Verdauungskrankheiten und Ernährung am University of Massachusetts Medical Center in Worcester, Massachusetts. Für seine Verdienste in der Lehre wurde ihm eine besondere Auszeichnung zuerkannt.

MOYERS: Warum schicken Sie Ihre Patienten in die Klinik für Streßabbau?

ZAWACKI: Das geschieht häufig aus einem Gefühl der Frustration heraus. Wenn ein Arzt Patienten an andere Stellen überweist, dann ist er nicht selten mit seinem Latein am Ende und sucht nach neuen Möglichkeiten, ihnen zu helfen.

MOYERS: Früher stellten Sie das letzte Glied in der Kette dar. Die übrigen Ärzte schickten ihre Patienten zu Ihnen, weil Sie ihre letzte Chance waren. Jetzt holen Sie Jon Kabat-Zinn zu Hilfe. Was für Probleme haben diese Patienten?

ZAWACKI: Es gibt zwar eine ganze Reihe von Problemen, bei denen ich Patienten an die Streßabbau-Klinik überweisen würde, aber es geht hauptsächlich um Patienten, die Schmerzen haben, mit denen sie nicht mehr fertigwerden. Wenn wir nicht wissen, was die Schmerzen verursacht, wenn unsere Schmerzmittel wirkungslos bleiben und auch die Schmerzklinik keine Abhilfe schafft, dann schicken wir die Patienten in die Streßklinik, wo sie lernen, mit ihren Schmerzen zu leben und sie manchmal sogar zu überwinden.

MOYERS: Die Probleme sind also so komplex, daß sie mit Schmerzmitteln nicht zu lösen sind?

ZAWACKI: Es handelt sich häufig um Patienten mit unerklärlichen Bauchschmerzen oder chronischem Durchfall. Diese Beschwerden verfolgen sie überall, ohne daß es Anzeichen für eine Kolitis oder eine Entzündung gibt, die man medikamentös behandeln könnte.

MOYERS: Die Patienten kommen zu Ihnen, um geheilt zu werden, und stellen dann fest, daß Sie ihnen nicht helfen können?

ZAWACKI: Ja. Ich denke z. B. an einen Krankenbesuch, den ich neulich gemacht habe. Ich hatte schon Angst, die Tür zu öffnen, weil ich wußte, daß ich für diesen Patienten nichts tun konnte. Jon Kabat-Zinn hat uns geholfen einzusehen, daß Patienten Eigenverantwortung übernehmen, sich selbst besser kennenlernen und einen Weg finden können, ihre Lebensweise zu ändern. So lernen sie auch, die emotionale Komponente bei Krankheitsbildern wie dem Reizkolon in den Griff zu bekommen.

MOYERS: Kabat-Zinn behandelt also nicht nur emotionale Störungen, sondern auch körperliche Erkrankungen, selbst wenn diese Krankheiten möglicherweise emotional bedingt sind.

ZAWACKI: Er übernimmt die schwierigsten Fälle: Er nimmt sich der Patienten an, denen wir nicht helfen können.

MOYERS: Was war bisher der schlimmste Fall, den Sie an Kabat-Zinn überwiesen haben?

ZAWACKI: Es geht dabei nicht so sehr um einzelne, sondern um typische Fälle, wie z. B. Menschen, die derart von ihrer Angst überwältigt sind, daß sie nicht mehr stillsitzen können.

MOYERS: Sind ihre Schmerzen die Folge dieser Angst?

ZAWACKI: Sie hängen mit den Darmproblemen zusammen, die ihrerseits im Zusammenhang mit ihren Ängsten stehen und die oft eine Vorgeschichte körperlicher Mißhandlung haben. Es existiert eine bestürzende Statistik über die Zahl von Menschen mit chronischen Schmerzen, insbesondere im Bauchbereich, die auf körperliche und sexuelle Mißhandlung zurückgehen. Kabat-Zinn hat solchen Menschen, die zu den schwierigsten Fällen gehören, die Möglichkeit verschafft, ihr tägliches Leben zu meistern. Ich erinnere mich an eine Frau, deren Fallgeschichte 24 Ordner füllte. Sie litt praktisch ohne Unterbrechung unter körperlichen Schmerzen. Erst durch das, was sie von Kabat-Zinn lernte, war sie imstande weiterzuleben. Es war dann besonders ergreifend zu beobachten, wie diese selbst so schwer getroffene Frau zur Heilung anderer Menschen dadurch beitrug, daß sie ihre eigene Geschichte erzählte.

MOYERS: Wie machen Sie Ihren Patienten klar, daß Sie ihnen Meditation verschreiben werden? Müssen Sie dabei berücksichtigen, daß die meisten Menschen Meditation als schwierig und exotisch ansehen?

ZAWACKI: Ich mache ihnen beispielsweise klar, daß bohrende Zahnschmerzen so starke Auswirkungen auf das Gefühlsleben haben können, daß das Zusammensein mit den Betroffenen auch für die Mitmenschen schwierig wird. Das können die meisten Patienten nachempfinden. Anschließend zeige ich ihnen, daß ein solcher Prozeß auch umgekehrt verlaufen kann, daß also nicht nur körperliche Schmerzen die Gefühle, sondern auch die Gefühle den körperlichen Schmerz beeinflussen können. Dann schlage ich ihnen vor, ein ganz einfaches Experiment zu machen, z. B. das Schrittempo deutlich zu reduzieren und zu beobachten, wie sich das auf ihr Befinden auswirkt. Nach einiger Zeit melden sich die Patienten vielleicht mit kleinen Erfolgen wieder bei mir. Dann verweise ich sie auf die Möglichkeit, bei einem Kollegen solche Verhaltensweisen wirklich gründlich zu lernen.

MOYERS: Das Wort »Meditation« nehmen Sie also nicht in den Mund.

ZAWACKI: Ich spreche manchmal von Meditation, manchmal von Streßabbau. Ich plane mein Vorgehen nicht und verhalte mich auch nicht immer gleich. Aber am Schluß komme ich immer auf den Kurs zu sprechen, der vielen meiner Patienten geholfen hat.

MOYERS: Wie reagieren die Patienten, wenn sie von der geplanten Überweisung in einen Meditationskurs hören?

ZAWACKI: Die meisten reagieren überrascht oder auch ängstlich, andere lehnen es entschieden ab. Es gibt Menschen, die befürchten, daß körperliche Krankheiten, die auch psychische Ursachen haben, etwas mit Geisteskrankheit zu tun hätten. Wenn sie meinen Vorschlag ablehnen, mache ich ihnen klar, daß es möglicherweise ihre letzte Chance ist. Ich berichte auch von meinen eigenen positiven Erfahrungen mit dieser Technik.

MOYERS: Haben Sie die Meditation ausprobiert?

ZAWACKI: Kabat-Zinn hat einen Kurs für Kollegen durchgeführt. Man mußte zunächst verschiedene Übungen machen zur Schärfung des Bewußtseins für die Gegenwart und anschließend Atemübungen. Es hat mir außerordentlich gutgetan. Die Wahrnehmung verändert sich so sehr, daß ich am Sonntag – während des Seminars – sogar das Orgelspiel unserer Kirchenorganistin genossen habe, obwohl sie ziemlich falsch spielt. Am darauffolgenden Montag mußte ich wieder arbeiten. Ich bekam in einer Viertelstunde zehn Anrufe. Mit meinem durch die Meditation geschärften Bewußtsein erkannte ich, wie verrückt mein Leben war. Dadurch nahm mein Streß eher zu.

MOYERS: Sie wußten nun also, daß Ihr Leben verrückt war, aber Sie unternahmen nichts dagegen.

ZAWACKI: Jedenfalls nicht sehr viel. Ich habe jeden Morgen meine Meditationsübung gemacht, mußte aber feststellen, daß ich weniger diszipliniert war, als ich gedacht hatte. Ich war nicht besonders erfolgreich.

MOYERS: Welche Erfahrungen machen Sie beim Meditieren?

ZAWACKI: Ich neige dazu, an den Gedanken, die mir durch den Kopf gehen, festzuhalten. Kabat-Zinn sagt, man müsse sie loslassen können. Ich dagegen angele sie mir und denke sie nach allen Richtungen durch, statt sie loszulassen. Auch die Konzentration auf die Atmung empfand ich als schwierig. Immerhin habe ich gelernt, einige meiner Tätigkeiten bewußter wahrzunehmen. Wenn ich beispielsweise durch die Korridore in unserem Krankenhaus gehe, frage ich mich, ob ich meine Füße spüre; dadurch werde ich ruhiger. Wenn ich mitten in einer komplizierten Arbeit bin und nicht alles nach Wunsch läuft, konzentriere ich mich auf meine Atmung, und das hilft.

MOYERS: Warum glauben Sie, daß die Meditation Ihren Patienten hilft?

ZAWACKI: Dadurch erschließen sie Quellen in sich selbst, von deren Existenz sie vorher nichts wußten und über die wir vermutlich alle verfügen.

MOYERS: Worum handelt es sich dabei Ihrer Meinung nach?

ZAWACKI: Es hat teilweise mit der Fähigkeit zu tun, sich selbst zu akzeptieren. Ich habe begonnen, Fähigkeiten und Begabungen in mir zu erkennen, von denen ich nichts wußte. Ich nehme Menschen um mich herum wahr, die ich vorher nicht zur Kenntnis genommen habe. Schon die Tatsache, daß man ruhiger und sich der eigenen Möglichkeiten bewußter wird, wirkt heilend. Wenn Menschen lernen, sich selbst zu lieben und so zu akzeptieren, wie sie sind, dann setzt dies erstaunliche Heilkräfte frei.

MOYERS: Welche Veränderungen beobachten Sie bei Patienten nach dem achtwöchigen Kurs?

ZAWACKI: Sie kommen mit der Erkenntnis zurück, daß sie die Fähigkeit haben, sich ihren Lebensumständen anzupassen, den Alltag trotz ihrer Beschwerden zu bewältigen und ihr Leben stärker zu genießen.

MOYERS: Aber die Schmerzen haben sie nach wie vor?

ZAWACKI: In vielen Fällen, ja. Sie können jedoch so damit umgehen, daß sie in der Lage sind, ein normales Alltagsleben zu führen. Das ist ein großer Fortschritt.

MOYERS: Woher wissen Sie, daß es ihnen besser geht?

ZAWACKI: Das sehe ich ihnen an. Sie rufen seltener an, kommen seltener in die Sprechstunde, brauchen weniger Medikamente und wirken insgesamt glücklicher. Es ist wunderbar, diesen Fortschritt zu erleben.

MOYERS: Inwieweit führen Sie ihn darauf zurück, daß die Menschen, die Sie in die Klinik zum Streßabbau überweisen, selbst einen Erfolg wollen? Schließlich konnten Sie ihnen nicht helfen, und in ihrer Verzweiflung hatten sie keine andere Wahl. Es war für die Patienten sozusagen die letzte Chance.

ZAWACKI: Ich habe schon erlebt, daß der Kurs bei Menschen, die den Erfolg unbedingt wollten, nicht gewirkt hat. Manchmal ist der unbedingte Wille nicht das Richtige.

MOYERS: Es handelt sich also nicht nur um einen Placebo-Effekt?

ZAWACKI: Nein, ich glaube nicht.

MOYERS: Vielleicht hat die bloße Zuwendung Anteil an der Heilung. Ich war beeindruckt, wieviel Zeit Kabat-Zinn für seine Patienten aufbringt, obwohl wirtschaftliche und andere Erwägungen dazu führen, daß viele Ärzte für ihre Patienten kaum mehr als zehn Minuten Zeit haben.

ZAWACKI: Wir Ärzte sollten uns wirklich mehr Zeit für unsere Patienten nehmen. Kabat-Zinn demonstriert, wie man den Patienten auf solche Weise mehr Eigenverantwortung übertragen und sie dazu erziehen kann, an ihrer Heilung selbst mitzuwirken.

MOYERS: Man hat in der Tat deutlich gesehen, daß die Teilnehmer an Kabat-Zinns Kursen viele Techniken gelernt haben, die sie vorher nicht kannten. Aber glauben Sie, daß seine Methode im wesentlichen auf liebevoller Zuwendung beruht, oder geht sie darüber hinaus?

ZAWACKI: Kabat-Zinn arbeitet auf jeden Fall professionell. Das gilt natürlich auch für seine Art, sich den Patienten zuzuwenden, und diese Zuwendung ist das Wesen der Heilkunst. In seinen Kursen spürt man sofort, daß jeder einzelne Teilnehmer als Individuum respektiert wird.

MOYERS: Angenommen, ich käme als Krebskranker zu Ihnen in Ihrer Funktion als Gastroenterologen, dann würde ich erwarten, daß Sie meinen Krebs heilen. Es wäre mir nicht unbedingt wichtig zu wissen, daß Sie mich als Individuum respektieren.

ZAWACKI: Natürlich könnte ich Ihre Krebserkrankung behandeln. Wenn ich Sie jedoch vom ersten Augenblick an als Mensch respektiere, kann ich vielleicht auch besser verstehen, was zu Ihrer Krebserkrankung beigetragen hat. Dann bin ich in der Lage, mehr für Sie zu tun, als Sie mit einem Rezept gleich wieder fortzuschicken.

MOYERS: Sehen Sie den Arzt in unserer Gesellschaft als Heiler?

ZAWACKI: Man kann Ärzte auf verschiedene Weise klassifizieren. Die einen verwalten bloß die Krankenfürsorge, verschreiben dem Patienten Medikamente und schicken ihn wieder nach Hause. Das ist ihre Dienstleistung, und damit gibt man sich zufrieden. Ein Arzt kann aber auch in dem Sinn professionell sein, daß er komplexere Probleme bewältigt. Er kann genauer zuhören und Schlüsse ziehen und gleichzeitig die neuesten Methoden und die modernste Technik anwenden. Der wahre Arzt ist jedoch ein Heiler, der die natürliche Begabung dazu hat.

MOYERS: Ist Kabat-Zinn ein Heiler?

ZAWACKI: Ohne Zweifel.

MOYERS: Damit sind wir bei einer Kritik angelangt, die an der Klinik für Streßabbau geübt wird: Kabat-Zinn erziele bei seinen Patienten große Erfolge, die sich aber nicht in großem Maßstab wiederholen ließen, weil sie an seine Person gebunden seien.

ZAWACKI: Ich glaube nicht, daß wir nur *einen* Kabat-Zinn haben, sondern viele, die noch zu entdecken sind. Sie könnten mit ihrer Begeisterung vieles an andere weitergeben. Auch andere Menschen haben diese Begabung zu heilen. Wer als Arzt seinen Patienten Sicherheit gibt, setzt bereits einen Heilungsprozeß in Gang.

MOYERS: Wie würden Sie einem Laien die Rolle beschreiben, die eine Streßklinik im Rahmen eines modernen Krankenhauses spielen soll?

ZAWACKI: Sie ist in jedem Krankenhaus unverzichtbar, das Menschen heilen will. Eine Institution, in der man nur Technik zur Behandlung des Körpers anwendet, stößt rasch an ihre Grenzen. Der Prozeß der Heilung erfährt eine wesentliche Bereicherung, wenn man Gefühle und die Beziehungen zwischen Körper und Seele mitberücksichtigt. Es wäre wünschenswert, die Verbindung der beiden Methoden zum Gegenstand wissenschaftlicher Untersuchungen zu machen.

MOYERS: Meines Wissens hat man inzwischen schon damit begonnen.

ZAWACKI: Ja, vor allem, was den Zusammenhang zwischen dem Immunsystem und den Gefühlen betrifft.

MOYERS: Ist dieses Krankenhaus ein Modell für die Zukunft?

ZAWACKI: Ich hoffe es. Ich glaube, die Heilung und das wissenschaftliche Verständnis ihrer Wirkungsweise, gleich wie sie zustande kommt, sollten immer im Mittelpunkt stehen. Wenn die Gefühle eine Rolle spielen, sollten wir verstehen, wie es dazu kommt. Zu jedem Menschen gehören physische, emotionale und spirituelle Aspekte – die gleichen Aspekte gehören also auch zum Heilungsprozeß. Wenn man einen Alkoholkranken zu heilen sucht, so behandelt man eine angegriffene Leber und andere Organe, die in Mitleidenschaft gezogen wurden. Aber der Ursprung ist in emotionalen Aspekten wie tiefen Kränkungen, dem Gefühl von Leere oder in Schmerzen zu suchen. Man kann als Arzt eine Atmosphäre schaffen, in der Patienten die Möglichkeit haben, offen zu erörtern, was sie schmerzt. Manchmal übernimmt man die Rolle des Beichtvaters.

MOYERS: Kabat-Zinn will, daß die Patienten ihr Bewußtsein für den Wert des Augenblicks schärfen. Solche Worte kamen früher aus dem Munde von Priestern und Poeten – jetzt hört man sie in einem großen Universitätskrankenhaus in Massachusetts, und die Krankenversicherung zahlt dafür. Ein solches Konzept wird kaum überall auf Zustimmung stoßen.

ZAWACKI: Fragen Sie doch einmal die Patienten, die an den Kursen teilgenommen haben; reden Sie mit denen, die gelernt haben, ihre Schmerzen zu ertragen, und die begeistert die Chance ergreifen, Eigenverantwortung zu übernehmen, um schwierige Lebenssituationen zu meistern. Beurteilen Sie einfach die erzielten Ergebnisse.

MOYERS: Sie plädieren aber nicht dafür, auf die neuen technischen Errungenschaften der Medizin zu verzichten?

ZAWACKI: Keineswegs. Man muß sie nutzen, und die Ärzte sind ebenso gefordert wie das Gesundheitswesen, sie für jedermann zugänglich zu machen.

MOYERS: Auch die Methoden der Ganzheitsmedizin?

ZAWACKI: Unbedingt. Ich komme gerade von einem Gespräch mit einem Alkoholiker. Er ist jetzt arbeitslos und war vorher Holzfäller. Er hat mir erzählt, wie einsam er ist, daß er kein Zuhause und kein Geld hat. Ich habe einfach nur dagesessen und zugehört. Das gibt den Menschen Kraft und Selbstwertgefühl, was wiederum in unmittelbarer Beziehung zur Heilung steht.

MOYERS: Was haben Sie in Ihrer 23jährigen Berufserfahrung über die Bedeutung der Seele im Prozeß der Heilung gelernt?

ZAWACKI: Ich bin beeindruckt, wenn ich sehe, wie Menschen sich verändern, wenn sie anfangen, an sich selbst zu glauben und sich zu akzeptieren. Viele Menschen leiden emotionale Not, die das körperliche Befinden auf das stärkste beeinflußt. So äußert sich eine belastende Lebenssituation häufig in chronischen Darmbeschwerden. Wenn die Betroffenen erfahren, daß ihre Ängste sich in diesen Schmerzen physisch bemerkbar machen, begreifen sie, wie ihre Psyche sich auf die körperliche Verfassung auswirkt und daß es heilsam sein kann, den Ängsten auf die eine oder andere Weise beizukommen.

MOYERS: Was können Sie nun über die Rolle des Arztes als Heiler sagen?

ZAWACKI: Er muß den Patienten helfen, sich selbst zu heilen. Er muß Werkzeug sein. Er bringt sein medizinisches Wissen ein, die Technik, das Verständnis, die Fürsorge. Dann muß er zu gemeinsamer Erfahrung bereit sein und zuhören können. Das alles trägt zur Heilung bei.

MOYERS: Ist es nicht der Arzt selbst, der heilt?

ZAWACKI: In bestimmten Fällen schon, so wenn ein Chirurg kranke Organe entfernt oder Arterien ersetzt. Das ist die körperliche Heilung.

Doch die Heilwirkungen im emotionalen Bereich sind ebenso wichtig und von längerer Dauer. Ich könnte ihnen von Patienten erzählen, die das Sprechzimmer nicht mehr verlassen wollen, weil sie noch nie jemand in ihrem Leben bestätigt oder ihre Probleme ernstgenommen hat. Ärzte übernehmen vielfältige Rollen. Entscheidend ist, daß man herausfindet, was der Patient braucht, und daß man ihm eine Atmosphäre der Offenheit und der Zuwendung bietet.

MOYERS: Erwarten Sie, daß sich die Medizin in den nächsten zwanzig Jahren aufgrund der ganzheitlichen Methoden verändert?

ZAWACKI: Ich hoffe, daß man sich ohne falsche Scheu mit neuen Erkenntnissen auf diesem Gebiet auseinandersetzt. Viele Ärzte werden unruhig, wenn man über den Zusammenhang zwischen Psyche und Gesundheit redet. Wer wirklich heilt, versteht dagegen, wie wichtig das ist. Wir müssen unsere großartigen Erfolge im Bereich der medizinischen Technik mit Methoden kombinieren, die es den Menschen erlauben, durch bewußtere Wahrnehmung mehr Eigenverantwortung zu übernehmen.

MOYERS: Haben Sie das in Ihrer medizinischen Ausbildung gelernt?

ZAWACKI: Nein. Ich habe sie mir im Lauf meiner Berufserfahrung angeeignet und meinem Vater abgeguckt; er war Arzt und Psychiater.

MOYERS: Wir wissen seit Jahrtausenden, daß der Geist den Körper beeinflußt, aber etwas scheint sich an unserer Einstellung verändert zu haben. Was ist heute anders?

ZAWACKI: Ich hoffe, wir sind inzwischen eher bereit zu untersuchen, was im Zustand innerer Ruhe physiologisch vorgeht und welche physiologischen Vorgänge mit Ängsten einhergehen. Wie wirkt sich das kurzfristig aus, wie auf lange Sicht? Wenn wir solche Fragen untersuchen, können wir verstehen lernen, wie sich der Körper selbst heilt.

Man behauptet inzwischen, der Körper könne beispielsweise hundert Jahre alt werden. Wir alle haben die Fähigkeit in uns, Infekte abzuwehren oder Krebszellen absterben zu lassen. Aber unsere Umwelt, unsere Ernährung, unsere Gefühle verkürzen unser Leben.

Unser Körper ist ein großartiges Instrument. Wenn wir uns ohne Vorurteile der Frage zuwenden können, wie die Gefühle unsere Gesundheit beeinflussen, dann werden wir eines Tages vielleicht auch für die spirituelle Dimension der Gesundheit offen sein.

Therapeutische Selbsthilfegruppen

David Spiegel

David Spiegel ist Professor für Psychiatrie und Verhaltenswissenschaften sowie Leiter des Forschungszentrums für psychosoziale Behandlung an der Medizinischen Fakultät der Stanford University. Unter seiner Leitung wurde 1989 eine wegweisende Studie durchgeführt, in der man die Wirkung psychosozialer Behandlung auf Patienten mit metastasierendem Brustkrebs untersucht hat. Spiegel, der auch für seine Arbeiten auf dem Gebiet der Schmerzbehandlung durch Hypnose bekannt ist, hat gemeinsam mit seinem Vater, Herbert Spiegel, ein Buch unter dem Titel *Trance and Treatment: Clinical Uses of Hypnosis* veröffentlicht.

MOYERS: Als ich mich über Ihre Studie informierte, erschien es mir völlig normal, daß Menschen, die ihren Gefühlen Luft machen können, die in der Lage sind, sich von ihren Schmerzen abzulenken und die sich in ihrem Leiden und Sterben nicht allein wissen, glücklicher und optimistischer sind und mit ihrer Krankheit besser fertigwerden. Psychologisch leuchtet das unmittelbar ein, ich habe aber kaum eine Vorstellung davon, wie es sich physisch äußern, also z. B. lebensverlängernd wirken kann.

SPIEGEL: Die Antwort auf diese Frage kennen wir nicht. Wenn jedoch der Gedanke an den Tod eine Art Kampf-oder-Flucht-Reaktion auslöst und man sich in einem Zustand chronischer, gleichförmiger Beschwerden befindet, dann ist der Körper durch die Verarbeitung solcher Dauersignale stark belastet. Falls man dagegen in die Lage versetzt wird, sich zu sagen: »Der Gedanke an den Tod bedrückt mich, es macht mich traurig, daß ich nicht mehr zu allem fähig bin, was ich früher getan habe, und daß ich Menschen zurücklassen muß, die ich liebc«, dann hat man die eigene innere Verfassung besser im Griff, und der Körper reagiert weniger hilflos und aufgewühlt. Das wirkt sich unserer Meinung nach darauf aus, welche Reserven für die notwendige Krankheitsabwehr mobilisiert werden können.

MOYERS: Meine Psyche veranlaßt meinen Körper also zu einer Reaktion, die ohne eine bewußte Anstrengung meinerseits anders ausgefallen wäre.

SPIEGEL: Das ist eine treffende Formulierung. Wenn man es schon nicht in der Hand hat, ob man stirbt oder nicht, dann kann man wenigstens die Art, wie man lebt und wie der Körper die auftretenden Streßfaktoren bewältigt, unter Kontrolle bekommen.

MOYERS: Welchen Einfluß hat die Selbsthypnose in diesem Zusammenhang?

SPIEGEL: Die Selbsthypnose spielt eine sehr wichtige Rolle, weil man durch sie innere Zustände ganz systematisch regulieren kann. Am Ende unserer Behandlung steht für jede Gruppe eine Übung zur Selbsthypnose. Die Hypnose ist eigentlich nichts anderes als ein Zustand äußerster Konzentration, so als ob jemand einen fesselnden Roman liest und dabei vergißt, daß es sich bloß um ein Buch handelt. Bei uns lernen die Patienten, in einem solchen Zustand ihre physischen Reaktionen zu kontrollieren. Sie z. B. haben in diesem Moment Empfindungen in dem Teil Ihres Rükkens, der die Stuhllehne berührt; aber bis ich angefangen habe, darüber zu reden, war Ihnen das vermutlich nicht bewußt. Wir nennen das »Dissoziation«. Sie haben die Empfindung aus Ihrem Bewußtsein gerückt. Wenn es mit der Stuhllehne möglich ist, dann können Sie es auch bei der Schmerzempfindung tun. Wenn man sich in der Hypnose auf eine Sache konzentriert, kann man häufig unangenehme Empfindungen ausblenden. Man kann lernen, dieses Gefühl in andere umzusetzen oder einfach die Aufmerksamkeit auf einen anderen Teil des Körpers zu richten. Man kann auch lernen, sich einem beunruhigenden Problem zu stellen, ohne daß es zu starken physischen Reaktionen kommt. Wir lehren beispielsweise unsere Patienten, sich in die Vorstellung zu versetzen, ihr Körper ruhe wohlig in einer heißen Badewanne oder schwebe im Raum, während sie sich auf einer imaginären Leinwand mit einem beunruhigenden Problem beschäftigen.

MOYERS: Die Hypnose ist also keine Schwarze Magie.

SPIEGEL: Ganz gewiß nicht. Es ist eine normale Form äußerster Konzentration.

MOYERS: Hat sie Ähnlichkeit mit der Meditation?

SPIEGEL: Es gibt Überschneidungen. Wer meditiert, würde sagen, daß man sich dabei auf nichts konzentriert; bei der Hypnose dagegen konzentriert man sich auf etwas. Auch im begleitenden Ritual unterscheiden sich die beiden Tätigkeiten, aber alles, was mich in einen Zustand versetzt, in dem ich geistig hellwach und gleichzeitig körperlich entspannt bin, beinhaltet Elemente der Hypnose oder der Trance.

MOYERS: Demnach ist es zwar Hypnose, aber auch eine bewußte Anstrengung, einen Teil des Geschehens unter Kontrolle zu halten?

SPIEGEL: Ganz richtig.

MOYERS: Ich beherrsche die Dinge besser, obwohl ich Opfer einer Krankheit bin.

SPIEGEL: Zu den Mißverständnissen hinsichtlich der Hypnose gehört auch die Vorstellung, man gebe dabei alle Kontrolle auf. Es trifft zwar zu, daß man empfänglicher für Einflüsse von außen wird, aber eigentlich dient die Hypnose dazu, die innere Verfassung sicherer zu beherrschen und zu regulieren. Man kann gewissermaßen das »Rauschen« herausfiltern und die Fähigkeit fördern, sich auf das zu konzentrieren, was man im Moment braucht. Die Fähigkeit, etwas beiseite zu schieben, ist im Zustand der Hypnose ebenso hilfreich wie die Fähigkeit, sich zu konzentrieren.

MOYERS: Haben die Frauen in der Kontrollgruppe, die normal therapiert wurden, über stärkere Schmerzen berichtet als die übrigen Patientinnen?

SPIEGEL: Ja. Alle Frauen mußten ihre Schmerzen alle vier Monate auf einer Skala einordnen. Im ersten Jahr verzeichneten die Frauen in der Kontrollgruppe doppelt so starke Schmerzen wie zu Beginn – auf der Zehn-Punkte-Skala wanderte die Markierung von der Zwei auf die Vier. Die Gruppe, die Übungen zur Selbsthypnose durchgeführt hatte, berichtete von einem leichten Nachlassen der Schmerzen – am Ende des Jahres lag die Marke unter Zwei.

MOYERS: Wie funktioniert die Selbsthypnose im einzelnen?

SPIEGEL: Die Hypnose ist offenbar eine Möglichkeit, unerwünschte Informationen auszublenden. Wir haben Versuche mit schwachen Elektroschocks durchgeführt, bei denen wir den Versuchspersonen unter Hypnose die Vorstellung vermittelten, ihre Hand befinde sich in Eiswasser. In diesem Zustand reagiert das Gehirn weniger stark auf das elektrische Signal als sonst. Wenn man den hypnotisierten Personen sagt, der Elektroschock sei eine sehr angenehme und interessante Empfindung, dann reagiert das Gehirn sogar noch stärker als sonst auf das Signal.

Die Hypnose wirkt wie ein Verstärker. Das ankommende Signal ist stets gleich, aber wenn man den Lautstärkeregler aufdreht, hört man mehr, als wenn man ihn zurückdreht. Die Hypnose scheint den Patienten mehr Kontrolle darüber zu geben, ob ihr Gehirn z. B. Schmerzsignale verstärkt oder nicht. Man muß auf den Schmerz achten, damit er wehtut. Man kann ihn entweder verringern, indem man das ankommende Signal abschwächt oder indem man anderen Signalen im Körper oder anderen Gedanken oder Bildern mehr Aufmerksamkeit schenkt.

MOYERS: Kann das jeder Mensch lernen – auch ein Journalist wie ich?

SPIEGEL: Selbst ein Journalist wie Sie könnte es lernen, aber Sie müßten Ihr kritisches Urteil, von dem Sie sonst so guten Gebrauch machen, vorläufig ruhen lassen. Wahrscheinlich sind ungefähr 80 Prozent der Bevölkerung in der Lage, Hypnose bis zu einem gewissen Grad zu praktizieren. Rund 10 Prozent können es dabei sehr weit bringen. Es gibt sogar einige Patienten mit sehr starken Schmerzen, die sie überwiegend durch ständige Anwendung von Selbsthypnose bewältigen.

MOYERS: Ich könnte mir vorstellen, daß auch ich zur Selbsthypnose fähig wäre und besser mit Schmerzen – oder sogar mit dem Tod – fertigwerden könnte, als ich es bisher für möglich hielt. Wie wichtig ist denn in diesem Zusammenhang das Verhältnis zwischen Arzt und Patient?

SPIEGEL: Ich begreife inzwischen sehr viel besser, was es heißt, Arzt zu sein, und auch, was der Patient braucht. In unserer medizinischen Ausbildung konzentrieren wir uns fast ausschließlich auf die technischen Aspekte unserer Tätigkeit, wie Chirurgie oder Chemotherapie. Ich sehe aber die Aufgabe des Arztes stärker als je zuvor darin, dem Patienten bei der Bewältigung all dessen zu helfen, was die Auseinandersetzung mit der Krankheit und den Einschränkungen in seinem Leben für ihn bedeutet. In der wirklich guten medizinischen Versorgung kümmert man sich nicht nur um die Behandlung des Körpers, sondern auch darum, wie der Patient mit ihr zurechtkommt. Wir müssen den Patienten helfen zu verstehen, was mit ihnen geschieht, und mit ihnen gemeinsam Unterstützung in der Familie und bei Freunden mobilisieren. Oft genügt es schon, Anteilnahme zu zeigen und Hilfe anzubieten.

MOYERS: Nun könnte man ausgerechnet Ihre Fähigkeit zur Anteilnahme als Mangel Ihrer Studie bezeichnen. Man könnte sagen: »David Spiegel ist ein hervorragender Psychiater und Gruppentherapeut. Leider gibt es zu wenige von seiner Art.« Sie wecken möglicherweise Hoffnungen, daß auch andere von dieser Form der Gruppentherapie profitieren könnten, während der Erfolg des Programms untrennbar mit Ihrer Person verbunden ist.

SPIEGEL: Ich glaube nicht, daß alles von meiner Person abhängt. Es handelt sich um ein Zusammenwirken unserer Methoden, die lehr- und lernbar sind, mit dem, was die Patienten füreinander leisten. Ich bemühe mich bloß, einen Rahmen zu schaffen, der mir Gelegenheit gibt, meine Anteilnahme an den Patienten zu zeigen, und versuche, ihre Gespräche systematisch zu lenken. Ich habe nicht alle Gruppen in unserer Studie geleitet – und die Überlebenszeit in den übrigen Gruppen, die von anderen Ärzten geleitet wurden, wich nicht von der Überlebenszeit meiner Patienten ab. Ich besetze keine Marktnische menschlicher Fürsorge. Es gibt viele sehr gute Ärzte, die an ihren Patienten Anteil nehmen und die unsere Methoden erlernen können, wenn sie bereit sind, dafür einiges von dem aufzugeben, was sie in ihrer Ausbildung gelernt haben. Nicht wenige Ärzte sind beispielsweise davon überzeugt, man müsse das Weinen behandeln wie eine Blutung – um jeden Preis unterbinden. In Abwandlung eines bekannten Spruchs sage ich meinen Studenten in Stanford dagegen: Wenn Sie jemanden weinen sehen, tun Sie nichts, stehen Sie einfach herum. Bleiben Sie ein paar Minuten bei ihm, zeigen Sie, daß Sie seine Not wahrnehmen. Das ist nicht besonders kompliziert, man muß nur wissen, was man in einer solchen Lage tut.

MOYERS: Warum arbeiten Sie auch mit Psychotherapie? Warum bieten Sie nicht einfach Selbsthilfegruppen an?

SPIEGEL: Ich bin zwar ein überzeugter Anhänger von Selbsthilfegruppen, doch die Unterstützung, die ein Schwerkranker braucht, geht über das, was diese Gruppen bieten, hinaus. Man muß die außerordentlich starken Gefühle von Menschen ertragen können, die durch ihre Krankheit auf Wesentliches in ihrem Leben verzichten müssen. Die Trauer um geliebte Menschen, die Auseinandersetzung mit der eigenen Todesangst, der Umgang mit Schmerz – solche Dinge brauchen konzentrierte Aufmerksamkeit. Sie setzen die große Anstrengung voraus, anderen Menschen Gelegenheit zu geben, ihre Gefühle mit mir zu teilen und so getröstet und bestärkt zu werden. Das können Selbsthilfegruppen in der Regel nicht leisten.

MOYERS: Sie lehren an einer hervorragenden Medizinischen Hochschule, in Stanford. Müssen Interessierte außerhalb dieser Institution nun befürchten, daß Ihre Ideen einer Elite vorbehalten bleiben?

SPIEGEL: Ich hoffe sehr, daß es nicht so ist. Vom Standpunkt der Kosten für Pflege und Apparate ist die Gruppentherapie sehr billig. Zu zahlen sind nur ein Gehalt für den Arzt und ein Gruppenraum. Schon ein kleiner chirurgischer Eingriff ist erheblich teurer. Wir müssen wieder ein Gleichgewicht herstellen, damit man die Gruppe als ebenso selbstverständliches Mittel betrachtet, dem Patienten in seinem Leiden zu helfen, wie alle übrigen Maßnahmen in der Gesundheitsfürsorge auch. Sie dürfen mir glauben, daß Selbsthilfegruppen erheblich unkomplizierter und kostengünstiger sind als vieles andere im heutigen Gesundheitswesen.

MOYERS: Es muß aber doch in einer Gruppe von fremden Menschen, die nur die Aussicht auf den unausweichlichen Tod durch Krebs gemeinsam haben, sehr schwierig sein, die eigenen Gefühle mitzuteilen. Wie gelingt es Ihnen, die Patientinnen dazu zu bewegen?

SPIEGEL: Das ist in der Praxis leichter als Sie denken. Ich habe selbst überrascht festgestellt, daß man sich bloß konsequent auf die wichtigen Fragen konzentrieren muß; dann nimmt nach kurzer Zeit jeder am anderen tiefen Anteil. So mußte sich eine der Frauen aus einer Gruppe einer größeren Operation unterziehen. Eine andere Frau aus der erst seit wenigen Wochen bestehenden Gruppe besuchte sie im Krankenhaus. In der ersten Sitzung, an der die operierte Patientin wieder teilnahm, bedankte sie sich ausdrücklich bei dieser Frau, weil deren Besuch ihr mehr bedeutet habe als alle anderen. Sie habe am besten gewußt, was sie durchmachen mußte. Das Gefühl, im gleichen Boot zu sitzen, hat in schwierigen Lebenslagen oft enorme Wirkungen. Deswegen ist es meiner Meinung nach leichter, solche Menschen in der Gruppe zum Reden zu bringen.

MOYERS: Welche Situationen versuchen Sie in der Gruppenstunde herbeizuführen?

SPIEGEL: Ich bemühe mich, eine Atmosphäre zu schaffen, in der wir die schwierigen Dinge besprechen und Belangloses ausklammern. Ich achte auf Anzeichen der Gefühlsbewegung, ob eine Frau z. B. so aussieht, als wolle sie in Tränen ausbrechen, oder ob eine Patientin offenkundig beunruhigt ist, ohne zunächst darüber sprechen zu wollen. Außerdem sollen sich alle Anwesenden möglichst nur auf das konzentrieren, was in ihrem Kreis vorgeht. Man ist leicht versucht, interessante Geschichten über andere Menschen zu erzählen, aber in solchen Fällen geht die Intensität der Gefühle im Raum rasch verloren. Alle sollen sich ausschließlich damit beschäftigen, wie man die Probleme, um die es uns hier geht, bewältigen könnte.

MOYERS: Es handelt sich in vielen Fällen um Frauen, die zuvor noch nicht in psychotherapeutischer Behandlung waren. Sie sind mit dem Tod konfrontiert, empfinden Trauer, haben Schmerzen, fühlen sich allein. Es kann doch nicht einfach sein, sie dazu zu bringen, ihre Gefühle Fremden gegenüber zu äußern?

SPIEGEL: Selbstverständlich besteht anfangs eine gewisse Zurückhaltung, mit lauter Fremden in einem Raum über Dinge zu reden, die man noch nie mit jemandem besprochen hat. Deswegen versuche ich, ihre gemeinsamen Erfahrungen in den Mittelpunkt zu rücken, Dinge, die sie einander näherbringen, statt sie zu trennen. So geht es z. B. um die Schwierigkeiten mancher Frauen, mit ihrem Mann über ihre schreckliche Angst zu sprechen. Sie sagen statt dessen etwa, daß sie Angst vor der nächsten unangenehmen Untersuchung haben, worauf der Mann mit der Antwort reagiert: »Beunruhige dich nicht deswegen, du machst dadurch deinen Krebs bloß noch schlimmer.« Die Frau interpretiert das als Zeichen dafür, daß ihr Mann in Ruhe gelassen werden will. Wenn eine Patientin von solchen Erfahrungen berichtet, erzählt eine andere vielleicht, wie sie ihren Mann in einer entsprechenden Situation einmal gezwungen hat, ihre Angst zur Kenntnis zu nehmen. So beraten sich die Frauen gegenseitig und spüren allmählich, daß »ihr« Problem ein gemeinsames Problem ist.

Ich achte auch sehr sorgfältig darauf, daß immer eine Reaktion erfolgt, wenn eine Frau sich überwindet und den anderen z. B. erzählt, mit welcher Angst sie am gleichen Morgen aufgewacht sei, als sie an die bevorstehende Knochenuntersuchung dachte. Dann muß eine Antwort kommen wie: »Das muß schlimm für Sie gewesen sein. Was machen Sie dann, um mit Ihrer Angst zurechtzukommen?«

MOYERS: Inwiefern hilft das der Patientin?

SPIEGEL: Zuerst einmal läßt es ihre Reaktion als normal erscheinen. Menschen in solchen Situationen glauben gelegentlich, nur sie allein kämen nicht zurecht. Dadurch, daß sie ihre Ängste in der Gruppe äußern, erfahren sie, wie normal es ist, auf eine schwierige Situation dieser Art mit starken Gefühlen zu reagieren. Außerdem wird ihnen klar, daß sie mit ihrem Leiden nicht allein dastehen. Wer schwer erkrankt ist, neigt dazu, sich vorzustellen, daß alle übrigen Menschen gesund und glücklich sind, tun und lassen, was sie wollen, nur er selbst fühlt sich elend und voller Todesangst. In der Gruppe erkennt man, daß auch die anderen Teilnehmer mit ihren eigenen Schreckgespensten zu kämpfen haben. Dadurch fühlt man sich weniger vom normalen Leben ausgeschlossen.

MOYERS: Gehen Sie nach einem ganz bestimmten Plan vor, oder improvisieren Sie von Fall zu Fall?

SPIEGEL: Meine Strategie besteht im wesentlichen darin, möglichst viele Teilnehmer dazu zu bringen, sich an dem Gespräch über das gemeinsame Thema zu beteiligen und ähnliche Erfahrungen mitzuteilen, damit das

Problem als Gruppenproblem gesehen wird und nicht als isolierte Schwierigkeit eines einzelnen.

MOYERS: Was tun Sie, wenn eine Patientin die Krankheitserfahrung einfach leugnen will, wenn sie bloß erwartet, daß man sie körperlich wiederherstellt?

SPIEGEL: Ich bemühe mich, dieses Leugnen mehr oder weniger rücksichtsvoll in Frage zu stellen. Wenn eine Patientin ihre Krankheit wirklich leugnen will, kommen die Probleme höchstens in der Form zur Sprache, daß sie beispielsweise sagt: »Ich kämpfe innerlich mit dieser Geschichte; einerseits will ich mich nicht damit auseinandersetzen, andererseits weiß ich, daß es notwendig wäre.« Wenn sie dann sagt, es habe sowieso keinen Zweck, darüber zu reden, erinnere ich die Patientin daran, daß sie selbst erzählt habe, wie sehr die Beschäftigung mit dem Problem ihre Arbeit beeinträchtige, und ich gebe zu bedenken, daß es sich dabei möglicherweise um ein Signal handelt, das Problem direkt anzugehen.

In einer Gruppe gab es eine Frau, die es weitgehend vermied, anderen von ihrer Krebserkrankung zu erzählen. Das war ihre Art, die Wirklichkeit zu leugnen. In Wahrheit wollte sie mit dem Verschweigen der Krankheit den anderen sagen, daß sie nicht darüber zu reden wünschte. Nachdem ich ihr das bewußt gemacht hatte, begann sie, ihre Hemmungen abzulegen und mehr aus sich herauszugehen. Dabei stellte sie fest, daß die Bereitschaft zur offenen Erörterung ihrer Probleme das Gespräch mit den Freunden erleichterte.

MOYERS: Sie haben es der Patientin ermöglicht, Hemmungen abzulegen – müssen Sie nicht manchmal die Schutzwälle geradezu einreißen?

SPIEGEL: Ich halte es durchaus für wichtig, sie zu respektieren. Ich gehe so weit, daß ich zu einer Patientin sage: »Ich sehe das anders als Sie. Ich habe den Eindruck, Ihre Umgebung weiß, daß Sie Krebs haben, obwohl Sie selbst nicht darüber reden.« Dann hat die Patientin die Möglichkeit, mir zu widersprechen. Ich kann sie zu nichts zwingen, sondern nur einen gewissen Anstoß geben. Außerdem hilft es sehr, daß ich in der Gruppe nicht der einzige bin, der ihr ein anderes Verhalten nahelegt. Ich kann mich an die übrigen wenden und sie nach ihren Erfahrungen in solchen Situationen fragen, so daß ein Gemeinschaftsgefühl entsteht. Eine sehr unmittelbare Form der Einflußnahme ist es auch, deutlich zu machen, wieviel näher man sich jemandem fühlt, nachdem man gehört hat, was er durchmachen mußte. Man macht keine Vorschriften, sondern verläßt sich auf die Atmosphäre verständnisvoller, gegenseitiger Anteilnahme in der Gruppe. Daraus können alle viel lernen.

Moyers: Woher wissen Sie, wann es zu einer Annäherung und damit zu einer Wirkung innerhalb der Gruppe kommt?

Spiegel: Wenn eine gute Gruppe wirklich aktiv geworden ist, gibt es eine Anzahl sehr wichtiger Themen, die ich nicht vollständig im Griff habe. Das Gespräch verteilt sich ziemlich gleichmäßig über die ganze Gruppe. Dann kommt es zu intensiven Gefühlsäußerungen. Schließlich ist ein allgemeines Gefühl der Zuwendung fast mit den Händen zu greifen. Man spürt einfach, daß man eng miteinander verbunden ist, daß jeder unmittelbar Anteil an der Person des anderen nimmt. Diese Anteilnahme wächst in dem Maß, wie die Patienten gemeinsam erleben, was sie durchmachen müssen, und daß sie allmählich auf eine Geschichte gegenseitiger Unterstützung zurückblicken können.

Zu Beginn geht es gelegentlich noch recht förmlich zu. Die Teilnehmer stellen sich nicht selten stärker dar, als sie sind. Man gibt vor, trotz der Krankheit wunderbar zurechtzukommen. Die Patienten wollen den Eindruck vermitteln, sie hätten alles in der Hand, große Probleme gebe es nicht. Erst mit der Zeit gestehen sie ein, daß sie doch Hilfe brauchen, um mit der Krankheit fertigzuwerden.

Moyers: Ich kenne Männer, die auf die Mitteilung, daß sie schwer erkrankt sind, vor allem mit falscher Bravour reagieren.

Spiegel: Es gibt tatsächlich Patienten, die bei den Brustschmerzen, mit denen sich ihr Herzinfarkt ankündigte, auf der Stelle Liegestütze gemacht haben, um sich selbst zu beweisen, daß es kein Herzinfarkt war.

Moyers: Eine Frau aus Ihrer Gruppe ist vor kurzem verstorben. Wie haben die anderen Frauen darauf reagiert?

Spiegel: Ich glaube, es gab mehrere komplexe Reaktionen. Sie haben zum einen sicher etwas empfunden wie: »Das hätte ebensogut mich treffen können. Wir haben dieselbe Krankheit. Sie ist daran gestorben, ich werde auch daran sterben.« Ihr Tod war also auf einer Ebene etwas höchst Beunruhigendes. Sie haben sie vermißt, hatten das Gefühl, es sei etwas unvollendet geblieben, sie hätten ihr noch dieses oder jenes unbedingt sagen sollen. Zum anderen wurde ihnen deutlich, was die verstorbene Frau aus der gemeinsamen Gruppe für sie selbst bedeutet hatte. Sicher haben einige die Prioritäten in ihrem Leben überdacht und sich vorgenommen, Dinge, die ihnen wirklich am Herzen liegen, nicht mehr so lange aufzuschieben, bis sie vielleicht unmöglich geworden sind.

Moyers: Wie war die Reaktion der Gruppe insgesamt?

Spiegel: Ich glaube, der Zusammenhalt wurde gestärkt. Wir empfanden uns als Menschen mit einer gemeinsamen Vergangenheit, zu der auch dieser Tod gehörte; wir hatten gemeinsam Trauer über den Verlust empfunden. Man spürte, wie wichtig es war, sofort informiert zu werden, weil wir eine Gemeinschaft bildeten, in der jeder einzelne wissen sollte, was den anderen zustieß. Die selbstverständliche Bindung und Anteilnahme in der Gruppe wurde nun viel intensiver wahrgenommen.

Es mag paradox klingen, aber in der Trauer über erlittene Verluste steckt auch etwas Beruhigendes. Wenn wir über längere Zeit den Tod eines Menschen beklagen, der uns nahestand, dann ist das für uns ein Zeichen, daß auch wir nicht unbemerkt aus der Welt gehen werden, daß man unseren Verlust ebenso betrauern wird. Das beruhigt, weil uns oft beim Gedanken an den Augenblick, in dem wir nicht mehr da sind, das bedrückende Gefühl überkommt, die Überlebenden würden vielleicht ein paar Blumen auf unser Grab legen, um dann ungerührt zur Tagesordnung überzugehen. Der eigene Tod kann dadurch düstere Dimensionen erhalten. Wenn wir dagegen erleben, daß uns nahestehende Menschen zu schätzen wissen, was wir tun, daß sie uns in ihr Herz schließen, dann ist der Tod weniger furchterregend.

MOYERS: Sie versuchen, die Familie der Patientinnen mit einzubeziehen. Fällt das den Angehörigen nicht sehr schwer?

SPIEGEL: Es ist schwer für sie, daß jemand, den sie lieben, Krebs hat. Einmal im Monat treffen sich hier die Ehepartner, Kinder und Eltern der Patientinnen und reden darüber, was es für sie bedeutet. Der Mann der kürzlich verstorbenen Patientin hat seine Gefühle sehr gut in Worte gefaßt. Anfangs habe er den Krebs gehaßt. Dann sei ihm bewußt geworden, daß sein Haß auf den Krebs letztlich auch Haß auf seine Frau bedeutet habe, denn die Krankheit sei ja ein Teil von ihr gewesen. Viele im Raum waren insofern erschüttert, als ihrem eigenen Leugnen der Krankheit durch den Tod einer Mitpatientin der Boden entzogen wurde. Sie verstanden, daß man all die unwillkommenen Gefühle, die das Wissen um Krebs und seine Folgen mit sich bringt, zulassen muß, wenn man einem krebskranken Menschen wirklich nahe sein möchte.

MOYERS: Wie verbreitet ist Brustkrebs?

SPIEGEL: Die Statistik ist bedrückend. Jede neunte Frau ist von Brustkrebs befallen. Anders ausgedrückt, man könnte jeden Tag ein großes Passagierflugzeug mit neu an Brustkrebs erkrankten Frauen füllen, und jeden dritten Tag sterben ebensoviele daran.

MOYERS: Was ist der Unterschied zwischen Brustkrebs und metastasierendem Brustkrebs?

SPIEGEL: Der Brustkrebs ist gut therapierbar und zwar um so besser, je früher er erkannt wird. Wenn es noch nicht zu Metastasen in anderen Teilen des Körpers gekommen ist, dann stehen die Chancen ziemlich gut, daß die betroffenen Frauen an anderen Todesursachen sterben werden. Wenn der Krebs anschließend jedoch in anderen Teilen des Körpers auftritt, lautet die Frage nicht mehr, ob man an Krebs sterben wird, sondern nur noch, wann.

MOYERS: Wie hoch ist die Lebenserwartung von Frauen mit dieser Form des Mammakarzinoms?

SPIEGEL: Nachdem die Erkrankung wieder ausgebrochen ist, im Durchschnitt noch zwei Jahre, obwohl manche Frauen auch in diesem Fall viel länger überleben.

MOYERS: Sie wissen also, daß Sie sie nicht retten können.

SPIEGEL: Das steht fest. Ich empfinde es jedoch als sehr lohnende Aufgabe, ihnen so zu helfen, daß sie in der ihnen verbleibenden Zeit ein möglichst erfülltes Leben führen können. In unseren Gruppen geht es eigentlich um Qualität, nicht um Quantität. Wichtig ist, wie ein Mensch sein Leben lebt, was er mit den eigenen Mitteln anfängt, daß er die Dinge im Leben tut, an denen ihm liegt, die persönlichen Beziehungen aufbaut und pflegt, die wichtig sind. Das gelingt manchen Menschen in zwei Monaten, während es andere in ihrem ganzen Leben nicht fertigbringen. Insofern betrachte ich meine Möglichkeiten, ihnen dabei zu helfen, als Privileg.

MOYERS: Was würde es Ihrer Ansicht nach für die Medizin bedeuten, falls sich die Ergebnisse Ihrer Studie wiederholen ließen?

SPIEGEL: Das wäre aufregend. Wir müssen dann nämlich unsere Definition der Gesundheitsfürsorge ändern. Zu unseren chirurgischen und medizinischen Eingriffen – die wir immer besser beherrschen – muß dann eine dritte Form der Behandlung kommen, die darauf abzielt, den Erkrankten beim Umgang mit ihrem Leiden zu helfen. Die Gesundheitsfürsorge ist mehr als ein physischer Eingriff. Außer der ärztlichen Hilfe beinhaltet sie auch, daß man Schwerkranken in einer Gruppe hilft, so sinnerfüllt wie möglich mit ihrer Krankheit zu leben. Letztlich würden wir mit einer solchen neuen Definition der Gesundheitsfürsorge einen Weg einschlagen, der bei geringem finanziellem Aufwand zu einem besseren und vielleicht auch längeren Leben von kranken Menschen führen könnte.

Die Interaktion von Körper und Seele

»Was ist Materie? Nichts Geistiges. Was ist Geistiges? Nicht zu fassen.«

Thomas Hewitt Key

Halten Sie mir die Gettysburg-Ansprache«, sagt Dr. Karen Olness. Wir sind im Rainbow Babies and Childrens Hospital in Cleveland. Sie hat mich an eine Biofeedback-Maschine angeschlossen, um mir zu zeigen, wie sie Kindern hilft, mit Migräneanfällen umzugehen. Ihre Bitte verwirrt mich, doch »kein Problem«, mache ich mir Mut. Julia Garren, meine Rhetoriklehrerin an der Highschool, ließ mich Lincolns berühmte Rede auswendig lernen, ehe sie mich für die Theateraufführung im letzten Schuljahr in die engere Wahl zog, und ich habe sie seither nicht enttäuscht.

Ich schließe die Augen und fange an: »Vor siebenundachtzig Jahren gründeten unsere Väter auf diesem Kontinent einen neuen Staat, in Freiheit gebildet und dem Gedanken geweiht, daß alle Menschen gleich geschaffen sind.« Mein Gedächtnis läßt mich im Stich. Ich öffne die Augen. Die kleine weiße Linie auf dem Bildschirm, die meine Herzfrequenz anzeigt, hüpft auf und ab.

»Sie sind ins Stocken geraten«, meint Dr. Olness und schaut auf den Monitor. »Und Ihre Herzfrequenz ist sprunghaft angestiegen.« Ich verrate ihr nicht, daß ich Angst hatte, zu versagen oder mich zu blamieren.

Sie schlägt einen anderen Versuch vor. »Schließen Sie die Augen und versuchen Sie, an einen Ort zu denken, an dem Sie sich wohlfühlen, der sehr entspannend auf Sie wirkt, vielleicht an einen Ort, an dem Sie in diesem Moment gerne wären. Und konzentrieren Sie sich einfach darauf, dieses Gefühl ein paar Minuten lang zu genießen.«

Ich schließe wieder die Augen. Im Geist stehe ich auf einem Gipfel in der Nähe der westlichen Rocky Mountains. Ich bin erst einmal dort gewesen, vor zwölf Jahren, doch dieses Erlebnis steht noch genauso lebhaft vor meinem geistigen Auge wie damals. Mein Freund und ich hatten Rast gemacht, um Atem zu schöpfen, und als wir uns umsahen, uns langsam herumdrehten – Black Elk's Great Hoop – sahen wir, so weit das Auge reichte, nichts als Himmel, Wolken und Berge, ein Panorama von 360 Grad, so klar und rein wie der Garten Eden, so friedlich wie der Atem eines Säuglings.

»Das ist sehr schön«, meint Dr. Olness. Sie betrachtet den Bildschirm. »Schön und gleichmäßig. Sehen Sie sich eine Minute lang dieses Muster an.«

Ich schaue hin. Die kleine weiße Linie zieht heiter über den Monitor, wie ein Segelboot vor einem ruhigen Horizont.

»Wenn Sie an diesen Ort denken, ist Ihre Herzfrequenz noch gleichmäßiger als es normalerweise der Fall ist«, sagt Dr. Olness.

»Eines Tages werde ich noch einmal dorthin zurückkehren«, entgegne ich.

»Sie waren gerade dort«, meint sie.

Es überraschte mich nicht, daß man mit Hilfe von Biofeedback sichtbar machen konnte, wie unsere Gedanken und Gefühle die Reaktionen unseres Körpers beeinflussen. Doch als ich zu dieser Reise aufbrach, wußte ich auch, daß über Jahrhunderte hinweg Philosophen und Wissenschaftler Seele und Körper voneinander getrennt hatten. Dieser scharfen Unterscheidung verdanken wir ungeheure Fortschritte in der Medizin. Unabhängig von der Seele analysierten die Wissenschaftler Organe, Gewebe und Zellen und, anstatt die Psyche zu bemühen, lernten sie, Krankheit in Begriffen wie Erreger oder mutierenden Genen zu erklären. Denn Infektionskrankheiten wie Pocken und Kinderlähmung unterlagen einem medizinischen Modell, das die Seele nicht miteinbezieht.

Bei unseren Recherchen stellten wir fest, daß die Wissenschaftler allmählich beginnen, diese grundlegende Voraussetzung zu hinterfragen. Sie sind der Ansicht, wir stünden kurz vor einer medizinischen Revolution, bei der auch die Seele mit in die Untersuchung einbezogen werde.

In der Studie zweier Forscher an der Universität Rochester fand ich dafür bemerkenswerte Beispiele. Wissenschaftler hatten lange Zeit geglaubt, das Immunsystem, unser Bollwerk gegen Krankheit, funktioniere unabhängig von der Psyche. Doch der Neurologe David Felten hatte Nervenstränge entdeckt, die wie Drähte das menschliche Nervensystem und das Immunsystem verbinden. Die Psyche und das Immunsystem sprechen sozusagen miteinander. Seine Erkenntnisse führen ihn zu der Aussage, daß »wir nicht länger so tun können, als spielte die Wahrnehmung des Patienten keine Rolle. Und wir können auch nicht länger so tun, als sei Heilen etwas, das die Ärzte *für* den Patienten tun.« Der Experimentalpsychologe Dr. Robert Ader erbrachte mit Versuchstieren den praktischen Nachweis einer Verbindung zwischen dem Nerven- und dem Immunsystem. In einem Experiment, das auf klassischen Konditionierungsverfahren basiert, entdeckte Ader, daß Ratten lernen konnten, ihr eigenes Immunsystem zu unterdrükken.

Auch andere Wissenschaftler hatten die chemischen Verbindungen zwischen Seele und Körper erforscht. Candace Pert, die frühere Leiterin der Brain Biochemistry Section of the National Institute of Mental Health, ist der Meinung, daß bestimmte Moleküle, sogenannte Neuropeptide, die entscheidende Verbindung schaffen. Aneinandergereiht wie Perlen auf einer Kette, agieren die Neuropeptide als Botenstoffe, indem sie durch den

Körper wandern und sich mit spezifischen Rezeptormolekülen verbinden. Da sich ihre Aktivität mit unserem jeweiligen seelischen Zustand verändert, spricht Pert von diesen Peptiden als »den biochemischen Emotionseinheiten«, die Gefühle in körperliche Ereignisse umsetzen.

Das Gehirn war für uns immer der Sitz der Psyche. Pert dagegen ist der Auffassung, daß die Psyche ebenso im Körper wohnt wie im Gehirn. »Je mehr wir über Neuropeptide wissen«, argumentiert sie, »desto schwieriger wird es, in den traditionellen Kategorien von Seele und Körper zu denken. Es spricht immer mehr dafür, von einer einzigen integrierten Wesenheit, einer Körper-Seele, zu sprechen.«

Wenn Geist und Körper eng miteinander verbunden sind, frage ich mich, ob uns die Wissenschaftler auch sagen können, welche Auswirkung das auf unsere Gesundheit hat. »Daran arbeiten wir noch«, antwortet Margaret Kemeny, Psychologin und Forscherin an der University of California, Los Angeles. »Wir wissen zwar, daß, wenn wir uns glücklich, traurig, verärgert oder ängstlich fühlen, deutliche Veränderungen in Gehirnregionen stattfinden, die sich im ganzen Körper fortsetzen, doch wie unser Immunsystem oder unser Herz-Kreislauf-System auf bestimmte emotionale Zustände reagieren, ist noch umstritten.« Kemeny betont, daß die gängige Meinung, Glücklichsein sei gut für unsere Gesundheit, Traurigsein hingegen schlecht für uns, jeder wissenschaftlichen Grundlage entbehrt. Ihre eigene Forschungsarbeit scheint darauf hinzuweisen, daß der schädlichste Gemütszustand die chronische Depression ist, die sich aber von Trauer oder Kummer grundlegend unterscheidet. Sie weist jedoch darauf hin, daß die Wissenschaftler den endgültigen Nachweis noch schuldig sind.

Ich höre mir diese Männer und Frauen an, die alle eher vorsichtig und zögernd als überschwenglich in ihren Schlußfolgerungen sind, und ich glaube ihnen, daß wir noch weit davon entfernt sind, die vielfältigen Verbindungen zwischen Geist und Körper wirklich zu verstehen. Sollten wir sie eines Tages tatsächlich begreifen, dann werden wir die menschliche Physiologie neu definieren und auf dieser Grundlage die Möglichkeiten des Heilens erweitern können.

Die chemische Kommunikation

Candace Pert

Candace Pert hat eine Gastprofessur am Zentrum für Molekulare und Verhaltensbezogene Neurowissenschaft der Rutgers University und ist Beraterin bei der Peptidforschung in Rockville, Maryland. Zuvor war sie Leiterin der Abteilung für Biochemie des Gehirns des Clinical Neuroscience Branch am National Institute of Mental Health. Sie entdeckte den Opiatrezeptor und viele andere Peptidrezeptoren in Gehirn und Körper, die Rezeptoren jener chemikalischen Substanzen, die eine Wechselbeziehung zwischen Geist und Körper herstellen.

MOYERS: Wie kam es, daß Sie sich als Forscherin für die Beziehung zwischen Psyche und Körper interessierten?

PERT: Nun, ich begann zunächst als Molekularbiologin an den Rezeptoren psychoaktiver Medikamente zu arbeiten, insbesondere an den Rezeptoren für die Opiate wie Opium, Heroin, Kodein oder Dolantin. In unserem Gehirn gibt es einen sogenannten Opiatrezeptor, der alle diese Substanzen aufnimmt. Als Studentin entwickelte ich Meßverfahren für diese bis dahin hypothetischen Rezeptoren. Das führte zu der Entdeckung, daß das Gehirn eigenes Morphin produziert und daß Gemütszustände durch die Ausschüttung von Chemikalien zustande kommen, die als Endorphine (endogene Morphine) bezeichnet werden. Anfangs interessierte ich mich, wie viele andere Neurologen auch, insgeheim für das Bewußtsein und hoffte, durch die Erforschung des Gehirns etwas über den Geist und das Bewußtsein in Erfahrung zu bringen. Deshalb konzentrierte ich mich auf das Gebiet vom Hals aufwärts. Doch das Erstaunliche daran ist, daß diese Endorphine und andere ähnliche chemische Substanzen nicht nur im Gehirn anzutreffen sind, sondern auch im Immunsystem, im endokrinen System und im ganzen Körper. Diese Moleküle sind in ein psychosomatisches Kommunikationsnetzwerk eingebunden.

MOYERS: Was verstehen Sie unter »psychosomatisches Kommunikationsnetzwerk«?

PERT: Information fließt. Diese Moleküle werden an einer Stelle ausgeschüttet, sie verteilen sich über den ganzen Körper und üben einen Reiz auf die Rezeptoren aus, die sich an der Oberfläche jeder Körperzelle befinden.

MOYERS: Kann man sich diese Rezeptoren ähnlich wie Satellitenschüsseln vorstellen?

PERT: Stellen Sie sich Millionen von Satellitenschüsseln vor, die alle über eine einzige Zelle verteilt sind. Die Zellen erhalten den Befehl, ob sie sich teilen sollen oder nicht, ob sie mehr von diesem oder jenem Protein herstellen oder dieses oder jenes Gen stimulieren sollen. Alle Vorgänge in unserem Körper werden von diesen Botenmolekülen gelenkt, die häufig Peptide sind. Ein Peptid besteht aus Aminosäuren, den Bausteinen der Proteine. Es gibt etwa dreiundzwanzig verschiedene Aminosäuren. Peptide sind aneinandergereihte Aminosäuren, etwa so wie Perlen nebeneinander zu einer Kette aufgereiht werden. Wenn Sie sich dreiundzwanzig verschiedenfarbige Perlen vorstellen, können Sie verstehen, wie es möglich ist, Informationen zu erhalten, die eine unendliche Anzahl von Peptiden herzustellen vermag. Einige Peptidstränge sind relativ kurz. Das Peptid Enzephalin, das körpereigene Morphin des Gehirns, besteht beispielsweise nur aus fünf Aminosäuren. Andere Peptide hingegen, wie etwa das Insulin, sind aus mehreren hundert Aminosäuren zusammengesetzt.

MOYERS: Wo befinden sie sich?

PERT: Überall. Nachdem das gehirneigene Morphin sich als ein Peptid herausgestellt hatte, begannen viele Wissenschaftler danach zu forschen, welche anderen ihnen bekannte Peptide auch im Gehirn zu finden waren. Zu ihrer Überraschung waren es fast alle. In den achtziger Jahren fanden wir Peptide im Immunsystem und im ganzen Körper.

MOYERS: Warum sind die Peptide so wichtig?

PERT: Sie sind deshalb überaus wichtig, weil sie anscheinend die interzelluläre Kommunikation innerhalb des Gehirns und des Körpers vermitteln.

MOYERS: In welcher Beziehung stehen sie zu den Emotionen?

PERT: Wir sind zu dem Schluß gekommen, daß diese Neuropeptide und ihre Rezeptoren die biochemischen Korrelate der Emotionen sind.

MOYERS: Aber wir stellen uns doch Emotionen als etwas Psychisches vor.

PERT: Ja, psychisch – im Bereich der »Psyche« oder »Seele«. Aber ich will damit sagen, daß wir tatsächlich die materielle Manifestation von Emotionen in diesen Peptiden und ihren Rezeptoren gefunden haben. Die Rezeptoren, die sich auf der Zelloberfläche bewegen, fahren kleine »Antennen« aus und empfangen, was hereinkommt. Es gibt einen physikalischen Anheftungsvorgang zwischen dem Peptid und dem Rezeptor. Wenn dieser Bindungsprozeß erst einmal stattfindet, dann bewegt und verändert sich der Rezeptor, der ein großes und kompliziertes Molekül ist, derart, daß eine neue Reaktion in Gang kommt. Ionen fangen an hereinzuströmen, und weitere Veränderungen finden statt, und zum Schluß nehmen die Gehirnrezeptoren das wahr, was als Emotion eintrifft.

MOYERS: Wenn ich zum Beispiel bei einem Fußballspiel bin und jemand tritt mir auf die Zehen, fühle ich zuerst Schmerz und dann, fast im gleichen Moment, bin ich wütend. Ist das ein Neuropeptid, das sagt: »Sei wütend, mein Freund!«?

PERT: Nun, der Schmerz wird an einem Nerv entlang ins Gehirn geleitet. Diese Schmerzleitungen durch Neuronen sind in wissenschaftlichen Studien sehr gründlich untersucht worden. Die Wutreaktion ist noch nicht so weit erforscht, man nimmt an, daß sie mit der Freisetzung eines Neuropeptids zu tun hat. Sie bemerken, daß die Wut ein wenig langsamer einsetzt, da das Neuropeptid erst freigesetzt werden und auf die Rezeptoren verteilt werden muß.

MOYERS: Ist die Wut nun mental oder physisch?

PERT: Sowohl als auch. Das ist ja das Interessante an den Emotionen. Sie sind die Brücke zwischen dem Seelischen und dem Körperlichen.

MOYERS: Wenn man also die Metapher zu Ende denken will, sind die Peptide wie vom Gehirn ausgehende Radarstrahlen, und diese Rezeptoren nehmen sie auf.

PERT: Mir gefällt dieses Bild vom Radar, denn es entfernt sich von der herkömmlichen mechanistischen Vorstellung eines Schlosses und dem dazu passenden Schlüssel, und es gibt den Energieaspekt des Ganzen wieder. Wir sind keine Schlösser und Schlüssel, und wir sind auch keine Uhren; wir sind lebende und nicht tote Materie. Direkt im Gehirn selbst gibt es etwa sechzig Neuropeptide, dazu gehören auch die Endorphine.

MOYERS: Wollen Sie damit sagen, daß die Seele, die Psyche sozusagen mittels der Neuropeptide mit dem Körper kommuniziert?

PERT: Weshalb siedeln Sie die Seele außerhalb des Körpers an?

MOYERS: In der westlichen Welt hat diese Ansicht lange Zeit vorgeherrscht – die Ansicht, daß Seele und Körper zwei verschiedene Dinge sind.

PERT: Nun, das geht nur auf einen Kompromiß zurück, den Descartes mit der römisch-katholischen Kirche abgeschlossen hat. Er war bekanntlich Mathematiker und Naturwissenschaftler und überließ die Seele, den Geist, die Gefühle und das Bewußtsein der Theologie. Es ist erstaunlich, wie weit es die westliche Wissenschaft mit diesem Reduktionsparadigma gebracht hat. Doch leider passen immer mehr Erkenntnisse nicht mehr ganz in dieses Paradigma. Was jetzt vor sich geht, hat vielleicht eher mit der Integration von Geist und Materie zu tun.

MOYERS: Wir Journalisten bekommen oft keine Antwort, weil wir die falsche Frage stellen. Ich habe gefragt: »Spricht die Seele mit dem Körper?«, und Sie haben verstanden, was ich damit meine. Wenn Sie nun, von Ihrer Forschungsarbeit ausgehend, die Frage richtig stellen wollten, wie würden Sie sie formulieren?

PERT: Ich würde fragen: »In welcher Verbindung stehen Geist und Materie miteinander?« Aber vergessen Sie nicht, ich bin Naturwissenschaftlerin und nicht Philosophin, und mir ist unwohl, wenn ich mich zu weit von meinem Fachgebiet entferne. Ich glaube jedoch, daß wir genügend wissenschaftliche Beweise haben, um die Hypothese aufzustellen, daß diese Informationsmoleküle, die Peptide und Rezeptoren, die biochemischen Faktoren von Emotionen sind. Sie sind in jenen Teilen des Gehirns zu finden, die Emotionen vermitteln. Sie kontrollieren zum Beispiel die Erweiterung und Verengung der Blutgefäße in unserem Gesicht und ermöglichen es, daß die verschiedenen Körpersysteme miteinander kommunizieren.

MOYERS: Sind sie also Informationsmittel?

PERT: Genau. Sie übertragen Nachrichten innerhalb des Gehirns und vom Gehirn zum Körper. Die alten Schranken zwischen Gehirn und Körper fallen. Naturwissenschaftler arbeiten gerne mit einer klaren Trennung von Immunologie und Neurologie. Die Mitarbeiter der verschiedenen Abteilungen stehen in keinem regen Austausch. Doch das Gehirn und das Immunsystem benutzen eine so große Anzahl derselben Moleküle, um miteinander zu kommunizieren, daß das Gehirn vielleicht nicht einfach »hier oben« zu lokalisieren und mit dem übrigen Körper durch Nerven verbunden ist. Es ist ein wesentlich dynamischerer Prozeß. Ich habe einmal an einer Konferenz mit dem Thema »Opiatendorphine in der Peripherie« teilgenommen. Unter »Peripherie« verstand man alles außer dem Kopf. Doch die einstige Privilegierung des Gehirns ist nicht mehr gültig, da wir nun zum Beispiel entdeckt haben, daß die Zellen des Immunsystems ständig in das Gehirn hineinsickern und sich dort festsetzen können.

Als man entdeckte, daß es im Gehirn Endorphine gibt, die Euphorie und Schmerzlinderung verursachen, leuchtete es allen ein. Doch daß dieselben Endorphine sich auch in unserem Immunsystem befinden, paßte nicht in unser Denkschema und wurde deshalb jahrelang abgestritten. Jene Wissenschaftler, die diese Entdeckung gemacht hatten, mußten ihre Untersuchungen mehrmals wiederholen, ehe man ihnen Glauben schenkte. Es störte unser Denkmuster, daß im Immunsystem stimmungsverändernde chemische Substanzen sowie deren Rezeptoren gefunden wurden.

MOYERS: Die Botenmoleküle, von denen Sie sprechen, werden also Neuropeptide genannt?

PERT: Richtig. Ich nenne sie Neuropeptide, weil ich neurozentriert bin. Ich habe als Neurologin angefangen. Aber es ist irgendwie auch ein unsinniges Wort, denn in den Hoden ist beispielsweise mehr Endorphin vorhanden als in einigen Teilen des Gehirns. Man könnte sich auch vorstellen, daß Neuropeptide die Energie leiten. Manchmal muß die Energie zum Verdauen der Speisen eingesetzt werden, manchmal muß mehr Blut durch die Galle fließen. Wenn man mit einem Erreger infiziert ist, der Fieber hervorruft, muß mehr Energie auf die Galle und weniger Energie auf den Verdauungsprozeß verwandt werden.

MOYERS: Warum nennen Sie diese Neuropeptide »biochemische Gefühlseinheiten«?

PERT: Erst nach fünfzehn Jahren Forschung haben wir es gewagt, sie so zu bezeichnen. Aber wir wissen, daß diese Neuropeptide während verschiedener emotionaler Zustände ausgeschüttet werden. Anscheinend handelt es sich dabei um Emotion im weitesten Sinne. Zum Beispiel ist ein Peptid, Angiotensin, mit Durst verbunden. Sie können es bei einem Tier ausprobieren, das ausreichend mit Wasser versorgt worden ist. Wenn Sie ihm jedoch Angiotensin injizieren, wird es einfach immer weitertrinken. Das Peptid, das sich an diesen Rezeptor heftet, ruft bei dem Tier Durst hervor. Dasselbe Peptid, das sich an die Lunge heftet, kann auch die Lunge dazu veranlassen, Wasser anzusammeln. Dasselbe Peptid, das sich mit einer identischen Moleküleinheit in der Niere verbindet, bringt diese Niere dazu, Wasser zu speichern. Die Moleküleinheit ist die gleiche. Sie ist wie ein Baustein, der sowohl im Keller eines Hauses als auch im Dachgeschoß Verwendung finden kann – er erfüllt zwar an verschiedenen Stellen unterschiedliche Funktionen, doch es handelt sich immer um denselben Baustein. Es findet ein Integrationsprozeß statt, der das Verhalten auf der Ebene des Tieres als Ganzheit bestimmt, so daß alles im Geist und Körper des Tieres sagt: »Ich möchte Wasser, ich möchte Wasser sparen, ich möchte, daß keinerlei Wasser verlorengeht.«

MOYERS: Das leuchtet mir ein, aber was veranlaßt mich dazu zu sagen »ich bin traurig« oder »ich bin glücklich«?

PERT: Vielleicht sind es nur einige Peptide in den Organen. Mit anderen Worten, es funktioniert auch umgekehrt. Wenn man von der Prämisse ausgeht, daß der Geist nicht nur im Gehirn sitzt, sondern daß er Teil eines Netzwerks ist, das sich durch das Gehirn und den ganzen Körper hindurchzieht, dann kann man allmählich erkennen, wie die Physiologie geistige Arbeit momentan, stündlich und täglich beeinflussen kann.

MOYERS: Anstatt zu sagen, daß die Seele mit dem Körper spricht, würden Sie also sagen: »Ich spreche mit mir selbst«, da diese Neuropeptide die Emotionen, die ich »fühle«, regulieren.

PERT: Ja, durch Rezeptoren in den Gehirnregionen, die bekanntlich mit der Empfindung von Emotionen verbunden sind. Vor Jahren schon wurde gezeigt, daß Epileptiker, die sich einer Gehirnoperation unterzogen, lachten, weinten oder ekstatisch reagierten, wenn der Chirurg das Gehirn elektrisch stimulierte – mit anderen Worten, sie zeigten Gefühle allein durch die elektrische Stimulation bestimmter Gehirnregionen. Inzwischen weiß man, daß sich in allen Gehirnregionen Peptide genannte Informationssubstanzen und deren Rezeptoren befinden.

MOYERS: Und sie senden diese Botschaften wie kleine Boote in den Körper hinunter, wo sie Anlegestellen vorfinden.

PERT: Es wird noch seltsamer. Die Botschaft muß nicht buchstäblich vom Gehirn in den Körper gehen. Es kann fast spontan geschehen.

MOYERS: Aber was geschieht eigentlich?

PERT: Noch wissen wir es nicht, aber ich glaube, daß es Aufgabe der Physiker sein wird, denn offensichtlich gibt es eine andere, uns bisher noch nicht bekannte Form von Energie. Es gibt zum Beispiel eine Form von Energie, die den Körper zu verlassen scheint, wenn er stirbt. Wenn wir darunter eine andere Form von Energie verstehen, die bisher noch nicht entdeckt worden ist, dann klingt das für mich weniger beängstigend als der Begriff »Geist«. Vergessen Sie nicht, ich bin Wissenschaftlerin, und in der westlichen Tradition verwendet man das Wort »Geist« nicht. »Seele« ist in unserer Tradition ein »Unwort«. Dieser Begriff kommt in unserem Vokabular nicht vor. Und doch können viel zu viele Erscheinungen nicht erklärt werden, wenn man den Körper aus reduktionistischer Sicht betrachtet.

MOYERS: Was verstehen Sie unter »reduktionistisch«?

PERT: Daß es sich dabei nur um chemische und elektrische Gradienten handelt, und daß man eines Tages alles erklären wird, ohne eine andere Form der Energie anzuführen.

MOYERS: Was Sie jedoch als Neuropeptide schildern, scheint mir im wesentlichen eine chemische Reaktion zu sein. Sie bezeichnen die Neuropeptide als chemische Boten. Während sie von einer Stelle des Körpers zur anderen wandern, löst der Körper eine physikalische Reaktion aus.

PERT: Das stimmt. Emotionen können im physikalischen Bereich auftreten, wo wir von Molekülen sprechen, deren physikalisches Gewicht man benennen und deren Sequenzen man als Formeln aufschreiben kann. Dann gibt es noch etwas anderes, das nicht im Zuständigkeitsbereich der Wissenschaft liegt. Es gibt Aspekte des Geistes mit Eigenschaften, die außerhalb der Materie zu liegen scheinen. Menschen mit multipler Persönlichkeit weisen beispielsweise manchmal überaus deutliche Körpersymptome auf, die sich mit jeder Persönlichkeit verändern: die eine Persönlichkeit kann auf Katzen allergisch reagieren, die andere hingegen nicht; die eine Persönlichkeit kann für Diabetes anfällig sein, die andere nicht.

MOYERS: Aber die multiple Persönlichkeit existiert in ein und demselben Körper. Die physikalische Materie hat sich von Persönlichkeit zu Persönlichkeit nicht verändert.

PERT: Allerdings hat sie das. Man kann es messen. Man kann aufzeigen, daß eine Persönlichkeit so viel Insulin produziert, wie sie benötigt, und die nächste, die eine halbe Stunde später auftritt, kein Insulin erzeugen kann.

MOYERS: Also setzt das Gehirn in dem Menschen mit multipler Persönlichkeit verschiedene Botenstoffe frei.

PERT: Das ist eine Möglichkeit. Wir haben einfach noch nicht genügend Untersuchungen angestellt, um eine definitive Aussage machen zu können.

MOYERS: Was geht aufgrund Ihrer eigenen Forschungen vor, wenn ich eine »instinktive Reaktion« habe?

PERT: Unser Geist ist in jeder Zelle unseres Körpers zu finden. Wir wissen das, weil so viele Körperzellen diese Moleküle aufweisen, die wir gemessen haben.

MOYERS: Also ist diese instinktive Reaktion ein mentaler Akt?

PERT: Ja, sie ist ein mentaler Akt – die Weisheit des Körpers. Wir müssen nicht sagen: »Magen, es ist jetzt Zeit für dich, das Essen weiterzubefördern. Galle, wir brauchen noch ein paar weitere weiße Zellen für diese

Viren.« All das läuft auf einer unterbewußten Ebene ab, um die wir uns nicht zu kümmern brauchen. Jemand ist Ihnen auf die Zehen getreten, und ehe Sie überhaupt dachten: »Jemand ist mir auf die Zehen getreten«, fühlten sie schon den Zorn in sich aufsteigen. Ihr Körper hat sie gewarnt. Diese Mechanismen sind überlebenswichtig.

MOYERS: Neulich bin ich auf die Straße gegangen und wäre beinahe von einem Taxi überfahren worden. Ich bin sofort einen Schritt zurückgetreten. Dabei habe ich mir nicht gesagt: »Geh einen Schritt zurück«, mein Körper hat mich einfach zurückgezogen. Nachdem das Taxi vorbei war, wurde ich auf den Fahrer wütend. Handelt es sich dabei stets um das gleiche Phänomen?

PERT: Sicher, das ist die Weisheit des Körpers. Es ist nicht so, als würde der Kopf sich Dinge ausdenken und dem Körper sagen, was er zu tun hat. Der Körper weiß, was er zu tun hat.

MOYERS: Die Gefahr war momentan, auch die Wut auf den Fahrer war sofort da. All diese Reaktionen sollen physikalisch und chemisch sein?

PERT: Selbstverständlich. Und sie sind ebenso emotional wie psychisch bedingt.

MOYERS: Sie sagen also, daß meine Emotionen dasselbe sind wie meine physikalischen Reaktionen und daß sie auftreten, wenn ein bestimmtes Molekül auf einen bestimmten Rezeptor trifft?

PERT: Meiner Ansicht nach ist es so.

MOYERS: Haben Sie gesehen, wie das Molekül auf den Rezeptor trifft?

PERT: Gewiß. Ich habe diesen Vorgang gemessen.

MOYERS: Aber haben Sie auch die Emotion gesehen, die es befördert?

PERT: Ich habe Tiere gesehen, die sich so verhalten haben, als hätten sie diese Emotion. Wissenschaftler, die das Verhalten von Ratten und Affen untersuchen, haben beobachtet, wie sich diese Tiere verhalten und einen Anstieg und Rückgang der freigesetzten Neuropeptidmengen gemessen.

MOYERS: Sie wissen aus der wissenschaftlichen Forschung, daß bestimmte Reaktionen auftreten, wenn das Neuropeptid auf den Rezeptor trifft.

PERT: Wir stehen wirklich noch am Beginn der Untersuchung, welches Peptid welche Emotion vermittelt, oder ob dabei Kombinationen von Peptiden in Frage kommen. Wir wissen über einige Peptide sehr gut Bescheid, weil es psychoaktive Medikamente gibt, die eine bestimmte Wirkung hervorrufen. So wirkt Kokain etwa euphorisierend, und wir wissen, mit welchem Rezeptorsystem im Gehirn es interagiert.

MOYERS: Wenn man Kokain schnupft, verspürt man sofort eine anregende Wirkung, man fühlt sich »high«.

PERT: Man wird »high«, weil die Rezeptoren, die eines der Botenmoleküle aufnehmen und inaktivieren, durch Kokain blockiert werden. Dieses verbindet sich mit diesem Rezeptor und stört die normale Vernichtung der Euphorie erzeugenden Chemikalie.

MOYERS: Aber Euphorie ist eine physikalische Reaktion auf eine Droge. Ist Kummer etwas anderes?

PERT: Bestimmt, ich bin aber auch sicher, daß es chemische Substanzen gibt, die Kummer hervorrufen. Wenn es eine Pflanze gäbe, die bei uns Kummer verursachte, hätte sie kein Mensch gezüchtet, und folglich würde sie auch heute niemand kennen.

MOYERS: Haben Sie also das Kummer-Peptid noch nicht identifiziert?

PERT: Ich nicht, doch vielleicht einer der Peptidologen. Vielleicht kennen wir es unter einem anderen Namen. Uns ist es vielleicht noch nicht bewußt, daß es Kummer erzeugt, weil wir, wenn wir dieses Molekül in ein Rattenhirn einpflanzen würden, nicht feststellen könnten, ob das Tier Kummer empfindet.

MOYERS: Die Existenz von Peptiden ist also Ihres Erachtens keine bloße Vermutung?

PERT: Ich und viele andere Wissenschaftler sind dieser Ansicht.

MOYERS: Aber ist es nicht nur eine Vermutung, daß aus der Reaktion des Peptids mit dem Rezeptor eine Emotion entsteht?

PERT: Ich glaube, wir sind uns bei einigen Peptiden sicherer als bei anderen. Das ausschlaggebende Experiment, das Geist mit Materie und Peptide und Rezeptoren mit Emotion verbinden wird, ist bis jetzt noch nicht durchgeführt worden. Doch wir wissen, daß sich nicht alle Emotionen in unserem Kopf befinden. Die Chemikalien, die Emotion und die Rezeptoren für solche Chemikalien vermitteln, finden sich in fast jeder Körperzelle. Tatsächlich besitzen sogar einzellige Lebewesen diese Peptide.

MOYERS: Aber einfache Organismen besitzen kein Unterscheidungsvermögen. Mein großer Zeh fühlt vielleicht etwas, aber er kann nicht sagen, ob er Furcht, Wut, Glück oder Trauer empfindet. Mein Verstand muß eingeschaltet werden.

PERT: Um zu sagen: »Ich fühle das« und es zu analysieren, spielt das Gehirn eine Rolle. Aber es gibt viele emotionale Botschaften, die nicht bis in die Bewußtseinsebene vordringen und dennoch alles in unserem Körper lenken.

MOYERS: Wollen Sie damit sagen, daß meine Emotionen im Körper gespeichert sind?

PERT: War Ihnen das nicht bewußt?

MOYERS: Nein, das war mir nicht bewußt. Ich weiß nicht einmal, was ich darunter verstehen soll. Was gibt es »da unten«?

PERT: Peptide, Rezeptoren, Zellen. Die Rezeptoren sind dynamisch. Es sind sich hin- und herbewegende, vibrierende Energiemoleküle, die nicht nur ihre Form von einer Tausendstelsekunde zur anderen verändern, sondern auch das wechseln, woran sie gekoppelt sind. Einen Augenblick lang sind sie an ein Protein in der Membrane gekoppelt, und im nächsten können sie mit einem anderen eine Verbindung eingehen. Es handelt sich hierbei um ein sehr dynamisches, fließendes System.

MOYERS: Jedesmal, wenn sie sich ankoppeln, wenn sie eine Verbindung eingehen, miteinander reagieren, werden chemische Botschaften ausgetauscht. Und unser Körper reagiert unterschiedlich, je nachdem, welche Zelle welche chemische Substanz erhält.

PERT: Genauso ist es.

MOYERS: Dann behaupten Sie also, daß wir nur ein Kreislaufsystem chemischer Substanzen sind?

PERT: Das ist schon fast eine philosophische Frage. Man könnte vielleicht sagen: Können wir alle menschlichen Phänomene unter chemischem Aspekt erklären? Ich persönlich glaube, daß es viele Erscheinungen gibt, die wir nicht erklären können, ohne uns mit Energie zu befassen. Als Wissenschaftlerin glaube ich, daß wir zwar eines Tages alles verstehen werden, aber daß dieses Verständnis es erfordern wird, daß wir auch einen uns bisher unbekannten Bereich miteinbeziehen. Wir werden diesen zusätzlichen Energiebereich berücksichtigen müssen, den Bereich des Geistes und der Seele, den Descartes aus dem wissenschaftlichen Denken der westlichen Welt verbannt hat.

MOYERS: Aber ich kann mir nicht vorstellen, daß Information irgendwo anders als in meinen Körperzellen steckt. Das ist alles, was ich nachvollziehen kann.

PERT: Ja, ich pflegte früher immer zu sagen, daß Neuropeptide und ihre Rezeptoren das physikalische Substrat von Emotionen seien. Ein Kritiker hielt mir entgegen: »Was wollen Sie damit sagen? Das klingt so, als seien sie die Basis von Emotionen. Woher wollen Sie denn wissen, daß ihre Basis nicht in einem ganz anderen Energiebereich liegt? Warum sagen Sie nicht, Neuropeptide sind die biochemische Entsprechung?« Es ist gar nicht so einfach. Mir fehlt die richtige Sprache, weil ich nicht ganz sicher bin. Ich kann höchstens sagen, daß Emotionen möglicherweise die Währung sind, mit der zwischen Geist und Materie ein Austausch stattfinden kann. Sie sind vielleicht tatsächlich das Bindeglied zwischen

Seele und Körper – obwohl ich das Wort »Bindeglied« ungern verwende, da es ein mechanistischer und Newtonscher Begriff ist und Abgrenzungen suggeriert.

MOYERS: Aber wir wissen doch, daß körperliche Reaktionen stattfinden, wenn unsere Zellen diese Botschaften von den Neuropeptiden empfangen. Sie sind also der Auffassung, daß die Reaktion des Körpers Emotionen erzeugt?

PERT: Ja. Die Reaktion des Körpers und des Gehirns. Die alltäglichen physiologischen Funktionen, sowohl die normalen als auch die krankhaften, erzeugen Emotionen.

MOYERS: Sie sprechen also nicht nur rein metaphorisch, wenn Sie sagen, daß die Seele im Körper steckt?

PERT: Keineswegs. Ich glaube, daß sie physisch nachweisbar und real ist. Es gibt Hunderte von Wissenschaftlern, die diese Moleküle in den verschiedenen Körperteilen gefunden haben.

MOYERS: Ich verlasse mich auf Ihr Wort, daß man diese Moleküle im Labor sehen kann, aber kann man auch die Emotionen sehen, deren Träger diese Moleküle sein sollen?

PERT: Nun, genau da liegt das Problem. Die Emotionen besitzen sowohl eine nicht-physische als auch eine physische Realität, deshalb können sie so schwer im Labor untersucht werden. Anhand der Hypnotherapie beispielsweise läßt sich nachweisen, daß Menschen starke emotionale Zustände aus ihrer Vergangenheit nochmals erleben und dann physikalische Veränderungen in ihrem Körper erfahren können, so etwa, daß Schmerzen verschwinden.

MOYERS: So wie die Samenzelle auf das Ei trifft, läßt sich beobachten, wie chemische Interaktionen stattfinden, aber man kann nicht wirklich das Leben in einer bestimmten Materie sehen.

PERT: Das stimmt. Wir können die chemische Reaktion messen, die ein Gefühl auslöst, aber wir können beispielsweise Kummer nicht durch ein Mikroskop erkennen. Wir können zwar sagen, daß ein bestimmtes Peptid Euphorie erzeugen kann, und das nicht nur beim Menschen, sondern auch bei Ratten und einfachen Lebewesen. Mit anderen Worten, wir können im Labor lediglich das Verhalten messen. Meine Arbeit war deshalb so interessant, weil der Rezeptor die Schnittstelle ist, wo Verhalten und Biochemie zusammentreffen.

MOYERS: Was hat das mit Emotion zu tun?

PERT: Warum sonst, glauben Sie, daß Sie sich auf eine bestimmte Weise verhalten? Alles, was Sie tun, wird von Ihren Emotionen bestimmt.

MOYERS: Sind unsere Emotionen bei dieser Reaktion im Rezeptor, wenn das Molekül mit seiner Information ankommt?

PERT: Ja. Denken Sie jedoch daran, daß Millionen solcher Interaktionen stattfinden. Wie ein Haus aus Bausteinen zusammengesetzt ist, so besteht unser Körper aus Millionen von Zellen, von denen jede einzelne mit diesen kleinen Satellitenschüsseln überzogen ist.

MOYERS: Ich verstehe das vom Verhaltensaspekt her. Wenn ich beispielsweise auf die Straße trete und ein Auto kommen sehe, erhalte ich sofort eine Botschaft, daß Gefahr droht, und ich mache einen Schritt zurück. Das Gehirn spricht zu mir durch diese Reaktion im Rezeptor.

PERT: Sie glauben immer noch, daß es Ihr Gehirn ist, aber es ist die Weisheit Ihres Körpers. Intelligenz ist in jeder Zelle Ihres Körpers vorhanden. Der Geist ist nicht nur im Gehirn, sondern im ganzen Körper vorhanden.

MOYERS: Also ist der Geist mehr als das Gehirn?

PERT: Ganz bestimmt.

MOYERS: Das Gehirn ist also nichts anderes als drei Pfund Fleisch?

PERT: Nein, das Gehirn ist ungeheuer wichtig. Es ist unser Fenster aus dem Körper nach draußen, durch die Augen, die Nase, den Mund.

MOYERS: Was ist dann der Geist?

PERT: Was ist der Geist? Als Naturwissenschaftlerin fühle ich mich nicht berufen, diese Frage zu beantworten. Der Geist ist eine Art von belebender Energie im Informationsbereich des Gehirns und des gesamten Körpers, die sowohl die Zellen befähigt, miteinander, als auch die Außenwelt, mit dem ganzen Organismus zu kommunizieren.

MOYERS: Und was hat das alles mit meiner Gesundheit zu tun?

PERT: Das Wort »Gesundheit« ist so interessant, da es aus einer Wurzel stammt, die »Ganzes« bedeutet. Ein gesunder Mensch zu sein, bedeutet zum Teil, ein gut integrierter, mit sich selbst und allen zusammenwirkenden Systemen in Frieden lebender Mensch zu sein.

MOYERS: Haben Sie Ihren Gesundheitsbegriff aufgrund Ihrer Forschung von Peptiden und Molekülen verändert?

PERT: Ich selbst bin durch meine Forschung verändert worden. Als ich zum Beispiel mein erstes Kind bekam, wußte ich nicht, daß der Körper sein eigenes Schmerzmittel erzeugt, seine eigenen Endorphine. Als ich mein zweites Kind bekam, wußte ich über diese Endorphine Bescheid, und war mir sicher, daß sie bei der Geburt eine schmerzstillende Rolle spielen würden. Also bekam ich mein zweites Kind auf natürliche Weise, weil ich mehr Glauben und Zutrauen hatte in meine eigene Fähigkeit, die körpereigenen Drogen auszuschütten, die ich brauchte.

MOYERS: Doch was ist mit unseren Emotionen? Kann sich unsere Stimmung und unsere Haltung physisch auf unsere Organe und unser Gewebe auswirken?

PERT: Ich glaube schon, denn Stimmungen und Haltungen, die aus dem mentalen Bereich kommen, werden durch die Emotionen in den körperlichen Bereich überführt. Sie haben bestimmt schon von dem Voodoo-Tod gehört – wenn man in manchen Kulturen den Menschen sagt, sie seien verhext und müßten sterben, dann werden sie auch sterben.

MOYERS: Doch was ist mit dem Heilen? Wie hilft uns die Forschung, den Heilungsprozeß zu verstehen?

PERT: Neueste Entdeckungen weisen darauf hin, daß die Oberfläche des Monozyten, der im Immunsystem zu den wichtigsten Zellen gehört, mit Rezeptoren für Peptide, jenen Biochemikalien für Emotionen, von denen ich gesprochen habe, bedeckt ist. Wenn Sie sich in den Finger schneiden, kommen diese Monozyten in Sekundenschnelle aus dem Knochenmark heraus und fangen sofort an der verletzten Stelle an, das Körpergewebe wiederherzustellen und neu aufzubauen.

MOYERS: Und das geschieht augenblicklich?

PERT: Es geschieht die ganze Zeit über, jetzt in diesem Moment. Während unserer Unterhaltung in den letzten zehn Minuten fanden in unserem Körper vielleicht fünf kleinere Zwischenfälle statt, bei denen uns Monozyten zu Hilfe kamen.

MOYERS: Ich verstehe zwar, wie diese Monozyten bei der Heilung einer Wunde helfen können, doch es fällt mir schwer, dabei einen Zusammenhang mit den Emotionen herzustellen. Als ein in der abendländischen Tradition verwurzelter Mensch glaube ich, daß Krankheit durch Bakterien oder Viren verursacht wird. Wenn ich mir eine Bakterie einfange, werde ich voraussichtlich krank.

PERT: Natürlich reagiert unser Immunsystem darauf – Viren beispielsweise benutzen genau dieselben Rezeptoren, um in eine Zelle einzudringen, und je nachdem, wieviel von dem natürlichen Stoff oder dem natürlichen Peptid für diesen Rezeptor vorhanden ist, desto leichter oder schwieriger ist es für das Virus, in die Zelle einzudringen. Deshalb hat unser emotionaler Zustand einen Einfluß darauf, ob wir von ein und derselben Menge eines Virus krank werden oder nicht. Sie kennen die Statistiken darüber, daß Menschen am Montagmorgen mehr Herzanfälle erleiden, daß bei Christen am Tag nach Weihnachten und bei Chinesen am Tag nach dem chinesischen Neujahrsfest die Todesrate sprunghaft ansteigt. Das AIDS-Virus beispielsweise benutzt einen Rezeptor, der normalerweise von einem Neuropeptid benutzt wird. Ob es also einem AIDS-Virus gelingt, in eine Zelle einzudringen oder nicht, hängt davon ab, wieviel von diesem natürlichen Peptid vorhanden ist, was nach dieser Theorie eine Auswirkung dessen wäre, in welchem Zustand emotionalen Ausdrucks sich der Organismus befindet. Emotionale Schwankungen und emotionaler Zustand beeinflussen auf direkte Weise die Wahrscheinlichkeit, daß der Organismus erkrankt oder gesund bleiben wird.

MOYERS: Das ist so etwas wie eine althergebrachte Weisheit, nicht wahr? Wir haben das schon lange gewußt.

PERT: Das stimmt.

MOYERS: Aber werden wir je in der Lage sein, unsere Psyche und unseren Körper in einen bestimmten Zustand zu versetzen, so daß wir unser Immunsystem positiv beeinflussen können?

PERT: Theoretisch sollte das möglich sein, und einige Forscher sind der Überzeugung, daß sie die Mittel und Wege dafür finden werden. Doch ich persönlich weiß nicht die passende Antwort darauf.

MOYERS: Sie sind so bescheiden, daß Sie nicht mehr behaupten, als es Ihnen Ihre wissenschaftliche Arbeit erlaubt, doch viele Leute stellen Spekulationen an, daß der nächste Schritt in dem Versuch bestehen wird, die Emotion zu erzeugen, die dazu beiträgt, unsere Gesundheit zu lenken.

PERT: Für mich ist es klar, daß Emotionen eine Schlüsselrolle spielen müssen und daß die Unterdrückung von Emotionen nur Krankheiten verursacht. Ein allgemein bekannter Bestandteil der Heilverfahren naiver Kulturen ist die Katharsis, die vollkommene Freisetzung von Emotion. Positives Denken ist zwar interessant, wenn es jedoch die Wahrheit verleugnet, dann kann es meiner Meinung nach doch nur schädlich sein.

MOYERS: Ein Teil der Gesundheit besteht also darin, diese echten Gefühle von Kummer, Leid, Wut und Angst bis zu ihrer Katharsis zuzulassen. Gibt es in Ihrer Forschungsarbeit irgendwelche Erkenntnisse, die darauf schließen lassen, daß die Unterdrückung von Emotionen eine schädliche Auswirkung auf uns hat?

PERT: Nicht in meiner Untersuchung, da diese auf der Molekularebene stattfindet. Doch es gibt immer mehr Studien, die darauf hinweisen, daß die emotionale Anamnese außerordentlich wichtig ist, zum Beispiel bei Krebserkrankungen. Die Unterdrückung von Kummer und besonders von Wut scheinen mit einem gehäuften Auftreten von Brustkrebs bei Frauen in Zusammenhang zu stehen. Diese Untersuchung ist umstritten, und es finden sich dabei immer wieder methodologische Problemstellungen, die noch zu lösen sind – doch es ist ein interessanter Ansatz.

MOYERS: Sie sagten, daß wir am Beginn einer wissenschaftlichen Revolution stehen. Worin besteht diese Revolution?

PERT: Wir befinden uns bereits mittendrin in dieser Revolution, bei der es darum geht, die Psyche und die Emotionen wieder in die Wissenschaft einzubeziehen. Die Implikationen für die medizinische Praxis sind natürlich weitreichend.

MOYERS: Wenn also die Medizin anfängt, die Seele und die Emotion mit einzubeziehen, dann wird das Feld vielleicht wieder von den Geschäftemachern, Scharlatanen und Populärpsychologen erobert.

PERT: Ja – doch nur, weil es solche Profitjäger gibt, heißt das nicht, daß wir die Möglichkeit außer acht lassen dürfen, daß das, was sie tun, einige sehr reale und begründete Aspekte aufweist. Wir sind zu sehr eingeschworen auf den hochtechnisierten, unemotionalen Ansatz. Dean Ornishs Untersuchung hat gezeigt, daß eine Kombination von streßabbauenden Übungen, Meditation, Gruppentherapie und eine vegetarische Diät die Schädigung des Herzmuskels tatsächlich rückgängig machen kann. Die Ärzte sind darüber sehr erstaunt.

MOYERS: Ihre Forschungsarbeit läßt aber darauf schließen, daß es eine physikalische, biologische Ursache für die Wirkung von Emotionen auf die Gesundheit gibt.

PERT: Genau. Die Kenntnis und Lokalisierung dieser Moleküle kann eine mögliche rationale Erklärung dafür liefern, daß der Geist und die Emotionen die Gesundheit beeinflussen. Unsere Experimente können zwar nicht beweisen, daß sie es tun, doch die logische Grundlage ist vorhanden. Natürlich muß ich mich vorsichtig äußern, da ich nicht die Verantwortung dafür übernehmen kann, daß ein Scharlatan eine Praxis eröffnet und verspricht: »Ich werde Ihre Peptide etwas foppen und Sie heilen.« Doch ich glaube, daß das Pendel zu weit in die andere Richtung ausgeschlagen hat. Wir sind auf eine hochtechnisierte, unglaublich teure Medizin eingeschworen, die das Land in den Bankrott treibt. Warum versuchen wir es nicht mit ein wenig Prävention? Wir sollten anfangen, die einfachen, weniger kostspieligen Therapien anzuerkennen, die mit der Freisetzung von Emotionen arbeiten, und wir sollten ein paar vernünftige wissenschaftliche Untersuchungen anstellen, um zu sehen, was besser wirkt. Die Studie von Dan Spiegel zum Beispiel zeigt, daß Frauen mit Brustkrebs, die sich mit anderen Frauen in einer psychotherapeutischen Betreuungsgruppe trafen, doppelt so lang lebten wie Frauen, die sich derselben Chemotherapie unterzogen, aber sich nicht an einer Gruppentherapie beteiligten. In der westlichen Medizin sind wir inzwischen an dem Punkt angelangt, wo wir ignorieren, was offensichtlich ist. Ich glaube, daß eine Kehrtwendung angesagt ist.

MOYERS: Aber Forscher und Ärzte möchten wissen, ob es dafür eine physiologische Basis gibt, und genau das versucht Ihre Forschungsarbeit anzudeuten. Findet Ihre Arbeit bei Ihren traditioneller ausgerichteten Kollegen Zustimmung?

PERT: Sie sind, was meine grundlegenden Untersuchungsergebnisse betrifft, auf keiner Ebene anderer Meinung als ich. Natürlich finden die theoretischen Exkurse, die ich mir hier erlaube, nicht wirklich Eingang in die wissenschaftliche Literatur, also wird mich wohl niemand deshalb angreifen können.

MOYERS: Was sollte ich als Laie Ihrer Meinung nach über Heilen und die Seele wissen?

PERT: Norman Cousins sagte etwas in diesem Sinn, nämlich daß das Vertrauen, daß fast alles möglich ist, sich in die Fähigkeit zu heilen verwandeln kann. Wenn ich den Leuten dadurch, daß ich Ihnen von meiner Arbeit erzähle, eine wissenschaftliche, rationale Erklärung verschaffe, die ihnen ein größeres Zutrauen zu sich selbst und ihrer eigenen Psyche gibt, sich selbst zu heilen, dann habe ich das Gefühl, einen nützlichen Beitrag zu leisten.

MOYERS: Aber liegt darin nicht eine Gefahr? Wenn ich jetzt eine Grippe bekomme, dann nehme ich an, es kommt daher, weil ein Virus in meinen Körper eingedrungen ist. Also habe ich keine Schuldgefühle. Wenn ich aber glaube, daß positives Denken mich gesund erhalten kann, dann schreibe ich mir für meine Krankheit selbst die Schuld zu.

PERT: Das gehört zu den Spannungen, die bei diesem Paradigmenwechsel auftreten. Wenn es stimmt, daß Emotionen eine entscheidende Rolle bei Gesundheit und Krankheit spielen, dann sollten sich die Menschen nicht schuldig fühlen, sie sollten einfach anfangen, diese neue Information zu begreifen und mit einzubeziehen. Die Menschen müssen sich öffnen und lernen, keine Schuldgefühle zu haben, statt dessen müssen sie neue Daseins- und Denkweisen, neue Therapien und neue Strategien erlernen.

MOYERS: Worin besteht die Forschungsarbeit der neunziger Jahre? Wohin führt sie uns?

PERT: Ich glaube, wir werden weitere Anwendungsmöglichkeiten für Gesundheit und Krankheit erkennen. Die Erkenntnis, daß Viren dieselben Rezeptoren benutzen, von denen wir hier sprechen, eröffnet neue Formen und spezifische Arten antiviraler Therapien, bei denen Peptidmedikamente die Fähigkeit der Viren, in die Zellen einzudringen, von außen blockieren und somit die Ausbreitung von Infektionen verlangsamen können. Wir sind jetzt soweit, daß wir vor diesem theoretischen Hintergrund beginnen können, neue Medikamente zu entwickeln. Parallel dazu wird die Anwendung der natürlichen Drogen in unserem Gehirn zu mehr Eigenverantwortung für unsere Gesundheit führen. War es Norman Cousins, der sagte, daß der größte und beste Vorrat an Arzneimitteln sich in unserem eigenen Gehirn befindet? Es besitzt jedes nur erforderliche Medikament.

MOYERS: Also steckt doch etwas Wahrheit in jener alten Weisheit: »Arzt, heile dich selbst.« Glauben Sie wirklich, daß wir durch unsere Emotionen über eine große Selbstheilungsfähigkeit verfügen?

PERT: Ganz bestimmt.

MOYERS: Und Sie behaupten das als Wissenschaftlerin?

PERT: Nein, ich behaupte das als Mensch, der im Laufe seines Lebens einige interessante Erfahrungen auf diesem Feld gemacht hat.

MOYERS: Wohin führt uns dieser Weg in bezug auf Emotionen und Gesundheit?

PERT: Er führt uns zu der Hypothese, daß die chemischen Substanzen, die unseren Körper und unser Gehirn in Gang halten, dieselben sind, die bei den Emotionen eine Rolle spielen. Und das sagt mir, daß wir gut daran täten, Theorien über die Rolle, die die Emotionen und die Unterdrükkung von Emotionen bei einer Krankheit spielen, ernsthaft in Erwägung zu ziehen und mehr Aufmerksamkeit auf die Emotionen in bezug auf die Gesundheit zu verwenden.

Emotionen und das Immunsystem

Margaret Kemeny

Margaret Kemeny ist Psychologin mit einer Zusatzausbildung in Immunologie und Psychoneuroimmunologie. Sie ist Assistenzprofessorin im Department of Psychiatry and Biobehavioral Sciences an der University of California in Los Angeles. In ihrer gegenwärtigen Forschungsarbeit untersucht sie den Einfluß von psychologischen Faktoren auf die Infektion mit dem HIV-Virus.

MOYERS: Welche Schlüsse ziehen Sie aus Ihrer Arbeit mit Schauspielern?

KEMENY: Die Studie über Schauspieler soll zeigen, wie kurzfristige emotionale Veränderungen, wie etwa ein wenige Minuten anhaltendes Trauer- oder Glücksgefühl, das Immunsystem beeinflussen.

MOYERS: Warum haben Sie diese Untersuchung gerade mit Schauspielern durchgeführt?

KEMENY: Schauspieler, besonders solche mit einer systematischen Ausbildung, eignen sich deshalb so gut für diese Art von Studie, weil sie darin geschult sind, sich in verschiedene emotionale Zustände hineinzuversetzen. Sie greifen auf ihre eigenen Erinnerungen und Gefühle zurück, um auf der Bühne intensive Gefühle wirklichkeitsgetreu darstellen zu können. Wenn man beispielsweise einen von uns auffordern würde, sofort Trauer zu empfinden, könnten wir das nicht annähernd so gut wie ein ausgebildeter Schauspieler. Für ein Experiment, das die Fähigkeit verstärkt, intensiv zu empfinden, sind deswegen Schauspieler aufgrund ihrer professionellen Technik am geeignetsten.

Die Schauspieler wurden aufgefordert, einen Monolog zu improvisieren, der auf einer Standardsituation basierte, die traurige oder glückliche Gefühle hervorrufen sollte. Sobald die Schauspieler sich in diesen Zustand versetzt hatten, untersuchten wir ihr Immunsystem auf Veränderungen. Jeder Schauspieler sollte sich vorstellen, er sei für eine Rolle abgelehnt worden. Er begann, intensive traurige Gefühle zu entwickeln. Wir stellten fest, daß sich die Zahl der natürlichen Killerzellen im Blut während dieses Zustandes der Trauer erhöhte und daß diese Killerzellen viel effektiver arbeiteten, als es während eines neutralen Gemütszustands der Fall war.

MOYERS: Ich nehme an, daß die natürlichen Killerzellen »gute« Zellen sind, die helfen, Krankheiten abzuwehren.

KEMENY: Das ist richtig. Im Zusammenhang mit dem Immunsystem sind die natürlichen Killerzellen von großer Bedeutung. Sie gehören zu unserer vordersten Verteidigungslinie, sie können auf fremde Organismen ohne vorherige Erfahrung mit ihnen reagieren, mit Viren infizierte Zellen vernichten und sind potentiell auch in der Lage, Tumorzellen unschädlich zu machen. Deswegen sind wir darauf angewiesen, daß diese Killerzellen optimal funktionieren.

MOYERS: Was verstehen Sie unter »optimal«?

KEMENY: Sie müssen zur richtigen Zeit am richtigen Ort sein, und um wirksam zu sein, müssen sie aktiviert werden. Erst dann können diese Zellen Eindringlinge vernichten, indem sie giftige Substanzen erzeugen.

MOYERS: Als der Schauspieler Trauer empfand, geschah also etwas »Gesundes«.

KEMENY: Zumindest nahm die Anzahl dieser Zellen und ihre Aktivität zu, was sich auf den Gesundheitszustand positiv auswirkt.

MOYERS: Hat Sie das überrascht? Normalerweise glauben wir, traurig zu sein sei nicht gut für unsere Gesundheit. Der Anstieg der Killerzellen scheint aber dafür zu sprechen, daß es sich anders verhält.

KEMENY: Es war eine Überraschung festzustellen, daß die Zahl der Killerzellen bei Gefühlen der Trauer anstieg. Wir hatten eigentlich das genaue Gegenteil erwartet, nämlich, daß mit der Trauer die Anzahl der natürlichen Killerzellen und auch ihre Aktivität abnehmen würde.

MOYERS: Sie haben im Gegenzug auch jeden Schauspieler eingehend beobachtet, wenn er sich vorstellte, er habe die Rolle erhalten und bei der Premiere einen großen Erfolg gefeiert. Er war überglücklich. Hatte dieser Zustand der Freude einen Einfluß auf sein Immunsystem?

KEMENY: Wir stellten fest, daß sich die Auswirkung des Glücksgefühls und des Zustandes der Trauer auf das Immunsystem sehr ähnelten. Bisher gibt es noch sehr wenige Untersuchungen dazu, wie Glückszustände das Immunsystem beeinflussen. Die Tendenz geht eher dahin, die Auswirkungen von negativen Gefühlszuständen zu untersuchen.

MOYERS: Weshalb gilt das Interesse der Wissenschaft mehr den negativen Zuständen als den positiven?

KEMENY: Es mag damit zusammenhängen, daß die Medizin sich in der

Praxis auf die Untersuchung der Krankheitsprozesse und nicht der Gesundheit konzentriert.

MOYERS: Heißt das, daß Gefühlszustände, selbst traurige, eine positive Wirkung auf unseren Körper haben?

KEMENY: Die Ergebnisse unserer Studie lassen zumindest darauf schließen, daß Emotionen jeglicher Art ähnliche Wirkungen auf das Immunsystem haben, einschließlich einem Anstieg der Anzahl und der Aktivität bestimmter, im Blutstrom zirkulierender Zellen. Im Fall der zwei Gefühlszustände, die wir untersucht haben, war bei beiden das gleiche Ergebnis im Immunsystem festzustellen.

MOYERS: Aus ihrer Forschungsarbeit scheint also gesichert hervorzugehen, daß kurzfristige Emotionen unser Immunsystem beeinflussen.

KEMENY: Ja. Wir stellten einen Anstieg der Killerzellen innerhalb von zwanzig Minuten fest. Anschließend, nachdem der Schauspieler eine halbe Stunde lang ruhig dagesessen hatte, normalisierte sich das Immunsystem wieder. Die Zahl dieser Zellen stieg also kurzfristig an und kehrte dann sofort wieder zum Ausgangswert zurück, als der Schauspieler sich nicht mehr in dem emotionalen Zustand befand.

Viele Untersuchungen weisen darauf hin, daß ein langanhaltender, starker Affektzustand, wie etwa eine Depression, das Immunsystem beeinflußt. Wir wollten dagegen wissen, was während unserer normalen, alltäglichen Glücks-, Trauer-, Wut-, Frustrations- und Liebeserfahrungen geschieht. Führen diese zwar flüchtigeren, aber wichtigen emotionalen Erlebnisse zu Veränderungen in unserem Immunsystem? Und falls es so ist, haben die unterschiedlichen emotionalen Zustände während unseres Tagesablaufes Einfluß auf bestimmte Arten von Immunerkrankungen wie Erkältungen und Grippe?

MOYERS: Falls wir lernen könnten, unsere emotionalen Zustände zu verändern, wären wir demnach in der Lage, positiv auf unsere Immunabwehr einzuwirken?

KEMENY: Wir suchen nach Möglichkeiten, mit psychologischen Mitteln und Interventionen unseren Gefühlszustand derart zu verändern, daß er sich positiv auf unser Immunsystem auswirkt. Einige unserer Daten deuten beispielsweise darauf hin, daß Gruppentherapie das Immunsystem beeinflußt. Im Moment rühren wir erst an die Oberfläche dieses Komplexes.

MOYERS: Die Möglichkeit, daß die in der Gruppentherapie gewährte Unterstützung einen meßbaren positiven Effekt auf die Abwehrreaktion des Körpers hat, erstaunt mich.

KEMENY: Viele der vorherrschenden medizinischen Dogmen messen dem psychischen Zustand des Patienten wenig Bedeutung bei. Es scheint aber einen engen Zusammenhang zwischen unserer psychischen Verfassung und den biologischen Prozessen im Körper zu geben. Bisher können wir allerdings noch nicht genau sagen, in welcher Verbindung diese Veränderungen in den biologischen Prozessen mit den Krankheitsäußerungen stehen. Wir kennen zwar die physiologischen Grundlagen dafür, wie beispielsweise das Gehirn mit dem Immunsystem kommuniziert, doch inwieweit das die Anfälligkeit für Krankheiten beeinflußt, entzieht sich unserer Kenntnis. Deshalb ist die jüngste wissenschaftliche Forschung darauf ausgerichtet, dieses letzte Bindeglied in der Kette herzustellen.

MOYERS: Gibt es eine evolutionsbiologische Erklärung für diese physiologischen Veränderungen?

KEMENY: Meiner Ansicht nach hat die Physiologie, auf der das Verhältnis zwischen Emotionen und dem Immunsystem beruht, viel mit der Verbesserung der Überlebenschancen des Individuums zu tun. Im Falle einer Bedrohung setzt bekanntlich die »fight-or-flight-Reaktion« (Kämpfen oder Fliehen) ein. Ein Adrenalinstoß bewirkt, daß die Pupillen sich weiten und das Herz zu rasen beginnt. Es handelt sich um einen Anpassungseffekt, denn die physiologischen Reaktionen, die wir zur Flucht oder zum Kampf benötigen, verbessern sich. Diese »fight-or-flight-Reaktion« wird durch Emotionen ausgelöst.

MOYERS: Sind wir Ihrer Meinung nach fähig, wie ein Schauspieler Glück oder Trauer nachzuempfinden, um unser Immunsystem zu beeinflussen?

KEMENY: Wenn Sie die Fähigkeit meinen, durch Stimmungen unsere Physiologie gezielt zu beeinflussen, würde ich Gruppentherapie als Beispiel eines psychotherapeutischen Verfahrens anführen, das den Menschen helfen soll, ihren Gefühlen mehr freien Lauf zu lassen. Denn die Neigung, Gefühle zu unterdrücken, schadet der Psyche.

MOYERS: In diesem Sinn könnte also auch Trauern sich positiv auf die Gesundheit auswirken.

KEMENY: Das ist gut möglich, bisher steckt dieser Bereich der Wissenschaft allerdings noch in den Kinderschuhen. Es ist möglich, daß Gefühle jeglicher Art, ob glücklich oder traurig, gesund für die Psyche und den Organismus sind. Die Untersuchung mit den Schauspielern weist in diese Richtung. Eine mögliche Schlußfolgerung aus den Ergebnissen dieser Studie wäre, daß das Erleben von Gefühlen, selbst wenn diese negativ sind, eine positive Auswirkung auf die natürliche Aktivität der

Killerzellen hat. Auch andere Forschungsergebnisse stützen diese Hypothese, so zum Beispiel eine Studie der Southern Methodist University. Studenten wurden dazu aufgefordert, über traumatische Erlebnisse zu schreiben und die von jenen Ereignissen hervorgerufenen negativen Gefühle noch einmal nachzuempfinden. Dabei kam es zu einer meßbaren Steigerung einer bestimmten Aktivität des Immunsystems.

MOYERS: Das unterscheidet sich aber grundlegend von der »fight-or-flight-Reaktion«, die sich reflexartig einstellt. Unsere Vorfahren in der Savanne ergriffen die Flucht, sobald sie einen Löwen sahen. Ich sehe, wie ein Lastwagen an der Kreuzung auf mich zufährt und renne davon. Ich handle, ohne zuvor nachzudenken. Weshalb?

KEMENY: Das ist eine der frühesten angeborenen Reaktionen. In dem Augenblick, wo etwas Furchteinflößendes auftaucht, stellt sich innerhalb von Sekunden eine Angstreaktion ein. Wir erleben im selben Augenblick eine Reihe physiologischer Veränderungen, die es uns ermöglichen, der Situation durch Flucht zu entkommen oder mit ihr auf angemessene Weise fertigzuwerden.

MOYERS: Aber nach der klassischen Lehrmeinung wird das Immunsystem von dieser Krisensituation nicht betroffen.

KEMENY: Bisher nahm man an, daß diese Reaktion ein unabhängiger Vorgang sei und das Immunsystem keine Rolle bei der Mobilisierung des Individuums zum Kampf oder zur Flucht spiele. Neuerdings betrachtet man das Immunsystem als eine Art Zuschauer der »fight-or-flight-Reaktion«. Wenn als Reaktion auf eine drohende Gefahr Hormone ausgeschüttet werden, wird sozusagen als Nebeneffekt das Immunsystem unterdrückt. Eine dritte Perspektive wäre, das Immunsystem als Teil der »fight-or-flight-Reaktion« zu betrachten, insofern als Kampf oder Flucht einen Mechanismus nötig machen, der die Funktion der natürlichen Killerzellen verstärkt. Auf diese Weise wäre unser Immunsystem im Falle einer Biß- oder Schnittwunde in der Lage, sofort auf eingedrungene Organismen oder Infektionen zu reagieren und mit ihnen fertigzuwerden. Die Mobilisierung dieser vordersten Verteidigungslinie wäre dementsprechend ein wichtiger Teil der »fight-or-flight-Reaktion«, um die Überlebenschancen zu verbessern.

MOYERS: Das deutet also darauf hin, daß unsere emotionalen Reaktionen im Falle einer Bedrohung unsere Chancen erhöhen, eine Krankheit zu überleben.

KEMENY: Richtig. Während die »fight-or-flight-Reaktion« unsere Fähigkeit, mit dem angreifenden Tier zu kämpfen oder vor ihm zu fliehen, mobilisiert, schützt uns möglicherweise das Immunsystem vor jenen anderen Organismen, die bei einer Verletzung im Kampf in unseren Körper gelangen. Vielleicht ist es so, daß die emotionale Reaktion auf die Bedrohung die physiologischen Prozesse, einschließlich des Immunsystems, auf adaptive Weise verändert.

MOYERS: Aber der endgültige Nachweis steht noch aus.

KEMENY: Im Augenblick handelt es sich noch um eine Theorie, die sich auf unsere Schauspieler-Studie und andere Untersuchungen stützt. Dazu gehört auch die Studie, die wir unmittelbar nach dem Erdbeben in Los Angeles im Jahre 1987 angestellt hatten. Unser Interesse galt der Frage, ob unmittelbar nach dem Erdbeben, als die Menschen verzweifelt waren und fürchteten, daß das »große Beben« noch folgen würde, Veränderungen im Immunsystem zu beobachten waren. Wir nahmen zwei bis vier Stunden nach dem Erdbeben neunzehn Personen Blut ab und machten von derselben Personengruppe während des folgenden Jahres weitere Blutproben. Wiederum stellten wir fest, daß entgegen unseren Erwartungen unmittelbar nach dem Erdbeben die Zahl natürlicher Killerzellen im Blut erhöht war.

MOYERS: Was bedeutet diese Entdeckung?

KEMENY: Sie deckt sich mit dem Ergebnis der Schauspieler-Studie, daß das Erleben eines unmittelbar negativen Gefühls wie Angst einen vorübergehenden Anstieg und eine erhöhte Aktivität der natürlichen Killerzellen hervorrufen kann. Würde man dieses emotionale Erlebnis über Tage oder Wochen hinweg ausdehnen, könnte man vielleicht feststellen, daß die Zahl und Aktivität dieser Zellen wieder abnimmt. Wenn wir jedoch den Zeitraum, unmittelbar nachdem sich ein negatives oder positives Gefühl einstellt, betrachten, ist ein Anstieg zu beobachten. Dieses Ergebnis widerspricht der traditionellen Ansicht, daß negative Emotionen mit einer abnehmenden Aktivität bestimmter Zellen einhergehen.

MOYERS: Wenn ich also mit einer Situation konfrontiert werde, in der ich kämpfen oder fliehen muß, brauche ich mehr Killerzellen. Was geschieht aber, wenn ich mit dieser Angst über eine lange Zeit hinweg leben muß?

KEMENY: Wenn man Tag für Tag, Monat für Monat mit dieser Angst lebt, was bei vielen Menschen der Fall ist, ist es möglich, daß der Mechanismus, der die Aktivität der Killerzellen erhöht, mit der Zeit ermüdet. Dasselbe gilt für unser Herz. Es paßt sich zwar in hohem Maße an und steigert bei Angstgefühlen die Herzfrequenz, damit wir in der Lage sind zu fliehen. Doch wenn unser Herz Tag für Tag, Monat für Monat rast, wird es schließlich schwach werden.

MOYERS: Also könnte ein Gefühl der Angst, das eine unmittelbare und vorübergehende Reaktion auf eine Gefahr darstellt, positive Auswirkungen auf unser Immunsystem haben. Wenn man diesen Zustand jedoch über einen längeren Zeitraum hinweg erträgt, wirkt es sich negativ auf das Immunsystem aus.

KEMENY: Genau. Es scheint, daß Emotionen wichtig sind und einen Anpassungseffekt haben, wenn sie kurzfristig sind, einige Minuten oder auch Stunden anhalten. In Situationen, die über eine längere Zeit hinweg emotionale Erregung hervorrufen, kann es zu irreversiblen physiologischen Veränderungen kommen.

MOYERS: Ich habe gelernt, trauern sei gesund, wenn man einen geliebten Menschen verliert oder einen anderen Verlust erleidet. Allzulange Trauer kann jedoch in eine Depression münden. Wollen Sie darauf hinaus?

KEMENY: Es ist wichtig, unsere Reaktionen auf bestimmte Ereignisse zu differenzieren. Eine Reaktion auf Verlust ist der Zustand tiefer Trauer. Eine andere Reaktion darauf ist die Depression, die nicht wirklich Trauer ist. Eine Depression wird oft als Zustand großer Leere empfunden, der durch keine emotionale Erfahrung geprägt ist. Die Auswirkung, die Trauer auf die Physiologie hat, kann sich von der einer Depression völlig unterscheiden.

MOYERS: Besteht die negative Wirkung einer Depression nur darin, daß sie länger anhält?

KEMENY: Das läßt sich noch nicht genau sagen, aber meiner Meinung nach hat es damit zu tun, daß die Fähigkeit, auf die Umgebung zu reagieren, mit einer psychologischen Anpassungsfähigkeit zusammenzuhängen scheint. Daraus ergeben sich möglicherweise physiologische Konsequenzen. Zustände wie eine Depression, die es uns nicht erlauben, emotional auf unsere Umwelt zu reagieren, haben unterschiedliche Wirkung. Eine chronische Depression kann deshalb neben psychologischen auch negative biologische Konsequenzen haben.

MOYERS: Ein klassisches Beispiel sind Menschen, die nach dem Verlust des Partners in eine Depression verfallen und wenig später sterben.

KEMENY: Das ist nicht die Regel. Aber bei Menschen, die ihren Partner verloren haben, ist das Risiko, innerhalb des ersten Jahres nach diesem Verlust zu sterben, erhöht. Das kann damit zusammenhängen, daß Depressionen anfälliger für Herzattacken und andere Krankheiten machen, weil das psychische Leiden auch das Immunsystem schwächt.

MOYERS: Heißt das, man ist nicht in der Lage, eine Krankheit abzuwehren, wenn man sich in einer schlechten psychischen Verfassung befindet?

KEMENY: Der Zusammenhang besteht ohne Zweifel. Es ist uns allerdings noch nicht gelungen nachzuweisen, daß die immunologische Veränderung während des Prozesses des Trauerns die Ursache für die zunehmende Krankheitsanfälligkeit und Sterblichkeit ist.

MOYERS: Ist Kummer eine mentale oder eine emotionale Reaktion auf eine Erfahrung? Teilt die Psyche dem Körper mit, daß er trauern soll, oder tritt Kummer ebenso reflexartig ein wie die Fluchtreaktion bei der Konfrontation mit einer Gefahr?

KEMENY: Meiner Meinung nach – und auch der vieler Psychologen – treten diese Phänomene gleichzeitig auf. Wenn wir einen Verlust verarbeiten müssen, reagieren wir emotional, und zur selben Zeit finden physiologische Veränderungen statt. Wenn die »fight-or-flight-Reaktion« einsetzt, fühlt man zugleich Angst, das Herz rast, die Pupillen weiten sich, und die Muskeln spannen sich an. Bei vielen emotionalen Erfahrungen, zu denen Trauer zählt, verhält es sich genauso. Möglicherweise existiert ein Komplex mentaler, emotionaler und physiologischer Reaktionen, mit dem wir einen Verlust verarbeiten.

MOYERS: Ihre Arbeit mit AIDS-Kranken scheint einige Ihrer Aussagen zu bestätigen.

KEMENY: Wir haben viel mit vom AIDS-Virus HIV infizierten Menschen gearbeitet. Unsere vordringlichste Fragestellung dabei lautet, ob psychologische Faktoren wie eine Depression das Immunsystem dieser Personen beeinflussen und ihr Risiko, tatsächlich an AIDS zu erkranken, erhöht. Unser Hauptinteresse gilt dabei dem als schmerzlich empfundenen Verlust. Wir untersuchen, ob der Tod von Freunden oder des Lebenspartners bei den Patienten zu Veränderungen im Immunsystem führt. Während wir keinen Zusammenhang zwischen dem Tod eines nahen Freundes und Veränderungen im Immunsystem beobachten konnten, stellten wir fest, daß Menschen, deren Lebenspartner an AIDS starben, nach deren Tod solche Veränderungen aufwiesen. Wir bezeichnen diese Veränderungen in bezug auf den Krankheitsverlauf als negativ, da sie darauf hindeuten, daß das Immunsystem geschwächt wird.

MOYERS: Um welche Art von Veränderungen handelt es sich dabei?

KEMENY: Das Immunsystem wird stärker aktiviert. Normalerweise ist eine Anregung des Immunsystems etwas Positives, aber bei Menschen, die mit dem AIDS-Virus infiziert sind, ist ein stärker aktiviertes Immunsystem mit einer größeren Wahrscheinlichkeit verbunden, daß die Krankheit zum Ausbruch kommt.

MOYERS: Hatte also die länger anhaltende, an Depression grenzende Trauer dieser Menschen eine negative Wirkung auf das Immunsystem, die zu einer weiteren Verschlechterung führte?

KEMENY: Wir untersuchten auch ihre psychologische Reaktion auf die Trauerfälle. Zu unserer Überraschung fanden wir Hinweise darauf, daß eine Depression, nicht aber Trauer, mit diesen negativen Veränderungen im Zusammenhang stehen kann.

MOYERS: Weshalb war das eine Überraschung?

KEMENY: Wir sind traditionell in der Vorstellung befangen, daß negative Erlebnisse in unserem Leben immer auch negative Auswirkungen auf den Körper hätten. Dabei vergessen wir oft, daß wir über verschiedenartige Reaktionsmechanismen verfügen. Jeder Mensch reagiert auf die gleiche Erfahrung mit unterschiedlichen Gefühlen und physiologischen Begleiterscheinungen. Unser Hauptaugenmerk muß deshalb der spezifischen Natur unserer psychologischen Reaktionen auf bestimmte Ereignisse gelten. Untersuchungen auf diesem Gebiet sollen zeigen, ob das Immunsystem bei ein und derselben Art von Erfahrungen auf eine Reaktion der Trauer anders reagiert als auf eine depressive Reaktion.

MOYERS: Gibt es Hinweise darauf, daß bestimmte Persönlichkeitstypen anfälliger für Krankheiten sind? Einige Wissenschaftler sind beispielsweise der Meinung, daß Menschen mit einer sogenannten »Typ-A-Persönlichkeit« eher zu Herzanfällen neigen als andere.

KEMENY: Ich halte es für eine vordringliche Aufgabe, die Persönlichkeitsstrukturen zu ermitteln, die die Krankheitsanfälligkeit erhöhen. Es ist beispielsweise nicht eindeutig bewiesen, ob es eine sogenannte Krebspersönlichkeit gibt. Das wahrscheinlich am besten erforschte Gebiet ist der Zusammenhang zwischen dem sogenannten Typ-A-Verhaltensmuster und Herzerkrankungen. Es gibt Hinweise darauf, daß Individuen mit dem Typ-A-Verhaltensmuster eher zu Herzattacken neigen als Individuen vom Typus B.

MOYERS: Es gibt einen Persönlichkeitstyp, der dazu neigt, sich zu sehr zurückzuziehen. Wenn es Herzen gibt, die bei der »fight-or-flight-Reaktion« sozusagen brechen, wenn die Anspannung zu lange anhält, gibt es dann nicht auch Immunsysteme, die geschwächt werden, wenn eine Emotion zu lange zurückgehalten oder verdrängt wird?

KEMENY: Man könnte darüber spekulieren, daß das Verhaltensmuster vom Typ-A charakteristisch für ein Individuum ist, das ständig die »fight-or-flight-Reaktion« aufweist. Dieser Typus erlebt solche Reaktionen, wenn ihn zum Beispiel jemand auf der Autobahn schneidet, während sich bei Personen vom B-Typus in der gleichen Situation diese Reaktion nicht einstellt. Wenn man aber ständig in dieser »fight-or-flight-Reaktion« verharrt, produziert der Körper mehr Streßhormone, die wiederum das Immunsystem beeinflussen.

MOYERS: Die Studie von David Spiegel über die Auswirkungen von Gruppentherapie auf Krebspatienten weist darauf hin, daß Anteilnahme und Solidarität einen positiven Effekt auf die Biochemie des Körpers haben kann. Das ist die andere Seite.

KEMENY: Meiner Meinung nach weisen die Ergebnisse der David-Spiegel-Studie auf mehrere Aspekte hin. Zum einen zeigen sie, daß gegenseitige Unterstützung und der Kontakt mit anderen Menschen einen positiven Einfluß auf die Gesundheit haben können. Zum anderen kann die Entspannung, die durch die Unterstützung der Gruppe eintritt, der »fight-or-flight-Reaktion« entgegenwirken. Vielleicht war deshalb die Überlebensrate jener Krebspatienten höher als normal. Außerdem arbeitete Dr. Spiegel mit Menschen, die negative Gefühle zuließen und zum Ausdruck bringen konnten. Meiner Meinung nach lag die kritische Dimension darin, daß die Erfahrung und der Ausdruck von Gefühlen der Gesundheit zuträglich ist.

MOYERS: Können wir Ihrer Meinung nach lernen, unser eigenes Immunsystem mit Hilfe unserer Gedanken und Gefühle zu aktivieren und beispielsweise durch Meditation oder Hypnose eine positive Wirkung auf unseren Körper ausüben?

KEMENY: Das ist eine überaus heikle Frage. Weder unsere Forschungsdaten noch unsere physiologischen Kenntnisse lassen den Schluß zu, daß ein direktes Eingreifen möglich wäre. Wir können nicht einmal Spekulationen darüber anstellen, wie ein bestimmter Gedanke mittels eines bestimmten physiologischen Vorgangs, wie etwa der Aktivierung einer Killerzelle, zu der Zelle gelangen und sie verändern könnte.

MOYERS: Ist die Wissenschaft hier an eine Grenze gestoßen?

KEMENY: Ich glaube, wir sind an den Punkt gelangt, wo ein wirklich subtiles Verständnis des Zusammenhangs von psychologischen und physiologischen Veränderungen gefordert ist. Der heutige Stand der Wissenschaft auf diesem Gebiet ist noch sehr rudimentär. Zwar wissen wir, daß einschneidende Erlebnisse ebenso wie chronische psychische Erkrankungen physiologische Auswirkungen haben. Doch jetzt geht es darum, zwischen verschiedenen Arten emotionaler Zustände und ihrem Zusammenhang mit spezifischen physiologischen Prozessen zu unterscheiden.

MOYERS: Aber als Wissenschaftlerin zweifeln Sie nicht daran, daß Geist und Körper miteinander im Einklang stehen?

KEMENY: Meiner Ansicht nach sind Körper und Geist zwei Manifestationen der gleichen Sache. Sie als »zusammenhängend« zu bezeichnen, ist im Grunde unzutreffend, da sie zwei Teile eines einzigen Ganzen sind.

MOYERS: Ein Teil des Problems besteht also schon darin, die richtige Sprache zu finden.

KEMENY: Die Sprache selbst ist ein Faktor, der uns daran gehindert hat, Körper-Seele-Prozesse überhaupt begrifflich zu fassen. Bereits die Tatsache, daß wir eine Art immaterieller Sprache verwenden, um die Psyche zu charakterisieren, und eine andere Art von materieller Sprache, um den Körper zu beschreiben – Sprachen, die sich auf keinerlei Weise in Verbindung bringen lassen –, hindert uns daran zu erkennen, daß diese beiden Erscheinungsformen in Wirklichkeit zwei gleichberechtigte Manifestationen ein und desselben Prozesses sind.

MOYERS: Ist es Ihrer Meinung nach möglich, die Körper-Seele-Interaktion wissenschaftlich zu erfassen?

KEMENY: Wir sind inzwischen in der Lage, die Neuropeptide, Hormone und Zellen wissenschaftlich zu untersuchen, die beispielsweise für die Verbindung von Seele, Verstand und Immunsystem verantwortlich sind. Die Frage ist, ob wir mit diesen Technologien auch die Auswirkungen der Emotionen auf das Immunsystem erhellen können.

MOYERS: Läßt sich mit Hilfe der Positronen-Emissions-Tomographie (PET) erkennen, ob eine subjektive Erfahrung, wie etwa ein Gefühl des Glücks oder der Trauer, physikalische Auswirkungen auf das Gehirn hat?

KEMENY: Gemeinhin gelten Gefühle als immateriell. Wir erleben Emotionen zwar, aber wir glauben nicht, daß sie physikalische Korrelate haben. Doch tatsächlich sind, wenn wir glücklich, traurig oder wütend sind, Veränderungen in bestimmten Gehirnregionen zu beobachten. Bei einer schweren Depression beispielsweise erhellen sich bestimmte Hirnregionen, was auf eine Aktivität in diesen Bereichen hindeutet. Wenn in einer dieser Regionen stärkere Aktivität zu beobachten ist, können wir allerdings nicht sagen, ob es sich um einen traurigen oder glücklichen Zustand handelt.

MOYERS: Wie kommt es, daß etwas scheinbar so Immaterielles wie ein Gefühl oder ein Gedanke die Körperchemie verändern kann?

KEMENY: Obwohl Gefühle und Gedanken immateriell zu sein scheinen, wird das Gehirn jedesmal, wenn wir etwas denken oder fühlen, aktiv. Das Herz, das Verdauungssystem, die Lungen und wahrscheinlich auch das Immunsystem werden vom Gehirn aus gesteuert, und jede Aktivität des Gehirns kann zu einer Reihe von Veränderungen im ganzen Körper führen.

MOYERS: Wie hängt das mit der körperlichen Gesundheit oder Krankheit zusammen?

KEMENY: Wenn wir Gefühle empfinden, finden im Gehirn Prozesse statt, die zu Veränderungen des Hormonspiegels führen. Diese Hormone, die ebenso wie die Immunzellen durch den Blutkreislauf strömen, beeinflussen so das Immunsystem. Die Einwirkung der Hormone auf die Immunzellen verändert möglicherweise die Fähigkeit des Individuums, eine Grippeinfektion oder eine Erkältung abzuwehren.

MOYERS: Die Einsicht, daß Emotionen unser Immunsystem beeinflussen, ist noch verhältnismäßig jung.

KEMENY: Früher nahm man an, daß selbst kritische Gefühlszustände ohne Auswirkung auf das Immunsystem blieben. Man ging davon aus, daß das Gehirn und das Immunsystem nicht miteinander kommunizierten. Inzwischen setzt sich die Erkenntnis durch, daß das Gehirn und das Immunsystem im ständigen Dialog miteinander stehen. Es findet ein Austausch in beiden Richtungen statt.

MOYERS: Was hat das Immunsystem dem Gehirn mitzuteilen?

KEMENY: Wenn der Körper beispielsweise einem Erkältungsvirus ausgesetzt ist, möchte das Immunsystem dem Gehirn mitteilen, daß der Körper mit einem bestimmten Virustyp infiziert worden ist, so daß das Gehirn eine Reihe von Reaktionen in Gang setzt, um auf die effizienteste Art zu reagieren.

MOYERS: Gehen die Bemühungen der Forschung in diese Richtung?

KEMENY: Ich glaube, daß in den nächsten zehn Jahren brisante Entdeckungen auf diesem Gebiet zu erwarten sind. Das betrifft sowohl die Art, wie die Psyche auf die Physis reagiert als auch die Mechanismen, die dieser Reaktion zugrunde liegen.

MOYERS: Wohin führt dieses neue Verständnis die Wissenschaft?

KEMENY: Die Wissenschaft wird die gängigen Vorstellungen von der Wirkung, die Streß und negative Erfahrungen auf die Physiologie haben, differenzieren müssen. Es gilt zu erforschen, welche physiologischen Korrelate die verschiedenen Arten psychischer Prozesse, wie Emotionen und kognitive Zustände, haben können.

Auch die Ausbildung der Wissenschaftler muß sich wandeln. Wir brauchen Forscher, die sich nicht nur in ihrem eigenen Fachgebiet auskennen, sondern zu interdisziplinärer Arbeit fähig sind; denn die Fragen, die uns in Zukunft beschäftigen werden, lassen sich nicht im Rahmen einer einzigen Disziplin beantworten. Um fachübergreifende Phänomene, wie zum Beispiel den Zusammenhang von Gehirn und Immunsystem zu erforschen, muß ein Neurologe auch über Kenntnisse in Immunologie und Psychologie verfügen.

MOYERS: Es geht also um den Menschen als Einheit.

KEMENY: Wir müssen unser Augenmerk darauf richten, wie die Teilbereiche von Körper und Psyche zusammenhängen und ein Ganzes bilden.

MOYERS: Welche praktischen Auswirkungen hat das in der medizinischen Praxis? Viele Patienten sind unzufrieden mit den Ärzten, weil sie sich nicht als Menschen, sondern als Maschine behandelt fühlen, an der ein defektes Teil repariert wird. Würde man nicht anders auf die Patienten eingehen, wenn man akzeptiert, daß Gefühle die Gesundheit beeinflussen?

KEMENY: Eine der wichtigsten Schlußfolgerungen unserer Arbeit ist die Einsicht, daß die medizinische Behandlung auch den Einfluß der Psyche der Patienten auf ihre Gesundheit berücksichtigen muß. Zur ärztlichen Betreuung gehören nicht nur technologische Errungenschaften wie Chemotherapie und Chirurgie, sondern auch die psychologische Betreuung, die dem Patienten hilft, mit der Krankheit umzugehen.

MOYERS: Man sagt, jemand gräme sich zu Tode. Wenn man Ihren Ausführungen folgt, handelt es sich dabei wahrscheinlich eher um eine Depression als um einen Kummer. Müssen wir auf dem Hintergrund Ihrer Forschung nicht anerkennen, daß viele solcher sprichwörtlichen Redensarten einen wahren Kern haben?

KEMENY: Manche dieser intuitiven Auffassungen decken sich mit den Erkenntnissen der Wissenschaft, andere hingegen nicht.

MOYERS: In dem kulturellen Umfeld, in dem ich aufgewachsen bin, durften Männer ihre Trauer nicht zeigen. Ich erinnere mich an den Schmerz, der im Gesicht meines Vaters nach dem Tod meines Bruders zu lesen war. Er behielt seinen Kummer dennoch für sich und verfiel in eine Depression.

KEMENY: Viele Daten weisen darauf hin, daß Männer und Frauen ganz unterschiedlich auf negative Ereignisse reagieren, und daß es Frauen leichter fällt, ihre Gefühle zum Ausdruck zu bringen. Es ist durchaus möglich, daß die unterschiedliche Fähigkeit, Gefühle zu artikulieren, auf den physiologischen Unterschieden beruht, die unsere Individualität begründen. Deshalb muß jede Medizin, die sich als ganzheitlich versteht, die psychologische und physiologische Besonderheit des einzelnen berücksichtigen.

Das Gehirn und das Immunsystem

David Felten

David Felten ist Professor für Neurobiologie und Anatomie an der School of Medicine der Universität Rochester. Zusammen mit seiner Frau Suzanne Felten entdeckte er die Nervenfasern, die das Nerven- mit dem Immunsystem verbinden. David Felten ist Mitherausgeber der Zeitschrift *Brain, Behavior and Immunity*.

MOYERS: Wodurch wurde Ihr Interesse für Psychoneuroimmunologie geweckt?

FELTEN: Als Mediziner mit dem Schwerpunkt Neurologie und als promovierter Geisteswissenschaftler hatte ich mich immer für das Gehirn interessiert und bereits bestimmte chemische Botenstoffe, die sogenannten Neurotransmitter, untersucht, mittels derer die Zellen im Gehirn miteinander kommunizieren.

Um Nerven zu identifizieren, die entlang der Blutgefäße verlaufen, untersuchte ich unter dem Mikroskop Gewebeproben der Leber. Da ich die Zellen nur schwer erkennen konnte, wollte ich dasselbe Phänomen an der Milz analysieren, deren Struktur besser bekannt ist. Als ich die Blutgefäße und das die Milz umgebende Gewebe untersuchte, entdeckte ich eine Gruppe von Nervenfasern. Ich war überrascht, Nervenfasern im Gewebe des Immunsystems zu finden, da man immer davon ausgegangen war, daß keine Kommunikation zwischen den Zellen des Immunsystems und dem Nervensystem stattfindet.

Weitere Gewebeproben von anderen Organen brachten dasselbe Ergebnis. Wir fanden im Laufe der Untersuchungen in jedem Organ des Immunsystems Nervenfasern, die einen direkten Kontakt zu seinen Zellen herstellten.

MOYERS: Welche Folgerungen zogen Sie aus diesem Ergebnis?

FELTEN: Wir vermuteten, daß die Nerven einen direkten Einfluß auf das Immunsystem haben und möglicherweise bestimmte Aspekte der Immunreaktion steuern könnten. John Williams führte später die ersten

Studien durch, die den Beweis dafür erbrachten. Aber damals galt noch das wissenschaftliche Dogma, daß das Immunsystem autonom sei und keiner externen Steuerung unterliege. Deshalb scheuten wir uns, von unserer Entdeckung zu berichten, weil wir befürchteten, nicht ernstgenommen zu werden. Deswegen durchkämmten wir die Forschungsliteratur zu diesem Thema, und je länger wir uns damit befaßten, desto deutlicher wurde es, daß auch auf Aufnahmen, die andere Forscher publiziert hatten, um die Lymphozyten herum Nervenfasern zu sehen waren. Nur hatte bisher noch niemand diesem Phänomen Aufmerksamkeit geschenkt.

Bei unseren Recherchen im Bereich der Immunologie stellten wir fest, daß die Immunologen Rezeptoren für Neurotransmitter entdeckt hatten, die an der Oberfläche der Zellen des Immunsystems saßen, diese Beobachtung aber nicht weiter ausgewertet hatten. Die Frage, wozu ein Lymphozyt einen Rezeptor für einen Neurotransmitter besitzt, war einfach fallengelassen worden. Niemand hatte die Schlußfolgerung gezogen, daß das Gehirn eventuell einen direkten Einfluß auf das Immunsystem haben könnte.

Zusammen mit Kollegen aus der Immunologie begannen wir zu untersuchen, welche immunologischen Veränderungen stattfinden, wenn Drogen zur Beeinflussung von Neurotransmittern eingesetzt oder Nerven entfernt werden. Zu unserer Überraschung stellten wir fest, daß durch die Entfernung von Nerven aus der Milz oder den Lymphknoten dort die Immunreaktion beinahe zum Stillstand gebracht wurde.

MOYERS: Bedeutet das, daß eine Kommunikation zwischen dem Geist und dem Immunsystem existiert?

FELTEN: So interpretierten wir es zumindest. Das bedeutet konkret, daß die Streßfaktoren, denen wir täglich ausgesetzt sind und die das Nervensystem beeinflussen, auch Auswirkungen auf das Immunsystem haben können.

MOYERS: Der Geist steuert also den Körper?

FELTEN: Das war zumindest der erste Hinweis darauf. Seither haben Suzanne Felten und ich eine Reihe weiterer Kommunikationsmoleküle gefunden. Es handelt sich dabei um unterschiedliche Neurotransmitter, die den Austausch zwischen verschiedenen Zelltypen ermöglichen.

MOYERS: Für mich klingt das nicht überraschend. Ich war schon immer der Meinung, daß zwischen meinem Gehirn und dem übrigen Körper ein Austausch stattfindet, wenn beispielsweise irgend etwas die Bewegung meiner Arme lenkt.

FELTEN: Diese Verbindung war beinahe für jedes System außer dem Immunsystem bekannt. Die Immunologie dagegen verstand sich lange Zeit als ein autonomes Fachgebiet. Eine Immunreaktion kann man in der Regel auch im Reagenzglas erzeugen. Was sich die Forscher damals nicht bewußt machten, war, daß auch vom Gehirn Signale ausgehen, die die Reaktion regulieren können. Noch heute behandeln viele Immunologie-Lehrbücher das Immunsystem als ein geschlossenes, selbstregulierendes System. Auch die Gehirnforschung näherte sich den Neurowissenschaften, ohne die Immunologie zu berücksichtigen, so daß die beiden Disziplinen sich unabhängig voneinander entwickelten. Sie existieren aber keineswegs isoliert voneinander. Alles deutet darauf hin, daß Hormone und Neurotransmitter die Aktivität des Immunsystems und daß Produkte des Immunsystems das Gehirn beeinflussen können.

MOYERS: Heißt das, der Geist kommuniziert mit dem Immunsystem?

FELTEN: Bestimmt kann das Gehirn dem Immunsystem in Zeiten von emotionaler Belastung wie Streß oder Einsamkeit und vermutlich auch unter entspannten, normalen Bedingungen Signale geben. Die höherentwickelten Gehirnzentren können beispielsweise Impulse geben, die den Hormonausstoß deutlich beeinflussen. Bei bestimmten seelischen Störungen sind bei einigen Hormonen Veränderungen zu beobachten. Angst bewirkt beispielsweise, daß das sympathische Nervensystem die Ausschüttung von Adrenalin und Noradrenalin aus der Nebenniere veranlaßt. Was wir zuvor nicht in Betracht gezogen hatten, ist, daß einige dieser Signale, mit denen das Gehirn auf bestimmte Emotionen reagiert, auch Auswirkungen auf das Immunsystem haben können.

Einige Forscher auf diesem Gebiet untersuchen, ob der Streß, der bestimmte Erfahrungen, wie etwa eine ärztliche Untersuchung, eine Scheidung oder den Eintritt in ein Pflegeheim, begleitet, mit Veränderungen der Immunreaktion einhergeht. Man hat dabei festgestellt, daß die Tatsache, daß ein Individuum eine Situation nicht selbst steuert, einer der Faktoren ist, die zu einer verminderten Immunreaktion führen. Ebenso wichtig ist es beispielsweise, ob sich ein Mensch einsam fühlt oder nicht.

MOYERS: Welche Folgen hat das für die in der westlichen Welt vorherrschende Auffassung, daß Körper und Seele getrennte Bereiche seien?

FELTEN: Meiner Ansicht nach hat diese Auffassung keine Gültigkeit mehr. Angesichts der vielfältigen Verbindungen zwischen dem Gehirn und allen anderen Systemen des Körpers läßt sich eine Trennung von Körper und Gehirn nicht länger aufrechterhalten.

MOYERS: Was bedeutet das für die Medizin?

FELTEN: Es bedeutet, daß wir den Gefühlen und Wahrnehmungen der Patienten und der Art und Weise, wie sie ihre Gesundheit und ihre Krankheit einschätzen, sehr viel mehr Aufmerksamkeit schenken müssen.

MOYERS: Und in bezug auf den Schutz, den uns das Immunsystem vor Krankheiten gewährt?

FELTEN: Das Immunsystem schützt uns bekanntlich vor eindringenden Bakterien, Viren und entzündlichen Reaktionen, und es bekämpft auch die Entstehung von Tumorzellen. Wir brauchen es zur Bekämpfung von Infektionserregern, die durch die Luft, den Magen-Darm-Trakt oder bei Verletzungen durch die Haut eindringen. Wir besitzen eine unspezifische Immunität, einen allgemeinen Mechanismus, der sich gegen alle eindringenden Erreger richtet, und eine spezifische Immunität, die eine Abwehrreaktion auf die Oberflächenstruktur der eindringenden Zellen hervorruft. Diese spezifische, erworbene Immunität ermöglicht es dem Menschen, dieselben Moleküle wiederzuerkennen und sie bei jedem Eindringen anzugreifen.

MOYERS: Das Immunsystem ist also eine Art Maginot-Linie.

FELTEN: Es ist mehr als eine Linie. Es besitzt viele Überbrückungsposten, so daß bei dem Ausfall des einen Mechanismus ein anderer seine Rolle übernimmt. Wir verfügen über eine Abwehr sowohl an der vordersten Front als auch in den hinteren Linien, falls die »Frontabwehr« nicht funktioniert.

Zum einen haben wir also ein Abwehrsystem, das eine Art Gedächtnis besitzt und frühere Erfahrungen im Bedarfsfall reaktivieren kann. Auf der anderen Seite haben wir das Gehirn, das Erfahrungen speichert. Bisher hatten wir angenommen, daß diese beiden Erinnerungssysteme unabhängig voneinander arbeiten. Doch nun stellt sich heraus, daß dies nicht der Fall ist, sondern daß sie intensiv miteinander kommunizieren.

MOYERS: Im Vokabular des Fußballspiels gesprochen, erhalten also nicht nur die Stürmer, sondern auch die Verteidiger ihre Instruktionen vom Trainer. Was ist das Neue an dieser Einsicht?

FELTEN: Es ist eine andere Betrachtungsweise, die im Grunde der einfachen Logik entspricht, daß etwas, das die Seele oder das Gehirn beeinflußt, auch eine Auswirkung auf unsere Gesundheit haben kann. Wenn man sagt: »Überanstrenge dich nicht, sonst wirst du noch krank«, ist einem meist nicht bewußt, daß es dafür eine konkrete physiologische Grundlage gibt.

MOYERS: In einem kürzlich erschienenen Buch zu diesem Thema stellen Sie die Frage: »Können wir es uns leisten, die Rolle, die Gefühle, Hoffnungen, der Wille zu leben und die Kraft menschlicher Wärme und Nähe spielen, zu ignorieren, nur weil sie wissenschaftlich so schwer nachzuweisen sind und unsere Unwissenheit so überwältigend ist?« Wie lautet die Antwort?

FELTEN: Wir können es uns nicht leisten, diese Faktoren zu ignorieren, weil wir uns sonst die Möglichkeit nehmen, unseren Patienten wirklich zu helfen. Ich kann Ihnen nicht den genauen Mechanismus erklären, weil es uns hier zur Zeit noch an dem nötigen Grundlagenwissen bezüglich der chemischen Vorgänge im Gehirn fehlt. Wir wissen beispielsweise nicht genau, wie der Verlauf unserer Immunreaktion mit unserer Fähigkeit, eine Infektion abzuwehren, zusammenhängt. Und doch beobachten wir, wie Menschen mit einem großen Lebenswillen schwere Krankheiten überleben. Wir können es uns nicht leisten, dieses Faktum außer acht zu lassen. Die Bedeutung von hochtechnisierten Verfahren bei der Diagnose und Behandlung von Erkrankungen nimmt heutzutage immer mehr zu. Gleichzeitig wenden sich immer mehr Menschen von dieser Apparatemedizin ab und suchen Ärzte, die sich wirklich Zeit für sie nehmen und berücksichtigen, wie sich eine Krankheit auf ihr soziales Umfeld auswirkt.

Wir können auf die hochtechnisierte Diagnostik oder Pharmakologie nicht verzichten, aber wir sollten nicht vergessen, daß die ärztliche Kunst auch in der persönlichen Zuwendung des Arztes für den Patienten besteht.

MOYERS: Weil die Gedanken und Gefühle des Patienten die Genesung beeinflussen?

FELTEN: Aller Wahrscheinlichkeit nach. Wir suchen nach den Faktoren, die das Gehirn veranlassen, die Signale auszusenden, die das Immunsystem verändern und auf diese Weise den Krankheitsverlauf beeinflussen.

MOYERS: Wollen Sie damit sagen, daß bei jedem unserer Gedanken oder Gefühle Hormone ausgeschüttet werden, die eine Botschaft an unser Immunsystem senden?

FELTEN: Zwischen dem Gehirn und dem Immunsystem findet ein ständiger Informationsaustausch statt, ununterbrochen werden Hormone produziert und ausgeschüttet, und Neurotransmitter kommunizieren ständig mit den Zellen der Zielorgane im ganzen Körper. Als Reaktion auf den Denkprozeß eines Individuums kann es zu leichten Veränderungen und Abweichungen bei der Aktivität kommen. So wurden beispielsweise

Schauspieler und Schauspielerinnen untersucht, die an ein bestimmtes Szenario denken und auf diese Vorstellung emotional reagieren sollten. Gleichzeitig wurde ihr Blut untersucht, und man stellte je nach Gefühlsart Veränderungen bei bestimmten Hormonen und Hinweise auf leichte Veränderungen im Immunsystem fest.

Die Frage ist nur, ob dies von Bedeutung für die Art und Weise ist, wie das Immunsystem auf einen Eindringling reagiert. Wir vermuten zwar, daß eine Verbindung besteht, aber wir können nicht sicher sagen, daß bestimmte psychische Strukturen für einen bestimmten Krankheitstypus empfänglich machen. Eine besondere Bedeutung können diese leichten Veränderungen im Immunsystem allerdings bei Menschen erhalten, deren Reaktionsfähigkeit, beispielsweise aufgrund ihres Alters oder wegen einer Viruserkrankung, bereits beeinträchtigt ist. Unter diesen Umständen können zusätzliche psychosoziale und emotionale Belastungen ihren Gesundheitszustand rapide verschlechtern.

MOYERS: Wenn man deprimiert ist, könnte man sich also tatsächlich auch körperlich schlecht fühlen?

FELTEN: Eine Depression für sich alleine reicht nicht aus, um eine verminderte Immunreaktion und eine erhöhte Krankheitsanfälligkeit vorauszusagen. Es läßt sich aber feststellen, daß die Immunabwehr um so schwächer wird, je schwerer die Depression ist. Bei älteren Menschen ist dieser Zusammenhang am deutlichsten zu beobachten.

MOYERS: Zeigen uns solche Studien, daß es mir tatsächlich schlechter geht, wenn ich glaube, daß es mir schlechter gehen wird?

FELTEN: Das versuchen wir herauszufinden. Man wird das auf jeden Menschen in jeder Situation anwenden können, doch wer einmal mit Patienten zu tun gehabt hat, weiß, welche Bedeutung der Wille des Patienten für die Genesung hat. Kein Arzt würde das leugnen, auch wenn wir noch nicht genau sagen können, welche Prozesse dabei in unserem Körper ablaufen. Möglicherweise sind das Herz-/Kreislaufsystem, das periphere Gefäßsystem sowie das Immunsystem beteiligt. Unser Interesse im Hinblick auf das Immunsystem gilt seiner Rolle bei Krankheiten wie Virusinfektionen, bakteriellen Infektionen, Lungenentzündung und Autoimmunerkrankungen wie rheumatischer Arthritis. Deshalb gehen wir der Vermutung nach, daß aus dem Gehirn strömende Hormone und Botenstoffe möglicherweise die Funktionsweise des Immunsystems beeinflussen.

MOYERS: Ist die Vorstellung, daß unsere seelische Verfassung einen Einfluß auf unsere Gesundheit ausübt, nicht ein ganz alter Gedanke?

FELTEN: Sicher. Die Wissenschaft entdeckt aufs neue, was bereits unsere Großmütter wußten. So ermahnten sie uns immer, uns nicht zu überanstrengen, weil wir sonst eine Grippe bekommen würden. Studien über das Grippevirus zeigen uns nun, daß daran etwas Wahres sein könnte.

MOYERS: Was beweist Ihrer Meinung nach, daß unser Denken einen Einfluß auf unsere körperliche Verfassung hat?

FELTEN: Ich stütze mich auf die Konditionierungsstudien, die Robert Ader und Nicholas Cohen mit Tieren durchgeführt haben und deren Ergebnisse inzwischen auch auf die Humanmedizin übertragen werden. Bei diesen Untersuchungen zeigte es sich, daß man Immunreaktionen auf klassische Weise konditionieren kann. So ist es beispielsweise möglich, ein Tier, das an einer genetisch bedingten Autoimmunkrankheit leidet und unweigerlich stirbt, wenn es nicht mit Immunosuppressiva behandelt wird, so zu konditionieren, daß es mit einer weitaus geringeren Menge dieser Substanzen auskommt als ein unkonditioniertes Tier. Das ist ein Indiz dafür, daß das Gehirn »weiß«, wie es das Immunsystem manipulieren kann.

MOYERS: Also kann das Gehirn dem Immunsystem Anweisungen geben, wie es reagieren soll?

FELTEN: Ja, unser Gehirn kann regulierend auf das Immunsystem und seine Reaktionen einwirken.

MOYERS: Welche Bedeutung hat das?

FELTEN: Wenn wir die unterschiedlichsten Signale an das Gehirn aussenden, können wir sie möglicherweise auch therapeutisch zum Wohl des Patienten einsetzen. Anstelle der herkömmlichen medizinischen Behandlung mit Medikamenten sollten wir die psychosoziale Betreuung in den Vordergrund stellen. Bei Menschen, die sich vereinsamt und isoliert fühlen, kann sich die Ansprache und die Betreuung durch einen Sozialhelfer bedeutend positiver auf ihren Gesundheitszustand auswirken als die Verschreibung von Medikamenten. So hat beispielsweise der wöchentliche Besuch von College-Studenten für die Bewohner eines Altersheims einen hohen Stellenwert. Auch wenn Familienangehörige oder Sozialarbeiter in der Regel nicht glauben, daß ihre Anwesenheit und Zuwendung die physiologischen Prozesse im Nerven- und Immunsystem der Patienten beeinflussen kann, ist vermutlich genau das der Fall.

MOYERS: Sie kommen immer wieder auf den Begriff der Einsamkeit zurück. Welche Rolle spielt sie?

FELTEN: Einsamkeit taucht in den Studien, auf die ich mich beziehe, häufig als Vorzeichen einer verminderten Immunreaktion auf.

MOYERS: Was geht im Körper vor, wenn ich einsam bin?

FELTEN: In einer Studie, die den Zusammenhang von Immunreaktionen und Prüfungsstreß bei Medizinstudenten untersuchte, war eine chronisch verminderte Immunabwehr weniger bei den Studenten zu beobachten, die fürchten mußten, das Examen nicht zu bestehen, als bei denjenigen, die einsam waren und wenig sozialen Rückhalt hatten. Auch bei Untersuchungen über Menschen in Pflegeheimen steht Einsamkeit in Verbindung mit verminderten Immunreaktionen.

MOYERS: Würden Sie sagen, daß Patienten, die sich einsam fühlen, möglicherweise ihr eigenes Immunsystem dahingehend beeinflussen, daß es sich weniger intensiv gegen die Krankheit wehrt?

FELTEN: Bis jetzt gibt es dafür noch keinen sicheren Nachweis, aber die neuesten Studien weisen auf die Wahrscheinlichkeit hin, daß Einsamkeit die Reaktionsfähigkeit des Immunsystems mindert. Die Schwierigkeit besteht vor allem darin, die jeweiligen Immunreaktionen richtig zu interpretieren. Wir entnehmen peripheres Blut, zählen Lymphozyten und untersuchen einige ihrer Aktivitäten sowie ihre Fähigkeit, sich zu reproduzieren. Sehr viel schwerer ist es zu sagen, welche Folgen das für einen Patienten mit Hepatitis oder Bronchopneumonie hat. Darauf gibt es noch keine gesicherten Antworten. Noch immer wissen wir viel zu wenig über die Bedeutung der einzelnen Immunreaktionen für die Krankheitsanfälligkeit eines Patienten. An diesem Punkt zögere ich immer etwas, denn diese Studien über die Einsamkeit stützen sich auf die im peripheren Blut erkennbaren Aktivitäten des Immunsystems. Was dies letztlich für die Krankheitsanfälligkeit eines Patienten oder die Verschlechterung eines bereits bestehenden Krankheitsbildes bedeutet, bleibt noch zu hinterfragen.

Es handelt sich hier um wissenschaftliches Neuland, und unser Wissen weist noch viele Lücken auf. Die Schwierigkeit liegt darin, von den subjektiven Wahrnehmungen eines Patienten auf ein allgemeingültiges Muster der Freisetzung von Hormonen und Botenstoffen zu schließen.

MOYERS: Ihre Vorsicht läßt vermuten, daß eine Verbindung von Nerven- und Immunsystem möglicherweise klinisch nicht signifikant ist.

FELTEN: Ich vermute, daß sie bei einigen Individuen klinisch signifikant ist und bei anderen nicht. David Spiegel beispielsweise hat in einer bekannten Studie an Brustkrebs erkrankte Frauen, die neben medizinischer Betreuung psychologische Beratung und Gruppentherapie erhielten, mit Patientinnen verglichen, die nur medizinisch behandelt wurden. Er stellte fest, daß diese Frauen sich nicht nur subjektiv besser fühlten und ihre Lebensqualität höher einschätzten, sondern daß sie auch länger lebten als die Patientinnen der Vergleichsgruppe. Weil der Unterschied zwischen den zwei Gruppen nicht auf ein Medikament, sondern auf psychologische Maßnahmen zurückgeführt wurde, nahm man Spiegels Studie, meiner Meinung nach zu Recht, mit Zurückhaltung auf.

Bei dieser Studie wurden keine Messungen am Immunsystem vorgenommen. Daher ist es problematisch zu entscheiden, ob die psychologische Betreuung und die gegenseitige Unterstützung in der Gruppe die Produktion von Hormonen und Botenstoffen anregte und das Immunsystem auf diese Weise zur Bekämpfung von Metastasen stimulierte. Wenn ein Prozeß im Körper über das Immunsystem verläuft und gleichzeitig auf die psychischen »Inputs« des Gehirns reagiert, wie es bei Krankheiten der Fall ist, liegt es allerdings nahe, daß das Gehirn auch einen Einfluß auf das Immunsystem hat. Ob es sich dabei um einen direkten Einfluß auf bestimmte Zellen des Immunsystems handelt oder um eine indirekte Steuerung über das Durchblutungssystem, ist im Endeffekt von geringerem Interesse. Die Forschung hat ein großes Interesse daran, diese Mechanismen zu entschlüsseln, um gegebenenfalls korrigierend in das System eingreifen zu können.

Bei unseren Untersuchungen sind wir immer wieder zum gleichen Ergebnis gekommen wie David Spiegel. Deshalb stellt sich die Frage, ob psychotherapeutische Betreuung nicht als Standardtherapie bei Brustkrebs eingesetzt werden sollte. Manche meiner Kollegen sind der Meinung, daß wir, solange wir den auslösenden Mechanismus nicht kennen, vorsichtig sein und abwarten sollten. Aber wenn diese Behandlungsmethode weiterhin erfolgreich ist, sind wir moralisch dazu verpflichtet, sie zum Wohl unserer Patienten einzusetzen, und parallel dazu die Erforschung der zugrundeliegenden Mechanismen voranzutreiben.

MOYERS: Wissenschaft beruht aber doch auf der Kenntnis von Ursache und Wirkung, dem Wissen um die Mechanismen, die einer Reaktion zugrunde liegen.

FELTEN: Das ist natürlich richtig, aber die Medizin bewegt sich nicht nur auf dem Gebiet der empirischen Wissenschaft. Wir wissen vielleicht nicht, wie psychologische Betreuung sich im Einzelfall auswirken kann, aber genausowenig wissen wir beispielsweise, wie sich Psychopharmaka, die wir zur Bekämpfung einer Depression verschreiben, auf das Gehirn auswirken.

MOYERS: Manche Kritiker erklären die Genesung der Patienten bei Studien wie der von David Spiegel mit einem Placebo-Effekt.

FELTEN: Ein derartiger Effekt kann beachtliche Wirkung zeigen und sollte nicht unterschätzt werden, nur weil der Mechanismus uns simpel erscheint. Ein Beispiel sind Krebspatienten im Endstadium, die sich ihre eigenen Morphiuminjektionen verabreichen dürfen. Im Vergleich zu Kranken, die sie von einer Krankenschwester oder einem Arzt gespritzt bekommen, haben sie ihre Schmerzen gewöhnlich besser unter Kontrolle, und gleichzeitig brauchen sie weniger Schmerzmittel. Wir kennen den Mechanismus nicht, aber offenkundig macht die Tatsache, daß sie ihren Zustand selbst kontrollieren können, den Unterschied aus. Möglicherweise führt das Wissen, selbst die Dosis zu bemessen, zu einer vermehrten Produktion körpereigener Endorphine. Auch wenn wir den Mechanismus bis jetzt noch nicht kennen, setzen wir diesen Effekt zum Wohl der Patienten ein.

MOYERS: Glauben Sie, daß wir in zehn Jahren mehr über diese Interaktionen zwischen Gehirn und Immunsystem wissen werden?

FELTEN: Ganz bestimmt.

MOYERS: Aber liegt das, wonach Sie suchen, nicht bereits auf der Hand? Wenn ich im Krankenhaus bin und es mir schlecht geht, fühle ich mich sofort besser, wenn ein Arzt kommt, an meinem Bett sitzt, mit mir spricht und mich über meine Krankheit informiert. Wenn ich mich einsam und deprimiert fühle, blühe ich auf, sobald ein Freund kommt, der mir seine Zeit widmet und dem ich mich anvertrauen kann. Sind das nicht Allerweltsweisheiten?

FELTEN: In gewissem Sinn ist es die Neuerfindung des Rades, aber von einem mechanistischeren Standpunkt aus. Heute wissen wir, daß es Botenstoffe gibt, Moleküle, die zwischen dem Gehirn und dem Immunsystem kommunizieren. Wir können an Versuchstieren feststellen, welche Streßhormone und welche Neurotransmitter das Tier benötigt, um auf bestimmte Streßfaktoren zu reagieren, und wie es zu einer verminderten Immunreaktion kommt. Ein klassisches Experiment zum Umgang mit Streß besteht in einer Versuchsanordnung, bei der die Tiere leichten Elektroschocks ausgesetzt sind, die keinen Schmerz, sondern nur eine leichte Irritation darstellen. Dem Tier, das den elektrischen Reiz abschalten kann, geht es besser als demjenigen, das genau den gleichen Schock verabreicht bekommt, ihn aber nicht selbst abstellen kann. Die Kontrollierbarkeit dieses Streßmoments macht den Unterschied im Befinden aus.

Im Krankenhaus sind wir vielen verschiedenen Arten von Streß ausgesetzt. Patienten, die in ein Krankenhaus eingeliefert werden, fragen sich, ob sich ihre Lebensumstände ändern werden, sie sind bedrückt durch das Wissen, an einer lebensbedrohenden Krankheit zu leiden. Selbst die ungewohnten Geräusche können als Belastung empfunden werden, und für manche Menschen kann schon die Tatsache, im Bett liegen zu müssen, eine furchtbare Einschränkung bedeuten und Streß erzeugen. Dabei sind Auswirkungen nicht nur auf das Immunsystem, sondern auch auf die Stärke der Gehirnschädigung zu beobachten, die während einer Durchblutungsstörung eintreten kann. Wir gehen von der Hypothese aus, daß bei verminderter Blutzufuhr zum Gehirn der Einfluß von Streßhormonen eine viel stärkere Schädigung des Gehirns zur Folge hat, als es sonst der Fall wäre. Möglicherweise werden also beide Systeme durch das Vorhandensein von Streßhormonen geschädigt, insbesondere bei älteren Menschen, deren Immun- und Nervensystem anfälliger ist.

MOYERS: Müssen wir aufgrund dieser Forschungsergebnisse Gesundheit und Krankheit mit anderen Augen betrachten?

FELTEN: Das ist unausweichlich. Denn wenn die Wahrnehmungen und die Gefühle des Patienten die Funktionsweise des Immunsystems oder die Reaktion des Gehirns beeinflussen, dürfen wir den Patienten nicht als Objekt der medizinischen Behandlung betrachten, sondern als einen aktiv am Heilungsprozeß beteiligten Menschen. Die Heilung geht nicht vom Arzt aus, sondern vom Patienten. Der Arzt beteiligt sich nur am Heilungsprozeß.

Norman Cousins hat darauf aufmerksam gemacht, daß das Wort »Heilen« im Vokabular der Ärzte nur selten vorkommt. Das ist bedauerlich, weil der Patient im Zentrum des Heilungsprozesses stehen muß, unterstützt von Ärzten, Pflegepersonal und den Angehörigen.

MOYERS: Bereits der Begriff »Patient«, der sich von dem lateinischen Ausdruck für erdulden ableitet, hat einen passiven Beiklang, während »Person« oder »Mensch« suggerieren, daß jemand sein Leben selbst gestaltet.

FELTEN: Ich fürchte, viele Ärzte haben sich zu sehr an die Vorstellung gewöhnt, einen passiven Empfänger zu behandeln. Die Patienten müssen aber selbst etwas für ihre Gesundheit tun. Das betrifft zunächst Faktoren wie Ernährung, Sport, Rauchen oder Drogenmißbrauch, aber auch die Einsicht, daß sie selbst bei ihrer Heilung oder bei der Entstehung von Autoimmunerkrankungen und Infektionen eine entscheidende Rolle spielen.

MOYERS: Bei welchen Krankheiten könnten wir auf diese Erfahrungen zurückgreifen?

FELTEN: In Frage kommen vor allem Autoimmunerkrankungen wie rheumatische Arthritis oder Multiple Sklerose, die auf eine Störung des Immunsystems zurückgehen, so daß es körpereigenes Gewebe angreift. Bei Autoimmunerkrankungen reagiert der Körper gegen sich »selbst«. Die Aufgabe des Immunsystems ist es, den eigenen Körper gegen fremde Eindringlinge zu schützen. Wenn eine Autoimmunstörung auftritt, hat man keine andere Wahl, als das Immunsystem so weit zu unterdrücken, daß es nicht mehr angriffsfähig ist, auch nicht gegen den eigenen Körper. Zur Zeit arbeiten wir an einem Modell für rheumatische Arthritis bei Ratten. Medikamente, die auf Nerven in Organen des Immunsystems, wie etwa in den Lymphknoten, einwirken, können diese Krankheit verschlimmern, aber auch deutlich bessern. Möglicherweise haben wir hier eine neue Klasse von Medikamenten, die stärker auf das Nervensystem als auf das Immunsystem abzielen, so daß Patienten mit solchen Autoimmunleiden nicht mehr auf Medikamente angewiesen sind, die eine derart zerstörerische Wirkung auf das Immunsystem haben.

MOYERS: Während meiner Recherchen für dieses Buch fiel mir auf, daß die unseriösesten Mittel und Therapien bei Krankheiten wie Krebs, Arthritis oder Multiple Sklerose angeboten werden, denen die Schulmedizin noch immer relativ hilflos gegenübersteht. Wird sich daran in näherer Zukunft etwas ändern?

FELTEN: Wenn wir mit unseren Forschungsergebnissen verantwortungsvoll umgehen und sie wissenschaftlich fundieren, bin ich optimistisch. Daß Quacksalber Mißbrauch damit treiben, läßt sich nicht ausschließen, aber viele Wissenschaftler in diesem Bereich neigen dazu, aus Angst vor Scharlatanen übertrieben konservativ zu reagieren. Deshalb halte ich mich an solche Faktoren, die von sorgfältigen Studien an Tieren und an Menschen gestützt werden. Wenn jemand krebskranken Menschen verspricht, sie durch telepathische Behandlung zu heilen, will ich erst die wissenschaftlichen Studien sehen, die zeigen, daß ihre Therapie tatsächlich eine positive Wirkung auf den Gesundheitszustand oder die Lebensdauer hat, ehe ich einem Patienten dazu rate. In keinem Fall darf eine erprobte medizinische Therapie abgebrochen werden. Da Referenzen und Gutachten leicht zu besorgen sind, sollte man immer zunächst kontrollierte wissenschaftliche Untersuchungen fordern.

Zuviele Leute werben inzwischen damit, Psychoneuroimmunologie zu praktizieren, sobald sie eine Methode entwickelt haben, ohne daß sie Beweise für deren Wirksamkeit erbringen können. Unter dem Mantel Medizin wird hier viel Mißbrauch und Nepp getrieben.

MOYERS: Sie haben geschrieben, daß auch die ganzheitliche Medizin ihre Schattenseiten hat. Was meinen Sie damit?

FELTEN: Damit meine ich Menschen, die den Kranken Hoffnungen machen, die sie nicht erfüllen können. So wird beispielsweise Krebspatienten versprochen, ein spezieller Diätplan und Suggestion könne den Krebs heilen, wenn selbst die Schulmedizin ihnen nicht mehr helfen kann. Das ist völlig unhaltbar, und es ist ein grausamer Schwindel, wenn man Menschen aus erprobten Therapien in wirkungslose Verfahren lockt. Diejenigen, die diese Methoden praktizieren, lehnen häufig die Schulmedizin grundsätzlich ab und werfen ihr vor, bei der Behandlung von Krebs völlig versagt zu haben. Dabei sind bei der Behandlung bestimmter Krebsarten große Fortschritte erzielt worden. Andere Krebsarten sind nach wie vor so gut wie unheilbar. Aber warum sollten bei solchen Erkrankungen, wo selbst die aggressivsten Medikamente wie Chemotherapie und Bestrahlung nicht helfen, Hormone und Neurotransmitter wirkungsvoller sein? Die Schattenseite, das ist die Ausbeutung der Ängste und Hoffnungen von Kranken, an der sich viele zu bereichern suchen.

MOYERS: Oft wird davor gewarnt, das Opfer für seine Krankheit verantwortlich zu machen, entsprechend der Maxime, wenn es dir nicht besser geht, liegt es nur an deiner Einstellung.

FELTEN: Ich bin der Meinung, daß wir den Patienten keine Schuldgefühle einreden dürfen, wenn sich die Genesung nicht einstellen will. Trotzdem glaube ich aber auch, daß wir dem Patienten nicht erlauben dürfen, jegliche Verantwortung bei der Bekämpfung seiner Krankheit von sich zu weisen. Die Patienten sind verpflichtet, der Medizin ihr Bestes zu geben, damit auch die Medizin das Beste für sie tun kann.

Auf keinen Fall sollen die Patienten sich schuldig fühlen, wenn eine Krankheit sie überwältigt. Wenn ein Krebs im fortgeschrittenen Stadium nicht geheilt werden kann, ist das kein Versagen des Patienten oder der psychoneuroimmunologischen Behandlung, sondern es erinnert uns daran, daß der Tod ein natürliches Phänomen ist, das die Medizin trotz aller Fortschritte nicht bannen kann.

MOYERS: Ist es vorteilhaft, daß unser Immunsystem unbewußt funktioniert und sich nicht von bewußten Gedanken beeinflussen läßt? Ist es nicht denkbar, daß manche Menschen auf negative Nachrichten so reagieren, als ob sie ihnen selbst zustoßen würden, und mit einer Verschlechterung ihrer Immunreaktionen reagieren?

FELTEN: Ich ziehe es vor, eine gewisse Kontrolle zu haben, anstatt den

Launen meines Immunsystems ausgeliefert zu sein. Mir ist die Vorstellung angenehmer, daß ich es aktiv beeinflussen kann.

MOYERS: Wie können wir unser Immunsystem steuern?

FELTEN: Das versuchen wir noch herauszufinden. Wir wissen, daß das Gehirn auf eine Konditionierung so reagiert, als sei ihm eine bestimmte Droge zugeführt worden, selbst wenn das nicht der Fall ist. Daraus schließen wir, daß das Gehirn so stimuliert werden kann, daß es seine eigene Immunantwort reguliert.

MOYERS: Der Geist sagt dem Immunsystem, was zu tun ist.

FELTEN: Jede Emotion übt auf die peripheren Körperteile einen starken Reiz aus. Jedesmal, wenn wir etwas sehen, das uns Angst einjagt, ist das zu bemerken. Der Grund dafür, daß Gefühle eine so große Rolle spielen können, ist die direkte physiologische Verbindung des autonomen Nervensystems – des automatisierten, unbewußt reagierenden Teils unseres Nervensystems, der beispielsweise den Stoffwechsel steuert – mit Zellen des Immunsystems. Wenn man diese Nerven entfernt, reagiert das Immunsystem nicht mehr auf die gleiche Weise.

MOYERS: Sie untersuchen komplexe körperliche Prozesse auf Beweise für eine Verbindung zwischen Seele und Körper. Gibt es im alltäglichen Leben nicht genug Hinweise darauf, daß der Körper ständig auf Emotionen reagiert?

FELTEN: Es ist unbestritten, daß unsere früheren Wahrnehmungen die Art und Weise prägen, wie wir auf einen bestimmten Reiz reagieren. Wer selbst einen Hund hat, wird beim Anblick eines Hundes auf der Straße positive Gefühle empfinden, besonders wenn er ihn an das eigene Tier erinnert. Wer Haustieren indifferent gegenübersteht, wird vermutlich keinerlei Reaktion zeigen. Ein Mensch, der einmal von einem Hund dieser Rasse gebissen wurde, erlebt möglicherweise einen starken Arousal-Effekt, bei dem Adrenalin ausgeschüttet und das sympathische Nervensystem aktiv wird. Die Hypophyse setzt Streßhormone frei, die das Immunsystem beeinflussen, der Herzschlag beschleunigt sich, die Pupillen und Bronchien weiten sich, und die Muskulatur wird stärker durchblutet, so daß wir bereit für eine »fight-or-flight-Reaktion« sind. Nicht der Reiz, sondern die Erfahrungen, die die verschiedenen Menschen mit Hunden gemacht haben, rufen die unterschiedlichen Reaktionen hervor. Deshalb ist es wichtig, auf subjektive Wahrnehmungen der Patienten zu achten, da ihre Reaktionen von ihren individuellen Erfahrungen abhängen, die ihre Einstellung zu Ärzten, Krankheit und Kliniken prägen. Was für den einen ein Streßfaktor ist, muß für einen anderen Menschen keiner sein. Deswegen sind so unterschiedliche Immunreaktionen auf denselben Streßfaktor zu beobachten.

MOYERS: Wenn man als Kind ein Tier wie diesen Hund hatte, würde man gerne zu ihm hingehen und ihn streicheln. Wenn man jedoch einmal von einem solchen Hund gebissen worden ist, würde man am liebsten weglaufen. Das Gehirn hat diese Erinnerung also gespeichert und aktiviert sie innerhalb von Sekunden.

FELTEN: Die Erinnerung an diesen Biß ist irgendwo in der Hirnrinde gespeichert, so daß der Anblick des Hundes auf der Straße eine emotionale Reaktion im limbischen System auslöst, das den anderen Gehirnregionen den Befehl erteilt, Hormone auszuschütten, das autonome Nervensystem einzuschalten, so daß der Körper für Kampf oder Flucht bereit ist. Das limbische System ist die Gehirnregion, die für Gefühle verantwortlich ist. Sie ermöglicht es uns, auf einen spezifischen Reiz, wie in unserem Beispiel der Anblick des Hundes, individuell zu reagieren.

MOYERS: Wann setzt diese Interaktion zwischen Seele und Körper ein?

FELTEN: In dem Moment, wo wir beginnen, sensorische Reize wahrzunehmen. Säuglinge reagieren sehr sensibel auf Signale, die die Mutter gibt, so daß die Art, wie die Mutter auf das Kind eingeht, die Reaktionsweise des Säuglings beeinflußt.

MOYERS: Deshalb ist eine feste Bezugsperson und die körperliche und emotionale Kommunikation für den Säugling so wichtig.

FELTEN: Besonders wichtig ist dabei der Körperkontakt. Studien haben gezeigt, daß auch bei Nagetieren der Körperkontakt in den frühen Entwicklungsphasen in bestimmten Gehirnregionen die Zahl der Neuronen stark ansteigen läßt. Das bestätigt im Grunde nur, was bereits unsere Großmütter wußten, wenn sie davon sprachen, daß man einen Säugling berühren, lieben und stillen muß. Wenn sie auch noch nicht wußten, daß dies auch das postnatale Wachstum und die Bewegung kleiner Neuronen in das Gehirn fördert, kannten sie doch die tatsächlichen Auswirkungen.

MOYERS: Warum erforschen wir heute das, was unsere Großmütter bereits wußten?

FELTEN: Wir müssen begreifen, welche physiologischen Prozesse dem zugrunde liegen, ob eventuell Ernährungsfaktoren eine Rolle spielen, wie man gefährdeten Kindern helfen kann. Es ist auch wichtig zu wissen, ob wir in späteren Entwicklungsphasen noch eingreifen können, um das Wachstum weiterer solcher Zellen anzuregen.

Es geht dabei auch um die grundsätzliche Flexibilität des Systems. Dabei zeigt sich, daß unser Gehirn erstaunlich flexibel ist. Auch wenn größere Bereiche des Gehirns geschwächt sind oder ganz ausfallen, funktioniert der Rest des Systems weiterhin. Beispielsweise treten die Symptome der Parkinson-Krankheit erst dann in Erscheinung, wenn mehr als achtzig Prozent der Dopaminsysteme des Gehirns ausfallen.

Auch das Immunsystem verfügt über diese Flexibilität, so daß ein Streßfaktor einem jungen Menschen, dessen Immunsystem noch sehr anpassungsfähig ist, wenig ausmacht. Jemandem, der schweren Belastungen ausgesetzt ist, versetzt derselbe Streßfaktor möglicherweise einen schweren Schlag, und das ganze System bricht zusammen. So sind AIDS-Patienten immer am äußersten Rand ihrer Kräfte, so daß ständig zu befürchten ist, daß sie sich Infektionen durch »opportunistische Erreger« zuziehen. Führt bei AIDS-Patienten der Streß, den die gesellschaftliche Zurückweisung und Stigmatisierung bedeutet, zu einem schnelleren Tod? Wir konnten zumindest feststellen, daß Patienten, die fest entschlossen sind, die Krankheit zu bekämpfen, besser mit ihr fertig zu werden scheinen als jene, die ihr keinen Widerstand entgegensetzen können.

MOYERS: Bei diesem Thema werden Sie sehr emotional.

FELTEN: Weil ich die Wissenschaft liebe. Wir betreten immer wieder Neuland. Heutzutage ist es das Gebiet der Gehirnforschung und des Immunsystems. Ich interessiere mich besonders für die Art und Weise, wie das Gehirn und das Immunsystem interagieren, und dafür, welchen Stellenwert altersabhängige Veränderungen in beiden Systemen haben. Das Immunsystem und bestimmte Hirnregionen bauen mit dem Alter ab. Denise Belten und Suzanne Felten haben herausgefunden, daß die Zahl der Nervenfasern, die mit den Zellen des Immunsystems kommunizieren, mit zunehmendem Alter abnimmt. Wir fragen uns nun, ob das zu der verringerten Funktion des Immunsystems beiträgt. Deshalb versuchen wir, diese Nerven zum erneuten Wachstum anzuregen, um festzustellen, ob sich die Funktion des Immunsystems dadurch wieder aktivieren läßt.

MOYERS: Zeigt sich die Schulmedizin aufgeschlossen für dieses neue Gebiet?

FELTEN: Ich glaube, daß viele Ärzte ein großes Interesse daran haben, auch wenn sie zunächst sehr zurückhaltend reagierten und nicht an eine Interaktion zwischen Gehirn und Immunsystem glaubten. Jetzt, wo wir Beweise erbracht haben, ändern viele ihre Meinung. Inzwischen liegt eine Reihe von Arbeiten zur Konditionierung vor, ebenso Streßstudien an Tieren und Menschen und Untersuchungen, die einen direkten hormonellen Einfluß auf das Immunsystem belegen. Diese Ergebnisse machen interdisziplinäre Zusammenarbeit von Immunologen, Endokrinologen und Neurologen notwendig, weil all diese Systeme in regem Austausch miteinander stehen.

Das ist gleichzeitig eine gute und eine schlechte Nachricht. Die gute Nachricht ist, daß sich dadurch ein neues Forschungsgebiet eröffnet, um neue Behandlungskombinationen zu entwickeln und systemischen Erkrankungen auf die Spur zu kommen. Die schlechte Nachricht ist, daß wir auch die Terminologie und das Wissen der Nachbardisziplinen beherrschen müssen, also sehr viel mehr Informationen verarbeiten müssen als bisher.

MOYERS: In Ihrem Labor arbeiten besonders viele junge Leute. Was sagt das über die Zukunft dieses Forschungszweiges aus?

FELTEN: Einer der ermutigendsten Aspekte dieses Forschungsvorhabens ist, daß die Elite des akademischen Nachwuchses sich zu diesem Fachgebiet hingezogen fühlt und alles studieren will, von physiologischen und psychologischen Wechselbeziehungen bis hin zur interzellulären Molekularbiologie. Diese Generation ist nicht mehr in den alten Vorurteilen von der Autonomie des Immunsystems oder des Gehirns befangen. Sie ist offen für neue Ansätze und bereit, wissenschaftliche Herausforderungen anzunehmen. Selbst wenn unsere Forschung sich als ein Irrweg herausstellen sollte, können wir stolz darauf sein, derart intelligente und kompetente Studenten ausgebildet zu haben.

Aber nicht nur die Studenten zeigen sich aufgeschlossen, auch Kollegen, die uns anfangs als Spinner abtaten, kommen allmählich wieder auf uns zu und räumen ein, daß zwischen dem Nervensystem und dem Immunsystem direkte Kontakte bestehen. Zum Teil kommen sie jetzt zu den Seminaren, beteiligen sich an der Diskussion oder wollen selbst Experimente anstellen. Selbst skeptische Wissenschaftler verschließen sich nicht den Tatsachen, wenn man empirisch beweisen kann, daß Immunzellen Rezeptoren haben, die auf Neurotransmitter reagieren, und die Entfernung von Nerven eine Immunantwort verändert.

MOYERS: Wie verifizieren Sie Ihre Hypothesen?

FELTEN: Ich verlasse mich oft auf mein instinktives Gefühl, wenn ich ein neues Phänomen entdecke. So brachten uns beispielsweise einige von Robert Sapolsky veröffentlichte Studien, die belegten, daß Streßhormone aus der Nebennierenrinde Zellen in einer Gehirnregion zerstören können, die äußerst wichtig für das Kurzzeitgedächtnis ist, auf die Idee, dieses Konzept zu erweitern. So konnten wir einige wichtige Neurotransmitter des Gehirns miteinbeziehen, die diese Reaktion möglicherweise verstärken.

MOYERS: Kann es tatsächlich zu einer Schädigung meiner Gehirnzellen kommen, wenn ich auf ein Erlebnis zu stark reagiere?

FELTEN: Wenn dieses Streßhormon über einen längeren Zeitraum hinweg ausgeschüttet wird, kann es zu einem allmählichen Absterben von Hirnzellen kommen. Wir gingen der Frage nach, was bei älteren Menschen geschieht, die an einer beginnenden »Arterienverkalkung« leiden, wie wir es gemeinhin nennen. Noch führt die verminderte Durchblutung zu keiner Schädigung des Gehirns, aber sie sind nicht mehr weit davon entfernt. Und es ist bekannt, daß bei einer Durchblutungsstörung des Gehirns als erste diejenigen Zellen in Mitleidenschaft gezogen werden, die auch von den Streßhormonen angegriffen werden. Die Kombination aus verminderter Durchblutung, Streßhormonen und einer Zunahme an Neurotransmittern erhöht das gesundheitliche Risiko. Was geschieht mit älteren Menschen, die ins Krankenhaus eingeliefert werden und dort den verschiedensten Streßfaktoren ausgesetzt sind? Der latente Angstzustand kann zu einer ungewöhnlich hohen Konzentration von Streßhormonen führen. Gleichzeitig ist man im Krankenhaus einer Reihe von Mikroorganismen wie Staphylokokken und Streptokokken ausgesetzt, die Abwehrreaktionen des Immunsystems hervorrufen. Immunreaktionen erhöhen aber auch den Ausstoß von Streßhormonen und bestimmten Transmittern im Gehirn, die die bei mangelnder Durchblutung eintretende Schädigung verstärken. Deswegen dürften Patienten, bei denen Durchblutungsstörungen des Gehirns zu befürchten sind, keinesfalls diesen Risiken ausgesetzt werden. Doch genau das geschieht, wenn sie in ein Krankenhaus eingeliefert werden.

MOYERS: Deshalb muß man also auch darauf achten, wie die Menschen die veränderten Lebensbedingungen in einer Klinik verkraften.

FELTEN: Unbedingt. Es gibt beispielsweise Studien, die zeigen, daß Patienten, die nach bestimmten Operationen während ihrer Genesung aus dem Fenster schauen können, weniger lange im Krankenhaus bleiben müssen als diejenigen, die keinen Blick ins Freie werfen können. Es gibt inzwischen viele Untersuchungen über die Rolle, die die Umgebung im Krankenhaus für den Verlauf der Genesung hat. Jahrzehntelang galt dieser Aspekt als zweitrangig, solange Medizin mehr zum Vorteil der Ärzteschaft und der Kliniken als zum Wohl des Patienten ausgeübt wurde. Daran muß sich etwas ändern.

MOYERS: Welche Bedeutung hat diese »Seele-Körper-Interaktion« für Sie bei der Ausübung Ihres Berufes?

FELTEN: Wir müssen dem Patienten mehr unmittelbare Aufmerksamkeit schenken, wir müssen herausfinden, wie der Patient das, was um ihn herum vorgeht, wahrnimmt. Das bedeutet auch, daß wir beachten müssen, wie schlechte Wohnverhältnisse oder unzureichende Ernährung seine Gesundheit belasten. Wenn wir den Patienten in den Mittelpunkt des Heilungsprozesses stellen wollen, müssen wir allen Umständen nachgehen, die diesen Prozeß negativ beeinflussen könnten. Das heißt, daß wir gegebenenfalls auch auf die sozialen Verhältnisse, in denen er lebt, Einfluß nehmen müssen.

MOYERS: Wie stellen Sie sich das vor?

FELTEN: Denken Sie an das Elend, das die Industrialisierung mit sich brachte, als zehnjährige Kinder an Lungenentzündung erkrankten, weil sie achtzehn Stunden am Tag in dunklen, feuchten Fabriken arbeiteten. Die Lösung lautete nicht, wirksame Antibiotika zur Behandlung von Lungenerkrankungen bei Kindern zu entwickeln, sondern Gesetze über Kinderarbeit zu verabschieden. Die Gesellschaft hat die Aufgabe, solche Mißstände zu beheben, so daß die gesamte Bevölkerung den bestmöglichen Gesundheitszustand erreichen kann.

MOYERS: Das ist Politik, nicht Medizin.

FELTEN: Sie können die Medizin nicht von ihrem gesellschaftlichen und politischen Umfeld trennen. Die Politik ist so stark in die Medizin und Forschung eingebunden, daß die beiden Bereiche nicht isoliert betrachtet werden können.

MOYERS: Sie beziehen sich also auf Veränderungen, die über Techniken wie Meditation, die unsere psychische Wahrnehmung verändern, hinausgehen. Sie meinen unser gesamtes soziales Umfeld.

FELTEN: Ja, ich glaube, daß eine Veränderung ihrer Lebensumstände den Menschen helfen kann, sich beispielsweise von einer Autoimmunkrankheit zu erholen oder im Alter ihre Immunreaktion zu verbessern.

MOYERS: Was sagt uns die Wissenschaft über den Heilungsprozeß?

FELTEN: Wir wissen, wie das Immunsystem auf einen Eindringling reagieren wird, und in manchen Punkten, wie zum Beispiel bei Streß, kennen wir die Reaktionen des Gehirns. Aber darüber hinaus wissen wir nur sehr wenig. Das betrifft auch die Frage nach dem Beitrag der Psyche zur Heilung. Ebensowenig können wir sagen, was einigen Menschen die Entschlossenheit und den Willen verleiht, von einer Krankheit zu genesen.

Moyers: Aber Sie wissen genug, um zu sagen, daß heilen nicht nur etwas ist, das der Arzt für den Patienten tut.

Felten: In einem kürzlich erschienenen Buch habe ich es so formuliert: »So wie die physikalische Welt der Regenbogen, Blitze und Sterne in den Jahrhunderten, bevor es die moderne Physik und Astronomie gab, verstehen wir derzeit die komplexen Aspekte der menschlichen Seele trotz der hochspezialisierten Technik, die uns zur Verfügung steht, noch nicht. Können wir es uns leisten, die Rolle, die Gefühle, Hoffnungen, der Wille zu leben und die Kraft menschlicher Wärme spielen, zu ignorieren, nur weil sie wissenschaftlich so schwer nachzuweisen sind und unsere Unwissenheit so überwältigend ist?

Mich hat das Beispiel meiner Mutter berührt, die durch Kinderlähmung verkrüppelt war und deren Entschlossenheit und starker Wille sie die schlimmsten gesundheitlichen Probleme durchstehen ließ.«

Moyers: Was hat Sie das Leben Ihrer Mutter auf diesem Gebiet gelehrt?

Felten: Ich weiß nicht, ob wir etwas von dem, was meine Mutter durchgemacht hat, aufgrund unseres jetzigen Wissens erklären können. Sie ließ ihre Gelenke versteifen, damit sie ihre unteren Extremitäten belasten konnte, sie lernte, mit Krücken zu gehen und entwickelte eine unglaubliche Kraft in den Armen. Als sie uns Kinder großzog, mußte sie lernen, ihr Gewicht auf den Krücken zu halten, was zu Problemen im Brachialplexus führte und ihre Arme in Mitleidenschaft zog. Schließlich kam eine Durchblutungsstörung des Gehirns dazu. Gleichzeitig bekam sie Lungenödeme und Pneumonieanfälle, so daß es unmöglich erschien, daß ein dermaßen kranker und geschwächter Mensch sich wieder erholen würde. Doch sie nahm den Kampf um ihre Gesundheit mit unglaublicher Entschlossenheit auf, und sie erholte sich immer wieder.

Möglicherweise war sie ein Beispiel für angewandte Psychoneuroimmunologie. Sie war einer von den Menschen, die angesichts der widrigsten Umstände über eine solche Entschlossenheit verfügen, daß sie sich der Krankheit widersetzen und sich in aussichtslos erscheinenden Situationen selbst helfen. Andere Menschen geben sich in der gleichen Situation auf und akzeptieren den Tod. Ihr Zustand verschlechtert sich rapide und sie sterben innerhalb von kurzer Zeit.

Moyers: Glauben Sie, Sie können bei Versuchen im Labor den Unterschied herausfinden?

Felten: Bestimmt können wir Wechselwirkungen feststellen, aber letztendlich glaube ich nicht, daß wir je eine vollständige Erklärung finden werden. Wenn wir mit Menschen arbeiten, sind zu viele Gedanken und

Gefühle im Spiel, deren chemische Korrelate im Gehirn wir nicht untersuchen können, zumindest nicht mit der Technologie, die uns heute zur Verfügung steht. Phänomene, die wir nicht auf Tiermodelle übertragen können, sind mechanistisch nur schwer zu untersuchen. Deshalb stellen uns Krankheiten wie AIDS vor solche Probleme. Eines Tages werden wir vielleicht verstehen, in welcher Wechselbeziehung unser Lebenswille mit unseren Hormonen steht, auch wenn wir die damit einhergehende Schaltung des Hirnkreislaufs und die Bedeutung der individuellen Signalgebung nicht begründen können. Möglicherweise wird die Künstliche-Intelligenz-Forschung uns hier eines Tages weiterhelfen.

MOYERS: Welche vorläufigen Schlußfolgerungen würden Sie bezüglich der Bedeutung ziehen, die die Verbindung von Seele und Körper für das Heilen hat?

FELTEN: Ich möchte ungern Schlußfolgerungen über die genaue Abfolge und Wirkung von Ereignissen ziehen, da unsere Forschungen auf diesem Gebiet noch in den Kinderschuhen stecken. Wir haben festgestellt, daß eine Seele-Körper-Interaktion existiert, und das ist Anreiz genug, weiterhin auf diesem Gebiet zu forschen.

MOYERS: Sie verwenden »Seele-Körper« als einen einzigen Begriff. Viele Leute sagen »Seele und Körper«. Müssen wir das »und« eliminieren, da wir nun wissen, daß Seele und Körper ein Komplex sind?

FELTEN: Vielleicht sollte man das. Bei der Verbindung von Körper und Seele handelt es sich um einen interaktiven Prozeß. Das Gehirn ist das, was die Individualität des Menschen ausmacht. Man könnte sich vorstellen, daß der ganze übrige Körper nur zum Schutz des Gehirns, unserer Persönlichkeit, da ist.

Das ist natürlich der parteiische Standpunkt eines Neurowissenschaftlers. Die Immunologen würden sagen, daß in Wirklichkeit das Immunsystem das zentrale Organ ist, und die Funktion des Gehirns nur darin besteht, die Organe zu schützen, so daß das Immunsystem ungestört arbeiten kann. Auch wenn jede Disziplin ihre Präferenzen hat, waren wir alle von der Tatsache beeindruckt, daß das Gehirn sehr viel mehr steuert, als man jemals vermutet hatte.

MOYERS: Ich hatte einmal die Gelegenheit, bei der Entfernung eines tief im Gehirn sitzenden Tumors zusehen zu können. Nachdem der Chirurg die Stirn geöffnet und das Stirnbein entfernt hatte, ließ er mich ins Gehirn blicken. Ich sah das Karzinom, aber den Geist konnte ich nicht sehen. Wie muß man ihn sich vorstellen?

FELTEN: Ich neige dazu, Gehirn und Geist nicht zu trennen, da ich glaube, daß sie letztlich ein und dasselbe sind.

MOYERS: Und Sie trennen auch Seele und Körper nicht, wie es früher üblich war.

FELTEN: Nein, ich würde keine scharfe Unterscheidung treffen.

MOYERS: Als Sie die Krankengeschichte Ihrer Mutter beschrieben, schilderten Sie einen Vorgang, den wir einst für eine primär körperliche Reaktion hielten, als ein Zusammenspiel von Intelligenz und Gefühl, von Körper und aktivem Willen.

FELTEN: Wir wissen noch nicht viel darüber, welche peripheren Begleiterscheinungen eine starke Willensanstrengung hat, welche Hormone und Neurotransmitter beteiligt sind. Bis jetzt sind wir noch nicht soweit, doch wir arbeiten daran, und ein Stein fügt sich zum anderen, bis wir schließlich ein Gesamtbild erhalten werden.

7. Pablo Picasso, Weinende Frau

8. René Magritte, Golconde

Konditionierte Reflexe

Robert Ader

Robert Ader ist Direktor der Division of Behavioral and Psychosocial Medicine an der School of Medicine der Universität Rochester. In einem wegweisenden Experiment zeigte er, daß man Mäusen eine ihr Immunsystem unterdrückende Droge verabreichen und sie dann so konditionieren kann, daß sie das Immunsystem nach dem Entzug der Droge weiterhin unterdrücken. Das Experiment lieferte neue Erkenntnisse darüber, wie der Mensch bestimmte Vorgänge in seinem Körper steuern kann.

MOYERS: Von Ihrer ursprünglichen Ausbildung her sind Sie Psychologe. Wie sind Sie zur Immunologie gekommen?

ADER: Durch einen Zufall. Ich führte Studien über das Lernverhalten durch, bei denen einem Tier zunächst ein bestimmter Geschmacksstoff – in diesem Fall Saccharin – gegeben und dann eine Droge gespritzt wurde, die Magenschmerzen verursachte. Das Tier entwickelt sehr schnell eine Aversion gegen alles, was nach Saccharin schmeckt. Dieser Lernprozeß funktionierte sehr schnell und zuverlässig bei jedem Tier. Denn in der freien Natur ist ein Tier, das nicht in der Lage ist, rasch zu lernen, was es zu sich nehmen darf und was nicht, nicht überlebensfähig.

MOYERS: Ich habe als Kind eine ähnliche Lektion gelernt. Nachdem ich mir an einem heißen Bügeleisen die Finger verbrannt hatte, rührte ich nie wieder ein Bügeleisen an.

ADER: Was Sie gelernt hatten, war nicht einfach nur, daß Sie dieses bestimmte Bügeleisen nicht berühren durften, dieses Verbot galt für jede Art von Bügeleisen. In einer einzigen Testsituation lernten Sie, daß bestimmte Verhaltensweisen negative Auswirkungen haben.

Natürlich wurden die Magenschmerzen in diesem Fall nicht durch das Saccharin, sondern durch das Medikament hervorgerufen. Doch weil das Saccharin zusammen mit dem Medikament verabreicht wurde,

reagierte das Tier darauf, als sei das Saccharin selbst der Auslöser. In dieser Studie versuchten wir festzustellen, ob die Saccharinmenge, die die Ratten zusammen mit dem Medikament zu sich nahmen, Einfluß auf ihr Lernverhalten hatte. Erwartungsgemäß war die anschließende Abneigung gegen Saccharin um so stärker, je mehr sie davon getrunken hatten, ehe ihnen das Medikament injiziert wurde.
Wir kamen aber noch zu einem anderen Ergebnis. Wir wußten, daß die Substanz, die wir benutzten, um die Magenschmerzen auszulösen, auch das Immunsystem unterdrückte. Deshalb verabreichten wir sie in so geringen Dosen, daß die Sterblichkeit der Tiere dadurch nicht erhöht werden konnte. Dennoch starben während dieses Experiments einige Tiere, nachdem sie Saccharin erhalten hatten. Das bedeutete, daß bei diesem Experiment ein Prozeß ablief, der uns unbekannt war und den wir nicht steuern konnten. Bald zeichnete sich ab, daß die Sterblichkeitsrate der Tiere in direkter Relation zu der aufgenommenen Saccharinmenge stand. Diejenigen Ratten, die am meisten davon zu sich genommen hatten, starben am ehesten.
Als Psychologe war mir die allgemein vertretene Position der Immunologie fremd, daß es keine Verbindungen zwischen Gehirn und Immunsystem gäbe. Daher stellte ich die Hypothese auf, daß wir zusammen mit der Aversion gegen Saccharin zugleich auch die immunsuppressive Wirkung des Medikaments, das wir parallel dazu verabreichten, konditioniert hatten. Das hieß, daß es jedesmal, wenn das Tier wieder Saccharin zu sich nahm, zu einer konditionierten immunsuppressiven Reaktion kam, so daß das Tier nicht mehr in der Lage war, auf Pathogene oder körperfremde Proteine mit einer starken Abwehrreaktion zu antworten. Je stärker der konditionierte Reflex auf Saccharin war, um so größer war die Immunsuppression und damit die Sterblichkeit.
Zu diesem Zeitpunkt lernte ich den Immunologen Nicholas Cohen kennen, mit dem ich die letzten siebzehn Jahre zusammengearbeitet habe. Wir beschlossen, meine Hypothese anhand eines Experiments zu überprüfen. Wir verabreichten einer Gruppe von Ratten ein »Immunsuppressivum«, ein Medikament, das die Produktion von Antikörpern unterdrückt. Gleichzeitig gaben wir den Versuchstieren Saccharin.
Dann injizierten wir diesen Ratten und Versuchstieren einer Kontrollgruppe ein Antigen, das die Produktion von Antikörpern anregt. Im nächsten Schritt gaben wir der Kontrollgruppe das Immunsuppressivum, während die Testgruppe nur Saccharin erhielt, das zuvor zusammen mit dem Medikament verabreicht worden war.

Die Kontrollgruppe reagierte mit einer reduzierten Produktion von Antikörpern. Das gleiche Ergebnis war bei der Testgruppe zu beobachten, die nur Saccharin erhalten hatte. Wir hatten damit gezeigt, daß Lernprozesse Immunantworten beeinflussen können und daß eine Beziehung zwischen dem Nervensystem und der Immunfunktion besteht.

Moyers: Welche Implikationen hatte die Erkenntnis, daß die Ratten ihr eigenes Immunsystem lahmlegen konnten, für den Menschen?

Ader: Dieses Ergebnis schien eine Erklärung des Placebo-Effekts zu bieten. Wir hatten es mit einem Konditionierungseffekt zu tun, der einen unmittelbaren biologischen Einfluß auf die Überlebensfähigkeit der Tiere hatte. Das deutet darauf hin, daß auch der Placebo-Effekt eine erlernte Reaktion ist, über die wir unter bestimmten Umständen verfügen können.

Moyers: Demnach könnten wir uns bei der Einnahme von Medikamenten selbst so konditionieren, daß wir auf eine kleinere Dosis ebenso ansprächen wie auf eine größere und denselben therapeutischen Erfolg mit weniger Nebenwirkungen erzielen. Ähnelt diese Art konditionierten Lernens nicht dem klassischen Experiment mit dem Pawlowschen Hund?

Ader: Das Prinzip ist dasselbe. Pawlow gab zunächst einem Hund nur Futter. Dabei handelt es sich um einen unkonditionierten Reiz, der Speichelfluß auslöst. Dann ließ er immer ein Glockenzeichen ertönen, bevor er dem Tier Futter gab. Ein Glockenzeichen ist ein neutraler Reiz. Erst durch die wiederholte Kombination von Glockenzeichen und Fressen löste schließlich dieses Signal allein Speichelfluß aus.

Insofern war unser Experiment ein Beispiel klassischer Pawlowscher Konditionierung, angewandt auf die Modifizierung eines physiologischen Reflexes, von dem man angenommen hatte, er sei nicht durch das Gehirn gesteuert. Und ich sage »physiologischer Reflex«, weil für mich Immunantworten nicht getrennt voneinander betrachtet werden können, obwohl sie jahrelang so behandelt wurden. Noch vor wenigen Jahren wurde das Gehirn in keinem Lehrbuch über Immunologie erwähnt. Nicht nur, daß es kein einziges Kapitel zum Thema Gehirn gab, nicht einmal der Begriff »Gehirn« war im Register zu finden. In neueren Lehrbüchern erscheinen jetzt immerhin Aussagen wie: »Die aktuellen Daten aus der Psychoneuroimmunologie weisen darauf hin, daß das Immunsystem, wie bereits seit langem vermutet, möglicherweise nicht völlig autonom ist.« Der Einfluß des Gehirns auf das Immunverhalten findet inzwischen immer größere Beachtung, was wiederum der Forschung auf diesem Gebiet neue Impulse gibt.

Das Ergebnis unseres Experiments wurde als »aufregende« Entdeckung bezeichnet – aber für mich war es das keineswegs. Viel überraschender ist, daß das Immunsystem überhaupt so lange als autonom galt. Vielmehr steht diese Erkenntnis in Übereinstimmung mit allem, was wir über die anderen Systeme des Körpers wissen. Es handelt sich lediglich um einen weiteren physiologischen Reflex, der sich in das Gesamtbild der physiologischen Reflexe einfügt. Es ist weniger überraschend als einleuchtend.

Das Beweismaterial dafür, daß es Interaktionen zwischen dem Nervensystem, dem endokrinen System und dem Immunsystem gibt, ist überwältigend. Belege finden sich auf anatomischer Ebene, beispielsweise die Forschungsarbeiten von David Felten, in denen er »festverdrahtete« und chemische Verbindungen zwischen dem Nerven- und dem Immunsystem dokumentiert hat. Das andere Extrem sind Befunde auf der Ebene des gesamten Organismus, wie zum Beispiel Studien über den Einfluß psychosozialer Fakten auf Krankheiten, von denen wir annehmen, daß sie durch das Immunsystem vermittelt werden. Auch wenn wir wissen, daß anatomische Verbindungen und neurochemische Signale zwischen dem Nerven- und dem Immunsystem existieren, können wir noch nichts über ihre funktionale Bedeutung sagen, solange wir den zugrundeliegenden Mechanismus nicht kennen.

Auf den gesamten Organismus bezogen, zeigt diese Studie die Möglichkeit, daß das Immunsystem als Vermittler zwischen psychosozialen Faktoren, wie Streß am Arbeitsplatz, und veränderter Krankheitsanfälligkeit fungieren könnte. Diese Vermittlerrolle findet bisher kaum Beachtung, obwohl wir aus unserer eigenen Erfahrung wissen, daß Ereignisse im realen Leben sowohl die Krankheitsanfälligkeit als auch die Genesung von einer Krankheit beeinflussen. Wir haben nur experimentell nachgewiesen, daß das Gehirn bis zu einem gewissen Grad in der Lage ist, die Aktivitäten des Immunsystems zu regulieren, zu verändern oder zu steuern.

Moyers: Wir wußten seit langem, daß die seelische Verfassung den Gesundheitszustand beeinflussen kann. Jetzt sehen wir, daß das Immunsystem selbst auf direktem Weg Botschaften erhält.

Ader: Die neuroanatomischen Daten zeigen, daß die von den Synapsen ausgeschütteten Substanzen in der Lage sind, Lymphozyten zu verändern. Wir wissen, daß Lymphozyten auf ihrer Oberfläche die entsprechenden Rezeptoren zum Empfang dieser Signale besitzen. Außerdem kann es als gesichert gelten, daß ein aktiviertes Immunsystem chemische

Substanzen produziert, auf die das Nervensystem anspricht. Es gibt also eine nachweisliche Interaktion oder Kommunikation zwischen diesen Systemen. Welche Funktion diese Verbindung hat, ist allerdings noch nicht vollkommen geklärt.

MOYERS: Heißt das, wir könnten eine beliebige Substanz, wie in ihrem Beispiel eine Süßstofftablette, in ein wirksames Medikament verwandeln?

ADER: Ich will damit nicht sagen, daß der Mensch sein Immunsystem willkürlich oder bewußt modifizieren kann. Diese Hypothese mag vielleicht naheliegend und einleuchtend sein, aber sie ließe sich wohl nur sehr schwer beweisen. Wir wissen nur, daß ein Zusammenhang zwischen neutralen Reizen wie der Einnahme von Saccharin, und Reizen, die das Immunsystem beeinflussen, hergestellt werden kann, so daß dann auch die zunächst neutralen Reize Veränderungen des Immunsystems hervorrufen können. Dabei muß es sich um einen Prozeß des zentralen Nervensystems handeln.

MOYERS: Welche praktische Relevanz haben Ihre Erkenntnisse?

ADER: Das hängt davon ab, in welchem Kontext sie diskutiert werden. Der Begriff »Psychoneuroimmunologie« wird manchmal anstelle von »psychosomatischer Medizin« benutzt. Man hat mich oft als »Psychosomatiker« bezeichnet, aber meiner Meinung nach gibt es so etwas wie psychosomatische Krankheiten nicht. Für mich ist die Vorstellung, daß allein psychische Faktoren eine Krankheit verursachen sollen, nicht akzeptabel. Wenn ich zulasse, daß man bestimmte Krankheiten als psychosomatisch einstuft, impliziere ich damit, daß andere Krankheiten nicht von psychischen Faktoren beeinflußt werden. Doch wenn man für eine bestimmte Krankheit zeigen kann, daß psychische Faktoren die Anfälligkeit erhöhen oder ihr Fortschreiten beeinflussen, muß man die Möglichkeit in Erwägung ziehen, daß diese Faktoren bei jeder Art von Krankheit eine Rolle spielen.

MOYERS: Wie grenzen Sie also Psychoneuroimmunologie von psychosomatischer Medizin ab?

ADER: Im allgemeinen schlägt sie eine neue Richtung bei der Analyse der Beziehung zwischen Geist und Körper ein. Die Verbindung zwischen Geist und Körper wurde zwar schon jahrtausendelang untersucht, aber dennoch wissen wir nicht, nach welchen Prinzipien sie funktioniert. Im Rahmen der psychosomatischen Medizin ist die Psychoneuroimmunologie sozusagen die Disziplin, die die Interaktionen zwischen den Adaptionsvorgängen des Nerven-, Immun- und Hormonsystems und dem menschlichen Verhalten untersucht.

Ein weiteres signifikantes Forschungsergebnis der Psychoneuroimmunologie ist die Beobachtung, daß sich auch die Art und Weise, wie wir die Funktionen des Immunsystems untersuchen, verändert hat. Zwar läßt sich ein Phänomen im Reagenzglas untersuchen, doch die eigentlich relevante Frage ist, wie es in vivo, also im Körper, funktioniert. Denn dort unterliegt es Veränderungen, die die Aktivität des Nervensystems hervorruft und die sich im Reagenzglas nicht beobachten lassen. Bei der Untersuchung in vitro werden alle Variablen außer der, die es zu untersuchen gilt, ausgeschaltet. Das war zwar für die Erforschung vieler Krankheiten eine angemessene Strategie, für die heute häufigsten Todesursachen wie Herzkreislauferkrankungen und Krebs reicht sie nicht aus. Die wirklich interessanten Immunreaktionen finden innerhalb eines lebenden Organismus statt, innerhalb einer neuroendokrinen Umgebung, die besonders sensibel auf die Anforderungen der Umwelt reagiert.

Im Laborversuch kann man Krankheiten unabhängig von psychischen Faktoren gezielt durch die Injektion einer ausreichenden Menge an Pathogenen auslösen.

Doch in der Realität entsteht Krankheit nicht auf diese Art und Weise. Erreger sind eine notwendige, doch offensichtlich keine ausreichende Voraussetzung für eine Erkrankung, sonst wären die meisten Menschen den größten Teil ihres Lebens krank. Woran liegt es, daß sich, wenn die gesamte Bevölkerung denselben Krankheitserregern ausgesetzt ist, einige Menschen infizieren und andere nicht? Welche Faktoren sind dafür verantwortlich? Solange man die Forschungsstrategie darauf aufbaut, Krankheiten unter Laborbedingungen zu untersuchen, lassen sich zwar bestimmte Krankheitsmechanismen analysieren, aber man erfährt nicht, wie sich die Krankheit in der natürlichen Umgebung der Menschen entwickelt.

Die biologischen Wissenschaften haben sich auseinanderentwickelt und bürokratisiert und haben dabei das Verbindende aus den Augen verloren. Die Psychologen, Biochemiker, Pharmakologen und Immunologen haben den Kuchen untereinander aufgeteilt. Doch diese Unterteilung hat für die Biologie keine Bedeutung, sie erkennt diese Zersplitterung der Disziplinen nicht an. Es gibt nur einen Organismus, und die Art der Beziehungen zwischen den Systemen ist funktional ebenso wichtig wie die Beziehungen innerhalb eines Systems.

MOYERS: Dieses eine System ist der Körper?

ADER: Seele und Körper sind untrennbar.

MOYERS: Ich finde es aufschlußreich, daß Sie sich auf Körper/Seele bezogen, als ich nur den Körper erwähnte. Seele und Körper sind Ihrer Auffassung nach also ein und dasselbe.

ADER: Sie sind die untrennbaren Bestandteile eines Ganzen. Das gleiche gilt für adaptive Prozesse. Wenn man beispielsweise davon ausgeht, daß das Immunsystem autonom ist, stellen sich bestimmte Fragen gar nicht. Betrachtet man jedoch das Immunsystem als einen integrierten Teil unserer Adaptionsprozesse, ergibt sich daraus eine Reihe neuer Fragen.

MOYERS: Was halten Sie von der immer populärer werdenden Ansicht, daß wir uns selbst gesund denken können?

ADER: Solche Aussagen spiegeln eine extreme Zuversicht in die Fähigkeit der Psyche, den Körper zu beeinflussen. Ich bin da eher skeptisch. Augenscheinlich beeinflußt die Psyche den Körper ebenso wie der Körper die Psyche. Sie sehen, wie paradox unser Sprachgebrauch ist. Wenn wir über Seele und Körper sprechen, führen wir bereits eine Zweiteilung herbei. Es läßt auf eine Spaltung schließen, die wir eigentlich nicht meinen, wenn wir über dieses Thema diskutieren. Für ein dreidimensionales Konzept verfügen wir nur über eine eindimensionale Sprache.

Auf die Frage, ob ein Mensch seinen Körper und damit auch eine Krankheit willentlich beeinflussen kann, lautet meine Antwort, daß manche Menschen dazu in der Lage sind. Wenn es aber einigen Menschen möglich ist, dann, so die logische Folgerung, können es potentiell alle. Meiner Ansicht nach sind solche Behauptungen aber übertrieben, denn diese Argumentation geht nur von den positiven Ergebnissen aus. Die Tatsache, daß auch die größte Willensanstrengung oft keinerlei Folgen zeitigt, wird hier ignoriert.

Andererseits glauben wir oft, daß bestimmte autonome Reflexe wie Herzfrequenz, Blutdruck und die Temperatur in den Extremitäten nicht gesteuert werden können. Inzwischen wissen wir aber, daß auch diese Reaktionen bis zu einem gewissen Maß einer bewußten Kontrolle unterliegen.

MOYERS: Biofeedback liefert den Beweis dafür.

ADER: Das ist richtig. Biofeedback beruht auf einem Lernprozeß. Weshalb sollten wir also nicht das gleiche Grundprinzip auf das Immunsystem anwenden? Meiner Ansicht nach ist eine solche Übertragung möglich. Das autonome Nervensystem reagiert sehr schnell auf äußere Stimulierung. Hormonelle Reaktionen und Immunreaktionen dagegen verlaufen sehr viel langsamer. Die Produktion von Antikörpern etwa dauert Tage.

Moyers: Aber nehmen wir, zumindest als Arbeitshypothese, an, daß wir für das Immunsystem ähnliches bewirken könnten, wie Biofeedback für die Herzfrequenz und den Blutdruck. Welche Bedeutung hätte das für den Heilungsprozeß?

Ader: Möglicherweise könnte man Einfluß auf die Geschwindigkeit ausüben, mit der der Körper mit antikörperspezifischen Reaktionen auf Krankheitserreger in seiner Umgebung reagiert. Im Augenblick gehört das noch in den Bereich der Utopie.

Moyers: Ich stelle diese praktischen Fragen, weil ich den Eindruck habe, daß die breite Öffentlichkeit zu optimistische Vorstellungen über die medizinischen Anwendungsmöglichkeiten der Körper/Seele-Forschung hat.

Ader: Genau das ist der Fall. Die klinischen Möglichkeiten werden von den Ergebnissen der Grundlagenforschung abhängen. Doch die Aussicht, daß wir das Immunsystem durch das Gehirn steuern könnten, ist so verführerisch, daß die Erwartungen der Öffentlichkeit weit über das hinausgehen, was unsere bisherigen Forschungsergebnisse belegen.

Moyers: Und doch gibt es etwas, das auch Sie nicht ruhen läßt. Sonst würde ein engagierter und seriöser Wissenschaftler nicht so viel Zeit und Energie darauf verwenden, einer Hypothese nachzugehen, die nur im Bereich des Möglichen liegt.

Ader: Wenn etwas im Bereich des Möglichen liegt, bedeutet das schon sehr viel, und es hat den Anreiz, das noch Unbekannte zu ergründen.

Moyers: Aufgrund des momentanen Forschungsstandes sind Sie noch nicht zu der Aussage bereit, daß wir lernen können, unsere Psyche so zu steuern, daß sie den Körper beim Heilungsprozeß unterstützt. Sie würden aber auch die Möglichkeit nicht ausschließen, daß wir vielleicht eines Tages dazu in der Lage sind.

Ader: Ich würde es so formulieren: Wir können lernen, das Gleichgewicht zur Außenwelt zu beeinflussen, das für die Gesundheit unerläßlich ist. Es ist einseitig, nur davon zu sprechen, wie die Psyche den Körper beeinflussen kann. Wir dürfen dabei nicht aus dem Blick verlieren, wie auch der Körper auf die Seele einwirkt. Die Aussage, daß wir lernen können, durch die Psyche den Körper zu beeinflussen, impliziert einen Dualismus, den es nicht gibt.

Moyers: Birgt die Annahme, daß die an Ratten und Mäusen gewonnenen Erkenntnisse sich auch auf den Menschen übertragen lassen, nicht eine Gefahr?

Ader: Es wird immer wieder Einwände gegen die Übertragung von

Ergebnissen von Tierstudien auf die Humanforschung geben, obwohl gerade im Falle des Immunsystems eine auffallende Ähnlichkeit zwischen Mäusen und Menschen besteht. Doch man darf nicht vergessen, daß die aus der Tierforschung übernommenen Extrapolationen sich nicht notwendigerweise auf Details stützen. Sie basieren vielmehr auf dem Prinzip der Interaktion der verschiedenen Systeme, die Krankheit, Genesung oder die Reaktion auf Medikamente beeinflussen. Solche Prinzipien können, anders als spezielle Forschungsergebnisse, sehr wohl auf den menschlichen Organismus übertragen werden.

MOYERS: Welchen Fragen gilt es in Zukunft nachzugehen?

ADER: Die wichtigste Frage ist die nach Ausmaß und Art der Beziehungen zwischen diesen Systemen. Es ist an der Zeit, das Immunsystem als integrierten Bestandteil adaptiver Reaktionen zu untersuchen. Um das Wesen dieser Beziehungen zu verstehen, ist Grundlagenforschung erforderlich, ehe wir zur klinischen Anwendung übergehen können.

Das Geheimnis des Chi

»Der Geist bewegt die Materie.«

Vergil

Ein Operationssaal in Peking: Im Chirurgenkittel, mit Mundschutz und Überschuhen beobachte ich, wie das Skalpell langsam am Haaransatz einer jungen Frau entlanggeführt wird. Sie ist kaum zu sehen unter den Folien, die ihr Gesicht umgeben. Ein großer Tumor ist in das Gehirn eingedrungen. Auf dem CT-Bildschirm ist er deutlich zu erkennen.

Aus der Stirn, den Waden und den Knöcheln der Frau ragen sechs winzige Nadeln. Sie sollen den Schmerz lindern, den das Messer beim Eindringen ins Gewebe verursacht. Die Anästhesie besteht aus einem schwachen Beruhigungsmittel und einem niedrig dosierten Narkosemittel – weniger als die Hälfte der in westlichen Kliniken üblichen Dosis – sowie den Akupunkturnadeln, die in der traditionellen chinesischen Medizin ausgebildete Ärzte gesetzt haben. Die Frau ist bei Bewußtsein, aber sie empfindet keinen Schmerz. Die Ärzte sprechen mit ihr, während sich ihre Instrumente dem Tumor nähern. Der leitende Chirurg fordert mich auf, einen Blick auf die schwarze Wucherung zu werfen, die durch die Öffnung in der Stirn der Frau sichtbar wird.

Ich gehe um den Operationstisch herum und beuge mich unter die grünen Tücher, um mit der Patientin zu sprechen. »Wie geht es Ihnen?« frage ich sie mit Hilfe des Dolmetschers. »Gut«, erwidert sie. Da der Schmerz zum Teil mit Hilfe der Akupunkturnadeln ausgeschaltet wird, kann sie während des Eingriffs mit den Chirurgen kooperieren. Zudem werden durch Medikamente hervorgerufene Nebenwirkungen geringer sein und die Patientin wird sich schneller erholen, obwohl die Entfernung des Tumors mehr als drei Stunden dauert.

Ich habe gerade miterlebt, daß es eine andere »Topographie« des Körpers gibt als diejenige der westlichen Kultur, andere Kartierungen, nach denen Heiler in anderen Kulturen vorgehen. Ich treffe hier mit Vertretern der traditionellen chinesischen Medizin zusammen, mit Ärzten, die ohne Blutproben oder Röntgenbilder arbeiten und keinen Unterschied zwischen physischen und psychischen Störungen machen. Im Zentrum ihrer Heilkunst steht eine Kraft, die als Chi bezeichnet wird. Sie betrachten den Körper als ein Energiesystem, dessen Struktur dem westlichen Denken so fremd ist, daß wir ihm keine Aufmerksamkeit geschenkt hätten, wenn die traditionelle, auf dem Chi basierende chinesische Medizin nicht auf eine jahrtausendealte Erfahrung mit dieser Methode verweisen könnte.

Während unserer Filmarbeiten in China findet in Peking der Internationale Kongreß der traditionellen Medizin statt, an dem 700 Ärzte und Wissenschaftler aus 40 Nationen teilnehmen. Man wird den 22. Oktober zum Welttag der traditionellen Medizin erklären und betonen, daß die offiziell TCM genannte traditionelle chinesische Medizin »keinesfalls den synthetisch hergestellten Medikamenten und den Antibiotika unterlegen ist«. In China wurde die traditionelle Heilkunde in den 20er Jahren dieses Jahrhunderts von der nationalistischen Regierung mit der Begründung verboten, daß solche Praktiken »rückschrittlich und abergläubisch« seien. In den 50er Jahren rehabilitierte Mao Tse-tung – angesichts der Tatsache, daß auf 500 Millionen Chinesen nur 38000 westlich orientierte Ärzte kamen, – die traditionelle Medizin und plädierte für eine Zusammenarbeit von westlich ausgebildeten und traditionell orientierten Ärzten. Die Eliten bevorzugten die westliche Medizin, aber in der Bevölkerung hatte die TCM nie an Popularität verloren und erlebt heute wieder lebhaften Zulauf. Nach Angabe der Regierung gibt es in ganz China ungefähr 2100 Krankenhäuser, die mit den Methoden der traditionellen Medizin arbeiten, und schätzungsweise eine Million traditionell ausgebildeter Ärzte und Pharmazeuten. Sie bilden ein Netzwerk, das integraler Bestandteil des Gesundheitssystems ist und eine Alternative zu Krankenhäusern darstellt, die westliche Verfahren und Techniken verwenden. Der Staat fördert die Forschung im Bereich der TCM durch finanzielle Unterstützung. Dem Internationalen Kongreß werden Berichte vorgelegt, laut denen Hunderte neuer Arzneimittel entwickelt wurden, die aus Kräutern und den Körpern von Tieren hergestellt wurden, ebenso wie neue Akupunkturtechniken und Behandlungsmethoden für die Alzheimer- und die Parkinson-Krankheit.

Die amerikanische Öffentlichkeit begann sich für Akupunktur zu interessieren, als James Reston sich Anfang der 70er Jahre während eines Chinaaufenthalts einer Blinddarmoperation unterziehen mußte und anschließend in der *New York Times* über den Einsatz von Akupunktur als Narkosetechnik schrieb. Wenn wir an chinesische Medizin denken, fällt uns als erstes Akupunktur ein. Aber Kräuterheilkunde, Massage, Bewegungsübungen, Meditation und das Bewußtsein für eine ausgewogene Lebensweise gehören gleichermaßen zu diesem komplexen medizinischen System, das eine Unterscheidung zwischen Körper und Geist ablehnt.

Ich wandte mich an David Eisenberg, der an der Harvard Medical School lehrt und gleichzeitig als Internist am Beth Israel Hospital in Boston praktiziert, und bat ihn, mich auf meiner Reise nach China zu begleiten. Kurz nachdem sich die Beziehungen zwischen China und den USA 1979 normalisiert hatten, war er als erster amerikanischer Student der Medizin im Rahmen eines Austausches nach China geschickt worden. Er arbeitete dort Seite an Seite mit seinen Lehrern in traditionellen chinesischen Krankenhäusern, studierte Akupunktur, Massage und die Wirkung von Kräutern und kehrte später häufig nach China zurück, um seine Forschung weiterzuführen. In seinem Buch *Encounters with Qi* wirft er eine Reihe von Fragen auf, die uns bei unserer gemeinsamen Reise durch China als Leitfaden dienten:

- Was können wir im Westen von den Heilpraktiken der Chinesen lernen, um zu einem besseren Verständnis von Gesundheit und Krankheit zu kommen und so den Heilungsprozeß zu optimieren?
- Kann die chinesische Medizin in westliche Heilverfahren integriert werden, so wie es der chinesischen Medizin gelungen ist, unsere Verfahren zu integrieren?
- Ist die Kernthese der chinesischen Medizin, daß Lebensweise und persönliche Einstellung den natürlichen Verlauf menschlicher Krankheit signifikant verändern können, haltbar?

Der Park in Shanghai ist menschenleer und still. Die letzten langen Schatten verlieren sich im Sand, und hinter den Silhouetten der Dächer beginnt es zu dämmern.

Bei dem Anblick, der sich mir bietet, reibe ich mir verwundert die Augen. Die Parktore öffnen sich, und halb China scheint uns entgegenzuströmen. Scharen alter Leute, von denen ich viele auf über neunzig schätze, schwärmen in alle Richtungen aus.

Sie beachten uns nicht. Wie jeden Morgen, zu jeder Jahreszeit, bei jeder Witterung sind sie gekommen, um eine uralte Kunst, T'ai Chi Ch'uan, auszuüben. Einige bilden Gruppen, wiegen sich sanft und mühelos dahin, vereinen Arme und Beine, Füße, Hände und Köpfe zu einem lautlosen Konzert der Körper. Andere bleiben für sich. Durch die Bewegung belebt sich der Park, und was sich vor meinen Augen abspielt, erinnert mich an Wellen, die ans Ufer schlagen, an Wolken, die einen Berg einhüllen. Jetzt geht die Sonne auf über einem phantastischen, rituellen Tanz menschlicher Harmonie.

»Es strahlt Harmonie aus«, meint David Eisenberg. »Aber wenn Sie diese Menschen danach fragen würden, was sie dort tun, würden sie es nicht als Tanz oder Bewegungsübungen bezeichnen. Sie würden Ihnen antworten, es handle sich um eine Kraft namens Chi.«

Für diese Menschen und ihre Ärzte besteht der Körper aus einer Reihe von Energiebahnen. Chi, der chinesische Name für diese Energie, fließt entlang bestimmter Linien, die sich nicht mit physiologischen Strukturen decken. Wenn ein Patient krank ist, suchen westliche Ärzte nach physikalischen oder chemischen Störungen. Chinesische Ärzte dagegen suchen nach verborgenen Kräften, die aus dem Gleichgewicht geraten sind. So wie sie es beschreiben, besteht ihre Aufgabe darin, die Harmonie dieser Kräfte wiederherzustellen. Nadeln in den Körper zu stechen, stellt für westliche Menschen, anders als für die Chinesen, einen physischen Eingriff dar. Sie betrachten es dagegen als Eingriff in ein Energiesystem. Das gleiche gilt für die Heilkräuter. Für Chinesen sind Heilkräuter keine chemischen Substanzen, die auf andere solcher Substanzen im Körper einwirken. In ihrem Denken helfen Kräuter, das »Chi zu lösen«, die Energie wieder fließen zu lassen. Chinesische Ärzte sollen durch das Setzen von Nadeln an bestimmten Körperpunkten, durch die Verwendung von Kräutern und durch die Massage von Druckpunkten den Fluß des Chi steuern können.

Wie wir bei der morgendlichen Szene im Park sehen konnten, lehren sie auch ihre Patienten den Energiefluß im eigenen Körper durch eine Kombination von geistigen und körperlichen Übungen zu beherrschen. Eine chinesische Weisheit besagt, daß die Behandlung eines kranken Menschen dem Graben nach Wasser gleicht, wenn man Durst verspürt. Der traditionelle chinesische Arzt erhielt nur solange ein Honorar, wie sich der Patient guter Gesundheit erfreute. Erkrankte er, wurden die Zahlungen eingestellt. Aufgabe des Arztes war es, die Patienten dazu anzuleiten, durch richtige Lebensführung gesund zu bleiben. Temperament, Ernährung, Denken, Gefühle und körperliche Betätigung waren von großer Bedeutung in einem System, in dem der Patient die Hauptverantwortung für Krankheit oder Gesundheit trug. Der Arzt hatte nur Vorbildfunktion. Die Menschen suchten ihn auf, um von ihm das Wissen um die »Energiemedizin« zu lernen.

Eisenberg hatte derartiges nicht erwartet. Wohin er nach seiner Ankunft ging, immer stieß er auf Chi. »Man besucht ein Krankenhaus in der Stadt oder auf dem Land und trifft auf eine Heilkräuterabteilung, eine Akupunkturabteilung und eine Chi Gong-Abteilung. Im besten Zentrum für traditionelle Medizin in China stößt man im Physiologie-Labor auf einen Computer, der gleichzeitig bei zwanzig Menschen den Puls stimulieren kann. Er dient den Medizinstudenten dazu, die Pulsdiagnose zu erlernen. In einem anderen Raum befinden sich IBM-Computer mit Colorimetern, die die Farbe der Zunge messen. Anhand dieser Computer lernen die Studenten, zwischen Hunderten von Krankheiten zu unterscheiden, deren Diagnose auf der Beobachtung der Zunge beruht. Ein Helium-Neon-Laser wird zur Stimulation ausgewählter Akupunkturpunkte verwendet, und bei bestimmten physiologischen Reaktionen wird der Unterschied zwischen einer Stimulation durch eine Nadel oder elektrischen Strom untersucht. In dem riesigen Hörsaal befindet sich das rund vier Meter hohe Modell des menschlichen Körpers mit Hunderten deutlich markierter Akupunkturpunkte. Die Statue ist umringt von Studenten, die lernen, wo sie die Akupunkturnadeln setzen müssen, um bei den vielfältigsten chirurgischen Eingriffen oder psychiatrischen Störungen einzugreifen. Welche Vorstellung vom Körper liegt dem zugrunde? Nichts davon deckt sich mit dem, was an den medizinischen Fakultäten im Westen gelernt wird.

Für amerikanische Ärzte gilt die Existenz von Chi nicht als bewiesen. Als eine physikalische Realität ergibt Chi für sie keinen Sinn. Aus Respekt vor westlichem Skeptizismus, aber auch um ihrer eigenen intellektuellen Befriedigung willen untersuchen Forscher am Shanghaier Institut für traditionelle chinesische Medizin, am Pekinger Institut für traditionelle Medizin und bei der Staatsverwaltung für traditionelle chinesische Medizin die Mechanismen der alten Heilkunde. »Chi Gong ist ein sehr altes Verfahren«, erläutert ein chinesischer Arzt Eisenberg, »es ist ein Teil der traditionellen chinesischen Medizin. Wir haben versucht, es mit Hilfe moderner wissenschaftlicher Prinzipien und Techniken zu verstehen. Bis jetzt ist uns das nicht gelungen, und wir bitten Sie um Ihre Mithilfe dabei, das Wesen von Chi zu definieren.«

Keine leichte Aufgabe.

Chi Gong, eines der verblüffendsten aller chinesischen Heilverfahren, bedeutet wörtlich »Manipulation der Lebenskraft«. Chinesische Ärzte setzen dieses Verfahren bei einer Vielzahl meist chronischer neurologischer und muskulärer Erkrankungen ein, einschließlich der Multiplen Sklerose. Die Patienten lernen, die »Lebensenergie« ihres Körpers durch spezielle Atem- und Bewegungsübungen zu lenken. Das Wesen des Chi Gong liegt darin, daß diejenigen, die es praktizieren, in der Kunst unterwiesen werden, »ihre Mitte zu finden«, einen besonderen Zustand körperlichen Gleichgewichts zu erreichen und gleichzeitig zu meditieren.

Die Anzahl der Menschen, die täglich wie jene, die wir im Park beobachten konnten, Chi Gong und T'ai Chi-Übungen ausführen, wird auf über zehn Millionen geschätzt. Bisher gibt es noch keine systematischen Studien darüber, ob sie ihren Gesundheitszustand durch tägliche Chi Gong-Übungen verändert haben. Eisenberg formuliert es folgendermaßen: »Die bloße Tatsache, daß zehn Millionen Menschen im Morgengrauen aufstehen, um eine alte Kunst auszuüben, beweist noch lange nicht, daß diese Übung

Einfluß auf die Anfälligkeit für Krankheiten oder deren Verlauf hat. Die Tatsache, daß die Übung jahrtausendealt und Bestandteil der taoistischen, buddhistischen und chinesischen Weisheit ist, bedeutet nicht unbedingt, daß diese Menschen in ihrem Innern über ein größeres Potential an Lebensenergie verfügen.« Dennoch stellt dieses Phänomen für ihn eine Herausforderung dar.

Auf unserer gemeinsamen Reise sehe ich erstaunliche Dinge und frage mich oft, ob sie tatsächlich auf einem Heilungsprozeß beruhen oder nur auf einen Placebo-Effekt zurückzuführen sind. Die Vorstellung, daß ein ganzes Gesundheitssystem auf dem Placebo-Effekt aufgebaut sein könnte, irritiert mich. Doch selbst wenn wissenschaftliche Untersuchungen über das Chi zeigen würden, daß es nur ein geistiges Konstrukt ist, würde die Tatsache, daß dieses Konstrukt seit Jahrtausenden von den Menschen angewendet wurde, auf die Bedeutung der Psyche für den Heilungsprozeß hinweisen. Deshalb arbeitet Eisenberg jetzt zusammen mit chinesischen Wissenschaftlern daran, die Prinzipien der chinesischen Medizin unter Anwendung westlicher wissenschaftlicher Methoden zu erforschen und weiterzuentwickeln. Wenn die chinesische Heilkunde tatsächlich wirksam ist, wird sie auch der strengsten Überprüfung standhalten. Eisenberg beruft sich auf ein altes chinesisches Sprichwort: »Echtes Gold fürchtet auch das heißeste Feuer nicht.«

Medizin in einer Körper/Seele-Kultur

David Eisenberg

In Peking besuchen wir das Dongzhimen Hospital, wo David Eisenberg vor elf Jahren ausgebildet wurde. Dongzhimen ist eines von drei Lehrkrankenhäusern für traditionelle chinesische Medizin in Peking, in denen westliche und chinesische Medizin gleichberechtigt nebeneinander praktiziert werden. Um acht Uhr morgens sind die Warteräume bereits überfüllt. Menschen stehen Schlange vor getönten Glasfenstern, über denen in großen Schriftzeichen »Traditionelle chinesische Heilkräuter« zu lesen ist. Auf der gegenüberliegenden Seite des Raumes warten Patienten vor einer Fensterreihe mit der Aufschrift »Westliche Medizin«.

Nachdem wir uns mit einigen Patienten unterhalten haben, begeben David Eisenberg und ich uns hinter die Kulissen, in die Kräuterapotheke, wo die Arzneimittel zubereitet werden. Der Fußboden ist mit Körben vollgestellt, in denen sich Heilkräuter verschiedenster Art befinden, und an den Wänden reihen sich Dutzende halb geöffneter Kräuterschubladen. Fünf oder sechs Personen in weißen Kitteln und einer Haube auf dem Kopf stellen Rezepturen zusammen und mischen aus mindestens zwölf verschiedenen Kräutern eine einzige Arznei zusammen. Wir sehen ihnen zu, wie sie die Kräuter abwiegen, messen und die fertigen Arzneien in Tüten abfüllen.

EISENBERG: Das hier ist die Kräuterapotheke, das Herz des gesamten Krankenhauses, wo sich das Zentrum der traditionellen chinesischen Medizin befindet. Viele dieser Kräuter werden seit Jahrtausenden verabreicht, und ihre Wirkung ist sorgfältig dokumentiert und untersucht worden.

MOYERS: Was ist in diesen Arzneien enthalten?

EISENBERG: Die meisten Arzneimittel werden auf der Basis von Pflanzen hergestellt. Einige enthalten aber auch tierische Substanzen wie Hirschgeweihe, Gallenblasen von Schlangen oder Haifischflossen.

MOYERS: Was ist das hier? Es sieht aus, als seien es Skorpione.

EISENBERG: Das stimmt genau. Es sind vollständige, getrocknete Skorpione. Oder hier haben Sie zum Beispiel eine Eidechse.

MOYERS: Wofür werden Eidechsen verwendet?

EISENBERG: Um Husten zum Stillstand zu bringen und die Schleimbildung zu verringern.

MOYERS: Was ist das hier?

PHARMAZEUT: Das sind die Wurzeln des großblütigen Helmkrauts.

EISENBERG: Bei uns nennt man diese Pflanze Bärenschote. Sie hat eine fiebersenkende Wirkung. Im Chinesischen würde man sagen, sie reduziert die »übermäßige Hitze« im Körper und schwemmt die Giftstoffe aus.

Hier haben wir jetzt eine besonders wichtige Pflanze: die Ginsengwurzel. Sie wird verwendet, um das »Chi« oder die Lebensenergie, die Lebenskraft des Körpers zu steigern.

MOYERS: Erfordert das Wissen um das richtige Mischungsverhältnis ein langes Studium?

EISENBERG: Ja, und es ist entschieden der schwierigste Bereich der chinesischen Medizin. Die Ärzte müssen die komplexen Gesetzmäßigkeiten erkennen, die das Gleichgewicht im menschlichen Körper bestimmen. Die Chinesen würden es so ausdrücken: Wenn einem bestimmten Organ nicht genügend Energie zugeführt wird, bedarf es spezieller Kräuter, um den Energiezufluß zu verstärken.

MOYERS: Haben diese Mischungen eine den westlichen Medikamenten vergleichbare chemische Grundlage?

EISENBERG: Man geht hier von einer anderen Vorstellung aus. Die Kräuter werden nicht aufgrund der Analyse ihrer chemischen Wirkstoffe verordnet, sondern weil eines die Hitze verstärkt und ein anderes die Stagnation der Lebensenergie verringert. Die Chinesen verwenden eine solche Sprache in der Medizin, die nichts mit dem Vokabular der Chemie zu tun hat. Diese Methode wurde vor 2500 Jahren entwickelt, lange bevor sich die Chemie, wie wir sie kennen, entwickelte.

MOYERS: Haben Sie als Pharmazeut auch westliche Medizin studiert?

PHARMAZEUT: Ja, ich studierte zuerst westliche und anschließend traditionelle chinesische Medizin, weil manche Patienten diese Art von Medizin wünschten. Besonders bei chronischen Erkrankungen, wie bestimmten Formen von Hepatitis, Magenbeschwerden und Geschwüren ist die traditionelle der westlichen Medizin überlegen.

MOYERS: Was geschieht mit den Ingredienzien, die wir gerade gesehen haben?

PHARMAZEUT: Man kocht sie etwa eine halbe Stunde lang in Wasser und trinkt die Flüssigkeit täglich als Tee.

MOYERS: Ich zähle hier sechzehn verschiedene Substanzen.

EISENBERG: Das ist die tägliche Dosis für einen Patienten. Wie viele verschiedene Zutaten befinden sich in Ihren Regalen?
PHARMAZEUT: An die achthundert, vielleicht auch mehr.
MOYERS: Wie viele Substanzen kommen insgesamt in der chinesischen Medizin vor?
PHARMAZEUT: Über zweitausend.
MOYERS: Nehmen Ihre Patienten gleichzeitig auch westliche Medikamente?
PHARMAZEUT: Einige tun es, aber die meisten entscheiden sich für eine Art der Behandlung.
MOYERS: Ist das die Entscheidung des Arztes oder die des Patienten?
PHARMAZEUT: Die Entscheidung des Arztes, genau wie in der westlichen Medizin auch.
MOYERS: Sind diese Rezepturen jemals analysiert worden? Wir kennen zwar die Bezeichnung der Zutaten und wissen, woher sie kommen, aber nicht, was sie wirklich enthalten.
EISENBERG: Die einzige Substanz, die gründlich analysiert worden ist, ist Ginseng. Ein einziges Heilkraut wie Ginseng enthält aber bereits bis zu hundert chemischer Substanzen. Entsprechend schwierig ist es, die jeweilige Wirkung der verschiedenen Bestandteile zu ermitteln.
MOYERS: Bisher wissen wir also nur, welche Kräuter in diesen Rezepturen enthalten sind, aber nicht, welche Wirkstoffe sie enthalten.
EISENBERG: Wir kennen noch nicht einmal alle Bestandteile jedes einzelnen Heilkrautes oder die wechselseitigen Einflüsse verschiedener Kräuter aufeinander, wenn sie zu einem Tee verarbeitet werden.
MOYERS: Wir wissen, daß manche Pflanzen im Naturzustand Digitalis enthalten, das wir bei Herzerkrankungen anwenden. Bei der Kräutertherapie ist also auch »Chemie« beteiligt.
EISENBERG: Das ist richtig, aber die Chinesen denken nicht in Kategorien von »Chemie«. Sie versuchen nicht, die Wirkungen einer Pflanze analytisch zu ermitteln. Ihre Spezialisten beobachten genau, ob Kräuter bei bestimmten Problemen helfen. Kräuter werden aufgrund der Vorstellung verordnet, daß der Körper ein mit der Lebensenergie »Chi« gefülltes System ist. Wenn ein traditioneller chinesischer Arzt ein bestimmtes Heilkraut verordnet, geschieht das nicht mit der Absicht, eine chemische Störung zu beheben, sondern er versucht, den harmonischen Fluß des Chi wiederherzustellen.

Von der Apotheke gehen David Eisenberg und ich in die »Küche«, in der für jeden Patienten der Klinik spezielle Kräutertees zubereitet werden. In einem Krankenhaus mit westlicher Medikation besteht die Behandlung eines Patienten darin, ihn mit normierten Tabletten zu versorgen. Kräuterarzneien dagegen müssen zweimal täglich frisch zubereitet werden. In der Küche stehen dafür fünfundzwanzig Kochstellen zur Verfügung, die alle gleichzeitig in Betrieb sind. Auf jeder wird eine speziell auf den Patienten abgestimmte Kräutermischung gekocht, entsprechend dem Rezept, das auf einem neben der Kochstelle hängenden Zettel notiert ist.

MOYERS: Man fühlt sich ein wenig an die Hexen in *Macbeth* erinnert, wo es heißt: »Kessel brodelt, Feuer zischt«.

EISENBERG: Dieser Raum wird als »Arzneiküche« bezeichnet. Jeder dieser Töpfe enthält Kräuter für einen der Patienten des Krankenhauses. In jedem dieser Gefäße befindet sich eine Mischung aus zehn bis fünfzehn verschiedenen Heilkräutern. Die Ärzte machen morgens ihre Visite und stellen dann das Rezept aus und schicken es hierher. Hier muß sich jeder der »Köche« um zwölf Töpfe gleichzeitig kümmern, wobei jedes Gefäß etwa zwanzig Minuten lang auf der Flamme bleibt. Die Töpfe müssen aus Kupfer sein, damit die Kräuter nichts von ihrer Wirkung einbüßen. Das Krankenhaus kann fünfhundert Patienten versorgen, und jeder von ihnen bekommt täglich einen frischen Tee zubereitet. Der Sud wird in Thermosflaschen gefüllt und auf die Stationen gebracht. Das ist die ganze Behandlung.

MOYERS: Der Geruch in dieser Küche ist schwer zu beschreiben. Es ist ein Gemisch aus Wurzeln, Tees, Kautschuk und Harz. Jedes Gebräu sieht anders und oft nicht sehr verlockend aus.

EISENBERG: Auch ich kann mir schwer vorstellen, etwas derartiges zu trinken.

MOYERS: Unter welchen Umständen würden Sie es tun?

EISENBERG: Wenn ich davon überzeugt wäre, daß es die wirkungsvollste Medizin für mich ist, würde ich es natürlich trinken. Aber es riecht und schmeckt sehr unangenehm. Die Art der Zubereitung dieser Kräuter ist Hunderte, wenn nicht Tausende von Jahren alt. Viele der gebräuchlichsten Rezepturen existieren seit fünfhundert Jahren.

MOYERS: Wie hoch schätzen Sie den Anteil der rein psychologisch bedingten Wirkung?

EISENBERG: Ich glaube nicht, daß sich diese Frage beantworten läßt, es sei denn, wir würden alle diese Arzneien einer genauen Analyse unterziehen.

Chinesische Patienten denken sehr pragmatisch. Wenn ein Medikament bei ihnen oder bei Verwandten und Freunden Wirkung gezeigt hat, werden sie es einnehmen.

MOYERS: Die Tradition spielt also auch eine Rolle.

Nach dem Besuch der Kräuterapotheke wohnen wir der Operation einer jungen Frau bei. Die Narkose besteht nur aus Akupunktur und einer geringen Dosis von Betäubungs- und Beruhigungsmitteln – etwa die Hälfte der im Westen üblichen Menge. Anschließend besuchen wir die Akupunktur-Abteilung des Krankenhauses.

EISENBERG: In Amerika ist die Ansicht weit verbreitet, daß Akupunktur nur in der Narkose Anwendung findet, doch in der chinesischen Medizin wird sie zur Heilung der unterschiedlichsten Krankheiten eingesetzt. Bei Akupunktur denken wir meistens an den Einsatz von Nadeln, aber das ist nicht immer der Fall. Hier sehen Sie eine Variante der Akupunktur, bei der sogenannte Schröpfgläser verwendet werden. Der Arzt setzt die gläsernen Saugnäpfe auf die Akupunkturpunkte im Kreuzbereich des Patienten. Auch meine Großeltern in Rußland kannten dieselbe Behandlungsmethode. Ich glaube, daß Schröpfgläser seit langer Zeit in vielen Kulturen zur Behandlung von Krankheiten eingesetzt werden.

MOYERS: Die Schröpfgläser saugen die Haut des Patienten an, so daß sich eine konische Erhebung bildet.

EISENBERG: Und sie hinterlassen einen blauen Fleck. Aber dieser Patient sagt, es sei nicht schmerzhaft, und nach der Behandlung hätte er seinen Arm wieder besser bewegen können. Die Frau dort drüben leidet an einer Gesichtslähmung. Der Arzt setzt ihr Nadeln in den Arm und ins Gesicht, in den sogenannten »Dickdarm-Meridian«.

MOYERS: Was bedeutet das?

EISENBERG: Die chinesische Medizin teilt den Körper in Energieleitbahnen ein. Jeder dieser Bahnen wird ein Organ zugeordnet. In diesem Fall versucht der Arzt, die Blutzirkulation entlang der Energieleitbahn des Dickdarms zu steigern.

MOYERS: Was bewirkt das bei der Patientin?

ARZT: Nach dem westlichen Medizinsystem läßt sich das schwer erklären. Nach der Theorie der chinesischen Medizin sind »Wind« und »Hitze« die Ursachen ihrer Krankheit. Diese Störungen müssen zuerst behoben werden, dann kann Besserung im Gesicht eintreten.

MOYERS: Welche Auswirkungen hat das auf den Darm?

ARZT: Die Akupunkturbehandlung behebt das gestörte energetische Gleichgewicht, das in diesem Fall vor allem den Dickdarm betrifft. Wenn der »Wind« und die »Hitze« beseitigt sind, werden die Leitbahnen frei, die Energie kann wieder fließen, und ihr Gesicht wird genesen.

MOYERS: Was fühlt die Patientin jetzt?

PATIENTIN: Ich spüre während der Behandlung eine Art Anschwellen. Danach fühle ich mich besser. Als ich ins Krankenhaus kam, litt ich an einem Schwindelgefühl und hatte keine Kraft in den Armen.

MOYERS: Haben Sie es zu Beginn Ihrer Krankheit mit westlicher Medizin versucht?

PATIENTIN: Ich war sehr krank, als ich in die Klinik kam. Ich nahm einige westliche Medikamente und ging wieder nach Hause. Aber am Tag darauf wurde ich wieder in die Notaufnahme eingeliefert. Man sagte mir, ich hätte die Menière-Krankheit.

EISENBERG: Das ist eine Erkrankung des Innenohrs. Hat die westliche Medizin Ihnen geholfen?

PATIENTIN: Nein, ich bekam zunächst Infusionen. Danach kam ich hierher.

MOYERS: Hier hat man der Patientin Nadeln in bestimmte Energieleitbahnen des Körpers gesetzt, die sogenannten Meridiane. Wir orientieren uns an der Struktur der Nervenbahnen. Stimmen sie mit den Leitbahnen des Chi im chinesischen System überein?

EISENBERG: Das Meridiansystem entspricht nicht dem anatomischen System der westlichen Medizin. Einige Meridiane befinden sich in der Nähe von Nerven und Arterien, aber eine direkte Übereinstimmung läßt sich nicht feststellen. Das diagnostische und therapeutische System der chinesischen Medizin – die Art und Weise, wie sie die Funktionen des menschlichen Körpers beschreibt – unterscheidet sich völlig von dem unseren.

MOYERS: Wie erkennt der Arzt, daß er den richtigen Punkt trifft?

EISENBERG: Das ist mit das schwierigste. Er fragt die Patientin, ob sie das Chi spürt, und auch er muß es fühlen. Mein Akupunkturlehrer sagte mir, es sei wie beim Angeln, wo man erkennen muß, ob der Fisch bereits angebissen hat. Man setzt die Nadel, und wenn ein kleiner Widerstand zu spüren ist, weiß man es, auch ohne den Patienten zu fragen. Aber es ist eine Kunst, und ein großer Teil des Wissens ist Fingerspitzengefühl.

MOYERS: Was empfindet der Patient, wenn er das Chi spürt?

EISENBERG: Der Patient hat gewöhnlich ein Gefühl verstärkter Durchblutung oder der Taubheit, manchmal spürt er auch ein Prickeln. Wenn man die Nadeln richtig setzt, empfindet der Patient keinen Schmerz, nur eine Art Schwellungsgefühl.

MOYERS: Als die Patientin mit dem Arzt sprach, berichtete sie über ein Gefühl des Blutandrangs im ganzen Körper, nicht nur an der Einstichstelle.

EISENBERG: Das ist der Teil der Akupunktur, der mir unerklärlich ist. Man kann jemandem eine Nadel in den Fuß setzen, und er spürt ein Taubheitsgefühl am Hals. Manche Leute glauben, daß die Akupunkturleitlinien entdeckt worden seien, indem man Nadeln an verschiedenen Stellen ansetzte und bemerkte, daß die Patienten Gefühle in entfernten Körperregionen wahrnahmen.

MOYERS: Könnte man nicht einfach sagen, daß der Arzt einen Nerv getroffen hat?

EISENBERG: So würden wir es nach unserem westlichen Verständnis erklären wollen. Aber die Nerven verlaufen nicht durchgehend von der Zehe über Hüfte und Schulter in den Kopf. Dieses Erklärungsmodell scheidet also aus.

MOYERS: Setzt der Arzt bei der Akupunktur sein eigenes Chi ein?

ARZT: Ich setze mein Chi ein, wenn ich die Nadel ansetze. Auch den richtigen Einsatz des Chi muß man während der Ausbildung lernen, sonst wird sich der Patient ängstigen. Wenn es einem dagegen gelingt, das Chi in den Fingern zu konzentrieren, wird er ein intensiveres Gefühl spüren.

EISENBERG: Mein Akupunkturlehrer meint, daß ein guter Akupunkteur Chi gebraucht, damit die Akupunktur Wirkung zeigt. Setzt man die Nadel ohne Chi, ist es, »als würde man sie in ein Steak stechen«. Es geschieht nichts. Das eigene Chi muß durch die Nadel fließen und durch die Nadel das vom Körper des Patienten ausströmende Chi fühlen.

Es ist ausgesprochen schwierig, die Nadel im rechten Winkel zur Hautoberfläche zu setzen, damit es nicht schmerzt. Ich lernte es dadurch, daß ich versuchte, die Nadel durch zehn Blatt Papier zu stechen, ohne daß sie sich dabei verbiegen durfte. Bevor ich das nicht konnte, ließ man mich nicht in die Nähe eines Patienten. Ich brauchte Wochen, nur um diese eine Übung zu beherrschen. Diese Nadeln sind haarfein, und es ist ungeheuer schwierig, sie durch die Haut zu stoßen, ohne sie zu verbiegen.

MOYERS: Haben Sie es schließlich gelernt?

EISENBERG: Nein. Ich erreichte zwar die technische Perfektion, so daß ich bei Patienten Nadeln setzen durfte, aber ich spürte nie das Chi. Die

Ärzte werden zuerst in der gesamten Theorie ausgebildet, dann müssen sie die Anordnung der 365 Meridiane erlernen. Sie müssen für jeden Patienten eine genaue Diagnose erstellen, um sagen zu können, wo die Störung des energetischen Gleichgewichts liegt. Dann müssen sie den Akupunkturpunkt genau treffen, und wenn sie ihn verfehlen, müssen sie die Nadel um ein oder zwei Millimeter versetzen, bis sie die richtige Stelle gefunden haben. Anschließend müssen sie ihre eigene Energie einsetzen.

MOYERS: Haben Sie während Ihrer Studienzeit in China gelernt, wo die Meridiane liegen?

EISENBERG: Ja. Die Punkte wurden mit Jod auf meinen Körper markiert, und ich mußte alle diese Punkte zuerst an mir selbst und danach auf dem Körper meines Lehrers erkennen. Soweit bin ich gekommen. Ich habe mit ein paar hundert Patienten gearbeitet, aber das Chi habe ich nie gefühlt. Um diesen Grad an Kunstfertigkeit zu erreichen, sind viele Lehrjahre nötig.

MOYERS: Wie viele Menschen in China haben Erfahrung mit Akupunktur?

ARZT: Etwa ein Drittel aller Chinesen sind im Laufe ihres Lebens einmal mit Akupunktur behandelt worden. Bei einer Gesamtbevölkerung von 1,1 Milliarden sind das mehr als dreihundert Millionen Menschen.

MOYERS: Für diese Patienten ist Akupunktur also etwas so Alltägliches wie für uns das Einnehmen von Aspirin.

EISENBERG: Sie dürfen auch nicht vergessen, daß Akupunktur nicht nur in China, sondern auch in Japan, Korea, Singapur, Vietnam und Malaysia verbreitet ist.

Als nächstes besuchen wir die Massage-Abteilung, wo wir mit Dr. Zang sprechen, der David Eisenbergs Massagelehrer war. Im Westen gilt die Massage bestenfalls als Ergänzung der herkömmlichen medizinischen Behandlung, und Masseure werden nicht als Ärzte angesehen. In China dagegen ist Massage ein eigenständiges Spezialgebiet, so wie die Radiologie. Der Massagearzt besucht zunächst fünf Jahre lang eine Hochschule für traditionelle chinesische Medizin. Nach seiner Zeit als Assistenzarzt bereitet er sich noch einmal mehrere Jahre auf seine Fachprüfung in Massage vor. Chirurgische Massage ist nicht einfach nur eine Technik, um die Muskeln zu lockern oder steife Gelenke beweglich zu machen, sie soll den Energiefluß des Chi auslösen.

EISENBERG: In diesem Krankenhaus hat Massage einen hohen Stellenwert. Deshalb gibt es eine eigene Massage-Abteilung, so wie in westlichen Krankenhäusern eine chirurgische oder pädiatrische Abteilung existiert.

MOYERS: In welchem Zusammenhang stehen Massage und Medizin?

EISENBERG: In der chinesischen Medizin ist Massage nicht nur eine Lockerung der Muskulatur, sondern eine Methode, die der Behandlung eines Ungleichgewichts im Körper dient. Deshalb müssen die Massage-Ärzte eine Krankheit auch diagnostizieren können. Anstatt mit Nadeln oder Heilkräutern behandeln sie mit ihren Händen. Aber sie massieren nicht nur die schmerzende Stelle, sondern sie suchen auch nach der Wurzel des Problems.

Diese beiden Frauen beispielsweise leiden an zystischer Mastopathie. Sie haben Schmerzen in den Brüsten, aber wie sie sehen, berührt der Arzt ihre Brust nicht, sondern massiert ihren Rücken.

MOYERS: Aus welchem Grund?

EISENBERG: Fragen wir ihn doch selbst. Dr. Zang, weshalb massieren Sie den Rücken dieser Patientin, wenn sie Schmerzen in der Brust hat?

ZANG: Weil ihr Schmerz in der Brust durch eine Blockade des Chi in der Leber verursacht wird. Ich behandle entlang der Meridianlinie ihre inneren Organe, um Chi und Blut wieder in Einklang zu bringen. Deshalb muß ich sie nicht an der betroffenen Stelle, sondern an weiter entfernten Körperregionen massieren.

MOYERS: Woran haben Sie erkannt, daß sich das Chi in der Leber staut?

ZANG: Es gibt Symptome und physische Anzeichen. Ich kann durch den Rücken lokalisieren, wo ihre wunden Punkte liegen und welcher Meridian geschwächt ist.

MOYERS: Die Rückenmassage beeinflußt also die Leber, und die hat wiederum Auswirkungen auf die Brust?

ZANG: Das ist das Besondere an der chinesischen Medizin. Der Meridian gilt als Bindeglied zwischen inneren Organen und Hautoberfläche. Deshalb können innere Erkrankungen durch Beeinflussung von außen behandelt werden. Wenn das Chi des Meridians freigesetzt wird, ist auch die Krankheit geheilt.

EISENBERG: Dr. Zang hat begnadete Hände. Was er gerade tut, sieht für Sie und mich wie eine gewöhnliche Massage aus, aber er hat monatelang meinen Körper bearbeitet, und seine Hände sind wie ein Radar. Sie spüren Stellen auf, von denen man nicht wußte, daß sie schmerzten. Er kann dabei einen Finger, den Handballen oder den Ellbogen benutzen. Bei ihm sieht es ganz einfach aus, aber es ist außerordentlich schwierig.

MOYERS: Wie hat er Sie gelehrt, Ihre Hände richtig zu benutzen?

EISENBERG: Zur ersten Unterrichtsstunde brachte er einen Sack Hirse mit, schüttete ihn auf den Boden und sagte: »Wenn Sie das mit Ihrer Hand zu Staub zermahlen können, beherrschen Sie die Anfangsbewegungen. Bevor Sie nicht gelernt haben, die Hirse mit den Fingern zu zermahlen, sind Sie nicht bereit.« Man braucht viel Energie und Geschick, um mit der Hand Hirse in Staub zu verwandeln. Das ist die Kraft, die er auf einen einzigen Punkt konzentrieren kann. Er muß viele verschiedenartige Kombinationen von Griffen kennen und, was noch wichtiger ist, er muß wissen, wann und wo er sie anwendet.

MOYERS: Dr. Zang, wie lange haben Sie diese Heilmethode studiert?

ZANG: Ich habe sechs Jahre Medizin an der Universität studiert. Nach einem weiteren Jahr bekam ich die Zulassung für das Krankenhaus. Anschließend praktizierte ich fünfzehn Jahre lang in der orthopädischen Abteilung. Dann begann ich, mich mit Massagen zu befassen.

MOYERS: Im Westen betrachten wir Massage als eine Methode, um die Muskeln zu entspannen. Hier bedeutet es sehr viel mehr.

ZANG: Es ist wichtig, zunächst eine genaue Diagnose zu stellen, ehe man mit der Massage beginnt. Natürlich müssen Muskelverletzungen und -verspannungen behandelt werden, aber wichtiger noch ist der Meridian. Durch die richtige Reaktivierung der Meridiane können sowohl äußere als auch innere Erkrankungen geheilt werden.

MOYERS: Wie reaktivieren Sie die Meridiane? Wählt der Patient die Behandlungsmethode?

ZANG: Der Arzt entscheidet, was zu tun ist. Wir haben die Wahl zwischen über 160 verschiedenen Handbewegungen. Sie sind in fünf Hauptgruppen unterteilt, in drehende, reibende, stoßende, schlagende und vibrierende Bewegungen. Für die Behandlung der zystischen Mastopathie wenden wir beispielsweise die vibrierende Bewegung auf dem Bauch an. Nach der Behandlung mit der Vibrationsmethode fühlt sich der Bauch heiß an, das Gefühl breitet sich im ganzen Körper aus und lindert die Brustschmerzen.

MOYERS: Aber es geht Ihnen bei der Behandlung schließlich nicht nur darum, daß die Patientin sich wohler fühlt.

ZANG: Es handelt sich dabei bereits um den Heilungsprozeß. Ich behandle ihre Krankheit, einen Knoten, den wir zu beseitigen versuchen. Ihre Blut- und Energiezirkulation sind behindert. Deshalb versuchen wir, die Leitbahnen freizumachen. Sobald das gelingt, ist ihr Chi nicht länger blockiert und sie ist geheilt.

Moyers: Kann man das Chi in irgendeiner Weise messen?

Zang: Bestimmte Dinge können nicht durch moderne Apparate sichtbar gemacht werden. Das Chi ist mehr als eine rein physikalische Kraft. Wenn ich beispielsweise die Vibrationsmassage anwende, verspürt die Patientin sofort ein Wärmegefühl. Wenn ich sie einfach nur mit Klopfbewegungen massierte, würde sie möglicherweise keinerlei Wärme spüren.

Moyers: Sie setzen Ihr Chi im Heilungsprozeß ein. Wie haben Sie gelernt, mit Ihrem eigenen Chi umzugehen?

Zang: Ich übte diese spezielle Handbewegung von 1979 bis 1986. Es dauerte also insgesamt sieben Jahre, bis ich sie erlernt hatte. Chi ist wichtiger als rein physische Kraft, und nur durch lange Übung erlangt man schließlich die Fähigkeit, Chi zu erzeugen.

Moyers: Weshalb halten Sie Chi für wichtiger als körperliche Kraft?

Zang: Weil die Patientin in unserem Fall an einer Blockade des Chi leidet. Kraft allein wird deshalb nichts bewirken. Nur mein Chi kann das ihre zum Fließen bringen. Bei bestimmten Körperstellen kann es länger dauern, bis dort das Chi wieder zu zirkulieren beginnt. In der chinesischen Medizin gibt es ein Sprichwort: »Wo ein Stau ist, sind auch Schmerzen.« Nehmen wir die Brustschmerzen der Patientin als Beispiel. Wenn der Stau sich löst und ihr Chi zu fließen beginnt, wird sie auch keinen Schmerz mehr empfinden. Manchmal besteht das Problem auch darin, daß das Chi nicht stark genug ist.

Moyers: Mir ist immer noch nicht klar, nach welchen Mechanismen das funktioniert. Aber warum fragen wir nicht die Patientin selbst, wie sie sich fühlt?

Patientin: Nach der Massage fühlt sich mein ganzer Körper heiß an, so als ob heiße Luft durch meine Arme und Beine ströme. Nach der Massage empfinde ich ein besonderes Wohlgefühl, und ich spüre auch, daß die Symptome zurückgegangen sind.

Eisenberg: Wie lange leiden Sie schon an zystischer Mastopathie?

Patientin: Seit acht Jahren. Ich hatte Zysten, die sich rasch vermehrten. Eine Zeitlang vermuteten die Ärzte, es sei Brustkrebs. Ich fühle mich jetzt, nach nur sieben Behandlungen, im wesentlichen wohl.

Eisenberg: Sie haben also das Gefühl, daß Ihnen die Massage geholfen hat?

Patientin: Unbedingt. Jahrelang habe ich alle möglichen Medikationen ausprobiert, aber nichts hat mir wirklich geholfen. Deshalb kam ich hierher, und schon nach der dritten Behandlung begannen die Knoten zu verschwinden, und der Druck ließ allmählich nach. Weder auf dem Mammogramm noch im Ultraschall sind die Zysten noch zu sehen.

EISENBERG: Haben Sie schon viele Patientinnen mit diesem Krankheitsbild behandelt?

ZANG: Ich hatte bisher siebenundzwanzig Fälle. Davon konnte ich elf vollständig heilen. In den anderen Fällen verringerte sich die Größe der Knoten. Nur in zwei Fällen war die Behandlung erfolglos.

MOYERS: Wie würden Sie einem westlichen Mediziner die Heilung dieser Frau erklären?

ZANG: Wie jeder westliche Arzt auch, brauche ich zunächst die richtige Diagnose. Der einzige Unterschied besteht darin, daß ich die Diagnose mit den Methoden der chinesischen Medizin gestellt habe. In diesem Fall fühlte ich den Puls der Patientin und sah mir ihre Zunge an und erkannte daraus, daß eine Blockade des Chi in der Leber die Ursache der Krankheit war. Also regulierte ich den Chi-Fluß in der Leber, indem ich nicht in Brustnähe, sondern stattdessen Rücken und Bauch und die Regionen entlang der Akupunkturpunkte an Armen und Beinen massierte.

MOYERS: Für Sie, David, muß es eine gewaltige Umstellung gewesen sein, als Sie von einer westlichen Universität hierherkamen, um bei Dr. Zang zu studieren. Wie hätte die Behandlung dieser Frau im Westen ausgesehen?

EISENBERG: Für diese Krankheit haben wir keine zufriedenstellende Behandlungsmethode. Den meisten Frauen, die an schwerer zystischer Mastopathie leiden, können wir nur raten, auf Wein und koffeinhaltige Getränke zu verzichten. Eine wirksame Heilmethode können wir ihnen nicht bieten.

MOYERS: Mir ist noch immer nicht klar, wie Dr. Zang die Leber behandeln kann, indem er die Füße massiert.

EISENBERG: Er betrachtet den Körper als ein System von Leitungsbahnen, durch die Chi fließt. Er behandelt die Leber, indem er einen Punkt am Fuß massiert, weil der Leber-Meridian in die Füße fließt. Nach der chinesischen Betrachtungsweise des Körpers ist das der Leber-Kanal.

MOYERS: Die Energie fließt also durch diesen Kanal oder Meridian zur Leber.

EISENBERG: Nach Dr. Zangs Aussage ist der Energiefluß in einem bestimmten Körperbereich zum Stillstand gekommen. Deshalb muß er ihn stimulieren und wieder zum Fließen bringen, damit sich die Brusterkrankung bessern kann.

MOYERS: Was geschieht, wenn Chi fließt?

EISENBERG: Wenn ich das sagen könnte, bräuchte ich nicht immer wieder nach China zurückzukehren.

An der Medizinischen Fakultät der Universität von Peking lernen wir einen Arzt kennen, der beide Systeme, die östliche und die westliche Medizin, in seine Arbeit einbezieht. Dr. Xie hatte nicht die Absicht, sich mit traditioneller Medizin zu befassen, nachdem er nach westlichem Modell ausgebildet worden war. Doch in den fünfziger Jahren ordnete Mao an, daß die nach westlichem Vorbild ausgebildeten Ärzte auch in der traditionellen chinesischen Medizin geschult werden sollten. Dr. Xie begann sich für diese Fachrichtung zu interessieren und machte sich die Integration beider Systeme zur Lebensaufgabe. Heute leitet er eine Abteilung, deren Mitarbeiter in beiden Disziplinen ausgebildet sind, und berät in Fällen, bei denen die westliche Medizin an ihre Grenzen stößt. Wir unterhalten uns mit ihm über zwei Patienten, bei denen ein Magengeschwür diagnostiziert wurde. In einem dieser Fälle weichen die Diagnosen der westlichen und der chinesischen Ärzte voneinander ab.

XIE: Hier haben wir den Fall von Herrn Lin. Die westliche Diagnose aufgrund von Röntgenaufnahmen und Laboruntersuchungen lautet, daß es sich um ein Geschwür des Zwölffingerdarms handelt. Die Diagnose ist eindeutig. Sehen Sie sich die Röntgenaufnahmen an.

EISENBERG: Es besteht kein Zweifel. Hier ist der Magen, und das ist der Dünndarm, genau da sitzt das Zwölffingerdarmgeschwür.

XIE: Die Diagnose der chinesischen Ärzte lautete ganz anders.

MOYERS: Der Patient ist derselbe und die Diagnosen sind unterschiedlich.

XIE: Ein Arzt, der traditionelle chinesische Medizin praktiziert, würde folgendermaßen vorgehen: Zuerst würde er sich die Zunge des Patienten ansehen. Die Zungenspitze hat einen weißen Belag, die Farbe der Zunge ist etwas blaß. Beachten Sie besonders die Seitenpartien. Dort sind Zahnabdrücke zu erkennen. Das sind die Besonderheiten von Herrn Lins Zunge.

EISENBERG: Studenten der chinesischen Medizin müssen mehr als hundert Zungentypen kennen. Sie müssen sich den Farbton, die Gewebestruktur, den Belag und eventuelle Zahnabdrücke einprägen. Jede Abweichung der Zungenbeschaffenheit steht mit einem bestimmten inneren Organ in Verbindung. Bei jeder Krankheit zeigt die Zunge eine besondere Beschaffenheit. Die Zunge verändert sich von Tag zu Tag, je nachdem, in welchem Gleichgewicht oder Ungleichgewicht sich das Chi befindet.

MOYERS: Was verrät die Zunge dieses Patienten dem Arzt über das Ungleichgewicht seines Chi, seiner Energie?

XIE: Seine Zunge weist Besonderheiten auf, die auf einen geschwächten Energiefluß in der Milz schließen lassen. Der Zungenrand ist ein wenig ausgedehnt und blaß und läßt Zahnabdrücke erkennen. All diese Symptome sprechen für eine Milzinsuffizienz. Als dieser Patient zu uns kam, war seine Zungenoberfläche weißlich. Ein weißer Zungenbelag weist auf Kälte hin. Deshalb bestand ein Teil der Therapie aus wärmenden Arzneimitteln. Nach dieser Behandlung war die Farbe im hinteren Zungenbereich in ein helles Gelb übergegangen.

MOYERS: Sie glauben, daß zwischen dem Geschwür und der Milz ein Zusammenhang besteht?

EISENBERG: Vom chinesischen Standpunkt aus liegt zwar ein Magengeschwür vor, aber die Ursache ist ein Ungleichgewicht in der Milz. An diesem Fall können Sie sehen, wie sich die östliche Betrachtungsweise ein und desselben Problems von der westlichen unterscheiden kann.

MOYERS: Was folgt auf die Zungenanalyse?

EISENBERG: Der Arzt geht zur Pulsdiagnose über.

MOYERS: Er mißt die Pulsfrequenz?

EISENBERG: Es ist komplizierter. Die chinesische Medizin kennt über vierzig Pulstypen, von denen zwölf besonders häufig bei kranken Patienten festgestellt werden. Dr. Xie muß zunächst herausfinden, welche dieser Pulsvariationen an neun Stellen jedes Handgelenks auftreten. Er legt seine rechte Hand auf das linke Handgelenk des Patienten und fühlt an drei Stellen, von denen jede einem anderen Organ entspricht. Mit verschiedener Druckintensität fühlt er nun die oberflächlichen, die mittleren und die tiefen Pulse.

MOYERS: Welche Konsequenzen zieht er daraus, welchem der vierzig Pulstypen ein individueller Puls entspricht?

EISENBERG: Seiner Argumentation nach ist diese Methode sehr viel aussagekräftiger als die meisten Verfahren der westlichen Medizin. Er bringt nicht nur in Erfahrung, wie schnell das Herz schlägt oder ob dieser Mensch einen hohen oder niedrigen Blutdruck hat. Solche Dinge kann auch ich feststellen. Er tastet nach viel subtileren Zeichen. Er kann sagen, daß ein bestimmter Puls auf einen Mangel an Hitze oder Chi in der Milz hinweist, und er kann bei diesem differenzierten Abtasten feststellen, daß die Milz die Ursache der Erkrankung ist. Obwohl dieser Mann zunächst an einem blutenden Geschwür leidet, zeigt der Puls an, daß die Wurzel des Übels woanders liegt. Während meines Studiums habe ich mich oft gefragt, ob diese Behauptungen auch nach den Maßstäben der westlichen Medizin haltbar sind.

MOYERS: Wenn die Chinesen eine so genaue Diagnose stellen können, indem sie den Puls abtasten, warum macht sich die westliche Medizin dieses Verfahren nicht zu eigen?

EISENBERG: Wir sollten es zumindest versuchen. Heute steht uns eine Technologie zur Verfügung, die eine differenzierte Analyse erlauben würde.

MOYERS: Wieviel Zeit benötigt Dr. Xie für die Pulsanalyse?

EISENBERG: Er wird wahrscheinlich fünf Minuten darauf verwenden, den Patienten abzutasten, ohne ein Wort zu sprechen.

MOYERS: Als mir das letzte Mal der Puls gemessen wurde, dauerte das nicht mehr als vierzig Sekunden.

EISENBERG: Die meisten Ärzte im Westen achten nur auf die Pulsfrequenz und darauf, ob der Puls regelmäßig ist. Chinesische Ärzte fühlen den Puls manchmal zehn bis zwanzig Minuten, ohne ein Wort zu sagen. Wenn man einen anderen Menschen solange berührt, ohne mit ihm zu sprechen, teilt sich sehr viel auf einer nonverbalen Ebene mit. Man merkt, ob der Mensch nervös ist oder sich unwohl fühlt, ob er unglücklich oder ruhig wirkt.

MOYERS: In einem Buch über chinesische Medizin habe ich gelesen, daß der Arzt, indem er den Patienten nur mit den Händen berührt, viel über dessen emotionalen Zustand herausfinden kann.

EISENBERG: Das ist richtig. Nach der traditionellen Auffassung steht jede organische Störung mit einem bestimmten emotionalen Problem in Zusammenhang. So heißt es in der chinesischen Medizin, daß Ärger auf die Leber schlägt. Wenn der Arzt einen Menschen berührt und dabei spürt, daß er voller Wut ist, wird er der Leber besondere Aufmerksamkeit schenken. Ist die Leber im Ungleichgewicht, wird er versuchen festzustellen, ob der Patient besonders cholerisch ist und seine Wut nicht beherrschen kann.

MOYERS: Wir kennen solche Verbindungen doch auch, beispielsweise in bezug auf Streß und das Herz.

EISENBERG: Es zeichnet sich allmählich ab, daß möglicherweise ein Zusammenhang zwischen gewissen Persönlichkeitstypen und der Anfälligkeit für Herzerkrankungen oder Krebs besteht. In der chinesischen Medizin gibt es noch einen weiteren Grund, die psychische Verfassung durch den Puls zu ermitteln. Ärzte sprechen mit Patienten nicht über emotionale Probleme. Unserem Sprichwort »Man soll seine schmutzige Wäsche nicht in der Öffentlichkeit waschen« entspricht das chinesische: »Laß deine privaten Schwierigkeiten nicht zu einer öffentlichen Schande werden«. Der Patient wendet sich mit seinen persönlichen Problemen also nicht an den Arzt, und der Arzt stellt solche Fragen nicht. Deswegen müssen derartige Mitteilungen auf nonverbaler Ebene gemacht werden. Eine solche Kommunikation findet statt, wenn der Arzt sich zu dem Patienten setzt und ihn fünf oder zehn Minuten lang schweigend berührt.

MOYERS: Das Tabu war also der Anstoß einer neuen Art der Diagnose. Haben Sie versucht, die vierzig Pulsarten zu erlernen, als Sie vor zwölf Jahren hierherkamen?

EISENBERG: Es erging mir wie mit der Akupunktur, über einen bestimmten Punkt bin ich nicht hinausgekommen. Vermutlich ist diese Technik sogar noch schwieriger zu erlernen als die Akupunktur. Man benötigt mindestens fünf bis zehn Jahre, um sie gut zu beherrschen. Ich kann folgende Parallele zu meiner Ausbildung in der westlichen Medizin ziehen: Als mir mein Kardiologieprofessor zum ersten Mal ein Stethoskop in die Hand drückte und mich aufforderte, mir die Herztöne genau anzuhören, vernahm ich nur ein Pochen. Er meinte: »Dieses Herz hat einen Klick und ein Geräusch und dann noch ein zweites Geräusch – hören Sie das?« Ich mußte damals die Frage verneinen. Aber nach der Untersuchung einiger hundert Patienten nimmt man allmählich diese feinen Töne und Herzgeräusche wahr. Unter der Anleitung eines guten Lehrers kann man diese Fertigkeit erwerben. Es dauert nur sehr lange, bis man so geschickt wie Dr. Xie ist.

MOYERS: Dr. Xie, Sie wurden zuerst in westlicher Schulmedizin ausgebildet und haben danach das Studium der traditionellen chinesischen Medizin aufgenommen. Was hat Sie dazu veranlaßt?

XIE: In meiner Praxis war ich immer wieder mit Fällen konfrontiert, für die es in der westlichen Medizin keine befriedigenden Behandlungsmöglichkeiten gab. Nachdem ich angefangen hatte, mich mit der chinesischen Medizin zu befassen, stellte ich fest, daß sie für solche Fälle sehr viel wirksamere Behandlungsmöglichkeiten eröffnet. Das gab für mich den Ausschlag, mich intensiv mit den Methoden der chinesischen Medizin auseinanderzusetzen. Sie sind auch bei der Behandlung von akuten Krankheiten, wie zum Beispiel Virusinfektionen, der westlichen Medizin oft überlegen.

MOYERS: Standen Sie der traditionellen chinesischen Medizin zunächst skeptisch gegenüber?

XIE: Ich war zunächst skeptisch, weil ich zuerst westliche Medizin studiert hatte, die sich von der chinesischen Medizin sowohl in der Theorie als auch in der Praxis grundlegend unterscheidet. Nachdem ich mit den Heilverfahren der chinesischen Medizin gearbeitet hatte, überzeugte mich ihre Wirkung von der Richtigkeit ihrer Methoden.

MOYERS: Welche Einsichten in den Zusammenhang von Gesundheit und Medizin formuliert die chinesische Medizin, die in der westlichen Schulmedizin nicht vorkommen?

XIE: In der chinesischen Medizin sind Psyche und Gefühle eng mit Gesundheit und Krankheit verbunden. Eine Krankheit kann beispielsweise dadurch ausgelöst werden, daß eine der sieben menschlichen Emotionen – Freude, Ärger, Melancholie, Grübeln, Kummer, Angst und Schock – besonders intensiviert werden. Ein Übermaß an Freude wirkt sich negativ auf das Herz aus, Ärger auf die Leber, Melancholie auf die Nieren, Grübeln und Kummer auf die Milz und Angst auf die Nieren.

MOYERS: Sie konnten einige dieser Emotionen bei Ulkus-Patienten nur durch das Fühlen des Pulses diagnostizieren?

XIE: In manchen Fällen ist das möglich.

MOYERS: Da Ihnen sowohl westliche als auch chinesische Medizin zur Verfügung steht, würden Sie ein Medikament wie Tagamet zur Behandlung der Magengeschwüre dieser Patienten verordnen?

XIE: Ja, wir verwenden es hier häufig. Die westliche Medizin ist bei der Behandlung des Ulkus sehr erfolgreich, aber durch eine Kombination von westlicher und chinesischer Medizin läßt sich die Wirkung noch optimieren. Nehmen wir diese beiden Patienten hier als Beispiel: Sie erhielten völlig unterschiedliche chinesische Arzneien für ihre Geschwüre, und in beiden Fällen zeigten die Medikamente Wirkung.

MOYERS: Was hat Ihnen der Puls bei der Diagnose dieser Patienten verraten?

XIE: Einer der Patienten hatte keine spezielle emotionale Störung – sein Geschwür hing mit jahrelanger unregelmäßiger Ernährung zusammen. Aber bei dem zweiten Patienten liegt der Fall anders. Sein Puls gehört zu der Kategorie »Leberpuls«, die in Zusammenhang mit seinen Emotionen steht. Streß und Ärger über längere Zeit hinweg haben zu einem Magengeschwür geführt.

MOYERS: Welche Rolle spielt Chi in diesem Zusammenhang?

XIE: Diese beiden Fälle sind ganz gegensätzlich gelagert. Der erste Patient leidet an einem Mangel an Chi, während sich bei dem zweiten aufgrund einer Blockade das Chi in der Leber staut. Der unterbrochene Chi-Fluß ist die Ursache seiner Erkrankung. Dieses lokale Übermaß an Chi bedeutet aber nicht, daß in seinem Körper insgesamt zuviel Chi vorhanden ist, sondern nur, daß der Fluß des Chi in dieser Region zum Stillstand gekommen ist und sich staut.

MOYERS: Gibt es in der westlichen Wissenschaft etwas dem Chi Vergleichbares?

XIE: Nein, das glaube ich nicht. Das Konzept des Chi ist schwer in Ihre Sprache zu übertragen. »Mangel an Chi« wird oft mit dem Begriff funktionale Insuffizienz erklärt, aber »Überfluß an Chi« ist nicht gleichbedeutend mit »Hyperfunktion«. Das trifft manchmal zu, doch ein andermal kann es auch eine funktionale Störung bedeuten.

MOYERS: Es gibt demnach auch »schlechtes Chi«.

XIE: Das ist richtig, diese Art von Chi brauchen wir nicht.

MOYERS: Der Geist ist vermutlich eng mit dem Chi verbunden.

XIE: Nehmen Sie zum Beispiel Chi Gong, eine Methode, um das Chi durch Willenskraft und Konzentration zu regulieren und seinen Fluß zu steuern. Möglicherweise ist man durch die Technik des Chi Gong in der Lage, die ganze Energie des Körpers zu mobilisieren und auf eine bestimmte Stelle zu konzentrieren. Das ist es, was wir als das »Phänomen des Chi Gong« bezeichnen: Das Chi wird durch den Geist reguliert.

MOYERS: Setzen Sie bei der Behandlung Ihrer Patienten Ihr eigenes Chi ein?

XIE: Nein, ich mache den Patienten nur den Vorschlag, ihre Krankheit mit Hilfe von Chi Gong selbst zu behandeln. Nur wenige chinesische Ärzte verfügen über die Fähigkeit, bei der Behandlung ihrer Patienten ihr eigenes Chi einzusetzen. Ich zähle nicht zu ihnen.

MOYERS: Ist es möglich, westliche und chinesische Medizin zu integrieren? Wo liegen die Schwierigkeiten?

XIE: Zunächst schien es sehr schwierig, die beiden Medizinsysteme miteinander zu verbinden. Nach und nach konnten wir feststellen, daß einige Aspekte der chinesischen Medizin auch durch die westliche Theorie erklärt werden konnten. Wir beobachteten beispielsweise, daß bestimmte Kräuter das Chi stärkten, ohne erklären zu können, weshalb. Dann zeigten chemische Analysen, daß einige der darin enthaltenen Substanzen den Menschen gegen Krankheiten immunisieren. Solche immunisierenden Substanzen bewirken sicher auch eine Stärkung des Chi insofern, als »gutes Chi« die Widerstandskraft aller Körperfunktionen gegen Krankheiten ist – und das Immunsystem gehört dazu.

MOYERS: Ihre Patienten können zwischen westlicher und chinesischer Behandlung wählen. Nach welchen Kriterien treffen sie ihre Wahl?

XIE: Viele chinesische Patienten wissen intuitiv, wann westliche Medizin und wann chinesische Medizin den besseren Behandlungserfolg verspricht. Ist eine Operation notwendig, werden sie sich einem westlich orientierten Arzt anvertrauen, während sie bei chronischen Erkrankungen der chinesischen Medizin den Vorrang geben werden.

MOYERS: Heilt die chinesische Medizin die Krankheit tatsächlich, oder hilft sie dem Patienten nur, damit zu leben?

XIE: Das hängt von der Krankheit ab. Manche Erkrankungen können mit einer langfristigen Behandlung ausgeheilt werden, andere hingegen nicht. Ich möchte in diesem Zusammenhang betonen, daß die Anwendung der chinesischen Medizin sich grundlegend von den Therapieformen der westlichen Schulmedizin unterscheidet. In der chinesischen Medizin gilt »Krankheit« als Kampf zwischen den Abwehrkräften des Menschen und den krankheitsauslösenden Faktoren. Die chinesische Medizin stellt die Fähigkeit, der Krankheit Widerstand zu leisten, in den Vordergrund. Deshalb zielen viele Behandlungsformen darauf ab, diese Fähigkeit anzuregen – ist das geschehen, können viele Krankheiten leicht geheilt werden. Das ist der Kern aller chinesischen Behandlungsmethoden.

Im Gespräch mit David Eisenberg kommen wir immer wieder auf das Geheimnis des Chi zu sprechen. Aber für Millionen von Chinesen stellt Chi keineswegs ein Geheimnis dar. Im Morgengrauen kann man in jedem chinesischen Park Gruppen von Männern und Frauen bei Übungen beobachten, deren Zweck die Bewegung des Chi ist.

EISENBERG: In diesem Park hier sind an die dreitausend Menschen versammelt. Und jeden Morgen bietet sich in jedem Park in ganz China und überall auf dem Land das gleiche Bild. Unter diesen Menschen befinden sich hochrangige Regierungsmitglieder ebenso wie einfache Arbeiter, Reiche und Arme, Alte und Junge.

MOYERS: Welche Art von Übung wird hier praktiziert?

EISENBERG: Die T'ai Chi Ch'uan-Übung ist über zweitausend Jahre alt. Die Menschen versuchen, »sich wie Wolken treiben zu lassen, sich ständig, ohne den Anschein einer Veränderung, zu verwandeln«. Die Übung soll im Einklang mit der Natur stehen, der Übende versucht, durch Bewegung mit der Natur eins zu werden. In der chinesischen Medizin herrscht die Vorstellung, daß der Körper in Bewegung sein muß. Bewegung ist ebenso wichtig wie Essen, Schlafen oder Trinken. Vor Jahrhunderten wurden bereits Schaubilder angefertigt, die zeigen, wie der Mensch sich bewegen soll, um seinen Körper gesund zu erhalten. Das steht hinter den Übungen, die diese Menschen hier ausführen.

MOYERS: Könnte man es als eine Art isometrischer Übung bezeichnen?

EISENBERG: Nein, sie wenden sehr viel mehr Energie auf, als es den Anschein hat. Sie können sich vorstellen, wieviel Kraft und Energie es beispielsweise kostet, eine Stunde lang mit gebeugten Knien zu stehen. Außer körperlicher Kraft ist auch Konzentration erforderlich. Betrachtet man die Gesichter dieser Menschen, dann erkennt man, daß sie mehr tun, als nur ihre Gliedmaßen zu bewegen und ihre Muskeln zu stärken. Sie versuchen, ihr Bewußtsein auf das Energiegleichgewicht oder Chi zu konzentrieren. Sie versuchen, den Ursprung ihrer Energie zu erfühlen, um sie dann durch den ganzen Körper fließen zu lassen. Obwohl es primär eine körperliche Übung ist, handelt es sich auch um eine meditative Technik. Sie erfordert körperliche Aktivität, aber auch die Fähigkeit, den Geist zu lenken.

MOYERS: Mich erstaunt, daß so viele alte Menschen hierhergekommen sind, um diese Übungen zu machen.

EISENBERG: Viele dieser alten Menschen sind seit ihrer Kindheit jeden Tag ihres Lebens hierhergekommen, wie sie es von ihren Großeltern gelernt haben.

MOYERS: Kommen sie auch im Winter?

EISENBERG: Zu jeder Jahreszeit. In Nordchina kommen sie auch bei Schnee und Eis. Die chinesische Medizin betrachtet den Körper als einen Mikrokosmos des Universums, als Teil der Natur, so daß die Menschen auch die Veränderungen der Temperatur und den Wechsel der Jahreszeiten erleben, die Bestandteil des Daseins und des Sterbens sind.

MOYERS: Was tun diese Menschen hier?

EISENBERG: Das ist eine andere Form der Kampfkunst. Menschen aus dem Westen erinnert sie an die Kung-Fu-Filme. Diese Schule wird als »harter Stil« bezeichnet. Was wir bei den Alten sahen, war der »weiche Stil«, bei dem man versucht, das Gleichgewicht zu stärken und das Energiezentrum zu lokalisieren. Der härtere Stil baut darauf auf und setzt dann mehr Schnelligkeit und Körperkraft ein, so daß es kämpferischer, aggressiver wirkt. Die Bewegungsabläufe sind jedoch dieselben, ebenso wie das Ziel, die Energie zu zentrieren und zu bewegen und so ein Höchstmaß an Gleichgewicht und Gesundheit zu erreichen.

MOYERS: Verstehe ich Sie richtig, daß Sie mit kämpferisch aber nicht aggressiv meinen?

EISENBERG: Wir haben ein sprachliches Problem, denn wenn wir das Wort

»kämpferisch« gebrauchen, assoziieren wir damit automatisch Aggressivität oder Angriff. Diese Übungen sind aber eher Bewegungsübungen, die dem Prinzip »Anziehen-Abstoßen« folgen. Es gilt, mit der eigenen Energie Verbindung aufzunehmen, so daß man sie wegstoßen, anziehen und bewegen kann, um so die Gesundheit zu erhalten. Wenn diese Übungen schneller ausgeführt werden, wirken sie leicht aggressiv. Im Westen ist die Auffassung weit verbreitet, die chinesischen Kampfkünste bestünden aus Kung-Fu oder japanischem Karate. Das ist jedoch nur ein kleiner Ausschnitt des gesamten Spektrums, genauso wie Akupunktur nur ein Teilbereich der chinesischen Medizin ist.

MOYERS: Welchen Einfluß haben diese Übungen auf die Gesundheit?

EISENBERG: Die Vorstellung, daß der Körper träge wird, wenn er nicht jeden Tag bewegt wird, hat in China eine lange Tradition. Es heißt, der Körper sei wie ein Türscharnier, das einrostet, wenn es nicht betätigt wird. Deshalb bewegen diese Menschen ihren Körper, und da sie jung sind, neigen sie eher zu kämpferischen, aggressiveren Bewegungen. Sie führen jedoch dieselben alten Figuren aus, die Sie bei ihren Großeltern gesehen haben, nur bewegen sie sich schneller und sind weniger meditativ eingestellt. Ihre Gesichter zeigen nicht den selbstvergessenen Ausdruck der Neunzigjährigen, für die es keine Rolle spielt, wo und unter welchen Umständen sie ihre Übungen ausführen. Diese jungen Leute fühlen sich einer Gruppe zugehörig, deshalb tragen sie auffälligere Kleidung und sind aggressiver in ihrem Stil. Um eine positive Wirkung zu erzielen, ist es aber immer noch unerläßlich zu wissen, wo die Energie sitzt, und sie richtig zu lenken. Dieser Mann zum Beispiel führt eine andere traditionelle Übung aus: Chi Gong. Seine rhythmischen, symmetrischen Bewegungen dienen ihm dazu, die Energie in seinem Körper zu lokalisieren und sie dann weiterzuleiten. Es sieht aus, als würde er sich nur vor- und zurückwiegen, in Wirklichkeit versucht er aber herauszufinden, wo die Energie in seinem Körper ihren Ursprung nimmt. Während er tief Atem holt, konzentriert er sich wahrscheinlich darauf, die Energie in seinem Körper zu erfühlen, um sie dann durch seine Gliedmaßen auf- und abströmen zu lassen. Bei allem, was wir bisher gesehen haben, geht es darum zu lernen, wie man die eigene Energie bewegen kann, so wie es dieser Mann gerade tut.

MOYERS: Glauben Sie, daß er seine Energie tatsächlich auf diese Weise bewegt?

EISENBERG: Ich habe T'ai Chi ein Jahr lang praktiziert, und obwohl ich mich tief entspannt, stabilisiert und ausgeglichen fühlte, habe ich nie diese Energie gespürt. Wenn Sie diesen Mann befragen, wird er Ihnen antworten, daß er »Hitze« oder ein »Taubheitsgefühl« empfindet und daß er dieses Gefühl überallhin in seinen Körper lenken kann. Ich bin sicher, daß von den dreitausend Menschen hier zweitausend dasselbe antworten würden, und sie würden Ihnen auch bestätigen, daß sie diese Energie seit Jahren fühlen. Als Außenstehender fragt man sich, ob sie an einem Mythos festhalten oder ob sie tatsächlich etwas fühlen, das sich unserem Verständnis entzieht, weil wir nicht gelernt haben, es zu fühlen.

MOYERS: Wenn es nur ein Mythos wäre, würde es sich immerhin um einen sehr weit verbreiteten Aberglauben handeln.

EISENBERG: Um einen zweitausenddreihundert Jahre alten.

MOYERS: Weshalb spielt für diese Menschen Energie eine so große Rolle für die Gesundheit?

EISENBERG: Diese Menschen streben danach, den ihnen bestimmten Platz in der Natur zu bewahren, weil Gesundheit in ihrer Vorstellung bedeutet, daß der Körper das in der Natur herrschende Gleichgewicht widerspiegelt. Deshalb soll der Mensch sich täglich im Freien aufhalten, um den Wechsel der Jahreszeiten und ihre Energie zu spüren. Wenn er diese Energie spürt, kommt er selbst ins Gleichgewicht, andernfalls verliert er die innere Balance und wird krank.

MOYERS: Was verstehen Sie unter »Gleichgewicht«?

EISENBERG: Beobachten Sie diesen Mann bei seiner Chi Gong-Übung. Vermutlich versucht er sich vorzustellen, daß seine Füße wie ein Baum tief in der Erde verwurzelt sind und seine Arme sich symmetrisch und graziös wie die Flügel eines Vogels bewegen. Dadurch gewinnt er das Gefühl, im Gleichgewicht zu sein und seinen Mittelpunkt gefunden zu haben. Nun kann er damit beginnen, seine Energie durch den Körper zu leiten. Alle diese Übungen zielen darauf ab, daß man sich im Gleichgewicht fühlt und seinen Mittelpunkt findet, um dann die eigene Energie zu spüren und sie fließen zu lassen. Das versteht man in dieser Tradition unter Gesundheit.

MOYERS: Haben Sie während Ihres Studiums in China auch derartige Übungen gemacht?

EISENBERG: Eine andere Form dieser Übung. Jeden Morgen bei Sonnenaufgang praktizierte ich T'ai Chi Ch'uan in einem kleinen Pekinger Hinterhof. Das waren die schönsten Momente in meinem Leben in China. Jeden Tag, sogar im tiefsten Winter, in der Morgendämmerung im Freien zu sein, sich zweckfrei zu bewegen, den Körper an der Luft zu fühlen, vermisse ich am meisten. Diese Erfahrung fehlt uns im Westen.

MOYERS: Warum haben Sie diese morgendlichen Übungen aufgegeben, als Sie in die Vereinigten Staaten zurückkehrten?

EISENBERG: Ich hatte eine Stellung als Medizinalassistent an einem großen Krankenhaus angenommen und mußte jeden Tag um halb sieben meinen Dienst antreten.

MOYERS: Deshalb war Ihnen Ihre eigene Gesundheit nicht mehr so wichtig wie die anderer Menschen?

EISENBERG: Sie war mir nach wie vor wichtig, aber ich konnte ihr nicht mehr die gleiche Aufmerksamkeit widmen. Das zeigt einen der wesentlichen Unterschiede zwischen unserer und der chinesischen Kultur. In China tragen die Patienten selbst die Verantwortung für die Vorbeugung von Krankheiten und den Gehalt ihrer Gesundheit. Sie greifen nur dann auf Verfahren der traditionellen Medizin, wie Heilkräuter, Akupunktur oder Akupressur, zurück, wenn sie ihre Gesundheit nicht mehr aus eigener Kraft erhalten können. Wenn man diese Auffassung von Gesundheit und Krankheit ernst nimmt, wird man frühmorgens aufstehen und sich im Freien bewegen, um den Körper und die Lebensenergie ins Gleichgewicht zu bringen. Im Westen empfehlen die Ärzte erst seit kurzem Übungen im Freien oder Aerobic mit dem Hinweis, daß körperliche Ausdauer von wesentlicher Bedeutung für den Erhalt der Gesundheit und die Behandlung von Krankheiten ist. Die Chinesen setzten ihre Prioritäten anders. Für sie sind diese Art von Bewegungsübungen und die Zentrierung aller Energien eine Grundvoraussetzung für die Gesundheit. Gesund ist man nur dann, wenn man den Körper sowohl durch Bewegungsübungen als auch durch geistige Disziplin im Gleichgewicht hält. Sie wollen mit ihren Übungen niemanden herausfordern oder verletzen. Sie versuchen nur, ihren Mittelpunkt zu finden, eine ausgeglichene Form ihrer Bewegungen. Sie werden vielleicht fragen, was das mit Medizin zu tun hat. In der chinesischen Kultur ist das, was ich eben beschrieben habe, die Definition von Gesundheit. Wenn man die eigene Mitte gefunden hat und den Geist auf einen Mittelpunkt konzentrieren kann, ist man gesund. Verliert man diese Fähigkeit, wird man krank.

MOYERS: Was verstehen Sie unter »die Mitte finden«? Beziehen Sie sich auf eine bestimmte Körperstelle?

EISENBERG: Sie könnten versuchen, die weißgekleidete Frau dort drüben, die so anmutig wirkt, umzustoßen. Wenn sie die Figur wirklich beherrscht, wird sie nicht einmal schwanken, weil sie in jedem Augenblick weiß, wo sich ihr Zentrum befindet, und deshalb wird sie sich nicht aus dem Gleichgewicht bringen lassen. Sie stellt sich vor, daß ein Stab von ihrem Kopf durch ihren Rücken hinunter in den Boden führt. Bei dieser Übung versuchen die Lehrer, die Schüler während einer Bewegung durch einen Stoß aus dem Gleichgewicht zu bringen. Erst wenn man alle Übungen, die diese Frau macht, ausführen kann, ohne sich aus dem Gleichgewicht bringen zu lassen, hat man die eigene Mitte gefunden.

MOYERS: Welchen Einfluß hat das auf die Gesundheit?

EISENBERG: Solange man nicht weiß, ob der Körper sich im Ungleichgewicht befindet, weiß man auch nicht, ob man gesund ist oder nicht. Wo wir von Krankheit sprechen, würden die Chinesen sagen, daß das Chi in einem Teil des Körpers zu schwach oder in einem anderen Teil zu stark ist.

MOYERS: Versuchen sie, zu dem Chi selbst Zugang zu finden, oder wollen sie diese Energie unter Kontrolle bringen?

EISENBERG: Ich will Ihnen den Prozeß erklären, den man durchlaufen muß. Diese Frau hat vielleicht zehn Jahre lang gelernt. Am Anfang mußte sie die langsamen Bewegungen erlernen, ihr Lehrer sagte ihr beispielsweise, sie solle »sich wie die Wolken treiben lassen, sich ständig, ohne den Anschein einer Veränderung, verwandeln«. Jeden Bewegungsablauf, den Sie bei diesen alten Menschen beobachten können, mußte sie zunächst erlernen. Nachdem sie das über mehrere Jahre praktiziert hatte, war ihr Lehrer der Meinung, daß sie nun bereit dafür sei, den Sitz ihrer Energie zu erfühlen. Obwohl ich ein Jahr lang übte, habe ich niemals die Energie gefühlt. Aber viele Chinesen beteuern, daß man nach zwei bis drei Jahren in der Lage ist, das eigene Energiezentrum dadurch zu orten, daß man dort physische Wärme, Hitze oder eine Art von Fülle spürt. Würde man diese Frau danach fragen, würde sie antworten, daß sie dieses Zentrum fühlen und die Energie auch weiterleiten kann. Als letzten Schritt muß sie lernen, diese Energie während der schnellen Bewegungsabfolge zu lenken. Dank dieser Ausbildung hat sie gelernt, ihr Gleichgewicht zu finden, zu meditieren, die Energie zu fühlen und sie dann bewußt zu bewegen.

MOYERS: Die Menschen dort drüben sehen aus, als ob sie tanzten.

EISENBERG: Sie führen eine Übung aus, die »Händeschieben« genannt wird. Dabei versuchen sie, ihr eigenes Gleichgewicht so einzusetzen, daß der andere die Balance verliert. Es wirkt wie ein Tanz, doch sie trainieren nicht nur ihre Muskeln, sondern auch das Gefühl für ihr Schwerkraftzentrum. Es ist schwer stehenzubleiben, ohne zu schwanken, wenn jemand versucht, einen umzustoßen. Man muß in jedem

Augenblick wissen, wo sich der Schwerpunkt befindet. Diese Frauen sind vielleicht sechzig oder siebzig Jahre alt und kommen jeden Tag hierher, um erneut das Zentrum ihrer Schwerkraft zu suchen und ihre ganze Energie dorthin zu konzentrieren.

MOYERS: Was tun die Menschen dort mit den Schwertern?

EISENBERG: Die Schwerter haben lediglich dekorative Funktion, sie dienen als Verlängerung des Körpers. Diese Menschen benutzen das Schwert, um bestimmte Körperhaltungen einzunehmen, in denen sie ihr Gleichgewicht erreichen können. Wie die anderen Bewegungsabläufe, die wir gesehen haben, haben auch diese Figuren eine mehr als zweitausendjährige Geschichte. Die alten Menschen suchen die Stille, sie meiden größere Gruppen. Ihr Ziel ist es, die meditative Seite der Übung zu vervollkommnen und das Geistige mit dem Physischen zu verbinden. Sie versuchen zu meditieren, während sie die Übungen ausführen.

MOYERS: Ist es das, was Sie unter dem Gleichgewicht zwischen Körper und Geist, zwischen Aktion und Kontemplation verstehen?

EISENBERG: Es gehört dazu. Die Chinesen haben diese Begriffe nie voneinander getrennt. Um gesund zu bleiben, braucht der Mensch körperliche Bewegung ebenso wie meditative Ausgeglichenheit. Er muß nicht nur seinen Körper, sondern auch seinen Willen, seine Gedanken beherrschen können. Wenn man das nicht berücksichtigt, sind die körperlichen Bewegungen nur oberflächliche gymnastische Übungen. In der traditionellen chinesischen Medizin macht man keine Freiübungen, nur um den Kreislauf zu stimulieren, und man übt sich nicht nur im Meditieren. Das eine ist nicht ohne das andere denkbar.

MOYERS: Ein Wald schiene mir ein angemessenerer Ort für diese Übungen zu sein.

EISENBERG: Diese Menschen würden ihre Übungen auch lieber im Wald ausführen, weil sie glauben, daß es ihnen in der freien Natur leichter fällt, mit ihrer Energie Kontakt aufzunehmen. Traditionell suchten die Chinesen für diese Übungen Orte von besonderer Naturschönheit aus. Diese Frau haben wir nun bereits seit zwei oder drei Minuten beobachtet, und sie hat sich nicht gerührt. Sie vernachlässigt die Bewegung und konzentriert sich auf den meditativen Aspekt. So wie sich auch ein Sportler in verschiedenen Disziplinen trainiert – sowohl im Kurz- als auch im Langstreckenlauf –, muß man ganz unterschiedliche Seiten vervollkommnen, um eine dieser Übungen richtig auszuführen. Diese Frau perfektioniert im Moment die meditative Seite.

MOYERS: Was tut sie dabei eigentlich?

EISENBERG: Wenn wir sie jetzt danach fragten, würde sie uns wahrscheinlich antworten, daß sie ihren Geist von allen Gedanken befreit und versucht, zum Mittelpunkt ihres Körpers zu gelangen. Wenn sie dann fühlt, wo dieser Punkt sich befindet, wird sie ein Gefühl der Fülle oder Hitze spüren und versuchen, dieses Gefühl innerhalb des Körpers zu bewegen. Geht ihr ein Gedanke durch den Kopf, läßt sie ihn einfach fallen und konzentriert sich auf das Atmen. Darin gleicht diese Übung vielen anderen meditativen Traditionen.

MOYERS: Es scheint, als würde sie gleich einschlafen.

EISENBERG: Im Gegenteil, Meditierende verfügen meist über ein gesteigertes Wahrnehmungsvermögen. Wahrscheinlich hat sie uns bemerkt und weiß, daß sie gefilmt wird. Sie nimmt alles in ihrer Umgebung wahr, aber sie versucht, solche Gedanken auszuschalten. Sie würde Ihnen wahrscheinlich berichten, daß sie genau in den Augenblicken, in denen ihr Geist leer ist, das Gefühl hat, sich im vollkommenen Gleichgewicht zu befinden und ihren Körper ganz und gar unter Kontrolle zu haben.

MOYERS: Der Park wirkt zu dieser Stunde wie ein Tanzsaal unter freiem Himmel.

EISENBERG: Das hier ist ein Gesellschaftstanz. Wir befinden uns mitten in Shanghai, und seine Einwohner halten sich für die am stärksten westlich orientierten Chinesen. In den dreißiger und vierziger Jahren war Shanghai eine sehr weltoffene Stadt. Wer etwas gelten wollte, nahm an den Tanzveranstaltungen teil, die in allen großen Hotels stattfanden. Gesellschaftstanz hat eine hundertjährige, Chi Gong eine zweitausenddreihundertjährige Geschichte, und beide spielen in Shanghai noch heute eine große Rolle. Der Mann dort führt eine dynamische, als »Bewegungs-« oder »Geh-Figur« bezeichnete Chi Gong-Übung aus. Er geht nicht nur, sondern er versucht währenddessen auch zu meditieren. Er geht in der Absicht, mit jedem Schritt seine Energie zu bewegen.

MOYERS: Wie lange geht er jeden Morgen auf diese Weise?

EISENBERG: Es würde mich nicht wundern, wenn er das ganze Jahr über morgens sechzig oder neunzig Minuten lang mit dieser Übung zubringen würde.

MOYERS: Was spielt sich währenddessen in seinem Körper ab?

EISENBERG: Er erreicht zwar nicht den Trainingseffekt für Herz- und Kreislauf, den morgendliches Jogging oder Fahrradfahren hat, aber indem er seine Gliedmaßen bewegt und meditiert, entspannt er sich.

Die wichtigste Frage ist jedoch die, ob irgendeine Form dieser Kampfkünste dazu beiträgt, Krankheiten zu beeinflussen oder das Leben zu verlängern. Befragt man die alten Leute, so antworten sie meist, daß sie auf diese Weise ihre Gesundheit erhalten hätten. Von meinem Standpunkt als westlicher Wissenschaftler würde meine Antwort lauten: »Ich weiß es nicht.« Über zweitausendvierhundert Jahre lang haben sich Abermillionen von Menschen jeden Tag in dem Glauben im Freien aufgehalten, daß sie mit Hilfe dieser Übungen ihre Gesundheit maximieren könnten.

MOYERS: Was verstehen Sie unter »maximieren«?

EISENBERG: Einige Menschen sind mit einem kräftigen Körper, einem stabilen Kreislauf und einem starken Herz gesegnet, andere dagegen leiden unter erhöhtem Cholesterinspiegel, starkem Blutdruck und Niereninsuffizienz. Der chinesischen Auffassung nach ist jeder Mensch mit einem bestimmten Maß an körperlicher Gesundheit ausgestattet. Es ist die Aufgabe des einzelnen, aus dieser Gabe das Beste zu machen. Um das zu erreichen, muß man sich jeden Tag in der freien Natur bewegen und meditieren. Andernfalls ist man nicht so gesund, wie man es sein könnte. Insofern trägt letztlich jeder die Verantwortung für die eigene Gesundheit.

Nachdem ich Hunderte von Menschen im Park bei ihren Übungen beobachtet hatte, wollte ich wissen, wie T'ai Chi und andere Körper/Seele-Übungen erlernt werden. David brachte mich zu dem T'ai Chi-Studio des Großmeisters Ma Yueh Liang, einem der größten Experten des T'ai Chi Ch'uan. Er wurde in westlicher Naturwissenschaft ausgebildet und leitete die medizinischen Labors in einem renommierten Shanghaier Krankenhaus. Gleichzeitig lehrte und praktizierte er über siebzig Jahre lang T'ai Chi Ch'uan. Heute ist er einundneunzig Jahre alt.

MOYERS: Wie haben Sie T'ai Chi gelernt?

MA: Als ich zwanzig war, begann ich T'ai Chi bei einem Meister zu lernen. Ich wurde nicht nur sein Schüler, sondern sein Adept. Ein Schüler ist jemand, der regelmäßig zum Unterricht erscheint, doch ein Adept ist ganz der Ausübung und der Lehre des T'ai Chi verpflichtet.

MOYERS: Warum begannen Sie mit dem Studium von T'ai Chi?

MA: Als Student arbeitete ich damals an der Analyse von Bakterien, und ich hätte mich leicht mit Krankheitserregern infiziert, wenn ich nicht auf meine Gesundheit geachtet hätte. Deshalb begann ich T'ai Chi, um widerstandsfähig zu bleiben. T'ai Chi hat viele Funktionen. Die Verlängerung der Lebenszeit ist eine davon. Ich bin jetzt einundneunzig und kann immer noch ins Ausland reisen und andere Menschen T'ai Chi lehren. Selbst einem jungen Mann gelingt es nicht, mich in den Kampfkünsten des T'ai Chi zu besiegen.

Eine andere Funktion besteht darin, die Heilung chronischer Krankheiten zu unterstützen. Eine weitere ist die der Regeneration. Kommt man am Ende des Tages von der Arbeit nach Hause, fühlt man sich nach T'ai Chi-Übungen wieder erfrischt und entspannt. Die Müdigkeit ist danach wie weggeblasen.

T'ai Chi wirkt bei jedem Menschen. Wenn man diese langsamen Bewegungen ausführt, ist es, als legte man eine Ruhepause ein. Es kann auch als Kampfkunst angewandt werden, aber es ist nicht zum Angriff geeignet. Jede Bewegung des T'ai Chi dient der Verteidigung.

MOYERS: Woher haben Sie die Gewißheit, daß ein Chi existiert?

MA: Die Wissenschaft muß immer etwas sehen. Stellt man die Behauptung auf, daß etwas existiert, obwohl man es nicht finden kann, ist das kein wissenschaftliches Verfahren. Es gibt aber in China viele Dinge, die nach wissenschaftlichen Maßstäben nur schwer zu belegen sind. Nehmen Sie beispielsweise T'ai Chi. Chi ist grundlegend für die Ausübung von T'ai Chi. Wenn man Chi steuern kann, wird man T'ai Chi beherrschen.

MOYERS: Aber was ist Chi?

MA: Ich werde Ihnen ein Beispiel für Chi geben. Wenn man T'ai Chi beherrscht, hat man die Vitalität eines Kindes. Die Lebenskraft eines Kindes ist stark, während die eines alten Menschen schwach ist. Sie nimmt im Laufe des Lebens ab, und wenn keine Lebenskraft mehr im Körper verblieben ist, stirbt der Mensch.

MOYERS: Chi ist also Leben?

MA: Es gibt zwei Arten von Chi. »Yin« bezieht sich auf die Stärke der Lebenskraft, während »Yang« der Widerstand gegen Krankheit ist. Deshalb erklären die chinesischen Begriffe »Yin« und »Yang« auch »Chi«. Man kann es nicht sehen, aber wenn man T'ai Chi ausgeübt hat, ist man in der Lage, das Chi in jede gewünschte Richtung zu lenken.

MOYERS: Aber was ist Chi? Ist es Energie, eine Vitalkraft?

MA: Chi ist die Hauptenergie des Menschen. Man sieht es einem Menschen an, ob er ein starkes Chi hat. Wenn der Alterungsprozeß langsam verläuft, deutet das auf ein starkes Chi oder eine starke Lebenskraft hin. Und das ist die von Ihnen angesprochene Vitalkraft – die ursprüngliche, angeborene Energie eines Menschen.

MOYERS: Woher kommt diese Kraft oder Energie?

MA: Wenn man zur Welt kommt, verfügt man über ein angeborenes Chi. Im Laufe des Lebens wird das Chi verbraucht, besonders, wenn man krank oder durch Überarbeitung geschwächt ist. Meiner Erfahrung nach helfen T'ai Chi-Übungen, die Lebenskraft zu erhalten.

MOYERS: Wie lange haben Sie gebraucht, um Ihr Chi zu finden?

MA: Zehn Jahre, aber es dauerte weitere zwanzig Jahre, bis ich gelernt hatte, es anzuwenden.

MOYERS: Das ist für die meisten Menschen, die keine derartige Disziplin aufbringen, entmutigend.

MA: Es gibt fünf Aspekte bei der Ausübung von T'ai Chi. Als erstes muß man zur Ruhe kommen. Wenn man üben will, denkt man an nichts anderes als an T'ai Chi. Als zweites schaltet man jede Anstrengung aus. Die Hand zu öffnen erscheint bereits als Anstrengung. Das ist das, was wir als »den Zustand des T'ai Chi« bezeichnen. Als Drittes versucht man, beständig zu sein, weder schnell noch langsam, ohne eine Pause einzulegen.

Den vierten Aspekt bilden zwei Prinzipien. Das erste lautet, wirklich und genau zu üben, nicht flüchtig und oberflächlich. Der zweite Grundsatz heißt, die richtigen Körperbewegungen zu lernen. Im Chinesischen werden die ersten drei Aspekte mit »Ruhig«, »Leicht« und »Langsam« bezeichnet. Der vierte wird durch ein chinesisches Schriftzeichen dargestellt, das eine doppelte Bedeutung hat: wahrhaftig zu üben und zu lernen. Damit ist jedoch nicht gemeint, daß man während der T'ai Chi-Übung lernt, sondern man versucht, sich am Ende der Übung das, was man soeben getan hat, in Erinnerung zu rufen. Vielleicht hat man an einigen Stellen zu hohe, an anderen Stellen zu tiefe Bewegungen ausgeführt oder bei einer Figur nicht die korrekte Form eingehalten. Das bezeichnen wir als Lernen.

Der fünfte Aspekt ist Ausdauer. Auf T'ai Chi übertragen bedeutet das, jeden Tag zur gleichen Zeit die gleiche Zeitspanne lang zu üben. Dabei spielt es keine Rolle, ob man morgens, mittags oder abends übt. Wichtig ist nur, daß man die einmal gewählte Übungsdauer beibehält. Man sollte nicht mehr oder weniger, nicht öfter oder seltener üben, als man es normalerweise tut.

MOYERS: Sie sagten, daß ich dreißig Jahre benötigen würde, um mein eigenes Chi zu entdecken.

MA: Ich habe mich dabei auf die höchste Stufe des T'ai Chi bezogen. Ein Mensch, der nur drei Monate übt, um eine Krankheit zu kurieren, ist wie jemand, der die Oberschule absolviert hat und nicht weiterstudiert. Aber selbst wenn Sie nur drei Monate übten, würden Sie Ergebnisse sehen. Hätten Sie beispielsweise einen erhöhten Blutdruck, so würde er sich wieder normalisieren. Unter meinen Schülern waren viele Hypertoniker, deren Blutdruck dank dieser Methode wieder einen normalen Wert erreichte. Man hört aber nicht auf zu üben, nur weil der Körper wieder gesund ist. Man muß weitermachen, Schritt für Schritt, um den bestmöglichen psychischen und physischen Zustand zu erreichen.

MOYERS: Sie sagen, daß Chi nichts Unerklärliches, Geheimnisvolles ist, sondern ein Bestandteil unseres Körpers, den es zu entdecken gilt.

MA: Es ist nichts Geheimnisvolles an T'ai Chi. Das einzig Schwierige ist, die nötige Ausdauer aufzubringen. Um wirklich davon zu profitieren, muß man ständig üben. Mit den positiven Erfahrungen wächst dann auch die Motivation. Viele meiner Schüler sind über achtzig Jahre alt, der älteste ist siebenundneunzig.

MOYERS: Glauben Sie, daß Menschen aus dem Westen je diesen Zustand erreichen werden? Wir sind darauf fixiert, schnell Resultate zu sehen.

MA: Wenn Sie T'ai Chi praktizieren wollen, müssen Sie Ihre Einstellung ändern. Wenn Sie versuchen, den Weg abzukürzen, werden Sie nie die nötige Motivation aufbringen, und Sie werden den Sinn der fünf Wandlungsphasen nicht verstehen.

MOYERS: Als ich Sie heute morgen mit Ihren Schülern beobachtete, sah ich, wie ein junger Mann umfiel, obwohl Sie ihn nur ganz leicht berührt hatten. War das nur ein Spiel?

MA: Das war kein Spiel. Was Sie gesehen haben, war mein normaler Unterricht. Es handelt sich dabei keineswegs um Schauspielerei, sondern um eine Lehrmethode. So kann Chi aus dem Körper austreten.

MOYERS: Sie haben Ihren Schüler mit Ihrem Chi zurückgestoßen?

MA: Wenn ein Mensch eine Zeitlang T'ai Chi praktiziert hat, reagiert er empfindlicher auf das Chi. Deshalb spürte dieser junge Mann, als ich mein Chi auf ihn richtete. Er konnte nicht ruhig stehenbleiben, verlor seinen Schwerpunkt und stürzte. Steht ein Gebäude auf vier stabilen Säulen, stützen diese den Schwerpunkt. Entfernt man jedoch eine der Säulen, stürzt das ganze Gebäude ein. Mein Chi brachte seinen Schwerpunkt ins Wanken, und deshalb fiel er hin.

Ich hatte noch die Chi Gong-Übungen in Erinnerung, die ich im Park gesehen hatte, als David Eisenberg mich in die Chi Gong-Abteilung des Xi-Yuan-Krankenhauses mitnahm. Hier sind die Techniken des Chi Gong Bestandteil der medizinischen Behandlung. Chinesische Ärzte sind der Meinung, daß Chi von jedem wahrgenommen und im Heilungsprozeß eingesetzt werden kann.

EISENBERG: Dieses Krankenhaus ist berühmt für die Integration chinesischer und westlicher Medizin. Westliche Medikationen und chirurgische Techniken ergänzen sich mit Akupunktur, Massage und traditionellen Heilkräutern. Seinen Ruf verdankt das Krankenhaus aber vor allem seiner Chi Gong-Abteilung, wo der Arzt die Patienten dazu anleitet, mit Hilfe der Psyche Einfluß auf ihre Gesundheit zu nehmen. Ein taoistisches Sprichwort besagt: »Wenn du eine Krankheit hast, versuche nicht, sie zu heilen. Finde deinen Mittelpunkt, und du wirst geheilt sein.«

MOYERS: Damit kommen wir zum Kern der Körper/Seele-Medizin. Welche Krankheiten werden hier behandelt?

EISENBERG: Viele der Patienten hier leiden unter chronischen Kreuz- und Bauchschmerzen, andere an Schlaflosigkeit oder Angstzuständen und wieder andere an einer chronischen koronaren Herzerkrankung mit Angina pectoris. Hier sind also alle klassischen Problemfälle der Inneren Medizin vertreten.

Die Ärzte versuchen, die Patienten darin zu schulen, mittels ihres Geistes die Symptome zu mindern. Sie sind der Meinung, daß sie auf diese Weise tatsächlich die Krankheit beeinflussen und allmählich ausheilen können.

MOYERS: Wie erklären Sie Chi Gong?

EISENBERG: Chi Gong kann auf verschiedene Arten beschrieben werden: Als Manipulation des eigenen Chi oder der eigenen Energie, als Fähigkeit, den Geist auf den Ursprung des Chi im Körper zu konzentrieren und es dann in einem bewußten geistigen Akt zu bewegen, oder als »Atemkunst«, denn Chi bedeutet nicht nur »Lebensenergie«, sondern auch »Atem«. Diese Menschen setzen auch verschiedene Atemtechniken ein, um ihre Energie fließen zu lassen.

MOYERS: Sie erinnern mich bei ihren Atemübungen an Meditationsgruppen, wie man sie auch in den Vereinigten Staaten antreffen könnte.

EISENBERG: Es hat sehr viel Ähnlichkeit mit indischen Yoga-Techniken und den Meditationsübungen der Tibeter. Tatsächlich sind sich in allen Kulturen, die Meditation praktizieren, die einführenden Anweisungen sehr ähnlich: »Sitze ruhig. Konzentriere dich auf deinen Atem. Schenke aufkommenden Gedanken keine Beachtung.«

MOYERS: Worin unterscheidet sich also Chi Gong von ähnlichen Atemtechniken?

EISENBERG: Wenn man gelernt hat, sich zu entspannen, sich auf den Atem zu konzentrieren und alle Gedanken auszuschalten, ist man der chinesischen Theorie zufolge in der Lage, den Punkt im Körper zu finden, wo die Lebensenergie Chi ihren Ursprung hat. Diese knapp unterhalb des Nabels gelegene Stelle heißt »Dan Tian«. Wenn es also heißt: »Finde die Pille der Unsterblichkeit am Dan Tian«, ist damit das Zentrum der Energie gemeint, wo sich das Chi im menschlichen Körper befindet. Man konzentriert sich auf den Energiepunkt und lernt, ihn zu bewegen.

MOYERS: Welche Wirkung hat diese Übung im Fall der Frau mit chronischer Arthritis oder des Mannes, der unter Rückenschmerzen leidet?

EISENBERG: Nachdem sie über Wochen oder Monate diese traditionelle Meditationstechnik praktiziert hatten, gingen ihre Symptome stark zurück – das ist zumindest ihr subjektives Empfinden. Die Frage ist, ob es sich um mehr als ein subjektives Gefühl der Besserung handelt, ob es tatsächlich auch zu physikalischen Veränderungen gekommen ist und die Herzerkrankungen oder die Muskelkrämpfe sich objektiv gebessert haben. Angesichts der Tatsache, daß fünfzig bis sechzig Millionen Menschen in China Krankheiten mit diesen Übungen zu heilen versuchen, müssen wir eine Antwort auf diese Frage finden.

MOYERS: Im Gegensatz zum Akupunkteur und zum Kräuter- oder Massagearzt versucht der Chi Gong-Arzt nicht, direkten Einfluß auf die Patienten zu nehmen. Er leitet sie nur dazu an, etwas für sich selbst zu tun.

EISENBERG: In der chinesischen Tradition leitet der Arzt an allererster Stelle die Patienten dazu an, ihre Gesundheit zu stärken.

Wie Sie bereits erwähnt haben, ist Chi Gong nach chinesischem Verständnis der Kern der Körper/Seele-Medizin. Die Psyche wird dabei nur dazu eingesetzt, den Körper zu beeinflussen. Das ist die logische Erweiterung der traditionellen chinesischen Theorie und Praxis der Medizin.

MOYERS: Sie sind ein sehr rational denkender Mensch. Dennoch beschäftigen diese Heilverfahren Sie immer wieder.

EISENBERG: Wenn man Menschen mit jahrelangen chronischen Rückenschmerzen, Migräneanfällen oder Zwölffingerdarmgeschwüren begegnet, die berichten, daß es ihnen sehr viel besser geht, seit sie Chi Gong praktizieren, ist man geneigt, den eigenen Standpunkt zu überdenken. Solche Berichte bewegen sich zwar im anekdotischen Bereich und würden die wenigsten meiner skeptischen westlichen Kollegen überzeugen. Aber wenn man so viele Menschen kennengelernt hat, die durchaus glaubhaft wirkten, fragt man sich, ob diese Methode des Heilens nicht einer kritischen Untersuchung wert ist. Deshalb kehre ich immer wieder nach China zurück.

MOYERS: Nachdem Sie so viele Menschen nach ihrem subjektiven Empfinden befragt haben, müssen Sie das Bedürfnis gehabt haben, Chi einer wissenschaftlichen Überprüfung zu unterziehen.

EISENBERG: Meine ideale Versuchsanordnung sähe so aus, daß in einer Testgruppe ein Drittel der Patienten Chi Gong praktizierte, ein Drittel es nicht tun würde und die letzte Gruppe im Glauben, Chi Gong auszuüben, eine Art Ersatztechnik angeboten bekäme. Wenn in der Chi Gong-Gruppe tatsächlich Veränderungen der Symptome zu beobachten wären, könnte das zu einem neuen Verständnis der Physis führen.

Während David Eisenberg und ich uns unterhalten, beginnen die Patienten mit den sanften Übungen, die ich bereits im Park beobachtet hatte.

EISENBERG: Es handelt sich hier um eine besondere Bewegungsform des Chi Gong. Es ist dieselbe Übung, die wir eben im Park gesehen haben, nur daß dort die Menschen Chi Gong praktizierten, um Krankheiten vorzubeugen, während die Patienten im Krankenhaus versuchen, eine bereits bestehende Krankheit zu heilen. Aber sie setzen die gleichen Techniken ein, um ihr Chi im Körper zu verteilen.

Chi ist ihrer Meinung nach nichts, was sich im Kopf abspielt – eine bildliche Vorstellung etwa oder die Art, wie sie über ihren Körper denken. Diese Interpretation würden sie verneinen. Chi gilt ihnen als etwas Physisches, das sie erfühlen und nach einigen Monaten der Übung in ihrem Körper umherbewegen können.

MOYERS: Ich habe einmal Biofeedback praktiziert und konnte buchstäblich die Wärme in meinem Körper fühlen, als ich mit Unterstützung des Biofeedback-Apparates meinen Geist dazu benutzte, die Pulsfrequenz zu verringern. Läßt sich dieses Gefühl mit dem des Chi vergleichen?

EISENBERG: Die Menschen im Park führen ähnliche Übungen aus, allerdings ohne die Unterstützung einer Maschine. Wenn diese Übungen tatsächlich den Blutdruck und die Pulsfrequenz senken und die Krankheitssymptome zum Verschwinden bringen, müssen sie auch physikalische und chemische Veränderungen bewirken. Wenn das der Fall wäre und wir die Mechanismen erfassen könnten, wären wir auch in der Lage, dieses Phänomen in die Sprache der westlichen Medizin zu übertragen.

MOYERS: Einer der Patienten meinte, man müsse an die Wirksamkeit des Chi Gong glauben, damit es helfe.

EISENBERG: Wenn der Glaube die Kraft besitzt, den Verlauf einer schweren Krankheit zu beeinflussen, müssen wir den Mechanismus untersuchen, durch den geistige Vorstellungen körperliche Veränderungen bewirken können, um sie allen zugänglich zu machen.

MOYERS: Die letzten Jahre seines Lebens litt mein Vater unter chronischen Kopfschmerzen. Er suchte mehrere Spezialisten in den Vereinigten Staaten auf, aber niemand konnte ihm helfen. Wenn ich diese Menschen hier beobachte, denke ich, daß es etwas gibt, das ihm vielleicht geholfen hätte, mit den Schmerzen fertigzuwerden.

EISENBERG: Solange er das Gefühl gehabt hätte, es würde ihm helfen, wäre es Ihnen und ihm wahrscheinlich gleichgültig gewesen, welche Mechanismen dabei im Spiel sind.

MOYERS: Wir versuchten es mit diesen Methoden, aber er war von vornherein der Ansicht, es handle sich nur um eine Form von Aberglauben, und er war nicht bereit, sich darauf einzulassen.

EISENBERG: Dieser Meinung sind viele Menschen im Westen; bevor ich zum erstenmal nach China kam, war ich es auch. Ich war skeptisch und wollte mich selbst von der Wirksamkeit überzeugen. Inzwischen verfüge ich über eine umfangreiche Sammlung von erstaunlichen Fallbeispielen. Aber das genügt mir noch nicht.

Später brachte mich David Eisenberg zu einem Arzt, dessen Behandlung darin bestand, die Hände über dem Kopf eines Patienten kreisen zu lassen, ohne dabei ein einziges Haar zu berühren.

EISENBERG: Das ist für mich eine der erstaunlichsten Formen der traditionellen chinesischen Medizin. Sie wird als »äußerliches Chi Gong« bezeichnet. Sie geht von der Vorstellung aus, daß Menschen in einem fortgeschrittenen Stadium ihr Chi nicht nur im eigenen Körper bewegen, sondern es bewußt aussenden können.

Diese Vorstellung basiert auf der Grundannahme, daß der Körper von Gefäßen durchzogen ist, die miteinander verbunden sind und durch die Energie fließt. Diese Energie muß sich im Gleichgewicht befinden. Wenn man lernen kann, die Energie gezielt zu beeinflussen, kann man letztlich auch lernen, sie außerhalb des Körpers zu lenken. Genau das tut dieser Arzt seiner Aussage nach. Bei der äußerlichen Chi Gong-Therapie setzt er seine Energie ein, um den Energiefluß des Patienten in die richtigen Bahnen zu leiten. Es gibt Tausende von Ärzten, die diese Methode einsetzen, und Millionen von Patienten würden Ihnen bestätigen, auf diese Weise geheilt worden zu sein. Unser Gesprächspartner, den sie gerade beobachten konnten, ist Dr. Lu, der Leiter der Chi Gong-Klinik.

MOYERS: Gilt Dr. Lu als glaubwürdig?

EISENBERG: In Shanghai wurde er sechs Jahre lang in chinesischer Medizin ausgebildet und studierte darüber hinaus auch westliche Medizin. Er ist mit allen Techniken vertraut, über die wir gesprochen haben – Akupunktur, Heilkräuter, Massage, Pulsdiagnose, Zungendiagnose. Doch sein Spezialgebiet ist es, Patienten darin zu schulen, mit Hilfe ihrer Psyche bewußt Einfluß auf ihr Leiden zu nehmen. Darüber hinaus setzt er seine eigenen psychischen Kräfte oder sein Chi ein, um auf ihr Befinden einzuwirken.

Dr. Lu, woran ist dieser Patient erkrankt?

LU: Er leidet an einem inoperablen Gehirntumor. Ich versuche, sein Chi zu verstärken, um die Blutzirkulation anzuregen und andere Blockaden aufzulösen.

MOYERS: Woher kommt Ihr Chi und wohin geht es?

LU: Mein Körper strahlt das Chi aus, aber der wichtigste Faktor sind die Gedanken. Wenn man Chi aussendet, darf man nicht überlegen, woher es kommt, sondern man konzentriert sich auf die Notwendigkeit, die Krankheit des Patienten zu heilen und ihm das eigene Chi zu geben. Dann wird das ausgestrahlte Chi vollkommen und vielleicht sogar stärker sein als erwartet.

MOYERS: Muß der Patient selbst etwas tun, während Sie ihn behandeln?

LU: Nein, überhaupt nichts.

MOYERS: Können Sie uns erklären, wie Sie mit Hilfe Ihres Geistes und Ihrer Gedanken Ihr Chi aussenden?

LU: Das ist sehr schwer in Worte zu fassen. Ebenso schwierig ist es, jemandem Chi Gong zu erklären, der nie damit in Berührung gekommen ist. Es gibt ein chinesisches Sprichwort, das besagt: »Es gibt Dinge, die können gefühlt, aber nicht mit Worten erklärt werden.« Um die Prinzipien von Chi Gong zu verstehen, muß man es selbst praktizieren. Als Außenstehender sollte man keine Betrachtungen über diese Prinzipien anstellen.

Auf einer anderen Ebene kann man sehr wohl über Chi Gong sprechen, obwohl es ein komplexer Vorgang ist. Wenn ich dem Patienten mein Chi geben will, dann tue ich das einfach. Nur darum geht es. Der Schlüssel dazu ist der geistige Vorgang. Mein Chi wird überall dort sein, wo sich das Objekt befindet, mit dem sich mein Geist beschäftigt.

MOYERS: Für Sie ist Chi also mehr als nur ein Gedanke.

LU: Man stellt sich wirklich körperlich darauf ein. Es bedeutet auch, daß man sich nur auf das Ziel, dem anderen Chi zu geben, konzentrieren darf. Mit unaufrichtigem Herzen oder unaufrichtigem Geist kann man kein Chi geben.

MOYERS: Wie viele Jahre haben Sie studiert, bis Sie diese Art von Chi Gong beherrschten?

LU: Unsere Ausbildung dauerte sechs Jahre, und wir studierten sowohl westliche als auch traditionelle chinesische Medizin. Nach dem Examen ging ich an das Chi Gong-Forschungslabor. Damals bestand unsere Aufgabe hauptsächlich darin, die Patienten in der Praxis des Chi Gong zu unterrichten. Nach zehn Jahren jedoch begannen wir, die externe Chi Gong-Behandlung anzuwenden.

MOYERS: Warum haben Sie sich darauf spezialisiert?

LU: Es gab damals einen älteren Arzt namens Zhao Guang, der seine Patienten mit Massagen therapierte. Eine Frau, die an Herzasthma litt, kam zur Behandlung zu ihm. Er hielt es für taktlos, die Brust einer Frau zu massieren. Deswegen wandte er externes Chi Gong an. Die Frau sagte, sie fühle sich nach der Behandlung viel besser und habe keine Herzbeschwerden mehr. Seitdem studieren wir die äußerlich angewandte Chi Gong-Behandlung.

MOYERS: Waren Sie zunächst skeptisch?

LU: Ich glaubte damals nicht daran, weil es den Grundsätzen meiner medizinischen Ausbildung zu widersprechen schien. Wir führten daher eine klinische Studie durch, und dabei stellte sich die externe Chi Gong-Behandlung als wirksam heraus, besonders bei Herz-Kreislauferkrankungen und bei Krankheiten des Verdauungstraktes.

MOYERS: Handelt es sich dabei nicht um einen Placebo-Effekt – um die Kraft der Suggestion und die Wirkung des Glaubens?

LU: Diese Behandlung hat, wie jede andere medizinische Methode auch, Auswirkungen auf die Psyche. Psychologische Faktoren spielen besonders bei den selbstauferlegten Übungen eine große Rolle. Unseren Beobachtungen nach lassen sich einige Auswirkungen nicht restlos durch den Einfluß der Psyche erklären.

Wir sollten aber mit externem Chi Gong vorsichtig umgehen. Ich bin der Ansicht, daß wir es zwar nach Möglichkeit erlernen sollten, aber gleichzeitig seine Wirkung und Kraft nicht überschätzen dürfen. Es ist kein Allheilmittel. Wir sollten ihm den richtigen Stellenwert einräumen, uns aber weder zu viel noch zu wenig davon versprechen.

Am nächsten Morgen besuchen wir den Purpurbambus-Park, wo eine Gruppe von Schülern sich um ihren Chi Gong-Lehrer, Meister Shi, versam-

melt hat. Meister Shi steht einem seiner Schüler gegenüber, er berührt ihn kaum, als sich der Student plötzlich zusammenkrümmt, als habe er einen elektrischen Schlag erhalten. Ich frage den Schüler, was für ein Gefühl er gespürt habe. Er erwidert: »Etwas macht mich leer, es ist eine Leere aus dem Inneren ohne Struktur oder Form. Es ist, als ob man einen Plastikball mit Wasser füllt und dann das Wasser abläßt. Der Ball fällt von selbst in sich zusammen.«

Meister Shi sagt zu seinen Schülern: »Kommt drei Jahre lang jeden Morgen hierher, dann werde ich wissen, ob es euch ernst ist.« Die Schüler scheinen ernsthaft bei der Sache zu sein, ebenso Meister Shi, aber ich habe Zweifel an der Echtheit der Demonstration.

MOYERS: Es sieht nicht so aus, als würde Meister Shi tatsächlich Kraft anwenden.

EISENBERG: Es ist keine körperliche Kraft. Er sagt, seine Psyche lenkt die Energie oder das Chi. In diesem Punkt entfernt sich die chinesische Medizin weit von unserem westlichen Verständnis. Die Menschen, die von sich behaupten, sie könnten Energie ausstrahlen, beherrschen meist auch die Anwendung von Heilkräutern und sind in der taoistischen Philosophie bewandert. Wo soll man die Grenze ziehen? Wenn man sieht, daß sie aus Erfahrung wissen, an welcher Stelle die Nadeln zu setzen sind und welche Arzneipflanze den Heilungsprozeß fördert, kann man dann auch glauben, daß sie tatsächlich diese Kraft aussenden?

MOYERS: Wenn das tatsächlich der Fall wäre, würde es die grundlegenden biophysischen Gesetze widerlegen. Auf mich wirkt es eher wie eine Inszenierung. Der Student reagiert so, wie es von ihm erwartet wird, und springt zurück.

EISENBERG: Es mag so aussehen, aber sie würden darauf bestehen, daß die Kraft real ist und daß der Student von dem Chi des Meisters »getroffen« wurde.

MOYERS: Ich gehe einmal davon aus, daß tatsächlich etwas physisch Wahrnehmbares geschieht. Insofern erinnert mich die Szene ein wenig an amerikanischen Ringkampf.

EISENBERG: Jedesmal, wenn ich Meister Shi und seine Schüler beobachte, frage ich mich: »Handeln sie nach einem erlernten Verhaltensmuster, oder fühlen die Schüler wirklich eine Energie, die ihnen körperlichen Schmerz bereitet, so daß sie zurückweichen?«

Diese Ausstrahlung von Energie ist das, was viele Kung Fu-Helden zur Schau stellen. Die Meister der Kampfkünste senden Chi aus, und diese

Energie, nicht nur ihre Körperkraft, ist es, die den Gegner besiegt. In Filmen mit Bruce Lee oder in Kung-Fu-Filmen geht es um diese Aussendung von Energie durch einen Meister.

MOYERS: Es scheint sich um ein exklusives Spiel nur für Eingeweihte zu handeln. Was hat all das mit der Kunst des Heilens und mit der Seele zu tun?

EISENBERG: Es hängt mit der Fähigkeit zusammen, den Körper durch mentale Kräfte und Gedanken zu verändern. Im Westen wissen wir nicht, ob wir mit Hilfe des Geistes und der Psyche Krankheiten wirksam heilen können. Die Chinesen gehen jedoch davon aus, daß Geist und Psyche eine entscheidende Rolle bei der Erhaltung der Gesundheit oder der Heilung spielen. Wer täglich T'ai-Chi-Übungen macht, wird seine Abwehrkräfte bestimmt stärken und Krankheiten vermeiden.

MOYERS: Meister Shi, glauben Sie, daß Sie Ihre Gesundheit den T'ai-Chi-Übungen verdanken?

SHI: Ich habe diese Übungen über zwölf Jahre lang tagtäglich durchgeführt, ohne eine einzige Ausnahme. Ich stehe um halb fünf Uhr morgens auf und gehe über eine Stunde zu Fuß, um hierher zu gelangen. An Sonntagen bleibe ich den halben Tag hier. Ich lasse nur einen Tag im Jahr aus, den ersten Tag des Mondkalenders. An diesem Tag besuche ich meine Mutter und gratuliere ihr zum neuen Jahr.

MOYERS: Praktizieren alle traditionellen chinesischen Ärzte morgens T'ai Chi?

SHI: Viele von ihnen.

MOYERS: Wie lange würde ich brauchen, um diese Übungen zu erlernen?

SHI: Meine Schüler müssen je nach Auffassungs*gabe* und *Talent* drei Jahre lang täglich üben, bis sie die Grundtechniken erlernt haben.

MOYERS: Wann haben Sie begonnen, T'ai Chi zu lernen?

SHI: Als ich acht Jahre alt war, fing mein Vater an, mich zu unterrichten. Dann erhielt ich Unterricht bei einem Meister, der wenig bekannt war, weil er selten Schüler aufnahm. In der traditionellen chinesischen Kultur nennt man das »geheimes Erbe« – ein Wissen, das vor der Öffentlichkeit geheimgehalten wird.

EISENBERG: Sollte das Wissen des T'ai Chi geheimgehalten werden?

SHI: Nein. Es sollte der ganzen Menschheit zugänglich gemacht werden. Mein Meister wollte nicht unterrichten, weil er der Meinung war, daß nur sehr wenige in dieser Kunst den höchsten Grad an Beherrschung erreichen.

MOYERS: In welcher Beziehung stehen T'ai Chi, die Psyche und das Heilen zueinander?

SHI: Der Sinn der T'ai-Chi-Übungen besteht nicht darin, andere Menschen anzugreifen. Es geht um die Suche nach Harmonie mit der Welt und sich selbst. Darin stimmt T'ai Chi mit der chinesischen Medizin überein. Ich benutze das Kraftfeld des Chi, um Yin und Yang in Einklang zu bringen.

MOYERS: Aber was ist Chi? Kann man den Nachweis erbringen, daß es tatsächlich existiert?

SHI: Chi kann nicht physikalisch oder chemisch analysiert werden. Es handelt sich um eine Art Feldwirkung. Kein Lebewesen auf der Welt existiert ohne die Energie des Chi.

Chi ist ein Zustand des Übergangs, der Leere, die ursprüngliche Quelle des Universums und auch seine letzte Bestimmung. Alles wird durch diesen Übergangszustand ins Gegenteil verkehrt. Chi selbst ist aber kein Zustand der Leere. Es kann fließen.

MOYERS: Im christlichen Kulturkreis würde man das vielleicht als Geist, Seele oder Lebenshauch bezeichnen.

SHI: Ich weiß wenig über das Christentum, aber die Menschen werden einen Grund haben, daran zu glauben. Es macht wohl keinen wesentlichen Unterschied, ob ich sage: »Buddha ist in meinem Herzen« oder »Gott ist in meinem Herzen«.

EISENBERG: Was die chinesische Medizin für einen westlichen Betrachter so irritierend erscheinen läßt, ist die Tatsache, daß hier das Medizinstudium in einen theologischen Rahmen eingebettet ist. Im Westen ziehen wir eine strenge Grenze zwischen Religion und Medizin. In der chinesischen Medizin waren die ärztlichen Meister stets auch geistige Führer. Sie trennen die beiden Bereiche nie. Das macht das Wesen der chinesischen Medizin aus.

MOYERS: Sprechen sie dabei tatsächlich von einer geistigen Disziplin?

SHI: Taoismus ist mehr als eine Religion, es ist eine Philosophie. Das chinesische Denken hat sich aus der philosophischen Kultur entwickelt: Wo es zwei gibt, müssen drei sein. Sehen Sie, das hier ist der Zeigefinger und daneben ist der Mittelfinger. Der Zwischenraum in der Mitte ist weder der Zeige- noch der Mittelfinger. Was ist er? Man weiß es nicht. Ebenso entzieht sich auch das Tao einer Definition. Ich kann nur sagen, daß es ein T'ai-Chi-Zustand ist, ein Zustand der Harmonie. Wenn China oft »das Mittlere Reich« genannt wird, dann deshalb, weil es diese Wahrheit des Tao gefunden hat.

MOYERS: Wie erlernt man Chi?

Shi: Durch Unterricht in den grundlegenden Techniken und durch das Studium der traditionellen chinesischen Philosophie. Um chinesische Medizin zu erlernen, muß man das I Ging, das Buch der Wandlungen, lesen. Dort wird das dialektische Denken erklärt, das über Tausende von Jahren hinweg die Entwicklung der chinesischen Zivilisation beeinflußt hat.

Eisenberg: Sie wollen damit also sagen, daß auch Ausländer Chi erlernen können?

Shi: Gewiß. Auch der Vorsitzende Mao pflegte zu sagen, daß die chinesische und westliche Medizin vereinigt werden sollten.

Eisenberg: Das heißt, daß die chinesische und die westliche Medizin vereint eine bessere Wirkung erzielen können als jede für sich allein.

Mein Hauptinteresse gilt der Frage, inwieweit das Heilen und die Psyche in Zusammenhang stehen. David Eisenberg macht mich aber immer wieder darauf aufmerksam, daß in dieser Kultur das Heilen nicht von den anderen Lebensbereichen zu trennen ist. Wir suchen Meister Wang auf, David Eisenbergs einstigen Kalligraphielehrer. In China hat die Kalligraphie den gleichen Stellenwert wie die Malerei und gilt als eine eigene Kunstform. Eine kalligraphische Arbeit spiegelt den Geist ihres Urhebers: »Der Pinselstrich ist der Mensch«. Nach mehrjähriger Ausbildung ist ein Meisterkalligraph in der Lage, ein komplexes chinesisches Schriftzeichen mit wenigen, ganz spontan wirkenden Tupfern und Strichen auszuführen.

Während ich mich mit David Eisenberg unterhalte, zeigt Meister Wang den »Fluß des Chi« mit wunderschönen, fließenden Pinselstrichen.

Moyers: Was schreibt Meister Wang?

Eisenberg: Er schreibt das Zeichen für Berg. Es handelt sich dabei um ein viertausend Jahre altes Schriftzeichen. Es sieht einem Berg ähnlich, denn ursprünglich war es ein Piktogramm, ein Abbild des Berges.

Moyers: Meister Wang, was geht in Ihnen vor, während Sie dieses Schriftzeichen malen?

Wang: Wenn ich das Schriftzeichen für Berg schreibe, fühle ich, daß ich ein Berg bin. Wenn ich das Wort für Stein schreibe, muß ich mehr Stärke hineinlegen, und bei dem Wort »Wasser« spüre ich ein Fließen, wie bei einer Chi Gong-Übung.

Moyers: Das ist mir sehr fremd.

Eisenberg: Er würde Ihnen auch sagen, daß er allein durch die Art und Weise, wie jemand ein einziges Wort schreibt, sehr viel über diesen Menschen erfährt. In China legen Menschen, die in Kalligraphie ausgebildet sind, ihre ganze Persönlichkeit in das geschriebene Wort. Es geht dabei nicht nur um Schreibfertigkeit. In der Art und Weise, wie jedes einzelne Schriftzeichen geschrieben ist, kommen Gefühle zum Ausdruck. Im Akt des Schreibens kommt also mehr als nur die Bedeutung der Schriftzeichen zum Ausdruck.

MOYERS: Während Ihres Aufenthaltes in China haben Sie bei Meister Wang Kalligraphie studiert, aber Sie haben von ihm offensichtlich mehr als nur Kalligraphie gelernt.

EISENBERG: Meister Wang ist mit dem Taoismus und der philosophischen Tradition der chinesischen Kultur vertraut. Er erklärte mir nicht nur die Bedeutung des Schriftzeichens, sondern auch die Vorstellung eines Gleichgewichts, die allen chinesischen Schriften und Philosophien zugrunde liegt. Wir werden in einem Zustand der Ausgeglichenheit geboren, aber wir verlieren diese Balance. Die Aufgabe des Arztes ist es herauszufinden, wo sich Körper und Seele nicht mehr im Gleichgewicht befinden, wo das Yin oder das Yang zu stark ausgeprägt oder zu schwach ist.

MOYERS: Um dann das Gleichgewicht des Menschen wiederherzustellen.

EISENBERG: Sowohl körperlich als auch geistig. Dem liegt das Modell von Yin und Yang zugrunde, den beiden Naturkräften, die voneinander abhängen und überall präsent sind. Alles hat ein antagonistisches Pendant, und das eine kann ohne das andere nicht existieren. Glück kann nur empfinden, wer auch den Kummer kennt. Auch der Körper wird unter dem Yin- und Yang-Aspekt betrachtet, manche Organe werden dem Yang zugerechnet, andere dem Yin.

MOYERS: Die westliche Kultur hat im Laufe des Zivilisationsprozesses Seele und Körper voneinander getrennt und begonnen, sie als Gegensätze zu verstehen.

EISENBERG: In China hat diese Trennung nie stattgefunden. Es war nicht möglich, die Seele getrennt vom Körper zu betrachten, weil das, was wir Seele nennen, in der chinesischen Kultur Teil des Körpers ist. Es durchströmt den Körper zusammen mit dem Blut und der Körperenergie. In jedem Yang steckt Yin und in jedem Yin etwas Yang. Es ist unmöglich, sie voneinander zu trennen.

MOYERS: Demnach hat jede Frau etwas Männliches und jeder Mann etwas Weibliches. In jeder Wahrheit liegt Unwahrheit, und in jeder Unwahrheit Wahrheit.

EISENBERG: Um die Stärke zu kennen, muß man auch Schwäche erfahren haben. So sind in der chinesischen Philosophie und Medizin bei allem die beiden polaren Kräfte am Werk.

Diese Vorstellungen von Gleichgewicht und Chi sind nicht leicht zu erklären. Man kann Chi keiner empirischen Untersuchung unterziehen, man kann es nicht in Worte fassen. Es ist, als ob ein Christ versuchen wollte, das Wesen Gottes zu beschreiben. Deshalb reagiert jeder, der in chinesischer Philosophie und Medizin bewandert ist, auf unsere Frage, ob er Seele und Körper voneinander trennen kann, ebenso verständnislos wie wir, wenn er uns Chi zu erklären versucht.

MOYERS: Meine rationalistischen Denkschemata versperren mir also den Zugang zu einem derartigen geistigen Phänomen.

EISENBERG: Es ist sowohl körperlich als auch geistig, das ist das Entscheidende. Wenn es um Chi geht, sind diese Begriffe nicht zu trennen.

MOYERS: Das erklärt vielleicht auch, weshalb ein Kalligraph so viel von traditioneller chinesischer Medizin versteht.

EISENBERG: Meister Wang verkörpert in hohem Maße das ideale Menschenbild der europäischen Renaissance. Im alten China war es üblich, daß Gelehrte zu Ministern ernannt wurden, die nicht nur die Kalligraphie, sondern auch Poesie, Musik, Kampfkünste und die Medizin beherrschen mußten. Sie studierten diese Disziplinen, um alle ihre menschlichen Fähigkeiten auszubilden. Sie wollten Krieger, Gelehrter und geistiges Wesen in einer Person sein. Meister Wang setzt diese Tradition auf seine Weise fort. Die chinesische Medizin hat sich aus der im Taoismus wurzelnden Vorstellung von Gleichgewicht entwickelt. Deshalb ist Meister Wang auch ein Gelehrter der chinesischen Medizin.

MOYERS: Hat das Wesen der Kalligraphie mit Medizin und Chi zu tun?

WANG: Ich praktiziere die Kalligraphie auf die gleiche Weise wie meine Chi Gong-Übungen. Man braucht höchste Konzentration und eine ruhige Umgebung. Hat man ein Gefühl der Ruhe und des Friedens erreicht, dann fließt das Chi ungehinderter im Körper. Wenn die Gedanken und Bewegungen in Harmonie mit dem Chi sind, zirkulieren die Energie und das Blut reibungsloser. Eine alte Redensart besagt: »Wenn man Yin-Yang und den vier Jahreszeiten folgt, wird man nie an einer Krankheit leiden. Widersetzt man sich ihnen, kommt es zur Katastrophe.«

EISENBERG: Sie lassen in Ihr kalligraphisches Werk ein gewisses Maß an Chi einfließen?

WANG: Ja, und dieses Chi muß gezielt gesteuert werden, genau wie bei den Kampfkünsten auch. Aber Chi zu begreifen, ist ebenso schwierig, wie die Entstehung des Universums zu verstehen. Manche Wissenschaftler glauben, das Universum sei nach einer Explosion entstanden, vor der es weder Raum noch Zeit gegeben habe. Wie soll man sich das vorstellen?

Nach der chinesischen Philosophie war Chi bereits vorhanden, bevor es ein Universum gab. Es ist immer noch um uns und wirkt, obwohl für uns unsichtbar und unfaßbar, auf unseren Körper ein.

MOYERS: Physiker, die ich interviewt habe, sprachen von der »Urenergie« im Universum, dem »Urknall«, der eine ungeheure Kraft freisetzte. Theologen sprechen vom »Lebenshauch«. Besteht zwischen einem dieser Begriffe und dem Chi ein Zusammenhang?

WANG: Sie hängen alle zusammen. Das Chi, das wir ein- und ausatmen, existiert auch im Universum.

Die Chinesen glauben, daß Chaos herrschte, bevor es Himmel und Erde gab. Es wird auch das hellgelbe Chaos genannt, weil es die Farbe von Eidotter hatte. Dann begann es sich zu verwandeln, wurde zu den Gegensatzpaaren Links-Rechts, Hell-Dunkel, Oben-Unten, Männlich-Weiblich, Yin-Yang. In jedem Teil des Universums sind diese polaren Kräfte zu finden, die ohne einander nicht existieren können. Hebt man beispielsweise einen Stein auf, dann ist die obere Seite Yang oder »männlich« und die Unterseite ist Yin oder »weiblich«. Selbst wenn man den Stein auseinanderbricht, existiert immer noch eine obere und eine untere Seite. Das Universum ist nach diesen beiden Prinzipien geformt und befindet sich im stetigen Kampf darum, das Gleichgewicht zwischen den beiden Kräften aufrechtzuerhalten.

MOYERS: Ebenso treten in der christlich-jüdischen Tradition Tiere stets paarweise auf. Am Anfang herrschte in den chinesischen ebenso wie in den Ursprungsmythen anderer Kulturen eine mit Chaos erfüllte Leere.

WANG: Aus dem ursprünglichen Chaos entstanden die Gegensätze. Aus dem Einen entsteht ein Zweites, und aus den beiden entspringt ein Drittes. Durch diese Genealogie gelangen wir zu den »zehntausend Dingen«. Die Zahl »zehntausend« ist dabei symbolisch zu verstehen. Tatsächlich sind es unendlich viele Dinge. Diese Vorstellung von der Entstehung des Universums liegt auch der chinesischen Medizin zugrunde, die ihre gesamte Methodik aus diesem Prinzip ableitet.

EISENBERG: Was bedeuten Yin und Yang im Körper?

WANG: Allgemein ausgedrückt ist Yang das männliche Prinzip und Yin das weibliche. Sie treten aber nie getrennt auf, nehmen Sie mich als Beispiel: Ich bin ein Mann, Yang. Mein Oberkörper ist Yang, mein Unterkörper Yin. Mein Äußeres ist Yang, mein Inneres hingegen ist Yin.

EISENBERG: Wie lassen sich Krankheiten durch Yin und Yang erklären?

WANG: Ich werde Ihnen ein Beispiel geben. Wenn ich krank wäre, mein Gesicht rot, meine Lippen trocken wären und ich unter Verstopfung litte und mein Urin sich gelb bis rötlich färbte, dann würde es sich um eine Yang-Krankheit handeln. Wenn ich aber friere und mein Gesicht blaß und meine Hände kalt wären, ich häufig Wasser lassen müßte und Durchfall hätte, dann würde es sich um eine Yin-Krankheit handeln. Die Chinesen differenzieren also auch eine gewöhnliche Erkältung in Yin und Yang. Im Westen würde man nur einen Grippe-Virus diagnostizieren, aber hier achtet man darauf, ob die Krankheit durch zuviel Hitze oder durch zuviel Kälte verursacht ist.

MOYERS: Welchen Einfluß hat Chi auf die Gesundheit?

WANG: Diese Frage ist sehr schwer und zugleich sehr leicht zu beantworten. Lassen Sie mich mit der leichten Antwort beginnen. Die traditionelle chinesische Theorie bezeichnet Glück als einen Zustand, in dem Chi im Herzen ist. Wenn es sich im Magen befindet, nennen wir es Nachdenklichkeit, wenn es in der Leber sitzt, Wut. Oft werden wir ohne einen richtigen Grund wütend, weil wir angespannt sind. Der Nacken wird steif, das Blut fließt in die inneren Organe, das Gesicht wird rot.

EISENBERG: Es gibt ein Wort im Chinesischen, das »sich zu Tode ärgern« bedeutet. Wenn ein Mensch zuviel Wut in sich hat, endet das Chi, und er stirbt. Das ist nur ein Beispiel dafür, wie stark im chinesischen Denken Gefühl und Körper miteinander verbunden sind. Die Gefühle beeinflussen die Körperorgane, und die Organe verändern die Gefühle.

WANG: Chinesische Ärzte glauben, daß wir nur dann gesund sind, wenn unsere Gedanken, unsere Bewegungen, unser Körper mit der Kraft des Universums übereinstimmen. In der griechischen Mythologie war Midas der reichste Mensch der Welt, aber zugleich war er auch der ärmste, weil ihn sein Reichtum einsam und unglücklich machte.

Die chinesische Medizin sagt, daß Chi im Körper eines Menschen existiert, der glücklich ist und keinen zu starken Belastungen und Begierden ausgesetzt ist. Die Lebensenergie und Vitalität verbleiben im Körper, so daß er einer Krankheit Widerstand leisten kann. Tao heißt »der Weg« und bedeutet, sich die Gesetzmäßigkeiten der Natur zum Vorbild zu nehmen. Angesichts der Zerstörung der Natur durch den Menschen, der Luftverschmutzung und der Verseuchung des Wassers kann heutzutage keiner, auch ich nicht, von sich behaupten, er sei gesund.

MOYERS: Meister Wang, was bedeuten die Schriftzeichen, die sie gerade geschrieben haben?

WANG: Es sind die Schriftzeichen für »hochaufragend«, »Berg«, »fließend« und »Wasser«. Beim Schreiben dieser vier Schriftzeichen rufe ich mir

eine alte Erzählung in Erinnerung, deren Titel bedeutet: »Ich habe jemanden, der meine Melodien versteht.«
Es war einmal vor langer Zeit, als ein Musiker am Ufer eines Flusses auf seinem Instrument spielte und ein einfacher Waldarbeiter seinem Vortrag lauschte. Der Musiker fragte ihn: »Verstehst du, was ich spiele?« Der Waldarbeiter erwiderte: »Sie erzählen von den hohen Bergen.« Der Musiker war überrascht und spielte ihm ein anderes Stück vor. Der Waldarbeiter sagte: »Jetzt spielen Sie vom fließenden Wasser.« Der Waldarbeiter hatte alles verstanden, was der Musiker spielte, und sie wurden sehr enge Freunde. Ein Jahr danach kehrte der Musiker zu dieser Stelle zurück und hoffte, seinen Freund anzutreffen. Er wußte nicht, daß dieser unterdessen gestorben war. Der Musiker ging zum Grab des Waldarbeiters, um ihm die letzte Ehre zu erweisen. Danach zerschmetterte er sein Instrument an einem Felsen und sagte: »Ich werde nie wieder Musik machen. Nie wieder.«

An dieser Stelle beginnt Meister Wang zu weinen. Er entschuldigt sich dafür, daß er sich habe hinreißen lassen.

MOYERS: Er sagte: »Ich bin ein Berg«, »ich bin Wasser«, und »neben mir steht jemand, der mich versteht und mein Freund ist.« Das sind Sie, David. Er weint, weil er an Sie denkt.
EISENBERG: Er ist mein Lehrer.
MOYERS: Und Sie sind sein Freund.
EISENBERG: Es gibt ein chinesisches Sprichwort, das besagt: »Ein Lehrer für einen Tag ist wie ein Beschützer für das ganze Leben.«

Eine andere Sichtweise

David Eisenberg

Dr. David Eisenberg arbeitet als Internist am Beth Israel Hospital in Boston und ist Dozent an der Harvard Medical School. 1979 wurde er als erster Medizinstudent im Rahmen eines Austauschprogramms von der National Academy of Sciences in die Volksrepublik China geschickt. Er ist der Leiter eines zwischen der Harvard Medical School, dem Pekinger Union Medical College und der Chinesischen Akademie der Medizinischen Wissenschaften bestehenden Austauschprogramms. Als Mitglied des Beratungsgremiums des Amts für das Studium unkonventioneller Heilpraktiken der Nationalen Gesundheitsinstitute NIH ist er der Mitverfasser von *Encounters with Qi: Exploring Chinese Medicine*.

MOYERS: Ich habe viele Fragen. Als Skeptiker von Berufs wegen nehme ich zunächst an, daß die Wirkung dieser Heilkräuter auf den chemischen Wirkstoffen beruht, die sie ebenso wie unsere Medikamente enthalten, und daß es hierbei außerdem zu einem durch die Kraft der Suggestion herbeigeführten Placebo-Effekt kommt. Andererseits wirkten die Patienten, mit denen wir sprachen, überzeugt und überzeugend, und die Ärzte waren ausgesprochen glaubwürdig, zum Beispiel der Arzt, der eine Akupunkturnadel bei einer Patientin setzte, die nicht einmal zusammenzuckte. Ich hatte also gemischte Gefühle. Ich bin zwar skeptisch, aber ich bin auch aufgeschlossen, weil ich glaube, daß wir es hier mit etwas zu tun haben, was unserer Gesellschaft nützlich sein könnte.

EISENBERG: Als ich vor zwölf Jahren zum erstenmal hierherkam, hatte ich genau dieselben Fragen. Ich fragte mich: Wirkt es? Und wenn ja, auf welche Weise? Welcher Prozentsatz der Wirkung ist dem Placebo-Effekt zuzuschreiben? Beruht sie nur auf dem Glauben der Menschen an die traditionelle Medizin, oder können Heilkräuter, Akupunkturnadeln und Massageanwendungen den Krankheitsverlauf tatsächlich beeinflussen?

9. Victor Brauner, Mémoire des Réflexes

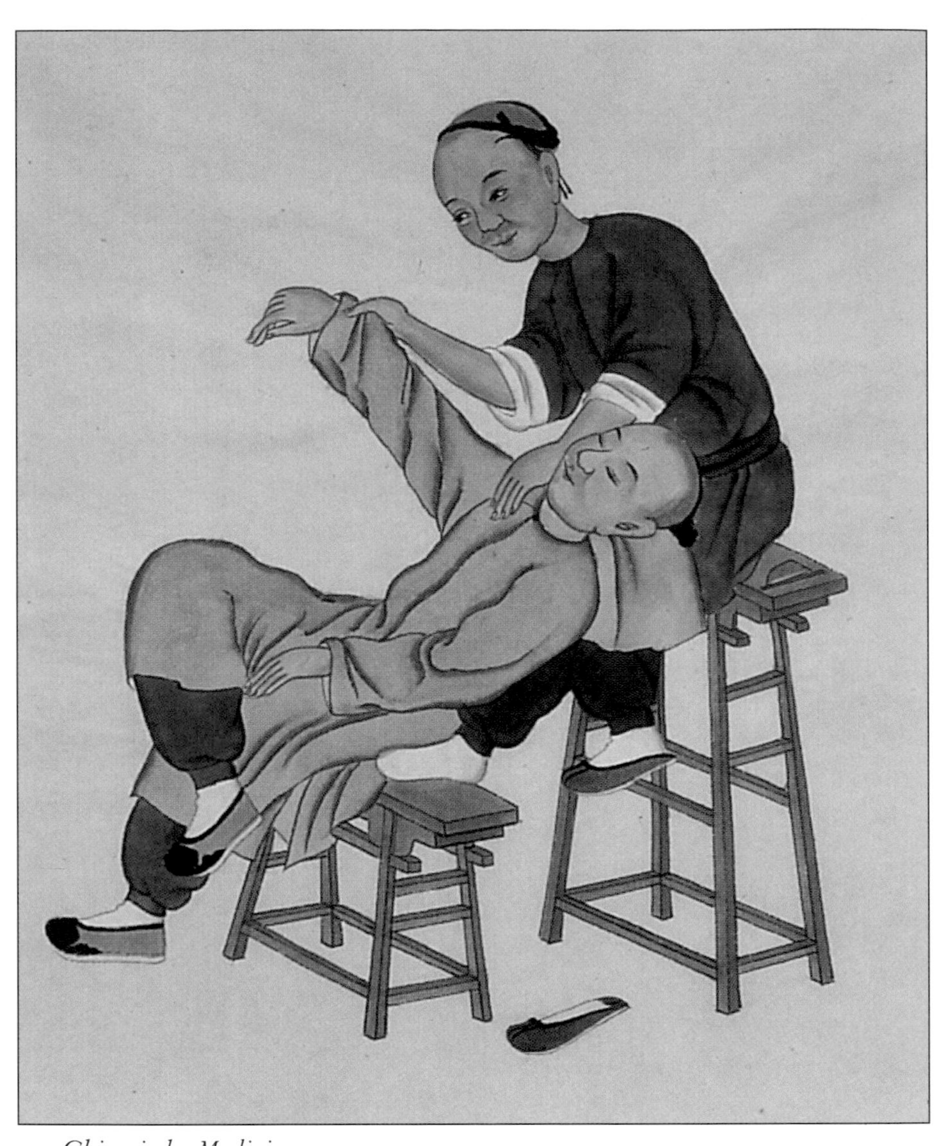

10. Chinesische Medizin

Ich denke dabei an die Millionen Menschen, die Chi Gong und T'ai Chi praktizieren – sie leiden an den Krankheiten, über die im allgemeinen auch meine Patienten in Boston klagen: Migräne, Bauchschmerzen, chronische Schmerzen und Schlaflosigkeit. Die Chinesen sagen mir, daß diese kontemplativen Übungen gegen die Symptome helfen, aber wenn man mich fragt: »Was glauben Sie, Herr Doktor? Hilft es wirklich?« weiß ich keine Antwort.

MOYERS: Gibt es hier irgendeine Heilmethode, die Ihren Patienten zu Hause in Boston nützen könnte?

EISENBERG: Ich frage mich, ob Heilkräuter dazu beitragen könnten, die bei der Chemotherapie Krebskranker auftretenden Nebenwirkungen zu verringern oder die Auswirkungen von Steroiden für an Colitis ulcerosa leidende Patienten zu vermindern. Und ich frage mich, ob Patienten nach einem Schlaganfall mit Hilfe von Akupunktur einige ihrer Körperfunktionen wiedergewinnen könnten. Ich frage mich auch, ob die an Kreuzschmerzen leidenden Amerikaner durch Akupunktur und Massage wieder imstande sein würden, ihre Arbeit aufzunehmen und sich wohler zu fühlen.

Aber um diese Fragen zu beantworten, müssen die chinesische und die westliche Medizin eine Verbindung eingehen. Den chinesischen Ärzten mangelt es an wissenschaftlicher Ausbildung. Sie wissen ebensowenig über Kontrollgruppen, Randomisierung und Statistik wie ihre westlichen Kollegen über Chi. Die Vertreter dieser beiden Medizinrichtungen müssen gemeinsam Hunderte von Patienten untersuchen, die nach dem Zufallsprinzip verschiedenen Gruppen zugeordnet sind, um diese Therapien empirisch und wissenschaftlich zu untermauern.

MOYERS: Jede gute Ehe ist ein langjähriger praktischer Versuch. Wenn wir feststellen wollen, ob uns die chinesische Medizin zu irgendwelchen Erkenntnissen über die Gesundheit verhilft, die der westlichen Wissenschaft nicht bekannt sind, dann müssen wir die chinesischen Behandlungsmethoden wissenschaftlich analysieren, ebenso wie wir jedes neue Medikament testen würden, bevor es auf den Markt kommt.

EISENBERG: Wenn wir entsprechende Experimente machen, werden wir eines Tages diese Frage beantworten können. Wenn nicht, dann haben meiner Ansicht nach die Skeptiker im Westen durchaus das Recht, diese Therapien aufgrund mangelnder Beweise für unglaubwürdig zu halten.

MOYERS: Angenommen, man würde den Beweis erbringen, daß diese Techniken zuverlässig wirkten, glauben Sie, daß die Amerikaner für diese Art von Therapie aufnahmebereit wären?

Eisenberg: Gewiß. Millionen von Amerikanern therapieren sich bereits selbst mit Massage, Meditation, Akupunktur und allen möglichen Kräuterarzneien, ohne daß ihr Arzt ihnen dazu geraten hätte.

Moyers: Mir fällt auf, daß die Amerikaner offenbar diese Behandlungsmethoden anwenden, um den Streß zu bewältigen. Sie meinen jedoch, es sei mehr als nur das.

Eisenberg: Es geht nicht nur um Streß. Sie wenden diese Methoden auch bei Rückenschmerzen, Herzbeschwerden, Angstgefühlen, Schlaflosigkeit an – die Liste ist endlos.

Aber die Anwendung dieser Methoden weist auch noch auf etwas anderes hin. Die Menschen wollen am Heilungsprozeß aktiv teilnehmen. Meine Arzttasche darf nicht nur mit Pillen und Skalpellen angefüllt sein, sondern ich muß auch Ratschläge zur Vorbeugung und zur Früherkennung von Krankheiten, für Körperübungen und psychische Streßbewältigung mitbringen, um die Gesundheit zu stärken.

Ich glaube, daß viele an einer ganzheitlichen Gesundheitsbetrachtung interessiert sind. Der Patient will nicht wie ein defektes Auto repariert werden, sondern er erwartet, daß man ihm als einem Menschen voller Probleme und Ängste dabei hilft, wieder gesund zu werden.

Moyers: Gibt es berechtigte Gründe dafür, daß westliche Ärzte ihren Patienten keine Heilkräuter, Massagen oder Akupunktur empfehlen?

Eisenberg: Ärzte haben viele berechtigte Gründe zur Vorsicht, bevor sie diese Methoden empfehlen. Sie haben sie nicht getestet. Sie haben nicht genug Beweismaterial dafür, daß diese Behandlungsmethoden helfen und keinen Schaden anrichten. Bevor die Ärzte dies nicht wissen, können sie diese Methoden keinem ihrer Patienten guten Gewissens empfehlen.

Moyers: Sind Tests erforderlich, um dies zu erfahren?

Eisenberg: Unbedingt.

Moyers: Die chinesische Medizin ist um so vieles älter als die westliche Medizin – warum wurde sie zu Beginn dieses Jahrhunderts der westlichen untergeordnet?

Eisenberg: Das hat wohl zum Teil politische Hintergründe. Gegen Ende des 19. Jahrhunderts brachten Amerikaner und Europäer die westliche Wissenschaft nach China und richteten Krankenhäuser und Universitäten ein. Das ist einer der Gründe, warum wir dort willkommen waren.

Am Anfang unseres Jahrhunderts hielt Chinas Führungsschicht die westliche Wissenschaft für derart überlegen, daß sie glaubte, die chinesische Medizin verbieten zu müssen. Der Versuch, dieses Verbot durchzusetzen, blieb jedoch erfolglos. Heute wird in vielen Krankenhäusern die traditionelle Medizin gleichberechtigt neben der westlichen Medizin praktiziert.

MOYERS: Obwohl die traditionelle chinesische Medizin westlichen Menschen wie mir fremd erscheint, ist mir doch klar, daß sie eine Bereicherung unserer medizinischen Praxis sein könnte. Sie kann uns auf praktischer Ebene Therapien für bestimmte Krankheiten anbieten – beispielsweise die Behandlung von Schlaganfall-Patienten mit Hilfe von Heilkräutern oder Akupunktur. Aber auf einer anderen Ebene scheint sie uns auch ein neues Gesundheitsverständnis zu bieten, nämlich, daß Gesundheit nicht nur die Abwesenheit von Krankheit, sondern eine Lebensweise ist.

EISENBERG: Das gesamte chinesische Medizinsystem basiert auf der Vorstellung, daß Gesundheit und Krankheit durch die innere Einstellung und die Gefühle bestimmt werden.

MOYERS: Warum haben die Chinesen davon eine andere Auffassung als wir? Wir betrachten unser medizinisches System unter dem Aspekt, daß wir geheilt werden wollen.

EISENBERG: Ich glaube, die gesamte chinesische Kultur beruht auf der Vorstellung, daß es eine richtige Lebensweise gibt. Die Gesundheit des Menschen wird letztlich durch die Lebensweise beeinflußt. Dabei geht es nicht nur um Ernährung oder körperliche Übungen, sondern auch um das geistige oder emotionale Gleichgewicht, das durch den Umgang mit den Mitmenschen und sich selbst bedingt wird. Das war stets das höchste Lebensziel in allen taoistischen und konfuzianischen Traditionen. Und da die chinesische Kultur auf dieser Vorstellung gründet, wird auch die Medizin davon beeinflußt.

MOYERS: Die chinesische Medizin hat also eine ethische Grundlage.

EISENBERG: Das chinesische Medizinsystem beruht auf dem Taoismus, demzufolge unsere Gesundheit nicht nur durch physisches Wohlbefinden, sondern auch durch unser Verhalten anderen gegenüber bestimmt wird. In der chinesischen Tradition war der Arzt Priester, Meister der Kampfkünste, Gelehrter und empirischer Wissenschaftler zugleich. In erster Linie war er jedoch ein Lehrer. Er unterwies die Menschen nicht nur in bezug auf Ernährungsweise und körperliche Übungen, sondern er war auch ihr psychologischer und geistiger Führer, der bestrebt war, sie zu besseren Menschen zu machen, weil dadurch die Gesundheit entscheidend beeinflußt würde.

MOYERS: Ist dieses Ideal auch heute noch lebendig?

EISENBERG: Wir sprechen über ein Ideal, das sich vor zweitausend Jahren entwickelt hatte und wahrscheinlich vor vier- oder fünfhundert Jahren seinen Höhepunkt erreichte. Heutzutage verwenden die Ärzte in den chinesischen Krankenhäusern den größten Teil ihrer Zeit auf die praktischen Anwendungen der chinesischen Medizin, wie etwa Therapierung mit Heilkräutern, Akupunktur und Akupressur. Deshalb stehen einige der religiösen Ziele nicht mehr so stark zur Diskussion.

MOYERS: Glaubten damals die Ärzte, daß eine solche Lebensweise zu langem Leben verhelfen würde?

EISENBERG: Das höchste Ziel des Taoismus war die Unsterblichkeit. Vieles in der chinesischen Medizin gründet auf der Vorstellung, die Unsterblichkeit zu erlangen – es hieß, daß ein weiser Arzt dem Menschen zu hundertjährigem Leben verhelfen würde. In den chinesischen Klassikern liest man, daß »die Menschen früher ein Alter von hundert Jahren erreichten, aber heute« – gemeint ist 400 v. Chr.! – »sind sie nicht mehr fähig, ihren Geist, ihre Gefühle oder ihre Gedanken zu beherrschen. Sie wissen nicht, wie man innere Zufriedenheit erlangt. Aus diesem Grunde setzt bei ihnen bereits mit fünfzig Jahren der Verfall ein.«

Bereits vor zweitausend Jahren behauptete also die chinesische Medizin, daß die Psyche unsere Gesundheit beeinflußt.

MOYERS: Ich glaube, daß Millionen Amerikaner den Ärzten in der Ausübung der ganzheitlichen, Geist, Seele und Körper umfassenden Medizin voraus sind. Sie scheinen zu wissen, daß Seele und Geist unmittelbaren Einfluß auf die Gesundheit haben.

EISENBERG: Ich glaube, daß nun auch die Menschen in unserer westlichen Kultur sensibilisiert sind und ihrer Lebens-, Ernährungs- und Denkweise größere Beachtung schenken als bisher. Oft hinkt die Wissenschaft der allgemeinen Erfahrung nach.

MOYERS: Aber wir fangen an, die Möglichkeit einer Seele/Körper-Verbindung in unserer westlichen Medizin zuzulassen.

EISENBERG: Ich glaube, in den letzten fünfzig Jahren haben wir angefangen, die Vorstellung zu akzeptieren, daß eine negative Denkweise – beispielsweise chronische Angstgefühle oder Depressionen – das Risiko einer Herzerkrankung erhöhen kann. Wie steht es aber andererseits mit der Vorstellung, daß man den eigenen Körper positiv verändern kann, wenn man freundlicher, rücksichtsvoller und entspannter wird?

In der chinesischen Medizin herrscht die Vorstellung, daß unser »Wille« unser Chi bestimmt, so daß unser Entschluß die Energie im Körper lenkt. Vor zweitausend Jahren sagte Mencius, einer der berühmtesten

Taoisten: »Wohin der Wille geht, wird das Chi folgen.« Welche Entscheidungen man auch immer trifft, das Leben, das man führt, die Anschauungen, die man vertritt – diese Faktoren werden das körperliche Wohlbefinden beeinflussen.

MOYERS: Ebenso wie meine Ziele im Leben und meine Absichten.

EISENBERG: Richtig, und Ihre Wünsche oder Wunschlosigkeit. Die Taoisten glauben, daß zu viele oder zu wenige Wünsche dem Menschen sowohl in physischer als auch in mentaler, emotionaler und moralischer Hinsicht schaden. Es ist alles eine Frage des Gleichgewichts.

MOYERS: Und das beeinflußt unseren Körper?

EISENBERG: Eine der interessantesten Fragen, die wir uns in der westlichen Kultur stellen können, lautet: Sind Moral und Gesinnung tatsächlich von Bedeutung für unsere Gesundheit? Die Chinesen wären allerdings an dieser Fragestellung nicht interessiert, weil sich der Begriff Gesundheit für sie nicht allein auf die körperliche Gesundheit beschränkt, sondern auch die moralische Gesundheit mit einschließt. Wenn jemand also körperlich stark, aber moralisch schwach wäre, könnte man ihn nicht als gesund bezeichnen. Die Art der Lebensführung und die körperliche Gesundheit sind für sie untrennbar miteinander verbunden.

MOYERS: Sie meinen damit, daß die Chinesen den Menschen immer noch als Einheit begreifen, so wie es üblich war, bevor die westliche Wissenschaft uns in einzelne Bereiche zerlegte und das Studium der Gesundheit in Medizin, Psychologie und Religion unterteilte.

EISENBERG: Dadurch wurde die Vorstellung erweckt, daß »Biologie«, »Physik«, »Psychologie« und »Psychiatrie« voneinander getrennte Bereiche seien. Wenn wir uns jedoch mit Gesundheit befassen wollen und nur den chemischen Vorgängen oder der Gemütsverfassung Beachtung schenken, gewinnen wir einen unvollständigen Einblick. Der Patient, der vor mir sitzt, besteht nicht nur aus chemischen Vorgängen, sondern ist auch durch Familie, soziales Umfeld, Emotionen und Charakter geprägt. Die Unterschiede, die wir im Krankenhaus in bezug auf Seele und Körper machen, sind Abstraktionen, die von uns vorgenommen werden. Der Patient ist immer noch eine Ganzheit, und wenn wir ihm bei der Genesung helfen wollen, müssen wir uns mit allen Aspekten befassen, die sein Leben ausmachen.

Wenn man sich auf die Gesundheit anstatt auf die Krankheit konzentriert, so versteht man die taoistische Einstellung. Im Westen beginnt Medizin meist erst dann, wenn ein Mensch Krankheitssymptome aufweist oder wenn Labortests von der Norm abweichende Werte zeigen.

Wir fangen an, nach den Ursachen zu suchen, prüfen die pathologischen Befunde, diagnostizieren die Krankheit.

Die Chinesen hingegen sehen die Gesundheit als Kontinuum. Die Aufgabe des Arztes besteht nicht einfach darin, den Patienten im Krankheitsfall zu heilen, sondern ihm zu dem bestmöglichen Gesundheitszustand zu verhelfen, indem er ihn dabei unterstützt, ein ausgewogeneres Leben zu führen und dadurch die Lebensenergie, das Chi, zu stärken.

MOYERS: Ich frage mich, ob dieses Chi – das noch niemand je gesehen, gemessen oder untersucht hat – in etwa dem Adrenalin entspricht.

EISENBERG: Ich glaube, die Chinesen würden sagen, daß es weit mehr als das ist. Es übertrifft jeden chemischen Wirkstoff. Chi wird durch die Lebens- und Denkweise bestimmt. Der Geist beherrscht die Energie. Die Frage ist, wie sich das auf das westliche Wissenschaftsverständnis übertragen läßt. Wie kann man Angehörige der westlichen Kultur dazu bringen, sich der Idee zu öffnen, daß die innere Einstellung physische Veränderungen bewirken und sogar den Krankheitsverlauf beeinflussen kann?

MOYERS: Leider haben wir Amerikaner keinen rechten Zugang zu der Logik, die hinter der chinesischen Medizin steht, da sie überaus komplex ist.

EISENBERG: Ich glaube, Sie haben recht, aber auch die chinesischen Patienten verstehen nicht unbedingt die volle Tragweite dieser Theorie. Auch ich habe lange gebraucht, um etwas über Chi zu erfahren. Erst nachdem ich bereits monatelang an der chinesischen Medizinischen Fakultät studiert hatte, machte mir mein Lehrer endlich klar, daß das ganze System auf der Energie Chi und auf dem Gleichgewicht von Yin und Yang basiert.

MOYERS: Das Prinzip des Gleichgewichts spiegelt sich auch in der chinesischen Architektur wider. Die Gewölbe, Kreise und Dächer der Tempel zeigen eine ausgewogene, symmetrische Bauweise. Sie tragen sogar Namen wie »Tempel der vollkommenen Harmonie«.

EISENBERG: Der Tempel ist symmetrisch und soll sich vollkommen in die Natur einfügen.

MOYERS: Die chinesische Architektur gründet auf Philosophie und Geometrie, aber stützt sich die chinesische Medizin noch auf etwas anderes als auf Philosophie? Ist sie wissenschaftlich?

EISENBERG: Bis zu einem gewissen Grad ist die chinesische Medizin wissenschaftlich. Man könnte vermutlich ihre Basis als eine Art »Urwissenschaft« bezeichnen. Wissenschaftliches Arbeiten bedeutet, etwas beobachten, ein Schema erkennen und dann damit experimentieren. Wir bezeichnen das als empirische Wissenschaft. Eine Beobachtung führt zu einer Theorie, und diese Theorie wird immer wieder getestet. Ich glaube, daß die chinesischen Ärzte in den letzten zweitausend Jahren so verfuhren. Sie probierten Kräuter, Nadeln und Akupressurpunkte aus und beobachteten, daß diese Methoden in einigen Fällen bei bestimmten Erkrankungen halfen. Sie stellten Gemeinsamkeiten fest und machten sich diese Erkenntnisse zunutze, und das ist empirische Wissenschaft. Dies entspricht aber nicht unseren heutigen wissenschaftlichen Maßstäben. In den letzten hundert Jahren ist unser Wissenschaftsbegriff sehr viel differenzierter geworden. Um die Kollegen in den USA zufriedenzustellen, muß immer ein Kontrollexperiment durchgeführt werden. Man verabreicht einer Versuchsgruppe das richtige Medikament, der Vergleichsgruppe Zuckerpillen, um festzustellen, ob die Arznei wirkt und die Zuckerpillen nicht. Man muß Hunderte von Patienten über einen bestimmten Zeitraum hinweg kontrollieren und Statistiken aufstellen, um sicherzugehen, daß es sich nicht nur um eine Zufallsbeobachtung handelt.

MOYERS: Wie kamen die Chinesen zu dieser besonderen Topographie des Körpers, deren Anwendung wir im Krankenhaus sahen? Sie haben Meridiane und Energiekanäle, wir hingegen Nerven, Arterien und dergleichen. Warum gibt es diesen Unterschied?

EISENBERG: Die Chinesen haben nie anatomische Sektionen durchgeführt oder den Körper geöffnet. In der chinesischen Kultur wird der Körper nämlich als Geschenk der Eltern und letztlich der Ahnen betrachtet. Eine Öffnung des Körpers durch eine Operation oder Autopsie würde eine Entehrung dieses Geschenks der Vorfahren bedeuten. Deswegen verfügen die Chinesen nicht über unsere Anatomiekenntnisse.

MOYERS: Müssen Sie etwas zurücklassen, wenn Sie als westlicher Arzt nach China kommen?

EISENBERG: Es ist eine wundervolle Welt, die sich aber sehr von der unsrigen unterscheidet.

MOYERS: Was hat Sie bei Ihrem ersten Besuch in China an der chinesischen Kultur am meisten fasziniert?

EISENBERG: Die Menschen sind ausgesprochen warmherzig, liebevoll und witzig, wenn man es sich erst einmal abgewöhnt hat, herausfinden zu wollen, was in ihren Köpfen vorgeht.

MOYERS: Warum kehren Sie immer wieder nach China zurück?

EISENBERG: Weil ich glaube, daß einige dieser praktischen Anwendungen –

wie Heilkräuter, Akupunktur, Massage und Meditation – tatsächlich wirksam sind. Einige Heilkräuter enthalten chemische Wirkstoffe. Durch die Akupunkturtechnik können wir sehr viel über das Nervensystem in bezug auf unser Schmerzempfinden lernen. Einige Meditationstechniken lassen uns erkennen, welchen Einfluß die Psyche auf unsere Hormone, unser endokrines System ausübt. Das fasziniert mich.

All diese Dinge führen uns vielleicht zu neuen biologischen Erkenntnissen. Ich bin aber mindestens genauso interessiert an jenen Techniken, die durch die Kraft des Placebos wirken – an jenen Verfahren, die deshalb helfen, weil die Patienten an ihre Wirkung glauben. Wenn wir in der Lage wären vorherzusagen, inwieweit der Glaube eines Patienten an eine Behandlungsmethode zu einer Verringerung der Symptome und einer Veränderung in der Körperchemie führt, und wenn wir die Ursache dieser Veränderung verstehen würden, käme das einer Revolution auf dem Gebiet der Biologie gleich.

MOYERS: Wir würden dann etwas über die Art und Weise erfahren, wie die Psyche unsere physischen Reaktionen beeinflußt.

EISENBERG: Genau. Die chinesische Medizin und die Millionen Menschen, die diese uralten Künste ausüben, bieten eine wunderbare Gelegenheit zu untersuchen, wie die Seele den Körper verändert.

MOYERS: In China geht es also nicht nur um die wissenschaftlichen Erkenntnisse über das Immunsystem, sondern darum, welche Konsequenzen unsere Gedanken, unsere Lebensphilosophie und sogar unsere Freundschaften für unseren Körper haben.

EISENBERG: Ja – und diese Denkweise ist im Westen eher neu. Haben unsere Gedanken, unsere Gefühle und Überzeugungen eine Auswirkung auf unsere Gesundheit? Spielen sie wirklich eine Rolle? Diese Frage stellte ich mir bereits vor zwanzig Jahren.

MOYERS: War das der Grund für Ihren ersten China-Besuch?

EISENBERG: Vor zwanzig Jahren las ich in der *New York Times* die Kolumne von James Reston über seine Blinddarmoperation in China, bei der die Schmerzen mit Hilfe von Akupunkturnadeln unter Kontrolle gehalten wurden. Ich las damals zum erstenmal etwas über Anästhesie durch Akupunktur. Reston nannte seine Kolumne einen »Nachruf« auf seinen Blinddarm.

Etwa sechs Monate später begann ich zu studieren und fragte meine Professoren, ob sie mir eine wissenschaftliche Untersuchung über Akupunktur-Anästhesie gestatten würden. Sie billigten mein Vorhaben. Leider wußten weder sie noch ich, daß keine neuere englische Literatur zu diesem Thema aufzutreiben war. Ich fand lediglich Übersetzungen zweitausend Jahre alter chinesischer Medizinschriften. Mein Lieblingstext war *Der Kanon Innerer Medizin des Gelben Kaisers*. Dieses Buch wird immer noch in dem Krankenhaus, das wir gerade besuchten, zu Rate gezogen. Ich fand es derart interessant, daß ich beschloß, Chinesisch zu lernen und sowohl chinesische als auch westliche Medizin zu studieren.

MOYERS: Ich habe Restons Kolumne ebenfalls gelesen und fand sie interessant – aber was veranlaßte Sie zu einem derartig starken persönlichen Engagement?

EISENBERG: Ich glaube nicht, daß ich mir damals dessen bewußt war. Aber rückblickend kann ich sagen, daß eine persönliche Tragödie in meiner Kindheit den Ausschlag dazu gab. Als ich zehn Jahre alt war, starben drei meiner Großeltern. Im selben Jahr erlag mein Vater mit neununddreißig Jahren einem Herzanfall. Ich habe mich seither immer wieder gefragt, ob es dafür einen anderen Grund als nur die Fügung des Schicksals geben könnte. Weshalb leben einige Menschen länger als andere? Kommt es darauf an, wie man lebt, was man denkt oder fühlt?

MOYERS: Haben Sie in der traditionellen chinesischen Medizin etwas gefunden, das Ihnen bei Ihrem Versuch, diese Frage zu beantworten, von Nutzen ist?

EISENBERG: Nein, aber viele Erkenntnisse haben mir geholfen, die Grenzen der Medizin zu begreifen. Ich habe weniger Hoffnungen, jeden Menschen heilen zu können, und ein tieferes Verständnis für die Möglichkeit, daß das Lebensziel vielleicht nicht in der Lebensdauer, sondern in der Lebensweise besteht. Ich glaube, diese Erkenntnis leitet mich bei allen meinen beruflichen und privaten Unternehmungen.

China hat mich auch gelehrt, daß wir im Westen kein Monopol darauf haben, den menschlichen Körper oder die Beziehung zwischen Körper und Seele zu verstehen. Ich bin immer mehr davon überzeugt, daß ich, um zu verstehen, was Gesundheit bedeutet, meine Untersuchung nicht nur auf den Körper beschränken darf, sondern auch die Seele und den Geist einbeziehen muß.

Verwundete Heiler

»Nichts intensiviert Erfahrung und klärt die wichtigsten Lebensbedingungen so sehr wie eine ernsthafte Erkrankung.«

Arthur Kleinman

Ich beobachte sie aus einiger Distanz. Obwohl sie mich hier willkommen geheißen und ihre Gedanken und Empfindungen mit mir geteilt haben, bin ich als Besucher nur ein Außenstehender.

Nach einer gemeinsam verbrachten Woche sagen sie sich nun Lebewohl. Wie sie sich die Hände schütteln, umarmen, gegenseitig fotografieren, sich unterhalten und scherzen, fällt es mir schwer, sie mir so vorzustellen, wie sie vor einer Woche hier ankamen: einander fremd, angespannt und verängstigt. Zwar kannten sie sich nicht, aber sie kannten die Leiden der Krankheit, die die Seele quält, wenn sie weiß, daß es möglicherweise keine Heilung gibt. Vor einer Woche verband sie nur ein Wissen, das so persönlich war, daß man es sich selbst kaum einzugestehen wagt, geschweige denn jemand anderem: *Ich habe Krebs*. In dieser Woche haben sie gelernt, es laut zu sagen, sogar gemeinsam darüber zu lachen. Sie haben voneinander gelernt, daß Heilen und das Zurechtkommen mit einem Leben, das sie vielleicht bald verlassen müssen, das Wichtigste ist.

Die meisten von uns, die in der Tradition der westlichen Medizinwissenschaft erzogen wurden, neigen dazu, Krankheit als eine Art technischen Zusammenbruch unseres Körpers zu betrachten, der eine Reparatur benötigt. Während ich nachts an einer spärlich erleuchteten, an einer einsamen Straße gelegenen Tankstelle stand und darauf wartete, daß der Tankwart die Ursache für das Stottern des Motors herausfand, oder im Warteraum auf- und abging, während ein Chirurg den gebrochenen Arm meines Sohnes wieder einrichtete, habe ich ein Loblied auf solche Fähigkeiten und auf die Menschen gesungen, die sie besitzen.

Aber hier in Commonweal, einem nördlich von San Francisco gelegenen Refugium für Krebskranke, ist Heilen eine Sache des Verständnisses und nicht der Mechanik – eine moralische Reaktion, wenn man so will, die versucht, die Erfahrung ›Kranksein‹ als wesentlichen Bestandteil des Lebens zu verstehen. Hier wird nicht der Patient geheilt, sondern der Mensch.

Der Unterschied ist mehr als nur ein Wortspiel. Bevor ich hierherkam, las ich die neuesten Meditationen des kanadischen Medizinsoziologen Arthur W. Frank, der im Alter von neununddreißig Jahren eine Herzattacke erlitt und ein Jahr darauf an Krebs erkrankte. *At the Will of the Body: Reflections on Illness* beschreibt, wie Frank und seine Frau erkannten, daß ihr Kampf sich nicht gegen den Krebs richtete, sondern daß sie sich mit der Realität des Lebens auseinandersetzen mußten, um zu verhindern, daß die

Krankheit die Oberhand gewinnt und das Leben zerstört. »Kranksein ist die Erfahrung, die Krankheit zu überleben ... Kranksein beginnt, wo die Medizin aufhört, dort, wo ich erkenne, daß das, was mit meinem Körper geschieht, nicht nur eine Reihe von Maßnahmen ist, die ergriffen werden. Was mit meinem Körper geschieht, geschieht mit meinem Leben ... mit mir«, schreibt Arthur W. Frank.

»Den Schmerz mir zu sehr zu eigen zu machen, birgt die Gefahr in sich, sich in dem eigenen Körper zu isolieren.« Isolation, stellt er fest, ist der Beginn von Inkohärenz, der Verlust von »Zukunft und Vergangenheit, von Standort und Naivität«, und vor allem der Verlust der Beziehungen zu anderen menschlichen Wesen. Menschen, die an einer Erkrankung leiden, »brauchen am dringendsten das Gefühl, daß es vielen anderen Menschen sehr viel bedeutet, daß man am Leben ist«. Für Frank sind »anteilnehmende Menschen« Wesen, »die bereit sind, Kranken zuzuhören und auf ihre individuellen Erfahrungen zu reagieren. Anteilnahme läßt sich nicht vom Verständnis trennen, und muß, ebenso wie dieses, symmetrisch sein. Wenn wir einem anderen zuhören, hören wir auch uns selbst zu. Wenn wir uns um einen anderen kümmern, kümmern wir uns auch um uns selbst.«

In Commonweal geht es um Anteilnahme, die entgegengebracht und empfangen wird. Dieses Refugium an der Küste des Naturschutzparks von Point Reyes mit Blick auf den Pazifik verdankt seine Entstehung der persönlichen Erfahrung seines Gründers Michael Lerner und Rachel Naomi Remens. Als bei Lerners Vater vor zehn Jahren Krebs diagnostiziert wurde, beschloß der ehemalige Politologe, sein Leben Menschen zu widmen, die mit Krankheit oder Tod konfrontiert sind. Rachel Remen, eine ausgebildete Kinderärztin, die an Morbus Crohn leidet und sich bereits sieben großen Operationen unterziehen mußte, ist die ärztliche Leiterin von Commonweal.

Mit einem kleinen Stab von Mitarbeitern führen sie ein Programm durch, in dem jeweils acht Menschen lernen, die »Lebensklippe Krebs« zu umschiffen. Jeder Tag fängt mit Yoga, tiefem Atmen, Meditation und Entspannung an. Nach dem Frühstück kommen die Teilnehmer für zwei Stunden zusammen, erzählen ihre Lebensgeschichten und hören sich die Geschichten der anderen an. Anschließend gibt es Mittagessen. Am Nachmittag gehen sie zu Einzelberatungen, zur Massage oder am Strand spazieren. Um fünf Uhr finden weitere Yogaübungen statt, und nach dem Abendessen besuchen sie Vorträge über die Betreuung von Krebsleiden oder über Lyrik. Vor dem Schlafengehen versammeln sich alle im Kreis und beten für jeden Anwesenden.

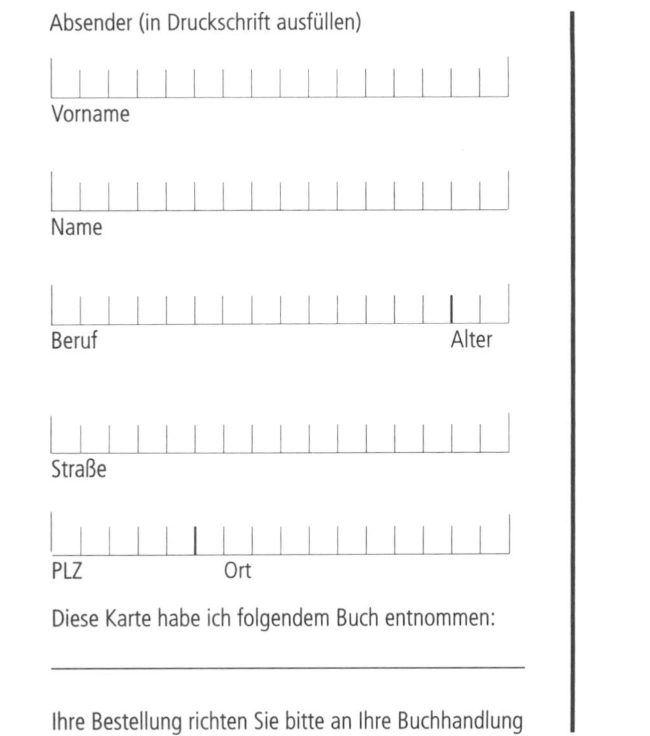

Absender (in Druckschrift ausfüllen)

Vorname

Name

Beruf Alter

Straße

PLZ Ort

Diese Karte habe ich folgendem Buch entnommen:

Ihre Bestellung richten Sie bitte an Ihre Buchhandlung

Bitte Briefmarke nicht vergessen

Verlag
Artemis & Winkler
Werbeabteilung
Postfach 33 01 20

80061 München

Der Tagesablauf ist unkompliziert, die Umgebung ruhig. Schon bald stelle ich fest, daß es nicht einfach sein wird, die psychodynamischen Abläufe auf einen Film zu bannen: Fremde, die zueinander Vertrauen fassen und deren Erfahrungen so persönlich sind, daß die Anwesenheit eines Journalisten sich derart nachteilig auswirken könnte, daß er den Prozeß zu verändern droht, den er festhalten möchte. Aber die Gruppe akzeptiert schließlich doch unsere Kamera, die Yogakurse und Atemübungen, Lyriklesungen und ruhige Unterhaltungen während der Mahlzeiten einfängt. Die Teilnehmer laden uns ein, sie bei ihrer Arbeit mit leicht angefeuchtetem Sand zu beobachten, der sich angenehm anfühlt und mit dem sie ihre Sehnsüchte, Hoffnungen und Ängste bildhaft darstellen.

Besonders beeindruckt mich, wie die Teilnehmer auf Massage reagieren. Für die meisten Krebskranken beschränkt sich Berührung weitgehend darauf, daß Ärzte ihren Körper auf der schmerzhaften Suche nach Krankheitsanzeichen abtasten. Jetzt, da sie sich gegenseitig mit der Absicht zu heilen massieren, heißen diese Menschen die Berührung und Entspannung willkommen, die sie dem Körper bringt. Während ich sie beobachte, erinnere ich mich wieder an jene Studien, in denen nachgewiesen wird, daß menschliche Berührung die Überlebenschance bei Frühgeborenen erhöht. Ich erinnere mich, wie mir mein Vater während seiner letzten Tage endlich erlaubte, den Kopf und die Schultern zu massieren und er tief aufseufzte, als ich meine Hände sanft gegen seine Schläfen preßte. Ich erinnere mich auch, daß Handauflegen zu den ältesten Heiltraditionen gehört.

»Wir alle sind Heiler des anderen«, meint Rachel Naomi Remen. »Nehmen Sie David Spiegels faszinierende Studie, bei der er Patienten in einer Selbsthilfegruppe zusammenfaßte und feststellte, daß einige doppelt so lange am Leben blieben wie andere Patienten, die in keiner Selbsthilfegruppe waren. Ich fragte David, was in diesen Gruppen vor sich ging, und er entgegnete, daß die Menschen einfach am Schicksal der anderen Anteil nahmen. Die Realität ist, daß Heilung zwischen den Menschen geschieht. Die Wunde in dir weckt den Heiler in mir, und dann arbeiten zwei Heiler zusammen.« – »Hier ist jeder verwundet«, meint die Leiterin von Commonweal, »und sie können es nicht wie wir verdecken. Da sie Krebs haben und nicht in der Lage sind, ihr Verwundetsein zu verdecken, können sie einander vertrauen.«

»Im Verlauf dieser Woche der Innenschau und Besinnung«, sagt Michael Lerner, »kommt sich die Gruppe sehr nah. Die Teilnehmer fassen ein so tiefes Vertrauen zueinander, wie sie es über viele Jahre hinweg kaum jemandem entgegenbringen konnten. Meistens kommen Probleme an die

Oberfläche, die sie jahrelang mit sich herumgetragen haben. Sie hören einander zu.« Eine Patientin schreibt ein Gedicht darüber. Sie nennt es *Mutter weiß es am besten*:

> Sprich nicht über deine Schwierigkeiten.
> Ein trauriges Gesicht mag niemand.
> Ach, Mama, die Wahrheit ist,
> Daß Fröhlichkeit isoliert,
> Humor abwehrt,
> Kompetenz einschüchtert,
> Beherrschtheit trennt,
> Und Traurigkeit,
> Traurigkeit uns einander öffnet.

Kummer miteinander zu teilen macht uns zu »verwundeten Heilern«, wie C. G. Jung jene Menschen beschreibt, deren Wissen über inneres Heilen aus der Erfahrung mit ihren eigenen Wunden kam. Fachleute geben Rat, Pilger teilen Weisheit miteinander.

Betrachten wir die Unterhaltung zwischen Howard, einem siebenundvierzigjährigen, an Hodgkin-Sarkom erkrankten Professor, und Dyanna, einer sechsundvierzigjährigen Immobilienmaklerin. Howards häusliche Situation ist unsicher, er glaubt, daß er allmählich zur Last wird. »Jeder möchte, daß ich so bin, wie ich immer war«, meint er, »unabhängig davon, wie krank ich bin. Meine Tochter ließ mich wissen, daß sie zwei kleine Mädchen zu erziehen habe und nur über ein gewisses Maß an Energie verfüge; natürlich nehme ich ihr das nicht übel ...«

»Hören Sie, Howard«, unterbricht ihn Dyanna. »Ich kenne Sie und Ihre Tochter nicht, und doch steigt in mir Trauer und Wut darüber auf, daß Sie sich damit zufriedengeben und es einfach hinnehmen, daß sie so beschäftigt ist, daß sie keine Zeit für Sie hat. Sie bieten ihr die einmalige Gelegenheit in ihrem Leben, mit Ihnen eine Zeitlang zusammenzusein. An ihrer Stelle wäre ich unendlich dankbar.«

»Alles was ich will, ist einfach nur, bei ihr zu sein. Aber ich glaube, sie bildet sich ein, sie muß etwas Großartiges für mich auf die Beine stellen, und das will ich nicht. Ich möchte bei ihr einfach nur willkommen sein.«

»Haben Sie mit ihr darüber gesprochen, so einfach wie jetzt mit mir?«

Der Vorschlag ermutigt ihn. »Nicht direkt. Aber es muß sein, ich werde es bald tun. Ich hege eine ganz besondere Zuneigung zu meiner Tochter, und ich glaube, sie erwidert diese Zuneigung.«

»Das ist großartig.«

Beide schweigen nun und sehen sich wissend an, sie sind keine Fremden mehr.

»Danke«, sagt er. »Danke.«

Als ich Rachel Remen gegenüber das Gespräch erwähne, beschreibt sie es als den Kern dessen, was hier geschieht. »Womit wir anfangen, stellt die erste und wirkungsvollste Heilmethode dar, nämlich zuhören, einfach zuhören. Eines der größten Geschenke, das wir einem anderen Menschen machen können, ist unsere Aufmerksamkeit.«

Ich frage, ob nicht die Gefahr besteht, den Krankheitszustand zu romantisieren. »Krank zu sein hat nichts Romantisches an sich«, entgegnet Rachel Remen, und diese Frau hat sieben schwere Operationen hinter sich. »Kranksein ist brutal, grausam, einsam, furchteinflößend. Man muß verstehen, daß alles Positive, das aus einer Krankheitserfahrung hervorgeht, kein Charakteristikum des Wesens der Erkrankung ist, sondern der menschlichen Natur. Die Menschen besitzen die natürliche Fähigkeit, das Leben unter den allerschwierigsten Umständen zu bejahen und anzunehmen und sich gegenseitig trotz aller widrigen Lebensumstände zu helfen.«

Ich beobachte sie aus einiger Entfernung. Die Teilnehmer haben sich auf der Vordertreppe zu einem letzten Schnappschuß versammelt. Sie ziehen sich gegenseitig auf, stellen alberne Fragen, scherzen. Dann – fast im Zeitlupentempo, so scheint es mir – bilden sie eine Gruppe und legen die Arme umeinander. Sie lächeln und die Kamera klickt.

Wieder in mein Zimmer zurückgekehrt, fange ich an zu packen. Arthur Franks Buch liegt auf dem Tisch. Ich nehme es in die Hand und blättre bis zu seiner Interpretation der alttestamentarischen Geschichte von Jakob. Beeinflußt von einem Chagall-Druck, der in seinem Wohnzimmer hängt, hat Frank die Geschichte von Jakob als Teil seiner persönlichen Krankheitsmythologie gewählt. »Geschichten, die wir uns selbst über das, was uns geschieht, erzählen, sind gefährlich, denn sie sind kraftvoll«, heißt es in seinem Buch. »Wir müssen sorgfältig auswählen, mit welchen Geschichten wir leben wollen und welche wir benutzen, um die Frage zu beantworten, was mit uns geschieht.«

In der Genesis kämpft Jakob mit einem Fremden, den sich Frank als Jakobs eigene Natur, als sein gespaltenes Ich vorstellt. »Jakob muß sich entscheiden, welche Seite in ihm die Oberhand gewinnt, der Diener Gottes oder sein finsterer Zwillingsbruder, der Schwindler.« In diesem Kampf »gewinnt Jakob nicht durch die Bezwingung seiner Schattenseite, sondern dadurch, daß ihm bewußt wird, daß derjenige, mit dem er sich auseinandersetzt, ebenfalls Gott von Angesicht gesehen hat. Jakob besiegt seinen

Gegner nicht; statt dessen findet er Göttlichkeit in ihm.« Der Kampf endet, als »ihm die Sonne aufging und er hinket an seiner Hüft«. Das ist zwar das Ende des Kampfes, aber nicht das Ende der Geschichte. »Als Versehrter wird Jakob wieder unversehrt. Als Unversehrter erhält er einen neuen Namen.« Für Arthur Frank »besteht das Wesen der Krankheit darin, verletzt die lange Nacht hindurch zu kämpfen, und wenn man bis Sonnenaufgang den Sieg davonträgt, eine Gnade zu erhalten«.

Ich schließe das Buch und denke an jene Menschen, die sich gerade Lebewohl sagten und sich jetzt auf den Weg zurück in die Welt außerhalb des Refugiums von Commonweal machen. Vor einer Woche noch Fremde, sind sie nun miteinander durch etwas weit Stärkeres als das gemeinsame Wissen um ihre Krebserkrankung verbunden. Sie haben sich gegenseitig glücklich gemacht: das höchste Geschenk, die gründlichste Heilung.

Heilen

Michael Lerner

Dr. phil. Michael Lerner ist der Gründer und Direktor von Commonweal, eines Gesundheits- und Umweltforschungszentrums in Bolinas, Kalifornien, und der Mitbegründer des Commonweal Cancer Help Program.
Dr. Lerner, der 1983 mit dem MacArthur Preis ausgezeichnet wurde, ist Dozent am Fetzer Institute und unterrichtet Politische Wissenschaften am Institute of Health Policy Studies an der medizinischen Fakultät der University of California in San Francisco. Er diente als besonderer Berater des Office of Technology Assessment of the U. S. Congress für den Bericht *Unconventional Cancer Treatments* im Jahre 1991.

MOYERS: Haben die Menschen, wenn sie nach Commonweal kommen, mit der traditionellen Medizin gebrochen?

LERNER: Nein, wir arbeiten nur mit Patienten, die unter der Betreuung eines Onkologen oder eines anderen qualifizierten Arztes stehen. Einige Patienten sind von der Schulmedizin bereits aufgegeben worden; sie kommen nach Commonweal, um herauszufinden, wie sie sich in diesem schwierigen Lebensabschnitt selbst helfen können. Unser Krebshilfeprogramm ist keine Therapie, sondern ein Erziehungsprogramm.

MOYERS: Glauben Sie nicht, daß alle eigentlich hoffen, »wiederhergestellt zu werden«?

LERNER: Sicher – jeder, der an Krebs erkrankt ist und weiterleben möchte, hofft auf Heilung. Aber eine der grundlegendsten Unterscheidungen, von denen wir ausgehen, ist die Unterscheidung zwischen *kurieren* und *heilen*. Kurieren ist das, was die allopathische Schulmedizin anzubieten hat und was der Arzt für uns tut. Heilen ist das, was der Mensch selbst dem Krebs und der Schulmedizin entgegensetzt. Heilen kommt aus inneren Quellen. Wir stellen von vornherein klar, daß unser Programm nicht auf Kurieren, sondern auf Heilen ausgerichtet ist.

MOYERS: Als Kind wußte ich, daß das gebrochene Bein meines Onkels, nachdem es geheilt war, wieder in Ordnung war, oder daß eine Nachbarin kuriert war, wenn sie von einer Infektion geheilt wurde. Diese Unterscheidung zwischen Kurieren und Heilen erfordert demnach, daß wir über das Heilen anders denken.

LERNER: Das ist eine sehr wichtige Unterscheidung. Nehmen Sie das Beispiel Ihres Onkels. Der Arzt mag sein gebrochenes Bein wieder eingerichtet haben, aber der Arzt hatte es nicht geheilt. Das Heilen kommt von innen. Die Wiederherstellung des Knochens war ein innerer Heilungsprozeß. Damit eine Heilung in der Schulmedizin stattfinden kann, muß die biologische und psychobiologische Heilungsreaktion des Menschen funktionieren. Einige Patienten sind beispielsweise zu krank, als daß eine Infektion durch ein Antibiotikum ausgeheilt werden könnte, oder sie verfügen über zu wenig innere biologische Reserven, als daß ein Knochen wieder zusammenwachsen oder sogar eine Wunde heilen könnte. Der Körper muß am Heilungsprozeß aktiv teilnehmen. Die Schulmedizin schafft nur gewisse Bedingungen, die eine Heilung wieder ermöglichen. Man richtet den Knochen ein, damit er heilen kann, oder man näht eine Wunde, damit sie heilen kann. Doch der Heilungsprozeß findet im Inneren statt.

Es gibt verschiedene Heilungsebenen: die biologische, die emotionale, die psychische und die spirituelle Ebene. Doch der springende Punkt ist, daß die Schulmedizin auf der sehr einfachen biologischen Ebene eine Wunde nicht heilen läßt. Sie schafft die Bedingungen, unter denen das Gewebe wieder zusammenwachsen kann. Was wir zu der Begegnung mit jeder lebensbedrohlichen Krankheit beitragen, sind unsere Heilungsreserven, unser Heilpotential.

MOYERS: Aber folgt daraus nicht, daß die Heilung, die hier stattfindet, dem Menschen dabei hilft, die Biologie des Krebses zu überwinden?

LERNER: Das ist eine sehr interessante Frage, auf die wir keine Antwort wissen.

MOYERS: Wenn der innere Heilungsprozeß meines Onkels sein Bein wiederhergestellt hat, dann könnte man parallel dazu annehmen, daß der Heilungsprozeß, auf den Sie sich beziehen, dem Körper auch dabei helfen würde, mit dem Krebs fertigzuwerden.

LERNER: Es geht dabei um mehr als das. Zum ersten ist Krebs eine Krankheit, die kaum reversibel ist. Die Schulmedizin verfügt über keine Therapiemöglichkeiten bei metastasiertem Karzinom. Auch die inneren Heilungsprozesse scheinen bei metastasiertem Krebs nicht mehr zu greifen. Deshalb sollten wir davon ausgehen, daß es nur relativ wenige gut dokumentierte Fälle alternativer Heilungsmethoden gibt, bei denen ein Karzinom völlig geheilt wurde.

MOYERS: Es gibt also keine Behandlungsmethode.

LERNER: Es gibt nicht sehr viele Behandlungsmethoden. In Fachartikeln wird zwar von dokumentierten, spontanen Remissionen eines Karzinoms berichtet, aber wenn man die Wahrscheinlichkeit untersucht, daß jemand mit metastasiertem Mammakarzinom, mit Lungen- oder Pankreaskarzinom durch eigene innere Reserven in der Lage sein wird, die Krebserkrankung aufzuhalten und für immer zu heilen, dann ist diese Chance verschwindend gering. Die interessantere Frage, die sich stellt, ist also nicht: »Wird der Krebs völlig verschwinden?«, sondern: »Wird durch Heilmaßnahmen mehr als nur eine verbesserte Lebensqualität erreicht werden?«

Wir wissen es nicht. Wir verfügen nicht über sehr viele gute Forschungsergebnisse mit kontrollierten klinischen Versuchen, bei denen die Patienten nach dem Zufallsprinzip zwei Behandlungsgruppen zugeteilt werden, von denen eine mit schulmedizinischen sowie alternativen Behandlungsformen, die andere ausschließlich mit den herkömmlichen schulmedizinischen Verfahren therapiert wurde. Das ist ein wichtiges Forschungsvorhaben. Zum jetzigen Zeitpunkt jedoch kann niemand diese Frage erschöpfend beantworten.

MOYERS: Warum kommen dann die Patienten hierher, wenn bekannt ist, daß es keinen dokumentierten Nachweis für eine auf der hier praktizierten alternativen Behandlungsmethode beruhende Heilung gibt? Was suchen sie?

LERNER: Unterschiedliche Menschen kommen aus unterschiedlichen Motiven. Hinter diesem Programm steckt keine Ideologie. Wir wollen nicht, daß die Krebskranken nach einer Woche von hier fortgehen und Visualisierungsmethoden anwenden, vegetarisch essen oder Yoga machen. Wir haben keine Tagesordnung. Unsere wesentliche Botschaft an die Patienten besteht darin, daß wir ihnen die Möglichkeit geben, verschiedene Formen zu entdecken und auszuprobieren. Diese Entdeckungen können kognitiver, mentaler oder experimenteller, psychologischer Art sein. Wir hoffen, daß sie darunter etwas finden, was für sie von Nutzen ist.

MOYERS: Und unter Nutzen verstehen Sie ...

LERNER: Unter Nutzen verstehen wir etwas, das sie als hilfreich empfinden. Am Ende der Woche haben die Patienten Erkenntnisse gewonnen, die ihre Lebensqualität einschneidend verändern. Der Ausdruck »Lebensqualität« reicht nicht aus, um die Veränderungen zu beschreiben, die viele Menschen im Hinblick auf die Beziehung zu ihrer Krebserkrankung erfahren. Wie gesagt, es gibt eine wichtige Unterscheidung zwischen Kurieren, der wissenschaftlichen Bemühung, das, was im Körper geschieht, zu verändern, und Heilen, der persönlichen Erfahrung der Bemühung zu genesen. Ein weiterer bedeutender Unterschied besteht zwischen Krankheit und Kranksein. Krankheit ist biomedizinisch definiert, Kranksein jedoch ist die persönliche Erfahrung der Krankheit. Es gibt eine ähnliche Unterscheidung zwischen Schmerz, der ein physiologisches Phänomen ist, und Leiden, der persönlichen Erfahrung des Schmerzes. In all diesen Differenzierungen liegt der Unterschied zwischen Biomedizin, der wissenschaftlichen Bemühung zu kurieren, und der »bio-psycho-sozialen« oder patientenorientierten Medizin. Medizin, bei der der Patient im Mittelpunkt steht, beruht auf dem Wissen, daß es nicht ausreicht, sich nur auf wissenschaftliche Fakten zu konzentrieren. Man sollte sich auch auf die persönliche Erfahrung und Wahrnehmung der Krankheit konzentrieren, weil die menschliche Erfahrung möglicherweise einen Rückkopplungseffekt auf die Biologie der Krankheit hat, den wir jetzt noch nicht verstehen.

MOYERS: Wenn ich Sie recht verstehe, dann gehen Sie davon aus, daß es einen Unterschied gibt zwischen der persönlichen Erfahrung des Krankseins und der Aufmerksamkeit, die der Arzt dieser Krankheit schenkt. Worin liegt die Bedeutung dieses Unterschieds?

LERNER: Der Unterschied ist, wie man sich fühlt, wenn man die Erfahrung der Krebserkrankung erlebt, und wie der Objektträger mit der Gewebeprobe für den Arzt aussieht. Man kann tausend Patientinnen mit einer absolut identischen Brustkrebsbiopsie haben, aber es kann tausend verschiedene Arten des Krankseins, tausend unterschiedliche persönliche Erfahrungen darüber, tausend verschiedene Beziehungen zu dieser Krankheit geben. Biomedizin setzt ganz bei der biologischen Krankheit ein, die sie sich zu behandeln bemüht, geht aber nicht den individuellen Zustand des Krankseins an. Mein Bruder ist übrigens Onkologe, und mein Vater wurde von einem großartigen Onkologen gerettet. Ich habe große Achtung vor den Leistungen der Biomedizin und betrachte sie als großartigen Beitrag der modernen Wissenschaft zur Behandlung von Krankheiten. Verlorengegangen ist dabei jedoch die menschliche Erfahrung des Krankseins, der früher wesentlich mehr Aufmerksamkeit geschenkt wurde.

MOYERS: Wir Amerikaner sind so sehr an zielgerichtetes Denken gewöhnt, daß es uns sehr schwerfällt, Genesung als etwas anderes zu betrachten, als medizinisch wiederhergestellt zu werden.

LERNER: Für mich bedeutet Genesung auch keine Heilung. Aber der Prozeß, mit Krebs zu leben, zu suchen, was man physisch, psychisch, gefühlsmäßig und geistig tun kann, um die eigene Lebensqualität und die Beziehung zur Erkrankung zu verändern, kann nützlich sein. Diese Möglichkeit bieten wir jenen Menschen an, die danach suchen. Aber es gibt viele, die an Selbsterfahrung nicht interessiert sind. Sie wollen einfach, daß ein Arzt sich bemüht, sie wiederherzustellen, und wenn der Arzt dazu nicht in der Lage ist, dann wollen sie von sich aus tatsächlich nichts weiter unternehmen. Ich respektiere auch diese Einstellung, die nicht notgedrungen schlechter sein muß.

MOYERS: Weshalb haben Sie dann Commonweal gegründet?

LERNER: Ich gründete Commonweal, weil ich mich für die Bedingungen interessierte, unter denen Heilung stattfinden kann. Mich interessierte, welche Bedingungen es den Menschen ermöglichen zu erforschen, was sie – physisch, psychisch, emotional und geistig – tun können, um von lebensbedrohenden Krankheiten zu genesen.

MOYERS: Erzählen Sie mir etwas über die Verfahren, die Sie während der letzten zehn Jahre hier angewandt haben, beispielsweise über Meditation.

LERNER: Am besten sage ich Ihnen, mit welchen Worten ich das Krebshilfeprogramm beschreiben würde: Streßreduzierung, Gesundheitsförderung und Gruppentherapie. Streßreduzierung bezieht solche Verfahren wie Meditation, schrittweise tiefe Entspannung und Stretching-Übungen mit ein. Es gibt eine umfassende Literatur, die den Nutzen von Meditation oder der »Entspannungs-Reaktion« (Herb Benson) bei einer ganzen Reihe physiologischer Parameter aufzeigt.

MOYERS: Laienhaft ausgedrückt, was bewirkt Meditation?

LERNER: Meditation beruhigt den Geist. Es ist eine Methode, einfach nur ruhig dazusitzen und alle Gedanken völlig auszuschalten, entweder indem man sich auf etwas konzentriert, etwa auf einen bestimmten Klang oder auf die Atmung, auf eine Vorstellung, oder einfach, indem man bestimmte Gedanken zuläßt, die dann wieder verschwinden. Es gibt verschiedene Meditationstechniken.

MOYERS: Doch das ist kaum durchzuführen, weil der Verstand ständig mit irgendwelchem Geplapper angefüllt ist. Es ist ein ständiges Geschnatter wie bei den Affen oben in den Bäumen. Bringt man die Affen in dem einen Baum zum Schweigen, fangen andere Affen in einem anderen Baum wieder zu lärmen an.

LERNER: Man weiß, daß der Verstand wie ein Affe ist. Wir alle haben einen solchen Verstand. Bei der Meditation gibt man diesem »Affen« eine Aufgabe, beispielsweise eine Melodie zu wiederholen oder sich auf seine Atmung zu konzentrieren, so daß man außerhalb des bewußten Denkens zur Ruhe kommen kann. Das ist eine sehr alte Tradition. Jede mir bekannte geistige Tradition besaß auch eine Meditationstradition.

MOYERS: Ich kann mir kaum vorstellen, daß ich den Affenverstand zum Schweigen bringen könnte, wenn ich Krebs hätte. Mein Geist ist ständig mit dem Geschwätz der irdischen Welt angefüllt. Um wieviel lauter wäre dieses Geplapper, wenn ein Angreifer, wie es der Krebs ist, in meinen Körper eindringen würde.

LERNER: Meditation eignet sich nicht für jeden. Es ist nur ein Ansatz. Für einige Menschen ist es vielleicht besser, Tennis oder Billard zu spielen oder Bach zu hören.

MOYERS: Die Menschen, die hierherkommen, lernen Yoga. Welchem Zweck dient Yoga?

LERNER: Yoga ist nichts Magisches. Es ist einfach eine nützliche Kombination wirksamer Verfahren zur Streßreduzierung wie sanfte Streckübungen, tiefe Atemübungen, Meditation und stufenweise tiefe Entspannung.

MOYERS: Was haben sie mit der Psyche und dem Körper zu tun?

LERNER: Sie helfen sowohl dem Geist als auch dem Körper, zur Ruhe zu kommen. Bei der stufenweisen tiefen Entspannung die Muskeln anzuspannen und sie dann einzeln wieder zu entspannen, sich auf die Atmung zu konzentrieren und tief durchzuatmen, das Atmen zu beobachten, zu meditieren – all diese Methoden haben eine stark entspannende Wirkung. Es gibt aber auch andere Übungen, die den gleichen Effekt haben, wenn man sanfte Streck- oder tiefe Entspannungsübungen von Geist und Körper macht oder ruhig dasitzt und nach innen schaut. Yoga ist nur ein Begriff für eine Kombination dieser Verfahren, die zusammengefaßt und vor Tausenden von Jahren in Indien verfeinert wurden. Yoga bildet die Grundlage vieler Programme zur Gesundheitsförderung, weil es eine wirkungsvolle Methode zur Streßreduzierung ist.

MOYERS: Was wußten die alten Inder Ihrer Meinung nach über den Körper, so daß sie Yoga als Heilmittel einsetzten?

LERNER: Da sie nicht über unsere heutige Technologie verfügten, glaube ich, daß sie ihre ganze Aufmerksamkeit auf das verwandten, was sie hatten. Was sie besaßen, war ihr Körper, ihre natürliche Umwelt, die Ernährungsweise, Heilkräuter, menschliche Anteilnahme, Vorstellungskraft und der Glaube an Gott. Es ist interessant, daß Schamanismus, die alte Heiltradition, die aus allen großen Kulturen der Welt kommt, in den verschiedenen Erdteilen erstaunliche Ähnlichkeiten aufweist. Einigen Wissenschaftlern zufolge berührt der Schamanismus den Kern der menschlichen Erfahrung, so daß die Menschen trotz der regionalen Unterschiede zu dem gleichen Schluß kamen, was für sie von Nutzen war. In all diesen Gegenden findet man irgendeine Kombination von Methoden, um den Geist und die Seele in Zusammenklang zu bringen. Die eingeborenen Heiler versuchen, mit jenem Teil des Ichs in Kontakt zu kommen, dessen sich der Mensch nicht bewußt ist, und durch Bewußtheit und Wachsamkeit eine neue Perspektive zu gewinnen, die zur Bewältigung der Erkrankung beitragen kann.

MOYERS: Soweit ich weiß, hatten die eingeborenen Heiler, die Schamanen, Leiden, Krankheit und Schmerzen am eigenen Leib erlebt und die anderen an ihren Erkenntnissen aus diesem persönlichen Erfahrungsschatz teilhaben lassen.

LERNER: Das stimmt. Sie waren »voller Schmerzen und Krankheit«, wie es in der christlichen Tradition heißt. Fast ausnahmslos waren es Menschen, die eine lebensbedrohende Erkrankung durchgemacht hatten und davon genesen waren. In dieser Genesung fanden sie ihre Aufgabe, anderen zu helfen. Auch Krebskranke nehmen sich oft vor, den Rest ihres Lebens anderen Menschen zu helfen, wenn sie vom Krebs geheilt werden.

MOYERS: Welchen Nutzen hat Massage? Offensichtlich gehört sie auch zum Heilungsprozeß.

LERNER: Massage geht auf die Urerfahrung der Berührung zurück. Wenn sich ein Kind verletzt, sagt die Mutter: »Laß mich die schmerzende Stelle küssen oder berühren, und alles wird wieder gut.« Viele Krebskranke sind über eine lange Zeit hinweg nur als ärztliche Maßnahme berührt worden. Liebevolle, anteilnehmende Berührung sowie die Art von Berührung, die alle Verspannungen in den Muskeln löst und einfach nur beruhigt, entgegenzunehmen, entspricht aber auch dem gesunden Menschenverstand. Man ist verspannt und wurde lange nicht mehr liebevoll und fürsorglich berührt. Die Massage gibt den Krebspatienten neue Kraft. Sie verringert den durch die Erkrankung verursachten Streß und bestätigt ihnen, daß auch der mit Narben gezeichnete Körper liebevoll berührt werden kann.

MOYERS: Viele Amerikaner verbinden Berührung mit Sex, und Sex ist für sie ein Tabu. Darum errichtet der Verstand eine Barriere gegen diese Art von Gesundheitsförderung.

LERNER: So ist es.

MOYERS: Was haben Sie durch die Anwendung von Meditation, Yoga und Berührung über die inneren Heilungsmechanismen erfahren? Welche Einblicke haben Sie in die Verbindungen zwischen Psyche und Körper gewonnen?

LERNER: Ich habe zwei Erkenntnisse gewonnen: die eine bezieht sich auf den wissenschaftlichen, die andere auf den Erfahrungsaspekt. Auf der experimentellen Ebene nehmen wir acht Patienten mit sehr unterschiedlichem sozialen Hintergrund bei uns auf, deren einzige Gemeinsamkeit darin besteht, daß sie glauben, ihr einwöchiger Aufenthalt bei uns würde ihnen helfen. Wir haben festgestellt, daß die intensive und liebevolle Zuwendung, die den Patienten eine Woche lang an einem sicheren Ort zuteil wird, an dem sie sich treffen und sich über ihre Erfahrung der Krebserkrankung austauschen können, einen nicht zu unterschätzenden Wandel bewirkt.

Wissenschaftler haben nachgewiesen, daß viele der von uns angewandten Methoden im allgemeinen eine wohltuende Wirkung auf die Menschen ausüben, unabhängig davon, ob sie krank oder gesund sind. Vom wissenschaftlichen Standpunkt aus gesehen, stellt sich die Frage, ob diese streßabbauenden Aktivitäten eine über die Lebensqualität hinausreichende Wirkung haben. Verlängern sie das Leben? Noch kennt niemand die Antwort auf dieses Problem, da es bisher nicht genügend Untersuchungen darüber gibt.

Sie waren in Stanford bei David Spiegel und seiner Gruppe von Patientinnen mit metastatischem oder rezidivierendem Brustkrebs: Die Lebenserwartung von Frauen, die zusätzlich zu ihrer Behandlung an Selbsthilfegruppen teilnahmen, war zweimal höher als die von Patientinnen, die nur mit konventionellen schulmedizinischen Methoden therapiert wurden – ein ungewöhnlicher Befund. Es versteht sich von selbst, daß viele Therapeuten jetzt versuchen, diesen Befund zu replizieren. Hätte jedoch eine neue Chemotherapie für metastatischen Brustkrebs die Überlebensrate verdoppelt, dann hätte man längst die größten Anstrengungen unternommen, um dies nachzuprüfen. Wenn eine psychologische Intervention, die fast nichts kostet, in einem sorgfältig durchgeführten, kontrollierten klinischen Versuch den Schluß zuläßt, daß dies tatsächlich eintreten kann, wird zwar ein Replikationsversuch unternommen, aber aufgrund unserer einseitig wissenschaftlichen Orientierung werden diesem Versuch nicht annähernd die gleichen Mittel eingeräumt. Für uns ist David Spiegels Erkenntnis entscheidend, daß eine Gruppentherapie, wie auch wir sie anwenden, die Überlebensrate bei metastatischem Brustkrebs zu verdoppeln scheint. Für jeden vernünftigen Menschen ist es einsichtig, daß sich die Lebensqualität verbessert, wenn man sich in einer Gruppe trifft und die Erfahrung, die man mit Krebs gemacht hat, mit anderen Betroffenen teilt.

MOYERS: Sie ermutigen die Menschen dazu, sehr offen und ehrlich zu sein, ihre Empfindungen, ihre Wut, ihre Ängste, ihre Einsamkeitsgefühle oder ihre Wünsche frei zu äußern. Weshalb tun Sie das?

LERNER: Wir betrachten es als Teil des Prozesses, herauszufinden, wer diese Menschen zu diesem Zeitpunkt ihres Lebens sind und wie sie leben wollen. Wir glauben, daß es für jeden von großem Nutzen ist, von alten Mustern Abschied zu nehmen und sich Lebensformen zuzuwenden, die dem augenblicklichen Lebensgefühl entsprechen. Die Krise der Krebserkrankung bietet die einmalige Chance, die wirklich wichtigen Dinge im Leben zu erkennen. Deshalb hat der Nachdruck, der auf die Äußerung von Gefühlen gelegt wird, mit der Entdeckung einer neuen Authentizität der Patienten zu tun, da sie ihre Diagnose nun kennen.

MOYERS: Aber was bewirkt es in der Praxis für mich als Krebspatienten, wenn ich meine Schmerzen oder meine Gefühle äußere?

LERNER: Es gibt eine sehr interessante Studie von Lydia Temoshek, die Patienten mit bösartigem Melanom untersuchte und zwischen Patienten unterschied, die ihre Gefühle zum Ausdruck brachten, und solchen, die sie nicht äußerten. Es stellte sich heraus, daß diejenigen, die ihre Gefühle zeigten, über mehr Immunaktivität am Krankheitsherd verfügten. Auch reichten die krankhaften Veränderungen nicht so tief wie bei den Patienten, die ihre Gefühle verschwiegen. Diese Studie läßt immerhin den Schluß zu, daß es eine stimulierende Wirkung haben kann, wenn man den eigenen Gefühlen Ausdruck verleiht. Wir alle wissen aus Erfahrung, daß es weitaus weniger befriedigend ist, wenn wir unsere Gefühle für uns behalten und eine Rolle übernehmen, die andere von uns erwarten, als uns einfach so zu geben, wie wir wirklich sind. Wir werden geradezu dazu erzogen, unser ureigenstes Ich in der Familie oder im Beruf zu unterdrücken, so daß die Gelegenheit, sich selbst zu beobachten und zu entdecken, wer man eigentlich ist, ein überaus wichtiger Aspekt für die eigene Authentizität ist.

MOYERS: Was meinen Sie mit »wer man ist«?

LERNER: Unser Wesen besteht aus vielen Facetten. Es ist schwierig, mit all diesen unterschiedlichen Aspekten unserer Persönlichkeit zurechtzukommen und sie weiterzuentwickeln.

MOYERS: Wenn ich also große Angst bei der Diagnose Krebs verspüre, dann gehört das zu meinem Wesen, und ich muß diese Angst äußern. Wenn ich sie jedoch nicht zum Ausdruck bringe, obwohl ich sie fühle, dann gebe ich vor, anders zu sein, als ich bin.

LERNER: Wenn die Diagnose Krebs große Angst auslöst, kann man damit umzugehen lernen, daß zwar diese Angst ein Aspekt der eigenen Person, aber nicht ihr innerstes Wesen ist. Wenn man das Gefühl äußert, das man gerade empfindet, dann wird der Weg frei für das, was als nächstes geschieht. Vielleicht ist Ihnen aufgefallen, wieviel hier gelacht wird. Heiterkeit und Freude sind mit sehr intensiven Schmerz-, Kummer- und Wutgefühlen vermischt. Wenn man in der Lage ist, Angst, Schmerz, Kummer und Wut zu äußern, dann gibt es auch Raum für Heiterkeit und Freude.

MOYERS: Welchen Einfluß hat es auf den Heilungsprozeß, wenn sie ihre Gefühle zeigen und miteinander teilen?

LERNER: Durch die Äußerung des Gefühls erhalten wir auf der emotionalen Heilungsebene die Gelegenheit, es genau zu betrachten. Dabei verändert sich die Erfahrung des Gefühls, und es gelingt uns allmählich, uns davon zu distanzieren und zu erfahren, daß wir ein Ich besitzen, das von dieser Angst oder Furcht abgegrenzt ist. Die Fähigkeit, sich mit verschiedenen Aspekten seines Ichs zu identifizieren oder sich von ihnen zu distanzieren, gehört zur seelischen Entwicklung des Menschen, der lernt, verschiedene Rollen zu übernehmen. Ich kann wütend und verängstigt sein, aber ich bin nicht nur wütend und verängstigt. Das bringt uns zum »Kern« unseres Ichs zurück, von dem aus wir die Welt betrachten. Die Äußerung der eigenen Gefühle ist ein wesentlicher Bestandteil dieser seelischen Entwicklung zum »Kern« des eigenen Wesens.

Wenn nun jemand erfährt, daß er an Krebs erkrankt ist, stürzt erst einmal die ganze Welt ein.

MOYERS: Allein schon das Wort »Krebs« verursacht Angst und Schrecken.

LERNER: Gewiß, aber nicht alle Menschen reagieren so. Einige Menschen reagieren darauf, als hätten sie diese Botschaft erwartet. Jede Art von Reaktion bietet allerdings die Gelegenheit, das eigene Leben neu zu überdenken.

MOYERS: Müssen wir erst Krebs bekommen, um zu dieser Erkenntnis zu gelangen?

LERNER: Nein, aber diese Einsicht ist gar nicht selten. Es heißt sogar, daß Kranksein die westliche Form der Meditation sei. Zumindest theoretisch pflegten die Menschen der östlichen Kulturen bereits intensiv über diese

Thematik nachzudenken, bevor sie krank wurden. In unserer westlichen Kultur mit unserer nicht so ausgeprägt kontemplativen Tradition begeben wir uns oft erst im Krankheitsfall auf diese innere Forschungsreise.

MOYERS: Ich glaube, es gibt eine Art von Weisheit, die uns mit all unserer Information und Technologie abhanden gekommen ist.

LERNER: Uns kommt es vor allem darauf an, diese Weisheit wiederzufinden und sie in eine vernünftige, moderne Sprache zu bringen, so daß sie in die konventionelle Medizin integriert werden kann, die auch ich nicht aufgeben würde. Wir müssen diese alte Weisheit mit der Schulmedizin kombinieren, so daß die herkömmliche Medizin bei der Anwendung ihrer Technologien menschlich und mitfühlend vorgehen kann.

MOYERS: Trotzdem fordern Sie mit Nachdruck, daß diese Art des Heilens nicht auf Kosten der traditionellen Medizin betrieben werden darf, und betonen, daß die traditionelle Medizin bei der Bekämpfung von Krankheiten, bei der Verlängerung des Lebens und der Schmerzlinderung Wunderbares geleistet hat, so daß man sie nicht für diesen Heilungsprozeß aufgeben darf.

LERNER: Darauf lege ich allerdings größten Wert. Tatsächlich ertappe ich mich oft dabei, wie ich Krebspatienten darauf hinweise, daß sie bei alternativen Heilmethoden nicht das Therapiepotential finden werden, das die Schulmedizin für viele Krebsarten bietet. Manchmal habe ich einen idealistisch denkenden Menschen vor mir, der glaubt, sich selbst nur durch spezielle Diät, Visualisierung oder Meditation heilen zu können, ohne auf schulmedizinische Therapiemöglichkeiten zurückzugreifen. Und ich sage ihm dann stets: »Ich habe zehn Jahre lang gesucht, und wenn es unter den zusätzlichen alternativen Therapieansätzen eine erfolgreiche Behandlungsmethode gäbe, wäre ich der erste, der darauf hinweisen würde. Aber ich habe dort noch keine Heilbehandlung entdeckt.« Das bedeutet nun nicht, daß es keine Krankengeschichten mit Spontanremissionen geben würde. Aber es bedeutet, daß die zusätzlichen alternativen Therapieansätze, die unsere Lebensqualität verbessern können, keine systematischen Heilbehandlungen sind. Mit Hilfe der Schulmedizin kann ein nicht zu unterschätzendes Heilpotential aktiviert werden. Eine Verbindung beider Therapierichtungen ist darum sinnvoll.

MOYERS: Frustriert es Sie, daß Sie zwar in der Lage sind, die Menschen während ihres Aufenthaltes an diesem Ort sich wohler fühlen zu lassen, aber daß sie dennoch nicht körperlich geheilt von hier fortgehen?

LERNER: Ich glaube nicht, daß es mich frustriert. Ich weiß, daß ich sehr oft alles darum geben würde, wenn ich jemandem dabei helfen könnte, von seinem Krebsleiden zu genesen. Aber es gibt auch die Möglichkeit, sich neben Schmerz und Kummer etwas anderem zu öffnen. Lassen sich andere Lehren aus dem Leben ziehen, hat es noch einen anderen Sinn? Enthält diese überaus leidvolle Erfahrung auch etwas Lohnendes? Wenn die Menschen hier zusammenkommen, entdecken sie, daß es sehr viel gibt, wofür es sich zu leben lohnt.

MOYERS: Was passiert mit diesen Menschen, wenn sie von hier fortgehen? Brechen sie zusammen?

LERNER: Das kommt manchmal vor. Nach einer solchen intensiven Woche befinden sie sich oft in einem Zustand psychischen und physischen Hochgefühls. Wenn sie uns verlassen, haben sie aber auch ihre eigenen persönlichen Lehren aus dem hier Erlebten gezogen, und diese sind dauerhafter als das physische Hochgefühl.

MOYERS: Was haben Sie hier über Emotionen gelernt? Gibt es Emotionen, die uns krank machen, und solche, die uns helfen, wieder gesund zu werden?

LERNER: Das ist ein überaus komplexes Problem. Ich glaube, es ist möglich, über lange Zeiträume hinweg in Emotionen verstrickt zu sein, die zu gesundheitlichen Veränderungen führen. Ich kann mir beispielsweise nicht vorstellen, daß es gut ist, wenn jemand über lange Zeit hinweg in einer schweren Depression steckt. Andererseits bin ich mir bei aktiven Emotionen wie Wut, Kummer, Trauer und Freude nicht sicher, ob eine dieser Emotionen schlecht für uns ist. Die Erfahrung und Äußerung authentischer Gefühle in ihrer ganzen Bandbreite ist natürlich, menschlich und gesund. Doch zuweilen bleiben wir in einer Emotion befangen, weil wir sie nicht äußern oder verarbeiten können.

MOYERS: Wenn ich also in der Wut, die ich wegen meiner Krebserkrankung empfinde, verharre, dann kann sie tatsächlich meinen Zustand verschlechtern.

LERNER: Auch hier müssen wir wieder sehr vorsichtig sein, weil es sich um eine wissenschaftliche Frage handelt, auf die ich keine Antwort weiß. Aber wenn Sie mir sagen, daß Sie in Ihren Wutgefühlen wegen Ihrer Krebserkrankung verharren und nicht in der Lage sind, sie zum Ausdruck zu bringen, dann würde ich meinen, daß Sie es von der Lebensqualität her gewiß bedauern werden, in dieser Situation verfangen zu sein.

MOYERS: Stellen Sie fest, daß sich die Menschen oft selbst die Schuld an ihrem Krebsleiden geben?

LERNER: Ja, das ist meines Erachtens sehr bedauerlich. Zu den Krankheiten des New Age gehört die Ansicht: »Ich habe meine Krebserkrankung verursacht, ich sollte auch in der Lage sein, sie zu besiegen.« Das ist eine unglaublich vereinfachende und bedauerliche Haltung. Wir leben in einem Zeitalter, in dem Krebs im wesentlichen eine epidemische Erkrankung ist. Die Gründe dafür liegen nicht in der jeweiligen Persönlichkeitsstruktur. Es kann sein, daß psychische Faktoren im Leben eines Individuums zu dem multifaktoriellen Gemisch beitrugen, das zur Krebserkrankung führte, aber wenn man behauptet, daß man aufgrund bestimmter Ereignisse oder der eigenen Umweltbeziehung erkrankt ist, läßt man all jene Dinge außer acht, über die man absolut keine Kontrolle hatte.

MOYERS: Beim Mittagessen fragte ich gestern eine Dame: »Wie war diese Woche für Sie?« Sie erwiderte: »Es war eine sehr gute Woche für mich. Ich kam schuldbeladen hierher und habe mich in dieser Woche von dieser Schuld befreit.« Ich entgegnete ihr: »Weshalb fühlten Sie sich schuldig?« – »Wegen meiner Krebserkrankung«, meinte sie. Darum geht es wohl. Was hilft den Menschen zu erkennen, daß sie nicht verantwortlich für ihre Erkrankung sind?

LERNER: Manchmal nur ein Erziehungsprozeß, in dem man erfährt, daß Krebs ein epidemisches Leiden ist. Wenn man sich selbst die Schuld für die Krankheit zuschreibt, übersieht man einige ganz fundamentale Dinge.

MOYERS: Kommen wir auf den Einfluß von Berührung zurück. Das sogenannte Handauflegen ist eine sehr alte religiöse Tradition. Ich habe mich schon seit langem für das Phänomen der heilenden Hände interessiert – Massage steht damit in einem gewissen Zusammenhang.

LERNER: So wie Massage beruhigt, hat es auch eine überaus beruhigende und tröstende Wirkung, wenn man einem anderen Menschen die Hände mit einer Heilungsabsicht auflegt. Damit drückt man Anteilnahme aus. Was geschieht aber darüber hinaus? Es fehlt nicht an Fachliteratur über die »therapeutische Berührung«, eine Technik des »Handauflegens«, die in vielen Krankenhäusern angewandt wird und eine Krankenschwester erforderlich macht, die sich in einen Zustand ruhiger Meditation versetzt und ihre Hände über dem Patienten hält, nicht die Haut berührt, und dann spürt, wie die heilende Energie sie durchströmt. Einige interessante Studien weisen darauf hin, daß diese Methode physiologische Veränderungen bei dem Patienten, etwa eine Veränderung des Blutbilds, hervorruft.

Über diese kontrollierbare Energie hinaus gibt es möglicherweise Kräfte und Faktoren, die jenseits der menschlichen Vernunft liegen, wie die

Möglichkeit von Gnade in der christlichen Tradition. Ich glaube beispielsweise an die potentielle Wirkung des Gebets. Ich bin nicht zu dieser Ansicht gekommen, weil mich jemand dazu aufforderte, daran zu glauben; es ist einfach so, daß ich im Laufe meines Lebens die Erfahrung machte, daß Gebet und Anteilnahme eine besondere Wirkung auf Menschen haben, die ich mir rational nicht erklären kann. Da alle großen Traditionen diese Erfahrung unterstützen, bin ich bereit, sie in mein Leben zu integrieren.

MOYERS: Während wir uns hier unterhalten, liegt Ihr Vater, Max Lerner, den ich persönlich kenne, im Sterben. Sind Sie in der Lage, über seine Krankheit und über das, was in Ihnen vorgeht, zu sprechen?

LERNER: Ich kam zu der Arbeit mit Krebspatienten, weil mein Vater an Krebs erkrankte und ich herausfinden wollte, ob es noch etwas anderes gibt als das, was die Schulmedizin zu bieten hat. Als mein Vater an Krebs erkrankte, gab man ihm nur noch ein paar Jahre zu leben. Aber er hat noch zehn Jahre überlebt. Er hielt sich nur an die Schulmedizin und an seinen eigenen Instinkt. Das einzige, was er aus meiner Arbeit gelernt hat, war, daß es wichtig und hilfreich sein würde, die für ihn adäquate Lebensweise zu finden. Darin besteht für mich die tiefe Wahrheit dieser Situation. Diät, Visualisation, Entspannung und Meditation und all jene anderen Techniken, die man anwenden kann, helfen vielleicht einigen Patienten. Doch die wichtigste Frage ist: Wie möchte man leben? Wie möchte man in diesem Lebensabschnitt sein? Mein Vater hatte sich vorgenommen, sich in seine Schriftstellerei zu vertiefen. Das Ergebnis war, daß er nach einer sehr ernstzunehmenden Krebsdiagnose zehn Jahre einigermaßen gut lebte. Mit achtundachtzig Jahren kam er erneut ins Krankenhaus mit einer dritten Krebserkrankung, sein Zustand ist sehr ernst. Ich bin kaum jemandem begegnet, der das Leben so liebt wie mein Vater.

MOYERS: Was versteht man unter Lebenswillen?

LERNER: Ich glaube, es ist nur ein starker Instinkt, der bei jedem Menschen von unterschiedlicher Intensität ist. Im übrigen ist nichts dagegen einzuwenden, wenn jemand beschließt, daß er lange genug gelebt hat. Sterben ist ein fundamentaler und natürlicher Akt. Zu einem gewissen Zeitpunkt wird bei vielen Menschen der Lebenswille schwächer.

MOYERS: Sterben mag akzeptabel sein, aber Sie empfinden beim Tod Ihres Vaters doch ein tiefes, anhaltendes Verlustgefühl. Was sagt das über die Akzeptanz des Sterbens aus?

LERNER: Einige Menschen wollen nicht akzeptieren, daß sie sterben müs-

11. Paul Klee, Wehgeweihtes Kind

12. Johann Heinrich Füssli, Das Schweigen

sen. Sie möchten kämpfen, und in dieser Haltung verlassen sie uns. Andere hingegen wollen den Tod akzeptieren und betrachten ihn vielleicht als einen interessanten Erfahrungsprozeß, wie es bei Aldous Huxley der Fall war. Vor der modernen Medizin gab es die großartige Tradition der Sterbebettszene, wo der Tod als Höhepunkt des Lebens betrachtet wurde. In vielen Kulturen wußten die Menschen, wann sie sterben würden, und so wird der Tod auf eine ganz andere Weise in das Leben integriert.

MOYERS: Gestern nach dem Mittagessen stand ich für eine Weile etwas abseits und beobachtete die abfahrenden Patienten. Einige von ihnen werden nicht mehr leben, wenn das nächste Treffen stattfindet. Plötzlich wurde mir klar, daß vielleicht auch ich nicht länger als sie am Leben sein könnte. Und es war schwer für mich, mir vorzustellen, nicht mehr zu existieren. Denken Sie je über Ihren eigenen Tod nach?

LERNER: Bei meiner Arbeit muß man einfach über den eigenen Tod nachdenken. Ich möchte mindestens 108 Jahre alt werden. Ich liebe das Leben leidenschaftlich. Und ich hoffe sehr, daß ich, wenn ich sterbe, dem Tod voller Mut und Neugierde begegne. Ich weiß nicht, was nach dem Tod geschieht, aber es ist ein Geheimnis, über das es sich nachzudenken lohnt.

MOYERS: Welche persönlichen Erfahrungen haben Sie mit Krankheit gemacht?

LERNER: Ich war zum Glück immer erstaunlich gesund. Ich leide an einem sogenannten gutartigen essentiellen Tremor, deshalb zittern meine Hände. Vor einiger Zeit diagnostizierten die Ärzte bei mir ein Herzleiden und wußten nicht, ob ich einen Herzanfall bekommen würde. Sie schlugen ein invasives Vorgehen vor, bei dem sie ein radioaktives Kontrastmittel in mein Herz pumpen wollten, um festzustellen, ob ich wirklich herzkrank war. Ich sagte zu meinem Arzt: »Vielen Dank, ich verzichte darauf. Ich werde einfach sechs Monate lang gesundheitsfördernde Maßnahmen ergreifen und sehen, ob ich selbst mit diesem Schmerz in meiner Brust fertigwerde.« Also durchlebte ich sechs Monate, in denen ich nicht sicher wußte, ob ich an einer schweren Herzerkrankung litt. Mir wurde aber eines Morgens beim Aufwachen klar, daß die Angst, mit der ich lebte, weil ich die Untersuchung nicht durchführen ließ, mir mehr schadete, als es das Kontrastmittel tun würde. Also ließ ich mir das Kontrastmittel einspritzen, und es stellte sich heraus, daß mein Herz in Ordnung war. Doch sechs Monate lang lebte ich so wie die Krebspatienten, wenn sie hierherkommen, das heißt, ich wußte nicht, ob ich leben oder sterben würde. Es war ein sehr intensiver Lern- und Erfahrungsprozeß für mich.

MOYERS: Wie würden Sie zusammenfassend diese Erfahrung beurteilen?

LERNER: Ich erfuhr dadurch, daß das Leben ungemein kostbar für mich war und daß mein Sohn und meine Frau das Wichtigste für mich waren. Wie viele andere Menschen auch hatte ich die Erfahrung gemacht, daß ich die Welt mit neuen Augen sah. Es ist bedauerlich, daß die Menschen nur durch Schmerz und Leiden lernen.

Ganzheit

Rachel Naomi Remen

Dr. Rachel Naomi Remen ist Gründerin und Direktorin des Institute for the Study of Health and Illness in Commonweal und Mitbegründerin und ärztliche Leiterin des Commonweal Krebshilfeprogramms in Bolinas, Kalifornien. Sie hat eine Privatpraxis für Verhaltensmedizin, die auf die Betreuung von Einzelpersonen und Familien mit lebensbedrohenden Erkrankungen spezialisiert ist. Sie arbeitete an der Stanford Medical School und an der Klinischen Fakultät der School of Health Sciences an der University of California in Berkeley und an der School of Medicine der University of California in San Francisco.

MOYERS: Was für Menschen sind hier in Commonweal, und woher kommen sie?

REMEN: Es sind ganz normale Menschen, die zufällig an Krebs erkrankt sind und von überallher kommen, von der Ostküste bis Kalifornien, aus Kanada und sogar aus Europa.

MOYERS: Was führt sie hierher?

REMEN: Die Suche nach Heilung führt sie hierher. Wir haben nicht einmal eine Broschüre. Sie erfahren von uns nur durch Mund-zu-Mund-Propaganda, denn wir machen weder Werbung noch Öffentlichkeitsarbeit für unsere Institution.

MOYERS: Werden die meisten von ihnen an Krebs sterben?

REMEN: Einige werden sterben. Ich weiß nicht, ob die meisten von ihnen sterben werden, weil Krebs nicht mehr gleichbedeutend mit Tod ist. Krebs bedeutet oft ein Leben unter veränderten Umständen.

MOYERS: Ich fragte Chris, eine der Frauen, die gerade eine Woche hier verbracht hatten, wie es ihr ginge, und sie entgegnete: »Ich bin im Endstadium, aber ich kann das jetzt ohne die quälende Angst aussprechen, die mich immer wie ein Messer durchbohrte.«

REMEN: Auf der Universität brachte man mir bei, daß es auf mein Versagen zurückzuführen sei, wenn jemand stirbt, und daß niemand sterben werde, wenn ich meine Arbeit ordentlich mache. Aber es gibt eine Art der Heilung, bei der die Menschen sterben können.

MOYERS: Als ich hierherkam, empfand ich das als Widerspruch. Ein genesender, sterbender Patient.

REMEN: Heilen ist nicht gleichbedeutend mit Behandeln. Heilen ist ein Prozeß, an dem wir alle jederzeit beteiligt sind. Er steht in sehr engem Zusammenhang mit dem Erziehungsprozeß. Das lateinische *»educare«*, das dem Wort Erziehung zugrunde liegt, bedeutet »Förderung, Ganzheit, Unversehrtheit«. Heilung ist also die Förderung der Ganzheit im Menschen. Manchmal heilen die Menschen zwar körperlich, aber nicht emotional oder mental oder spirituell. Und manchmal heilt die Seele eines Menschen, aber nicht sein Körper.

MOYERS: Sind Sie manchmal versucht, sie vom Krebs »kurieren« zu wollen?

REMEN: Nein, dieses Ziel habe ich mir früher gesetzt, als ich Kinderärztin war. In dieser Gruppe haben die Menschen sehr viel über Heilung voneinander gelernt. Beim Abschied heute morgen erzählten sie sich gegenseitig, welchen Nutzen sie von ihrem Aufenthalt hier hatten. Sie bezogen sich dabei nicht nur auf die Hilfe, die ihnen durch den Therapeuten zuteil geworden war, sondern auch auf das, was sie sich gegenseitig gegeben hatten. Lange bevor es Ärzte gab, haben sich die Menschen gegenseitig geheilt. Sich gegenseitig wahrzunehmen und zuzuhören, ist schon eine große Hilfe. Hier bietet niemand dem anderen Lösungen an. Ich bin der Meinung, daß es funktioniert, weil hier jeder ein Betroffener ist. Alle Menschen haben Wunden davongetragen, aber die Menschen, die zu uns kommen, können es nicht verbergen wie wir. Jeder hat Schmerzen, jeder ist verwundet. Und weil keiner seine Verwundung verbirgt, können sie einander vertrauen. Sie sehen also, unsere Verwundung ermöglicht es uns, einander zu vertrauen. Ich kann anderen Menschen nur vertrauen, wenn ich spüre, daß auch sie verwundet sind, unter Schmerzen und Angst leiden. Auf der Grundlage dieses Vertrauens können wir anfangen, unseren eigenen Wunden und den Wunden der anderen Beachtung zu schenken – mit anderen Worten: zu heilen und geheilt zu werden.

MOYERS: Ich habe das bemerkt. Aber trotz allem, was hier geschieht, gehen sie mit der gleichen Krebserkrankung fort, mit der sie hierherkamen.

REMEN: Der Krebs wird ihnen nicht genommen, es wird ihnen die Angst genommen. Wenn die Angst fort ist, sind die Menschen fähig, mit allem fertigzuwerden, was anliegt, und in dem, was sich in ihrem Leben ereignet, einen Sinn zu suchen und zu erkennen. Das Großartigste, was man einem anderen Menschen schenken kann, ist meiner Ansicht nach Aufmerksamkeit.

MOYERS: Wenn ich Sie früher aufgesucht hätte, als sie noch Ärztin waren, und Sie bei mir Krebs diagnostiziert hätten, wäre es für mich das größte Geschenk gewesen, wenn Sie mich geheilt hätten.

REMEN: Das ist nicht immer möglich. Ich litt beispielsweise sechsunddreißig Jahre lang unter Morbus Crohn, einer Autoimmunerkrankung des Darms und der Gelenke. Ich war fünfzehn, als die Krankheit ausbrach – und nach mehreren Operationen ist nicht mehr viel von meinem Darm übriggeblieben. Ohne die Hilfe der Ärzte und Schwestern wäre ich gestorben. Hätte ich mich nur den Operationen unterzogen und die Medikamente bekommen, wäre ich eine Invalidin gewesen.

MOYERS: Erinnern Sie sich an Ihre Gefühle, als Sie mit fünfzehn Jahren erfuhren, daß Sie an Morbus Crohn litten?

REMEN: Ja – und sie gleichen sehr den Gefühlen der meisten Menschen, die hierherkommen. Man meint, die Welt durch eine Glasscheibe zu betrachten. Man kann zwar andere Menschen sehen, aber man glaubt, sie nicht berühren oder mit ihnen zusammensein zu können, weil man anders ist.

MOYERS: Das ist Einsamkeit.

REMEN: Ja. Darüber sprechen auch die meisten, die hierherkommen. Das Gefühl der Isolation, das Ausgegrenztsein von der Welt der Gesunden ist ebenso schmerzhaft wie Chemotherapie, wie der Krebs selbst. Sie fühlen, daß andere Menschen nicht zuhören wollen und nicht verstehen. Ich glaube, daß das Gefühl, isoliert zu sein, die Leute schwächt.

MOYERS: Wie sind Sie als fünfzehnjähriges Mädchen mit Ihrer Einsamkeit fertiggeworden, als Sie erfuhren, daß Sie an einer tödlichen Krankheit litten?

REMEN: Ich weiß nicht, ob ich meine Einsamkeit überwunden habe. Ich habe nur sehr viele Leute aufgefordert, mit mir diese Einsamkeit zu teilen. Ich glaube, daß der Mensch letztlich immer einsam ist. Aber inmitten dieser Einsamkeit geschehen beeindruckende Dinge. Nicht das, was wir tun, ist von Bedeutung, sondern das, was wir geschehen lassen. Chris, die Frau, mit der Sie sprachen, sagte, daß der Krebs sie letztlich von ihrem Einsamkeitsgefühl geheilt hätte. Damit meint sie, daß der Prozeß einer solchen tiefen Verwundung sie in die Lage versetzt hat, sich der Liebe zu öffnen, die sie umgibt und die schon immer um sie war. Diese Krankheit hat ihr Menschlichkeit geschenkt.

MOYERS: Erwartet man denn nicht von einem Arzt, daß er kranke Menschen wiederherstellt?

REMEN: Wir alle möchten, daß uns jemand von unseren Schmerzen befreit. Aber es gibt Grenzen des Machbaren, und nicht alles läßt sich wiederherstellen.

MOYERS: Aber wie steht es mit Ihrer eigenen Erfahrung? Die chirurgischen Eingriffe haben Sie wiederhergestellt.

REMEN: Nein, sie stellten mich nur vor andere Probleme, mit denen ich leben muß. Wir stellen die Menschen, die hierherkommen, nicht wieder her, sondern wir bieten ihnen eine Erfahrung, die es ihnen ermöglicht herauszufinden, wer sie wirklich sind, mit den ihnen innewohnenden Kräften in Berührung zu kommen und das eigene Leben aus einem anderen Blickwinkel zu sehen.

MOYERS: Sie verwenden sehr viel Visualisierungstechniken. Weshalb fordern Sie die Patienten auf, sich etwas vorzustellen, zu visualisieren?

REMEN: Das Visuelle ist nur eine Art, sich etwas vorzustellen. Wir vertrauen gewöhnlich einer unserer Methoden, die Welt wahrzunehmen und zu verarbeiten, mehr als den anderen. Einige von uns sind visuell ausgerichtet, andere akustisch, andere wiederum kinästhetisch. Ich zum Beispiel bin kein visueller Mensch. Meine Erfahrung von Ihnen ist nicht, was ich sehe, sondern was ich von Ihnen höre oder an Ihnen wahrnehme. Vierzig Prozent aller Menschen sind, wie ich, nicht primär visuell orientiert. Die Vorstellungskraft ist aber, ebenso wie das Heilen, jedem Menschen angeboren. Wir alle leisten auf unsere eigene Art und Weise Vorstellungsarbeit. Sogar sich Sorgen machen ist eine Form von Vorstellungsarbeit.

MOYERS: Sie meinen, wenn wir uns sorgen, stellen wir uns etwas vor?

REMEN: Genau. Einmal kam ein Mann in mein Büro, der an der gleichen Krankheit wie ich litt. Ich fragte ihn: »Wie oft wurden Sie operiert?« Er entgegnete: »Dreiundneunzigmal, aber nur drei Operationen fanden tatsächlich statt.«

Sehen Sie, das ist mehr als nur ein Witz. Das, was wir uns vorstellen, beeinflußt unser Immunsystem, unsere Kraft und unseren Optimismus. Deshalb müssen wir unsere Vorstellungskraft gezielt steuern und sie für unser Wohlbefinden einsetzen.

MOYERS: Hilft uns dabei die Vorstellungstechnik?

REMEN: Sie kann helfen. Durch bildhafte Vorstellungen kommunizieren unser Geist und unser Körper miteinander. Deshalb haben Olympiateilnehmer häufig sogenannte Imaginationstrainer, die ihnen dabei helfen, sich ihre optimale Leistung vorzustellen und dadurch ihre tatsächliche Leistung zu verbessern.

MOYERS: Was spielt sich bei diesem Körper/Seele-Gespräch ab? Weshalb reagiert beispielsweise der Körper dieses alten Mannes mit Streß, wenn er sich eine Operation vorstellt, der er sich eigentlich nicht unterzogen hat?

REMEN: Ich weiß nicht warum, ich weiß nur, wie es sich abspielt. Wir alle wissen, daß die Vorstellungskraft den Körper beeinflußt. Ich könnte Ihnen sagen: »Bill, beschleunigen Sie Ihren Herzschlag um zehn Prozent.« Einige Menschen sind zwar dazu in der Lage, aber die meisten nicht. Wenn ich Ihnen aber eine schaurige Geschichte erzählen würde, bei der es um Gefühle und bildhafte Vorstellungen geht, dann würde Ihr Herz ganz von allein schneller schlagen. Bilder sind die Ursprache. Vielleicht erfahren wir die Welt zuallererst durch Bilder. Und Bilder bringen die alten Erinnerungen und Gefühle zurück. Wir erlebten hier einen sehr schönen Augenblick, als einer der Männer zusammenbrach und weinte, weil ich ihn aufforderte, er solle sich vorstellen, den Haferbrei, den er als Kind aß, zu essen. Während er sich vorstellte, wie er ihn hinunterschluckte, kam ihm all die Liebe, die er von seiner Mutter als Kind erfahren hatte, wieder ins Gedächtnis, und er fühlte sich sicher.

MOYERS: Obwohl er Krebs hatte.

REMEN: Ja, denn sicher zu sein, bedeutet, daß man gesehen und gehört wird und derjenige sein darf, der man ist, und daß man die Wahrheit über sich sagen darf.

MOYERS: Und derjenige, der man ist, ist in diesem Fall jemand, der Krebs hat und in tiefer Not ist und dem es schwerfällt, andere zu finden, die ihn akzeptieren.

REMEN: Derjenige, der man ist, ist nicht ein Mensch mit Krebs, sondern ein Mensch, der wichtig ist. Die Menschen kommen hierher, um zu lernen, daß sie einzigartig sind – und dabei geht es nicht darum, vollkommen zu sein, sondern so zu sein, wie man ist.

MOYERS: Geht es beim Schreiben von Gedichten darum, Einzigartigkeit auszudrücken?

REMEN: Ja. Es ist schon fast eine Ironie des Schicksals, daß ausgerechnet ich Lyrik in das Programm eingeführt habe, weil ich Gedichte im Grunde genommen nicht mag. In der Schule habe ich sie gehaßt; sie erschienen mir immer unheimlich prätentiös mit ihren Verweisen auf das Altertum. Ich habe sie nie verstanden. Und dann begegnete ich einer bestimmten Art von Lyrik, die ganz anders war – beispielsweise den Gedichten von

Wendell Berry, der eigentlich ein Farmer ist. Viele seiner Bilder und Symbole kommen aus seinen Alltagserfahrungen und sind sehr kraftvoll. Sie sprechen von Erlebnissen, die für ihn wahr sind. Deshalb fingen wir hier mit dieser Art von Gedichten an, um den Menschen dabei zu helfen, dem Teil ihres Ichs zuzuhören, der weiß, was für sie die Wahrheit ist, und der sie auf einfache und echte Art und Weise ausdrückt.

Damit es den Patienten leichter fällt, ein Gedicht zu finden, machen wir zunächst ein paar Entspannungsübungen: »Schließen Sie die Augen, und versuchen Sie einfach, mit jedem Einatmen ein wenig näher an Ihr Inneres, zu dem Teil Ihres Ichs zu gelangen, der weiß, was für Sie wahr ist, und hören Sie einfach zu. Lassen Sie sich eine für Sie gültige Wahrheit über Krankheit, Leben, Tod oder Liebe oder etwas anderes sagen. Schreiben Sie es so einfach wie möglich auf, und dann werden wir es uns gegenseitig vorlesen.«

Meiner Ansicht nach sind Kreativität und Heilung sehr eng miteinander verbunden. Zuerst glauben die meisten Menschen nicht, daß sie Gedichte schreiben können. Wir helfen den Menschen, die heilende, schöpferische Kraft, die sie in sich tragen, zurückzuerlangen, indem wir sie Gedichte schreiben lassen. Und nie war jemand dabei, der es nicht konnte.

MOYERS: Was geht Ihrer Meinung nach in den Menschen vor, wenn sie Gedichte schreiben? Gelingt es ihnen, das auszudrücken, was sie innerlich als Wahrheit spüren?

REMEN: Wahr ist vielleicht das, was sie im Inneren *wissen*. Und wenn die Menschen ihre Wahrheit auf diese Weise zum Ausdruck bringen, ist es zwar eine sehr persönliche Wahrheit, aber sie wird für jeden zutreffen. Sie kommt aus der Quelle, die uns alle miteinander verbindet, aus unserer gemeinsamen Menschlichkeit.

Den Höhepunkt dieser Woche stellten für mich die Augenblicke dar, in denen sich die Menschen in der Schönheit ihrer eigenen Menschlichkeit zeigen. An einem Tag lasen wir uns gegenseitig unsere Gedichte vor, während die Kameraleute hier filmten, und der Kameramann konnte nicht weiterdrehen. Er setzte seine Kamera ab und begann zu weinen. Das war ein wunderbarer Augenblick eines großartigen Heilungsprozesses für uns alle, weil er uns verdeutlichte, daß es wirklich nur eine einzige Gruppe gibt. Er war ebenso menschlich bewegt und verwundbar wie jeder von uns. Er sagte, er habe einfach nur gespürt, wie zerbrechlich und wie kostbar das Leben sei.

MOYERS: Das war ein symbolisches Bild.

REMEN: Vielleicht war es nicht nur ein Bild, sondern eine Realität für ihn. Die Menschen verwenden bildhafte Vorstellungen jetzt in Verbindung mit dem Krebs – sie stellen sich beispielsweise weiße Zellen vor, die die Krebszellen auffressen. Ich glaube, diese Art von Imaginationstechnik sollte weiter erforscht werden, aber sie unterscheidet sich von der Art von Imaginationsarbeit, die mich interessiert. Für mich ist wichtig, was von den Menschen spontan hervorgerufen wird. Die Vorstellungskraft jedes Menschen ist einzigartig und besitzt ein eigenes Leben. Selbst wenn zwei Menschen sich das gleiche vorstellen, wie etwa das Bild eines Wolfes, symbolisiert dieser Wolf für jeden Menschen etwas völlig anderes. Wenn man diese Bilder hervorruft, ist es beinahe so, als würde auch eine Tendenz hin zur Ganzheitlichkeit evoziert. Diese Tendenz ist in jedem von uns vorhanden, mal schwächer, mal stärker. Sie ist wie der Lebenswille, und sie wird sich in Bilder kleiden, so daß sie von jedem, der sich gerade im Raum befindet, gesehen werden kann.

MOYERS: Das ist jedoch ein sehr privater Film, der da abläuft, ein Film, den ich mir selbst vorführe.

REMEN: Es ist der Film, der man selbst ist. Während wir bei der Imaginationsarbeit waren, meinte ein Mann, in seiner Brust ein ihm unbekanntes Gefühl zu verspüren. Es war, als hätte er immer aus seinem Bauch heraus gelebt, und plötzlich hätte sich seine Energie oder sein Leben nach oben in seine Brust bewegt. Es war eine sehr eindringliche Erfahrung, die mit dem spontanen Bild eines im Aufwind ruhig dahinfliegenden Falken endete. Ich fragte ihn, was er dabei fühle, und er meinte, der Falke sei gefährlich und lebendig und könne sehr weit sehen. Dann fügte er hinzu: »Wissen Sie, die Erfahrung, sein Herz zu öffnen, ist gefährlich und lebendig, und man kann sehr weit sehen. Aber es ist das einzig Lohnenswerte.« Ich forderte ihn nicht auf, irgend etwas zu tun, ich leitete einfach nur seine Aufmerksamkeit nach innen, und etwas in seinem Innern sprach zu ihm. Sein Inneres ist sein Heiler, nicht ich.

MOYERS: Aber Sie möchten nicht den Eindruck erwecken, daß kranke Menschen nicht mehr zum Arzt gehen, sondern hierherkommen sollten.

REMEN: Nein, die Menschen brauchen nicht hierherzukommen. Überall, wo sich Menschen begegnen, können sie diese Arbeit vollbringen, weil sie Teil der natürlichen zwischenmenschlichen Beziehungen ist. Es geht nicht um Ärzte. In früheren Zeiten heilten sich die Menschen selbst und heilten einander. Ärzte steuern das für die Behandlung erforderliche Fachwissen bei, aber die Heilung geschieht immer unter Mitwirkung des Patienten.

In meiner Praxis sehe ich mindestens dreißig Krebskranke pro Woche, und eine Woche im Monat verbringe ich hier in Commonweal. Am Ende dieser Woche fühle ich mich getröstet und gekräftigt. Heilen ist natürlich, es ist ein auf Gegenseitigkeit basierender Prozeß zwischen Arzt und Patient. Deshalb werden wir beide bei diesem Prozeß geheilt. Ich wurde durch jede dieser Therapiewochen geheilt, und so erging es auch den übrigen Therapeuten. Es fiel mir aufgrund der Erlebnisse, die ich im Laufe meines Lebens hatte, sehr schwer, dem Leben zu vertrauen. Aber jedesmal, wenn ich eine Woche wie diese erlebe, vertraue ich dem Leben wieder.

MOYERS: Was meinen Sie mit ›dem Leben vertrauen‹?

REMEN: Ich meine damit, daß wir nicht gefährdet sind und daß ich auf die Fähigkeit jedes einzelnen von uns vertraue, mit unserem eigenen Schmerz, unserer Angst und Einsamkeit fertigzuwerden und mit unserem innersten Wesen Kontakt aufzunehmen.

MOYERS: Aber wenn Sie sagen, daß wir nicht gefährdet sind, dann könnte ich dagegenhalten, daß wir sehr wohl gefährdet sind, und zwar durch Krankheit, Schmerz, Tod und Einsamkeit.

REMEN: Meiner Ansicht nach ist nicht der Tod das Schlimmste im Leben. Das Schlimmste wäre, das Leben zu verpassen. Angeles Arien, einer meiner Freunde, sagt, daß alle spirituellen Wege vier Stufen aufweisen: »Zeige dich, sei aufmerksam, sag die Wahrheit und hänge nicht an den Ergebnissen.« Die größte Gefahr im Leben besteht meiner Meinung nach darin, sich nicht zu zeigen.

MOYERS: Manchmal wird man auf die Bühne geschubst, wenn man es gar nicht will. Jeder von uns kommt durch die Handlung eines anderen zu dieser Erfahrung. Niemand hat mich gefragt, ob ich geboren werden wollte.

REMEN: Ich weiß nicht, vielleicht hat jemand Sie gebeten, auf die Welt zu kommen. Vielleicht war es nicht das totale Versehen, als das Sie es hinzustellen scheinen.

MOYERS: Zufall zumindest.

REMEN: Vielleicht. Vor dieser Therapiewoche rief ich eine Teilnehmerin an, die das starke Gefühl hatte, meine Stimme zu kennen. Ich erkannte ihre nicht, aber als ich am Anfang der Woche hier hereinkam, erinnerte ich mich an sie. Sie war die Krankenschwester, die sich vor zehn Jahren um mich gekümmert hatte, als ich mit einem Schlauch im Herzen, der mich am Leben erhielt, im Krankenhaus lag. Und jetzt ist sie hier mit Krebs, bei diesem Programm, an dem ich beteiligt bin.

MOYERS: Zufall.

REMEN: Vielleicht. Wissen Sie, jeder von uns ist verwundet, und jeder von uns verfügt über Heilkräfte. Ich heile dich und du heilst mich. So ist es im Leben. Mehrmals täglich vertauschen wir vielleicht diese Positionen. Es geht dabei nicht um Fachkenntnis, sondern um etwas viel Natürlicheres. Wir alle sind verwundete Heiler.

MOYERS: Haben Sie in gewisser Hinsicht das fachliche Können hinter sich gelassen, als Sie die traditionelle Rolle des Arztes aufgaben, um diese Arbeit zu übernehmen?

REMEN: Das frage ich mich manchmal. Vielleicht ist es eine andere Art von Fachwissen. Aber es ist nicht so, als ob ich etwas wüßte, was andere nicht wissen. Ich vertraue auf etwas, auf das andere Menschen vielleicht nicht vertrauen, und ich helfe ihnen, ebenfalls darauf zu vertrauen – auf die natürliche Kraft des Menschen, sich weiterzuentwickeln.

MOYERS: Ist das hier eine Art Encounter-Gruppentherapie?

REMEN: Nein, ich bin keine Psychologin oder Psychiaterin, ich bin eine Kinderärztin. Und deshalb verstehe ich ein wenig von Wachstum und Entwicklung und davon, daß in vielen von uns noch ein Kind steckt. Nein, das ist keine Encountergruppe oder Gruppentherapie – es sei denn, man würde es so bezeichnen, wenn irgendwo zwei Menschen sitzen und miteinander reden. Vielleicht haben wir immer die Gelegenheit, einander zu heilen. Wenn jemand spricht, spüren andere Menschen sehr stark, was im Raum gesagt wurde. Wir behandeln hier nichts, wir bieten keine Lösungen an, wir hören nur zu.

Als eine der Frauen in der Gruppe zuhörte, weinte sie und fühlte sich sehr bewegt. Sie fühlte auch ihren eigenen Schmerz. Am nächsten Morgen, als sie im Yoga-Kurs am Boden lag, hatte sie eine Vision: Plötzlich sah sie ganz lebhaft eine Stadt aus Gold vor sich, von deren Gebäuden Licht ausstrahlte. Sie sagte, sie würde spüren, daß sie, obwohl niemand zu sehen war, voller Menschen sei. Bei diesem Anblick empfand sie ein Gefühl tiefen Friedens. Das Bild verblaßte immer wieder, und sie beschwor es, doch zu bleiben, und es tauchte erneut auf, verblaßte und kehrte wieder zurück. Als es zum drittenmal verschwand und wieder zurückkehrte, begann Ashoka, die den Yoga-Kurs leitet, spontan die Verse eines Kirchenliedes aufzusagen: »So manche Klippe, manches Riff, hab' ich bereits umschifft; nur Gottes Gnad' bracht' sicher mich, an's heimatlich' Gestad'.« Woher dieses Bild von der goldenen Stadt kam, weiß ich nicht.

MOYERS: Es ist eine traditionelle Metapher aus der Heiligen Schrift.

REMEN: In diesem Augenblick ihres Lebens gehörte das Bild nur ihr – es tauchte einfach auf.

MOYERS: Besteht zwischen dieser Art von Imaginationsarbeit und dem, was ich die Teilnehmer mit Sandtabletts tun sah, ein Zusammenhang? Sie stellten kleine Figuren in den Sand, fast wie Kinder, die mit Spielzeugfiguren am Strand spielen. Was haben die Sandtabletts mit Heilen zu tun?

REMEN: Es ist nur eine andere Methode, die Menschen mit der Tatsache vertraut zu machen, daß nicht alles, was sie wissen, in ihrem Bewußtsein ist. Es gibt einen unbewußten Teil unserer Psyche, der über große Kraft und Stärke sowie über Weisheit und Wahrheit verfügt. Die Arbeit mit den Sandtabletts ist wie ein Wachtraum. Viele Träume heilen, selbst Träume, die uns erschrecken. Ich las einmal eine Dissertation über die Träume schwangerer Frauen, schreckliche Alpträume voller Furcht, Schrecken und Verlustängsten. Doch die Untersuchung zeigte, daß die Frauen mit den schlimmsten Alpträumen die leichtesten Entbindungen hatten. Vielleicht wurden sie dadurch, daß sie ihre Angst fühlten, selbst wenn es nur im Traum war, von ihr befreit, so daß sie leichter entbanden, als ihre Zeit kam.

MOYERS: Was geschieht also, wenn Chris eine bildhafte Vorstellung von ihrer eigenen Beerdigung aus dem Sand hervorbringt?

REMEN: Es hat vielleicht mit ihrer Geschichte zu tun. Vielleicht hat es aber auch eine symbolische Bedeutung, weil immer, wenn wir etwas Neues beginnen – eine neue Einstellung, ein neuer Glaube, eine neue Lebensweise –, etwas anderes zu Ende geht. Es sollte ein Wort geben, das Anfang/Ende bedeutet, weil nichts beginnt, ohne daß etwas anderes stirbt.

Ich habe manchmal mit den Menschen hier mit Sandtabletts gearbeitet. Besonders beeindruckt hat mich dabei die Arbeit eines Mannes, der zwei Wochen nach dieser Zeit in Commonweal starb. Er wollte das Sandtablett nicht machen, da es ihm albern erschien. Und doch marschierte er, als er in den Raum mit all den winzigen Gegenständen, die überall herumstanden, kam, schnurgerade auf einen großen Briefbeschwerer aus Kristall zu und sagte: »Der gehört mir.« Er nahm ihn, stellte ihn in den Sand und begrub ihn in der Mitte des Tabletts. Dann stellte er zwölf sehr lange, dünne Kerzen um die begrabene Kristallkugel auf und zündete sie an. Daraufhin begann er »Happy Birthday« zu singen.

MOYERS: Wie deuten Sie das?

REMEN: Ich glaube, es sagte ihm etwas über seinen Tod oder über den Tod im allgemeinen. Aber man muß es auch nicht deuten. Einfach nur die

Wahrheit auszudrücken, sie einfach nur in der Form eines Sandtabletts mitzuteilen, und daß sie von jemandem gehört und akzeptiert wird, setzt etwas frei. Schon dadurch findet ein Heilungsprozeß statt. Ich habe dieses Tablett niemals interpretiert, ich war nur zugegen. Nachdem er das Sandtablett gestaltet hatte, fiel sehr viel Angst von ihm ab, und er schien von da an völlig ruhig zu sein.

MOYERS: Sie wollen, daß wir eine ganz andere Vorstellung vom Heilen bekommen, die völlig von dem abweicht, was man den meisten von uns beigebracht hat.

REMEN: Heilen bedeutet vielleicht nicht so sehr, wieder gesund zu werden, als vielmehr alles, was nicht zu einem selbst gehört, abzustreifen – all die Erwartungen, Überzeugungen – und der Mensch zu werden, der man ist. Kein besseres, sondern ein echteres Ich.

MOYERS: Aber meine Erwartungen, meine Ängste und meine Überzeugungen sind ein Teil von mir. Sie gehören ebenso zu mir wie meine Hände.

REMEN: Das stimmt nicht. Sie wurden mit Ihren Händen geboren. Sie wurden nicht mit Ihren Überzeugungen geboren. Einige Ihrer Überzeugungen mögen Ihnen helfen zu leben, andere nicht. Und Sie müssen in der Lage sein, sie auszusortieren, weil Sie nur diejenigen, die Ihnen helfen zu leben, behalten wollen.

Lassen Sie mich das an einem Beispiel verdeutlichen. Ich kaufte mir eine kleine baufällige Hütte auf einem Berg. Sie befand sich in einem sehr schlechten Zustand. Aber mit Hilfe von zwei Zimmerleuten, einem Elektriker und einem Installateur haben wir sie in drei Jahren renoviert. Wir fingen damit an, einfach Dinge wegzuwerfen – Badewannen, Lampen, Fenster. Je mehr wir wegwarfen, desto vollkommener wurde das Haus. Es besaß mehr Ganzheitlichkeit. Zum Schluß hatten wir alles weggeworfen, was nicht dazugehörte. Wir müssen loslassen, alles abwerfen, was wir nicht sind, um vollständiger zu werden.

MOYERS: Ich verstehe Sie, aber gleichzeitig möchte ich keine weiteren Jahre vergeuden. Wenn ich eine Krankheit habe, die Sie behandeln können, erwarte ich, daß Sie als Ärztin mein Leben verlängert.

REMEN: Wenn ich Glück habe, bin ich in der Lage, auch das zu tun. Die Verlängerung des Lebens ist aber nicht das höchste Ziel, weil die Menschen über sehr lange Zeit hinweg ein elendes Leben führen können.

MOYERS: Es stimmt, daß die Lebensverlängerung nicht immer das höchste Ziel ist, aber da ist der Lebenswille. Ich will leben, und zwar so lange wie möglich.

REMEN: Das ist meiner Ansicht nach ein zu niedrig gestecktes Ziel.

Natürlich möchten Sie so lange wie möglich leben, aber wollen Sie nicht auch gut leben?

MOYERS: Selbstverständlich.

REMEN: Es ist interessant, daß viele Patienten, die diese Woche hier verbracht haben, eine schreckliche Kindheit »überlebt« haben. Nun hat jeder von uns bestimmte Dinge getan, um zu überleben. Und beim Überleben geht es darum, länger zu leben, nicht wahr? Aber ich glaube, was zu einem bestimmten Zeitpunkt im Leben geschehen muß und was sicher bei allen Menschen, die hier waren, der Fall war, ist, daß vieles von dem, was wir getan haben, um zu überleben, sich von dem unterscheidet, was wir tun müssen, um gut zu leben. So hat mich zum Beispiel meine Kindheit gelehrt, daß ich, um zu überleben, stumm und unsichtbar werden mußte, damit mich meine alkoholsüchtige Mutter nicht bemerkte. Aber um zu leben, muß ich mir meine eigene Stimme wieder aneignen. Oder, um zu überleben, durfte ich niemandem vertrauen. Aber um zu leben, muß ich genug vertrauen, um zu lieben und von anderen Menschen berührt zu werden.

Berühren ist eine sehr alte Heilmethode. In unserer Kultur berühren wir einander kaum, und Berührung wird oft mißverstanden oder sogar sexuell gewertet. Als Ärztin lernte ich, daß man Patienten nur berührte, um eine Diagnose zu stellen, und daß es mißverstanden werden konnte, wenn man sie auf andere Art berührte, selbst um sie zu trösten oder zu beruhigen. Berührung ist etwas zutiefst Beruhigendes und Wohltuendes. Es ist der erste Kontakt zwischen Mutter und Kind. Deshalb versuchen wir, die Patienten mit der Zärtlichkeit einer Mutter zu berühren, die ihr Kind streichelt, weil eine Mutter mit dieser Berührung ihrem Kind sagen will: »Lebe!«

MOYERS: Und: »Ich liebe dich.«

REMEN: Ja: »Dein Leben bedeutet mir sehr viel.« Das ist ungeheuer wichtig. Das Gegenteil von Liebe ist nicht Haß, sondern Gleichgültigkeit. Viele Patienten erzählen uns, daß sie im Krankenhaus mit Gleichgültigkeit berührt würden. Ich glaube übrigens nicht, daß es wirklich Gleichgültigkeit ist. Ein gewisser Prozentsatz der Patienten in meiner Praxis sind Ärzte, die völlig ausgebrannt und nicht mehr fähig sind, Gefühle zu zeigen, sie sind wie betäubt. Und wenn ich Ihr Arzt bin, und ich bin wie betäubt, dann erscheine ich Ihnen vielleicht als gleichgültig. Aber ich bin so erstarrt geworden, weil ich zuviel Anteil nehme. Wir müssen lernen, Ärzte so auszubilden, daß sie ihre Arbeit mit weitgeöffneten Herzen ausführen können. Das ist eine echte Herausforderung.

Vor Jahren, als ich stellvertretende Leiterin der Pädiatrie an der Medizinischen Fakultät der Stanford University war, führte mein Kollege Marshall Klaus eine Untersuchung durch, die damals großes Aufsehen erregte. Er war Chefarzt der Intensivstation für Frühgeborene. Alles war hochtechnisiert auf dieser Station. Natürlich berührten wir diese Neugeborenen nicht, weil wir sie mit Bakterien hätten infizieren können. Aber Klaus beschloß, ein Experiment zu wagen, bei dem 50 Prozent der Säuglinge wie üblich behandelt werden würde, und die anderen 50 Prozent alle paar Stunden fünfzehn Minuten lang berührt würden. Mit dem kleinen Finger wurde der Rücken des Säuglings massiert. Wir stellten fest, daß jene Säuglinge, die berührt wurden, im Vergleich zu den anderen bessere Überlebenschancen hatten. Vielleicht stärkt Berührung den Lebenswillen. Isolation schwächt möglicherweise.

MOYERS: Glauben Sie wirklich, daß es einen Lebenswillen gibt?

REMEN: Ja, das glaube ich.

MOYERS: Kann er geweckt werden?

REMEN: Das ist die Frage. Ich glaube, darum geht es beim Heilen wirklich – den Lebenswillen zu wecken. Und er wird nicht dadurch geweckt, daß man etwas tut, sondern daß man einen anderen Menschen annimmt, ihn wissen läßt, daß sein Schmerz, sein Leiden und seine Angst wichtig sind. Der Lebenswille ist eine Art mystisches Konzept. Brendan O'Regan am Institute of Noetic Science stellte eine Studie über Patienten an – zumeist Krebspatienten –, die zum Sterben nach Hause geschickt worden waren und bei denen aus unerklärlichen Gründen das Karzinom verschwand. O'Regan begann diese Krankengeschichten zu sammeln und stellte fest, daß es Tausende solcher Fälle mit Spontanremissionen gab. In unserem Bestreben nach Fachwissen und vollkommener Beherrschung bemerken wir nicht das Geheimnis, das sich uns direkt kundtut. Ich weiß nicht, warum Menschen gesund werden.

MOYERS: Wie wurden Sie gesund, nachdem Sie so lange an Morbus Crohn gelitten hatten?

REMEN: Ich weiß es wirklich nicht, und ich leide immer noch. Wenn wir hier sitzen, kann ich Sie nicht gut sehen, weil meine Augen von dem Cortison getrübt sind, das man mir vor Jahren gegeben hat. Es wurde mir in sehr hohen Dosen verabreicht, weil man nicht erwartete, daß ich es überleben würde. Ich glaube nicht, daß es im Leben darum geht, das Leiden zu vermeiden. Und ich glaube nicht, daß es bei der Gesundheit nur um das Physische geht.

MOYERS: Aber viele Menschen, die nicht gesund werden, so wie Sie, leiden.

REMEN: Aber ich bin nicht gesund.

MOYERS: Wenn Sie sagen, daß Sie nicht gesund sind, dann widerlegen Sie alles, was Sie tun, weil Sie überleben, und Ihr Überleben hat einen Sinn. Ist das nicht gesund?

REMEN: Ich bin nicht auf die Art und Weise gesund, wie die meisten das Wort verwenden – körperlich gesund. Ich könnte wahrscheinlich am Nachmittag nicht mit Ihnen zum Strand hinunterlaufen. Mein Körper würde da nicht mitmachen. Also bin ich nicht gesund – aber ich bin »ganz«. Jetzt geraten wir allmählich ins Paradoxe. Manchmal ruft Krankheit bei den Menschen Gesundheit hervor. Viele Leute hier scheinen sehr gesund, sehr lebendig zu sein – und sind doch, wie ich, nicht körperlich gesund. Und zu den langweiligsten Leuten gehören jene, die joggen und Naturkost essen, als sei die physische Gesundheit ihres Körpers ihr Lebensziel. Gesundheit ist kein Ziel, sie ist ein Mittel, um etwas Zweckvolles oder Bedeutungsvolles im Leben zu vollbringen. Das geht oft leichter, wenn man körperlich gesund ist. Aber es ist auch möglich, wenn man physisch nicht gesund ist.

MOYERS: Die Menschen möchten sich wohl fühlen. Sprechen wir jetzt über Gefühle und nicht über wirkliche körperliche Fitneß?

REMEN: Einige der wichtigsten Zeitspannen in meinem Leben waren diejenigen, in denen es mir nicht gut ging. Ich verspürte dann ein viel tieferes Gefühl von Ganzheit in mir, obwohl ich mich körperlich nicht sehr gut fühlte.

MOYERS: Was meinen Sie mit »Ganzheit«?

REMEN: Daß ich bin, was ich bin. Und daß ich Ihre Zustimmung nicht zu finden oder zu suchen brauche. Und daß ich trotz aller Verwundungen etwas Wesentliches und eine Einmaligkeit und Schönheit besitze – wie alle anderen Menschen auch. Die Leute sprechen über Selbstbilligung, aber Selbstbilligung ist nur eine andere Form von Beurteilung. Selbstakzeptanz kommt dem, was ich meine, näher.

MOYERS: Gehört dazu auch, das richtige Gefühl zu finden, oder das gute Gefühl, das an die Stelle des schlechten Gefühls tritt?

REMEN: Es wäre schön, wenn man das Leben auf eine einfache Formel reduzieren könnte, aber ich glaube, das ist nicht möglich. Meiner Ansicht nach gibt es so etwas wie ein schlechtes Gefühl nicht. Das einzig schlechte Gefühl ist ein Gefühl, das nicht aus einem selbst heraus kann.

MOYERS: Was meinen Sie damit?

REMEN: Ich denke an Menschen, die über Jahre hinweg wütend sind oder an solche, die glauben, Sie müßten immer fröhlich sein. Als ich krank wurde, war ich jahrelang wütend. Ich war fünfzehn Jahre alt, und es sah so aus, als würde mir mein ganzes Leben gestohlen. Als Reaktion darauf wurde ich wütend und haßte alle gesunden Menschen. So blieb es lange Zeit, bis ich mir irgendwann einmal bewußt wurde, daß meine Wut mein negativ zum Ausdruck gebrachter Lebenswille war. Mir wurde bewußt, daß das Leben wichtig, daß es für mich wertvoll und kostbar war und daß ich nicht wütend sein mußte, um das zu wissen. Mein Zorn war nützlich – er hat mich durchgebracht –, aber wenn ich nicht aus diesem Zustand herausgekommen wäre, hätte ich viel von dem verloren, was mir im Leben lieb ist.

Ich mache mir wirklich Sorgen um die Menschen, die an Krebs erkranken und nicht wütend werden, weil ich fühle, daß sie nicht am Leben hängen, dem Leben gegenüber nicht genügend Begeisterung zeigen. Als ich in der Klinik arbeitete, pflegte man mich immer herumzuschicken, um Patienten mit Ileostomien zu besuchen, weil ich selbst einen künstlichen Darmausgang habe, und es denjenigen, die gerade diese Operation hinter sich haben, hilft, jemandem zu begegnen, der mit einer Ileostomie lebt. Ich ging in die Krankenzimmer und spürte, ob jemand wütend war oder nicht. Und wenn sie nicht wütend waren, machte ich mir Sorgen um sie. Wut ist eine Aufforderung zur Veränderung. Viele Menschen erfahren anfangs ihre Kraft durch Wut – genau wie ich.

MOYERS: Wir kennen viele wütende Menschen, die leben, und viele fröhliche Menschen, die sterben.

REMEN: Ja, das Gegenteil ist auch wahr. Es gibt keine Formel. Ich glaube nicht an positive Gefühle. Ich glaube, alle Gefühle können positiv sein.

MOYERS: Das verstehe ich nicht.

REMEN: Vielleicht ist positives Denken nicht dasselbe wie positive Gefühle. Wenn die Patienten erfahren, daß sie Krebs haben, rennen sie oft sofort in die nächste Buchhandlung und kaufen für viel Geld Bücher, in denen steht, was man tun muß, um zu leben, und was man nicht tun darf, da man sonst nicht weiterleben würde. Die Menschen sagen, daß Liebe, Fröhlichkeit und Optimismus positive Gefühle sind, und behaupten, daß Trauer, Angst und Wut negative Gefühle und folglich gefährlich sind. Aber meine Erfahrung ist, daß alle Gefühle, insofern sie uns mit dem Leben verbinden, positiv sind. Wenn eine Frau beispielsweise bei dem Gedanken, ihre Brust zu verlieren, Trauer verspürt, dann ist das Leben für diese Frau kostbar.

MOYERS: Haben Sie aus Ihrer eigenen Erfahrung oder aus den Therapiewochen in Commonweal etwas darüber in Erfahrung gebracht, wer krank wird und wer nicht?

REMEN: Es ist ein absolutes Rätsel – und das ist für diejenigen von uns, die gerne alles unter Kontrolle haben, sehr frustrierend. Einmal im Jahr laden wir Krebsspezialisten dazu ein, nach Commonweal zu kommen, um sich hier ein wenig zu erholen. Während ihres Aufenthaltes sprechen sie oft miteinander über die Dinge, die sie nicht verstehen, obwohl sie eine langjährige Erfahrung auf diesem Gebiet haben. Vieles bleibt einfach ein Rätsel. Patienten, die intensiv leben wollen, bleiben nicht am Leben, während andere, die sehr negativ zu sein scheinen, überleben. Oft stellen wir fest, daß uns unsere liebgewonnenen Überzeugungen durch die Erfahrung selbst genommen werden.

MOYERS: Als kleiner Junge benutzte ich immer meine Brille, um trockene Blätter anzuzünden, indem ich durch die Gläser die Sonnenstrahlen bündelte und einen Brand entfachte. Hat es nicht die gleiche Wirkung auf uns, wenn man erfährt, daß man Krebs hat? Konzentriert dieses Wissen nicht unsere Gedanken so sehr auf uns selbst, daß unsere Gefühle und Ängste verstärkt werden? Ist deshalb diese Woche des Rückzugs an diesen Ort nicht eine derart außergewöhnliche Erfahrung, daß der Heilungsprozeß, der hier stattfindet, von den anderen draußen nicht verstanden werden kann?

REMEN: Das glaube ich nicht. Die Menschen, die hierherkommen, wußten bereits seit einiger Zeit, daß sie Krebs hatten. Meiner Ansicht nach hat jeder Schmerzen. Wenn es nicht Krebs ist, ist es etwas anderes. Es ist nicht möglich, lebendig zu sein und Schmerz, Verlust und Leiden zu vermeiden. Das alles gehört mit zum Leben. Die meisten schweren Krankheiten lenken die Aufmerksamkeit auf die eigene Lebensführung und auf das, was wirklich von Bedeutung ist. Es findet eine völlige Verschiebung der Werte statt.

»nun erwachen die ohren meiner ohren und die augen meiner augen sind geöffnet ...«, schrieb E. E. Cummings in einem Gedicht. Man muß nicht an Krebs leiden, um das zu erleben. Uns wird plötzlich bewußt, daß nur sehr wenig zufällig oder belanglos ist, und daß das Leben voller Gelegenheiten ist zu lieben, zu verbinden, die Weisheit zu mehren. Wir sind verängstigte, einsame Menschen voller Schmerzen, die in der Lage sind, an einer Krise zu wachsen. Wenn wir es zulassen, menschlich zu sein, haben wir diese Möglichkeit.

MOYERS: Cummings sagt auch, daß wir, wenn wir Menschen helfen wollen, mit den winzigen Details des Lebens beginnen müssen. Ich vermute, daß Heilen ein Teil der Entdeckung des Lebens im winzigen Detail ist.

REMEN: Das stimmt.

MOYERS: Aber als die Teilnehmer der Gruppe uns heute verließen, hatten sie immer noch Krebs.

REMEN: Einige von ihnen werden gesund werden, einige werden sterben, aber sie werden es vielleicht besser bewältigen als zuvor. Es ist wichtig zu wissen, daß es einen Ort gibt, wo man hingehören kann, an dem man akzeptiert und geliebt wird, selbst wenn man keine Brust oder keinen Darm mehr hat, oder wenn eine große Geschwulst in der Lunge wächst. Dieses Wissen hilft den Kranken, zur Menschheit zurückzukehren.

MOYERS: Muß man dafür hierherkommen?

REMEN: Nein, wir tun das dauernd füreinander.

MOYERS: Im Idealfall, aber nicht in der Realität.

REMEN: Was ist dann mit den Familien?

MOYERS: Einige Mitglieder unserer Gesellschaft, die an den größten Verwundungen leiden, leben in Familien. Familien können Verwundete, Opfer seelischer Verletzungen hervorbringen – mißbrauchte Kinder beispielsweise. Meinen Sie nicht, daß wir die Familie und die Gemeinschaft romantisieren?

REMEN: Gewiß, aber es gibt auch eine echte Gemeinschaft. Bei der echten Gemeinschaft geht es um das Gefühl dazuzugehören, so wie man ist.

MOYERS: Was Sie im wesentlichen getan haben, ist, den Patienten dabei zu helfen, ihre Krebserkrankung zu akzeptieren und mit dem Unvermeidlichen zu leben.

REMEN: Nein, wenn die Menschen von hier fortgehen, sind sie in der Lage, besser zu kämpfen. Das Annehmen der Krankheit ist ein überaus komplexes Thema. Etwas anzunehmen läßt gleichzeitig eine Veränderung zu. Zu akzeptieren, daß man Krebs hat, ist der erste Schritt zur Selbstheilung.

MOYERS: Ja, aber die Menschen haben den Krebs nicht besiegt, deshalb werden einige fragen: »Was nützt es, die Krankheit anzunehmen?«, so wie Alexis Sorbas meinte: »Wozu liest du eigentlich diese staubigen Schmöker? Zu welchem Zweck? Wenn sie dir keine Antwort auf diese Fragen geben, was sagen sie dir überhaupt?«

REMEN: Vielleicht wird man nicht vom Krebs geheilt, aber man wird sein Leben nicht verlieren – und heutzutage ist es leicht, sein Leben zu verlieren. Körperliche Gesundheit zu erlangen ist wichtig, aber es ist vielleicht nicht das Allerwichtigste, zumindest nicht für mich.

MOYERS: Was wäre das Allerwichtigste?

REMEN: Am Leben zu sein, wobei es nicht um die Dauer des Lebens geht, sondern um jeden einzelnen Augenblick. Am Leben zu sein, heißt: bewußt zu sein, imstande zu sein, berührt, bewegt und verändert zu werden, für etwas empfänglich zu sein, anstatt zu reagieren, mehr Weisheit zu erlangen und besser lieben zu lernen.

MOYERS: Was hat das alles mit dem Geist zu tun?

REMEN: Ich weiß nicht, ob der Geist die höchste menschliche Funktion ist. Ich halte ihn für den Speicher des Wissens. Meiner Meinung nach hat es eher mit der Seele als mit dem Geist zu tun. Es ist der Unterschied zwischen Vollkommenheit – einem geistigen Konstrukt – und Ganzheit. Ich schrieb ein Gedicht, das ungefähr so lautet: »O Körper, sechsunddreißig Jahre lang ist es eintausenddreihundertsiebenundvierzig Experten mit ihrer insgesamt vierzehnhundertjährigen Ausbildung nicht gelungen, deine Wunden zu heilen. Tief im Inneren bin ich ganz.« In jedem von uns steckt etwas, das nicht durch Verlust, Leiden und Verfall verletzt werden kann, das einfach weiterleuchtet. Wir sprechen miteinander meist nicht über diese Dinge, wir verstecken sie, als seien sie Schwächen, obwohl sie doch in Wahrheit unsere Stärken sind. Hier bietet sich den Menschen eine Gelegenheit, ihre Ängste, ihre Schattenseiten, ihre Kräfte, ihr Licht – wer sie wirklich sind – mitzuteilen. Hier bietet sich eine Gelegenheit, ganz zu sein. Und das ist eine Heilerfahrung für die Menschen.

MOYERS: Was haben Sie also daraus über den Tod gelernt?

REMEN: Über den Tod habe ich gelernt, daß er etwas Unbekanntes, aber Gefürchtetes ist. Wir neigen dazu, mit ihm umzugehen, als sei er etwas Bekanntes. Krebs kann uns an den äußersten Rand dessen führen, was über das Leben bekannt ist. Ich habe keine Ahnung, was Tod ist, aber weil ich mit ihm in so engem Kontakt war, habe ich ein viel größeres Gefühl über den Wert des Lebens und was Leben sein kann.

MOYERS: Macht es Sie nicht traurig, daß Sie eines Tages aufhören müssen zu leben?

REMEN: Nicht wirklich. Wir sprechen hier sehr viel über den Tod. Insofern er etwas Unbekanntes ist, wird in mir ein Gefühl des Abenteuers wach. Ich werde sehr traurig darüber sein, gewisse Dinge zurückzulassen. Aber ich weiß nicht, worauf ich zugehe.

MOYERS: Ich fürchte mich nicht vor dem Tod, aber ich kann mir nicht vorstellen, tot zu sein. Können Sie es?

REMEN: Freud sagte, daß wir so ichbezogen sind, daß wir uns unser eigenes

»Nicht-Sein« nicht vorstellen können. Vielleicht gibt es so etwas wie »Nicht-Sein« gar nicht. Vielleicht leben wir auf irgendeine Weise weiter. Ich weiß es nicht, aber ich mache mir ständig darüber Gedanken.

MOYERS: Glauben Sie, daß alle großen Religionen und geistigen Traditionen der Welt im Kern etwas Unwandelbares besitzen, das allen Zeiten und Orten gemeinsam ist?

REMEN: Ich weiß zwar nicht, was es ist, aber ich weiß, daß es da ist. Ich glaube, daß Heilen nur im Kontext unserer unmittelbar bevorstehenden Bewußtheit von etwas Größerem, als wir es sind, stattfinden kann. Glücklicherweise habe ich zwölf Jahre lang mit Menschen mit lebensbedrohenden Erkrankungen gesprochen und fünfundvierzig Therapiewochen mit Krebspatienten veranstaltet, denn sonst würde ich mir selbst wie eine unverbesserliche Optimistin vorkommen. Ich kann nur meine Erfahrung mitteilen. Das ist alles, was ich habe. Und ich glaube nicht, daß wir allein sind. Wir Menschen sind ein Geschenk füreinander.

Bildnachweis

1. Carmen Lomas Garza, Heilerin
   © Carmen Lomas Garza, San Francisco
2. Jonathan Borofsky, Der Mond in mir
   © Paula Cooper Gallery
3. Edward Hopper, Morgensonne
   © Columbus Museum of Art, Ohio
4. Paul Klee, Angstausbruch III
   Kunstmuseum Bern
   © ARS, New York, 1993, VG Bild-Kunst
5. René Magritte, Der Therapeut
   Art Resource, New York / Photographie Giraudon
   © ARS, New York, 1993, VG Bild-Kunst
6. Carol Anthony, Neues mexikanisches Fenster
   © Maxwell Davidson Gallery, New York
7. Pablo Picasso, Weinende Frau
   Tate Gallery, London / Art Resource, New York
   © ARS, New York, 1993, VG Bild-Kunst
8. René Magritte, Golconde
   Menil Collection, Houston, VG Bild-Kunst
9. Victor Brauner, Mémoire des Réflexes
   Menil Collection, Houston
10. Chinesische Medizin
    The Wellcome Institute Library, London
11. Paul Klee, Wehgeweihtes Kind
    Albright Knox Art Gallery, Buffalo
12. Johann Heinrich Füssli, Das Schweigen
    Kunsthaus Zürich

Namenregister

Sachregister